LE TRAITEMENT DE L'INFORMATION DANS LE BUREAU D'AUJOURD'HUI

LE TRAITEMENT DE L'INFORMATION DANS LE BUREAU D'AUJOURD'HUI

Valerie S. Hume
Commission scolaire Peel
Mississauga, Ontario

guérin Montréal
Toronto
4501, rue Drolet
Montréal (Québec) H2T 2G2 Canada
Tél.: (514) 842-3481
Téléc.: (514) 842-4923

LE TRAITEMENT DE L'INFORMATION DANS LE BUREAU D'AUJOURD'HUI

Illustration de la page couverture : Sharon Matthews
Conception graphique : Brian Bean

Version française
Directeur de la production : Fernand Larochelle
Traduction : Jean Comeau
Révision linguistique : Louis Grégoire
Équipe de production : Guérin éditeur ltée

Catalogue canadien des données sur les publications

1. Fonctionnement du bureau-automation.   2. Procédures de bureau-automation.   3. Communication dans la gestion-traitement des données.   I. Titre

HF5548.H85   1988   651.8   C88-094371-8

Nous avons pris soin de trouver les détenteurs du copyright du matériel reproduit dans ce texte. L'éditeur va recevoir avec plaisir toute information lui permettant de rectifier dans les prochaines éditions n'importe quelle référence ou reconnaissance.

Note : Afin d'éviter la lourdeur du texte, le générique masculin
         a été utilisé dans ce manuel, mais il inclut
         également le féminin lorsque cela s'applique.

Imprimé et relié au Canada

LE TRAITEMENT DE L'INFORMATION DANS LE BUREAU D'AUJOURD'HUI

TABLE DES MATIÈRES

REMERCIEMENTS

Je voudrais remercier Amy Casey et Vivien Young pour l'organisation du symposium de McGraw-Hill sur la bureautique. Ce fut pour moi l'occasion de rencontrer les conseillers en édition, de discuter des questions actuelles de l'enseignement de la bureautique et de participer à des ateliers sur les tendances de l'automation dans les bureaux.

Merci aux présentateurs du symposium suivants:

Cindy Gordon, vice-présidente adjointe en bureautique, Citibank Canada Limited

Kathleen Hayward, Telecom Canada Limited

Alan Steele, Micrographics Limited

Barbara Switzer, International Business Machines Limited

Je voudrais souligner mon appréciation des personnes suivantes dont les suggestions et contributions ont fait de *Le Traitement de l'information dans le bureau d'aujourd'hui* un manuel scolaire pertinent au secondaire:

Rebecca Coryell, coordonnatrice des études de secrétariat, H.B. Beal Secondary School, Limited

Cindy Gordon, vice-présidente adjointe en bureautique, Citibank Canada Limited

Esther Scott, coordonnatrice du service d'études commerciales, Grimsby District Secondary School, Grimsby, Ontario

Pat Smith, coordonnateur adjoint de la section des affaires, L'Amoreaux Collegiate, Agincourt, Ontario

Mary Salamon, Lester B. Pearson High School, Burlington, Ontario

Merci également à ceux qui ont cherché les photographies et qui ont entré l'information dont Andrea Crozier de McGraw-Hill Ryerson, ma sœur, Marilyn Batt et une amie, Angela Kean; à ma mère qui a appris la signification de vivre avec une auteure; et aux nombreuses compagnies qui m'ont fourni des renseignements, des articles et des photographies pour faire un manuel scolaire actuel sur le traitement de l'information.

Enfin, je voudrais remercier Sharon Stein, coordonnatrice adjointe de section, Glenforest Secondary School de Mississauga, une amie et éducatrice pour qui j'ai la plus grande admiration. Sharon m'a inspirée et a prêté ses talents créateurs à quelques projets, dont ce texte, sans jamais rien demander en retour.

L'impact de la technologie électronique sur le monde des affaires laisse entrevoir qu'il y aura des changements rapides dans tous les bureaux. Les étudiants actuels qui seront les employeurs de demain, feront face au défi de s'adapter à un milieu de travail en constante évolution. Pour faire face à ce défi, un étudiant doit acquérir les habiletés d'interprétation de l'information, du respect des directives, de la communication verbale et écrite et de la solution de problèmes.

Une approche centrée sur la mémorisation de faits particuliers ne prépare pas l'entrée de l'étudiant sur le marché du travail aussi bien qu'une approche qui présente en classe les concepts de la bureautique afin de donner aux étudiants une expérience pratique.

Le traitement de l'information dans le bureau d'aujourd'hui permet à l'étudiant de prendre seul ou en groupe des décisions d'affaires éclairées. Ce texte ne fournit pas seulement la théorie mais défie également l'étudiant d'appliquer la théorie dans des analyses de cas d'étude, des simulations, des jeux de rôles et de la recherche.

La première section introduit l'étudiant au monde actuel des affaires et lui donne une idée du fonctionnement du bureau moderne. L'impact de la technologie et l'utilisation des divers progiciels de traitement de texte, de tableaux et de base de données y sont examinés. La deuxième section révise les habiletés orales et écrites fondamentales pour communiquer efficacement en affaires. La troisième section élabore le concept du travail collectif dans le bureau moderne. On y touche les questions de la présentation personnelle, de la productivité, de la gestion du temps et du plan de carrière. On y parle aussi des lois du travail qui définissent les droits fondamentaux des travailleurs, du maintien d'un milieu de travail sain et sécuritaire et de l'ergonomie. Les quatrième et cinquième sections présentent le cadre théorique essentiel à une meilleure compréhension des procédures nécessaires à une gestion efficace de l'information. On y examine à fond des sujets comme la gestion des dossiers, la reprographie et les télécommunications. La sixième section est centrée sur les procédures administratives comme les voyages d'affaires, la planification des réunions et des conférences de même que le rôle du directeur de bureau.

À mesure que l'étudiant progresse dans son étude à travers les quatrième, cinquième et sixième sections, les habiletés d'application des logiciels de base et en communication acquises aux première et deuxième sections y sont intégrées. Chaque chapitre des sections 4, 5 et 6 est autonome ce qui permet de couvrir les sujets dans l'ordre choisi par le professeur.

L'appendice 1, la technologie d'aujourd'hui en action, donne une idée de la façon dont une compagnie canadienne utilise la technologie dans toutes les phases de ses opérations. L'appendice 2 intègre les habiletés acquises tout au long du manuel et habilite l'étudiant à les appliquer dans une situation d'affaires. On demande aux étudiants de travailler en petites équipes dans le but de planifier, conduire et compléter une conférence. L'appendice 3 présente une consultation où sont données les directives pour formater des lettres d'affaires, des enveloppes et des rapports; les corrections typographiques; la grammaire de base et les règles de ponctuation; et des lectures suggérées sur les tendances commerciales actuelles. Enfin, le lexique donne à l'étudiant un point de référence sur la terminologie des affaires. Chaque terme est en caractère gras au début de chaque explication.

Le traitement de l'information dans le bureau d'aujourd'hui favorise la conscientisation de l'étudiant aux occasions et exigences d'emploi. Chaque section est suivie d'un choix de carrières qui examine les emplois dans des industries particulières et qui donne un aperçu des postes disponibles et des qualifications personnelles et académiques requises. Les devoirs sur les carrières abordées encouragent l'étudiant à approfondir la question.

Les objectifs d'apprentissage sont présentés au début de chaque chapitre pour donner à l'étudiant une idée des concepts qu'il y trouvera. C'est ainsi plus facile de mesurer les connaissances acquises par la lecture du texte et la réalisation des devoirs.

Dans chaque chapitre, les expressions d'affaires importantes sont en caractères gras lorsqu'on les voit pour la première fois et, pour familiariser l'étudiant avec elles, elles sont définies dans le lexique.

À la fin de chaque sujet important d'un chapitre, on retrouve des questions de révision et de discussion pour tester et améliorer les connaissances de l'étudiant.

Chaque chapitre est rempli d'illustrations, de photographies, d'extraits de revues d'affaires et de bulletins d'entreprises. Ils sont présentés pour mettre les concepts en valeur tout en suscitant l'intérêt et en stimulant la discussion chez les étudiants.

Il y a des utilisations après chaque chapitre. Des études de cas et des jeux de rôle mettent l'étudiant au défi d'exprimer ses opinions, d'analyser des problèmes et de prendre des décisions qui utilisent les concepts étudiés dans le chapitre.

Les stages en communication sont conçus pour perfectionner les habiletés en communication orale et écrite des étudiants. Ils sont une composante des activités de fin de chapitre des sections 3 à 6.

Le traitement de l'information dans le bureau d'aujourd'hui est un manuel complet conçu pour initier les étudiants à la bureautique. De bonnes habiletés en communication orale et écrite et la connaissance des logiciels d'application sont les outils indispensables de la bureautique et ont été abordées au début du livre. Bien que chaque chapitre soit autonome pour permettre un plan de cours souple, l'utilisation de ces outils y est faite tout au long.

Il faut faire une mention spéciale de l'information inestimable et des suggestions des conseillers en édition suivants:

Chris Nordli, Vancouver Technical Secondary School, Vancouver, Colombie-Britannique

Maurie Tauber, Queen Elizabeth Composite High School, Edmonton, Alberta

Dorothy M. White, Dartmouth Regional Vocational School, Dartmouth, Nouvelle-Écosse

SECTION

1

LE TRAVAIL DANS LE MONDE D'AUJOURD'HUI

1

BIENVENUE DANS LE MONDE DU TRAVAIL

Après la lecture de ce chapitre, vous serez en mesure:

- de préparer un inventaire personnel;
- d'identifier les ressources d'emploi disponibles;
- de reconnaître les cinq formes d'organisation des affaires;
- d'identifier les qualités souhaitées par les employeurs;
- de rédiger les lettres de demande d'emploi et de suivi, de même que des curriculum vitæ;
- de préparer une entrevue fructueuse.

Avant de commencer votre recherche d'emploi, vous devez décider quel genre de carrière vous préférez. Il est difficile pour beaucoup de gens de

Qu'est-ce que je veux devenir? La personne qui veut réussir évalue ses aptitudes et tente de trouver une carrière où elle pourra les utiliser.

répondre à la question: «Qu'est-ce que je veux devenir?» parce qu'ils doutent de leurs aptitudes et intérêts. D'ailleurs, ils n'ont souvent qu'une vague idée du monde du travail.

TROUVER CE PREMIER EMPLOI

Pour une chose aussi importante que votre carrière, vous devriez en connaître le plus possible sur vous et sur le monde du travail. Différentes ressources sont disponibles pour simplifier la procédure d'identification de vos talents et habiletés reliés au travail.

L'inventaire personnel

Remplir un **inventaire personnel** pour évaluer vos forces et vos faiblesses fait partie du processus de recherche d'emploi. Pour trouver un lien entre ce qui est disponible et vos préférences, vous devez faire une auto-évaluation objective de votre personnalité, de vos intérêts et de votre expérience. Cette évaluation terminée, vous pourriez choisir d'en discuter avec un conseiller.

«**Choix**» est un programme informatisé gratuit d'orientation de carrière créé par Emploi et Immigration Canada et offert dans quelques centres d'emploi du Canada. Il fait le lien entre les intérêts et habiletés et certains emplois spécifiques. Les centres d'emploi du Canada ont également des exemplaires de *Classification canadienne descriptive des Professions*, livre qui indique les tâches, les exigences et la formation requises pour une foule de métiers et professions.

Information d'emploi

Après avoir choisi le genre d'emploi qui vous convient, compte tenu de vos compétences et habiletés, vous devez rechercher un emploi adéquat. Faites de la recherche d'emploi un travail à plein temps jusqu'à ce que vous ayez trouvé ce que vous cherchez. Faites le suivi de toutes les pistes possibles. Il y a différentes ressources que vous devriez examiner dans votre recherche d'emploi.

Votre école

Les employeurs considèrent les diplômés d'école secondaire comme une bonne source de candidats et contactent souvent les écoles pour annoncer les ouvertures dans leurs compagnies. Demandez à vos orienteurs et professeurs d'études commerciales s'ils sont au courant des emplois disponibles.

Annonces de journaux

La rubrique «travail de bureau» dans les annonces classées des journaux locaux et régionaux est une excellente source d'emplois disponibles. Vu que plusieurs emplois sont comblés rapidement, achetez les premières éditions et répondez immédiatement aux offres.

Agences de placement

Centres d'emploi du Canada. Le ministère d'Emploi et Immigration est un service du gouvernement fédéral qui gère les Centres d'emploi du Canada, service gratuit d'assistance à la recherche d'emploi offert aux gens de tous âges. Vous trouverez l'adresse et le numéro de téléphone du bureau le plus près dans la section des services du gouvernement fédéral de votre annuaire téléphonique. Rendez-vous au bureau et consultez la

Un inventaire personnel est une auto-évaluation qui peut vous donner des indices sur le genre de carrière qui peut vous intéresser.

INVENTAIRE PERSONNEL

TRAITS DE PERSONNALITÉ

	Souvent	Parfois	Jamais
J'aime prendre des décisions.			
J'aime les nouveaux défis.			
Je termine un travail avant d'en entreprendre un autre.			
Je préfère m'organiser sans aide.			
Je me sens à l'aise pour donner des consignes aux autres.			
Je préfère travailler en groupe.			
Parler devant un groupe m'énerve.			
Je me fais un plan d'action avant de commencer une nouvelle tâche.			
Il m'est difficile de dire aux autres que certaines habitudes me dérangent.			
Je bafouille lorsque je parle au téléphone.			
Je préfère travailler selon des procédures pré-établies.			
J'aime aider les autres à faire face à leurs problèmes.			

FORMATION

J'ai des connaissances dans les domaines suivants:

	Beaucoup	Un peu	Pas du tout
doigté			
traitement de texte			
traitement des données			
programmation			
communication écrite			
comptabilité			

Je parle couramment les langues suivantes (les lister en indiquant le degré d'aisance):

(suite)

ACTIVITÉS PARASCOLAIRES

Mes activités parascolaires comprennent (les décrire brièvement en indiquant les postes occupés et les prix reçus, s'il y a lieu):

a. clubs scolaires

b. sports

c. coéquipier

d. membre d'un groupe communautaire

EXPÉRIENCES DE TRAVAIL

Mes expériences de travail comprennent (décrire brièvement):

a. expérience dans le travail scolaire
   stages

b. l'éducation coopérative
   stages

c. emploi à temps partiel

d. travail d'été

AUTRES CONSIDÉRATIONS

Je préfère un emploi qui:

OUI   NON   AUCUNE PRÉFÉRENCE

a. offre des possibilités
   d'avancement

b. est près de chez moi

c. est dans un petit bureau

d. offre un travail varié

e. comporte beaucoup d'écritures

f. demande de résoudre les
   problèmes du client

g. demande la vente d'un produit ou d'un service

Plusieurs emplois de bureau sont annoncés dans les journaux locaux et régionaux.

banque d'emplois au Centre d'information sur l'emploi. Les emplois disponibles sont affichés et vous pouvez communiquer directement avec les compagnies.

Si vous ne trouvez pas d'emploi à votre goût, demandez une entrevue avec une conseillère en emploi. Préparez-vous pour cette entrevue: apportez une copie de votre curriculum vitæ et ayez une idée précise du genre d'emploi désiré et du salaire minimum recherché. Cette approche montre à la conseillère en emploi que vous êtes bien organisé et sincère dans votre recherche d'emploi.

Agences privées de placement. Les agences privées passent les candidats au crible et les classent selon leurs habiletés et leur scolarité par l'application de tests et des entrevues pour ensuite les référer à l'attention d'une compagnie. Les honoraires sont généralement réglés par les compagnies utilisant le service.

Les centres d'emploi du Canada fournissent de l'information sur les postes disponibles pour ceux qui sont à la recherche d'emploi.
Gracieuseté d'Emploi et Immigration Canada. Photo par Tom Rogers

Certaines agences privées placent les gens dans des postes temporaires. Si vous n'avez pas d'expérience de travail, un poste temporaire peut être une option, de façon à vous donner une meilleure idée des attentes d'un employeur. Le travail temporaire peut également conduire à un emploi à plein temps.

Les compagnies individuelles

Certaines compagnies conservent les demandes d'emploi en filière et ainsi n'annoncent pas ou n'utilisent pas les services d'une agence. Ils préfèrent choisir et convoquer les candidats dont ils possèdent les dossiers.

Faites une liste des compagnies pour lesquelles vous aimeriez travailler et envoyez-leur une lettre de demande d'emploi accompagnée de votre curriculum vitæ. Il peut être plus efficace d'aller la porter. Même une courte visite laisse une impression plus durable qu'une lettre reçue par la poste.

S'il n'y a pas de postes disponibles, votre demande sera probablement conservée et on en tiendra peut-être compte lors d'une ouverture de poste. Même si cela peut varier d'une compagnie à l'autre, les demandes et curriculum vitæ sont généralement conservés pendant six mois.

Réseau personnel

Amis, parents, voisins et membres d'associations communautaires peuvent vous fournir de l'information sur les postes disponibles et à venir. Assurez-vous que ces gens connaissent vos intérêts et habiletés.

Entrevue de préemploi

Mettez-vous en contact avec des gens qui ont un poste de responsabilité dans la carrière de votre choix et demandez-leur de vous accorder une entrevue pour discuter de leur travail. C'est du temps utilisé à bon escient qui peut vous donner des renseignements particuliers et utiles lors d'entrevues pour un emploi du genre. Un employeur potentiel est souvent impressionné par quelqu'un qui a mis temps et intérêt à une recherche personnelle.

Rappelez-vous que même si vous y allez pour recueillir des renseignements, vous ferez quand même une impression sur votre interlocuteur. Cette personne pourrait être impliquée dans une entrevue d'embauche et se rappellera positivement de votre visite.

**QUESTIONS
DE RÉVISION
ET DE DISCUSSION**

1. Quels conseils donneriez-vous à quelqu'un qui veut se trouver un emploi à plein temps et qui a de la difficulté à choisir une carrière?
2. Commentez cette affirmation: «Dans la recherche d'emploi, il n'est pas suffisant de savoir quels sont les emplois disponibles.»
3. Décrivez les différentes sources d'information à l'emploi.
4. Que veut-on dire par une entrevue de préemploi? Comment cette technique peut-elle vous être utile dans la recherche d'emploi?

**LES MODES
D'ORGANISATION
D'ENTREPRISE**

Lorsque vous recherchez une carrière dans un environnement de bureau, il est utile de connaître les différentes sortes d'entreprises. En fait, cela peut même influencer votre choix. Par exemple, 95 pour cent des compagnies canadiennes sont des petites entreprises comptant moins de 20 employés. Elles œuvrent principalement dans l'industrie des services où est prévue une croissance continue. Il existe bien des possibilités de fournir des biens et services là où ce n'est pas rentable pour les grandes entreprises. Les petites entreprises ont tendance à favoriser certains modes d'organisation des affaires qui ont chacun des avantages et des inconvénients pour le propriétaire et pour les employés.

Les trois formes principales d'organisation des entreprises privées sont: **le propriétaire unique, la société en nom collectif** et la **compagnie**. Les formes d'organisation non privées sont la **franchise** et la **coopérative**.

Propriétaires uniques

Ce genre d'entreprise est détenue par un seul propriétaire qui a droit à tous les profits. Il s'agit généralement d'une petite entreprise dirigée par le propriétaire. Des exemples de propriétés uniques seraient le barbier ou le fleuriste. Les dentistes, les médecins, les comptables et les experts-conseils sont également des propriétaires uniques.

Avantages

- Le démarrage est relativement simple et ne demande pas beaucoup d'implication gouvernementale comme pour une compagnie.
- Les décisions sur les conditions de travail, les prix, la mise en marché et la gestion peuvent se prendre sans consultation et être implantées rapidement et facilement.
- Il n'y a aucun besoin de partager les profits car il n'y a qu'un seul propriétaire.
- Le propriétaire dirigeant peut tirer beaucoup de fierté de son entreprise et peut prendre tout le crédit d'un projet réussi.
- Vu que la propriété unique est généralement petite, le propriétaire connaît bien ses clients et employés. Cette familiarité peut favoriser la création d'une atmosphère amicale de coopération.

Inconvénients

- Le propriétaire unique décide seul de toutes les questions d'affaires et cela peut provoquer une baisse des affaires si l'expertise lui fait défaut dans un champ donné et s'il ne demande pas conseil.
- Le propriétaire unique n'étant pas expert dans tous les domaines, il doit demander de l'aide pour trouver des solutions. Le fait d'engager des

Les propriétés uniques sont généralement de petites entreprises. Comme les petites entreprises représentent 95 pour cent des compagnies canadiennes, elles sont une bonne source d'occasions d'emploi.

comptables, des fiscalistes et des avocats, par exemple, va hausser les dépenses.
- Advenant une faillite, toutes les pertes incombent au propriétaire unique. Cela s'appelle la **responsabilité illimitée**.
- Il est parfois nécessaire d'investir un montant additionnel dans l'entreprise. Dans le cas du propriétaire unique, il doit trouver seul cette somme.
- Le succès de la propriété unique revient au seul propriétaire. Cela demande de longues heures et cause parfois des difficultés personnelles.

Sociétés en nom collectif

Une société en nom collectif est une forme d'entreprise où deux ou plusieurs personnes signent une entente et partagent les droits et responsabilités de l'entreprise. Les associés peuvent être actifs ou silencieux. Les associés actifs participent au fonctionnement de l'entreprise alors que les associés silencieux ne font qu'investir de l'argent pour recevoir une partie des profits sans prendre une part active dans les activités quotidiennes. Habituellement, les associés signent une entente, la convention d'associés, décrivant les tâches et responsabilités de chacun.

Avantages

- Les associés peuvent discuter ensemble des problèmes. Ils partagent la prise des décisions et les responsabilités.
- S'il faut trouver des fonds additionnels, le fardeau ne repose pas uniquement sur une personne. Il est également plus facile d'obtenir un montant d'argent à deux ou en groupe.

Une convention décrivant les responsabilités des propriétaires est rédigée aussitôt que deux personnes ou plus établissent une société en nom collectif. *Gracieuseté du service des Communications, ministère des Relations avec les consommateurs et les commerces.*

Chaque associé apporte sa compétence particulière à l'entreprise. Une seule personne n'a pas besoin de tout faire.

Inconvénients

- Le capital investi dépend des fonds d'un petit groupe de personnes et ainsi, ce manque de ressources restreindra la taille de la société.
- Chaque associé est responsable de toutes les dettes de la société. Si un associé est malhonnête, paresseux ou très limité dans ses fonds, les autres associés doivent assumer la responsabilité de toutes dettes en souffrance. Il peut aussi y avoir des disputes entre les associés lorsqu'ils sont incapables de s'entendre sur certaines conditions. La société est dissoute à la mort de l'un des associés et de nouvelles dispositions doivent être négociées.

Compagnies

La compagnie est une personne morale créée légalement. Elle a donc des droits, des devoirs et des pouvoirs. Les propriétaires d'une compagnie sont des **actionnaires**, c'est-à-dire qu'ils détiennent (achètent) des actions. Ils élisent un conseil d'administration qui administre la compagnie. Les actionnaires touchent des **dividendes** qui sont les profits de la compagnie.

Avantages

- Les actionnaires ne sont pas personnellement responsables des dettes ou pertes de la compagnie. C'est ce qu'on appelle la responsabilité limitée. Si un actionnaire investit 500 $ dans une compagnie, le plus qu'il peut perdre est 500 $. Les pertes sont limitées au montant investi.
- Lorsque la compagnie a besoin de plus de capital, une émission d'actions peut être vendue au public permettant l'accumulation d'un capital substantiel.

Les compagnies natio-
nales et multinationales
ont souvent besoin d'em-
ployés qualifiés dans des
domaines spécialisés tels
l'informatique, la comptabilité et la mise en marché.
*Gracieuseté de IBM
Canada Ltée.*

- Les actionnaires sont propriétaires de la compagnie. Le transfert de titres de propriété est relativement facile. Il suffit qu'un actionnaire vende ses actions de la compagnie et l'acheteur devient le nouveau propriétaire.
- La vie d'une compagnie est illimitée. Le décès ou la maladie des actionnaires n'a pratiquement pas d'impact sur la conduite quotidienne des affaires.

Désavantages

- Il y a très peu de communication entre propriétaires et employés d'une compagnie. Même si les actionnaires votent sur les questions politiques et reçoivent une partie des profits, ils ont très peu de contrôle sur le fonctionnement de la compagnie.
- Le gouvernement fédéral prélève un impôt sur tous les gains. La compagnie étant une personne morale, elle paie des impôts sur les profits. Les actionnaires doivent aussi payer des impôts sur les dividendes de corporation, ce qui signifie que les profits sont soumis à une double imposition.

Les coopératives

Une coopérative est un organisme possédé et dirigé pour le seul bénéfice de ses membres. Pour fonctionner, une coopérative doit posséder une charte gouvernementale. Tous les membres de la coop en deviennent propriétaires par l'achat d'actions. Chaque membre n'a qu'un vote, quel que soit le nombre d'actions qu'il détient.

Une forme populaire de coopérative est la coop de consommation qui fournit des biens et services à ses membres. Par exemple, une coop alimentaire peut permettre à ses membres d'acheter à rabais. Les membres élisent un conseil d'administration qui dirige la coopérative.

Une caisse de crédit est un exemple de coop financière. Elle fournit des services d'épargne et de prêt à ses membres.

Avantages
- Les membres d'une coopérative bénéficient de plusieurs des avantages d'une compagnie: responsabilité limitée, durée indéfinie, expertise des membres et compétence de gestion.
- Les profits d'une coopérative sont distribués aux membres ou réinvestis dans l'entreprise. Lorsque les profits sont retenus, ils ne sont pas imposables parce qu'on les considère comme des prêts des membres.
- Ceux qui s'impliquent dans une coopérative le font généralement parce qu'ils partagent les mêmes intérêts et objectifs. Ils sont très soucieux du succès de leur coopérative et sont des membres loyaux.

Inconvénients
- Dès que l'entreprise n'est plus bénéfique ou rentable, les membres peuvent s'en retirer.
- Les coopératives sont généralement des organismes sans but lucratif et il n'y a souvent que très peu de fonds pour engager des spécialistes dans les différents domaines de gestion. Les petites coopératives sont souvent dirigées par des membres qui offrent bénévolement temps et services.

Franchise

Lorsqu'une personne ou un groupe décide de diriger une franchise, elle ou il achète les droits de distribuer et de commercialiser les biens d'une compagnie déterminée. Des exemples de franchise sont: McDonald's, Canadian Tire Corporation, Dairy Queen, Uniglobe et Midas Muffler.

Le **franchisé** (celui qui achète le commerce) accepte de se conformer aux normes et aux règles du **franchiseur** (propriétaire de toute l'organisation). Ces règles et règlementations sont inscrites dans le contrat de franchise signé par les deux parties. Ce contrat permet d'utiliser le nom ou la marque de commerce de la franchise et peut également déterminer le lieu ou le territoire où cette franchise peut œuvrer.

Une coopérative est une autre forme de propriété où les propriétaires sont les membres qui partagent un lien commun.
Gracieuseté de la Caisse de crédit AMCU.

Les franchises deviennent une forme populaire de propriété commerciale.
Gracieuseté de la compagnie de toile de Kettle Creek, photo de Susan McConnell.

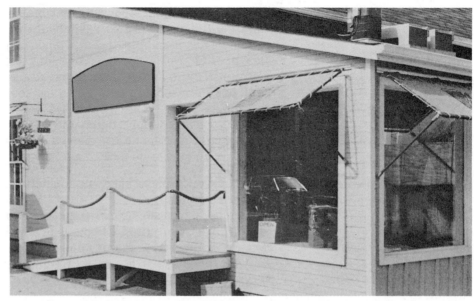

Avantages
- Le propriétaire d'une franchise peut faire appel à des spécialistes pour organiser et diriger le commerce. Le franchiseur assistera le propriétaire avec conseils, publicité, promotion, marchandise et formation tant pour le propriétaire que pour le personnel.
- L'achat d'une franchise peut impliquer des sommes substantielles. Les franchiseurs aident les franchisés à financer leur achat et les coûts de départ par des prêts commerciaux.
- Le franchisé peut être propriétaire et diriger un commerce qui a un nom établi et connu. Les clients potentiels reconnaissent le nom et l'identifient à la publicité vue sur le produit ou service.

Inconvénients
- Même si le franchisé est propriétaire, il ne peut pas décider unilatéralement de faire des changements. Les règles et règlements, de même que l'approvisionnement, la publicité et les prix doivent se conformer aux directives du siège social.
- Des redevances régulières, habituellement un pourcentage des ventes, doivent être versées au franchiseur.
- Si un franchiseur ne respecte pas les normes établis, cela peut nuire à toutes les autres franchises de la région.

QUESTIONS DE RÉVISION ET DE DISCUSSION

1. Pourquoi les propriétés uniques sont-elles habituellement de petites entreprises?
2. Quelle différence y a-t-il entre une société en nom collectif et une compagnie?
3. Pourquoi dit-on qu'une compagnie est une personne morale?
4. Quelles sont les ressemblances entre une compagnie et une coopérative?
5. Décrivez la forme de propriété commerciale dans laquelle le propriétaire achète effectivement le droit de distribuer les marchandises d'un autre.

QU'EST-CE QUI VOUS DISTINGUE DES AUTRES?

Dans l'économie actuelle, il y a une compétition féroce pour chaque poste disponible. Il n'est pas rare de voir des douzaines de candidats répondre à l'annonce d'un poste dans une compagnie. Quand vous postulez, vous devriez vous arrêter et vous demander ce qui fait qu'une compagnie va choisir un candidat plutôt qu'un autre. Sur quelles bases un employeur établit-il qu'une personne sera un meilleur membre de l'équipe?

La lettre de demande d'emploi, le curriculum vitæ et l'entrevue jouent tous un rôle pour convaincre l'employeur que vous êtes la personne qu'il faut pour le poste. L'obtention d'une entrevue dépend de l'impression que l'employeur s'est faite de vous en lisant votre lettre de demande d'emploi et votre curriculum vitæ. Lors de l'entrevue, les questions de l'employeur ont pour but de déterminer quel candidat s'intégrera le mieux à l'équipe.

Il y a deux critères principaux à l'embauche. Le premier concerne le niveau d'habileté et de spécialisation du candidat. Cela peut facilement se vérifier. Plusieurs compagnies évaluent la vitesse du doigté et la connaissance du traitement de texte. D'autres tests peuvent inclure la transcription machine, le calcul de mathématiques de base, la compréhension anglaise et l'intelligence. La deuxième préoccupation est de savoir si le candidat peut s'intégrer à l'équipe et contribuer à l'essor de la compagnie. Cela est plus difficile à évaluer. Le travail d'équipe efficace dépend des qualités suivantes:

Qu'est-ce qui vous distingue des autres aux yeux de l'employeur potentiel?

- l'ouverture d'esprit — un empressement à écouter et à accepter les autres et leurs idées.
- la fiabilité — rencontrer régulièrement ses engagements.
- l'honnêteté — toujours dire la vérité.
- l'image d'affaires — l'habileté à se vêtir et à se conduire de façon professionnelle en tout temps.
- une attitude positive — habileté à accomplir les tâches avec empressement et enthousiasme.

Le curriculum vitæ

Le curriculum vitæ est un résumé de votre formation scolaire et de vos emplois. Il peut aussi inclure une description de vos intérêts et une liste de références. Il peut accompagner une demande d'emploi postée à un employeur potentiel ou être remis à l'entrevue. Il peut également vous aider à remplir des demandes d'emploi.

Même si votre curriculum vitæ a essentiellement une seule présentation, il serait préférable d'inclure certaines informations et en exclure d'autres selon l'emploi que vous postulez. Si vous avez accès à un **micro-ordinateur** ou à une unité de **traitement de texte**, vous pouvez en rédiger différentes versions et les conserver électroniquement. Ensuite, il vous est facile d'utiliser la version la plus appropriée au poste désiré.

Vu que le curriculum vitæ est un outil pour vous «vendre» à un employeur, il doit être précis, sans erreur, impeccable et de facture agréable pour en faciliter la lecture. Il doit être factuel. Comme les employeurs vérifient l'information avant l'embauche, ne donnez pas une fausse impression en exagérant vos compétences. Un curriculum vitæ devrait être concis et ne pas comprendre plus de deux pages. Les employeurs n'ont pas le temps de lire plusieurs pages de description.

Composantes d'un curriculum vitæ

Information personnelle. Donnez le nom, l'adresse et le numéro de téléphone. Vous pouvez ajouter le numéro d'assurance sociale. Comme la discrimination selon le sexe, l'âge, la race ou la religion est illégale, il n'est pas nécessaire d'inclure ces renseignements.

Dossier scolaire. Donnez les noms et adresses des écoles fréquentées. Indiquez années, certificats ou diplômes reçus de même que les champs de spécialisation pertinents à l'emploi postulé.

Expérience de travail. Inscrivez tous les emplois précédents avec les dates. L'expérience acquise dans l'éducation coopérative et le bénévolat devraient être indiqués. N'importe quelle expérience qui montre que vous avez eu à accomplir des tâches responsables, gardiennage et jardinage inclus, rehaussent votre crédibilité.

Autres intérêts. Toutes autres expériences dans des clubs, sports ou passe-temps qui indiquent que vous êtes harmonieux, impliqué et un membre d'équipe enthousiaste pour l'employeur potentiel.

Exemple de curriculum vitæ de forme chronologique.

CURRICULUM VITÆ

NOM :   GRANT L. SMYTHE

ADRESSE :   502 Radley Way SE
             Calgary, ALB
             T2A 5X7

TÉLÉPHONE : 731-1263   RÉPONDEUR : 731-9748

NUMÉRO D'ASSURANCE SOCIALE : 426 019 691

EXPÉRIENCE DE TRAVAIL

Depuis septembre 19 — MAGASIN À RAYONS LA BAIE
                       Commis vendeur dans le rayon des sports.
                       Aider les clients à choisir de l'équipement
                       de sport; impliqué dans le contrôle de
                       l'inventaire

Septembre —
  à juin —   CENTRE DE SERVICES HUSKY
                       Pompiste.
                       Servir l'essence, changer l'huile, manipuler les
                       ventes en argent comptant et sur cartes de crédit.

Été 19 —   CAMP DE JOUR KING VALLEY
                       Moniteur
                       Responsable de la planification et de la direction
                       des activités de 15 campeurs.

Été 19 —   VILLE DE CALGARY
                       Parcs et Loisirs
                       Bénévole
                       Supervision d'un petit groupe d'enfants de 5 ans.

ÉDUCATION
19 — à 19 —   École secondaire de Calgary Centre
                       Diplômé avec une moyenne B+.

ACTIVITÉ PARA-SCOLAIRE

                       Membre de l'équipe de volleyball et de
                       basketball de l'école et participation au
                       club audio-visuel.

PASSE-TEMPS   Mécanique automobile et soccer avec une équipe
                       locale

RÉFÉRENCES   Madame S. Lu, gérante   M.G. Hansen
                      Magasin La Baie   Instructeur de soccer
                      Centre Devonian   1422, 16e Avenue,
                      Calgary, ALB   Calgary, ALB
                      T2G 0P6   T2M 3S5
                      Téléphone : 732-9900   Téléphone : 731-7835
                      poste 2250

Références.   On inclut les références pour permettre à l'employeur de vérifier l'information et pour confirmer votre bonne réputation. La meilleure référence est celle d'une personne bien établie dans sa carrière. N'indiquez pas de pairs ou de membres de la famille; ils peuvent être considérés comme trop influents. Vous pouvez choisir d'inclure une référence pour couvrir chacun des aspects scolaire, personnel et d'emploi de vos expériences antérieures.

Il est plus poli de demander la permission avant d'utiliser le nom d'une personne comme référence. Les chances d'obtenir des références favorables sont meilleures si la demande de l'employeur potentiel n'arrive pas à l'improviste.

Même si les références sont souvent incluses dans le curriculum vitæ, il est également acceptable d'indiquer qu'elles seront fournies sur demande. Si on les indique, il faut ajouter l'adresse et le numéro de téléphone.

Il y a plusieurs formes de curriculum vitæ. Les présentations les plus courantes sont soit chronologique ou fonctionnelle. Le choix de l'une ou l'autre dépend des préférences individuelles et de la nature de l'emploi postulé.

Formes de curriculum vitæ

Chronologique. L'approche chronologique fournit une référence historique pour la scolarité et l'expérience de travail, disposées en sections différentes. Dans chaque section, les articles sont indiqués en ordre chronologique, en commençant par le plus récent.

Fonctionnelle. Cette disposition souligne les points forts offerts par le candidat. L'expérience de travail est placée selon des catégories d'habiletés plutôt que par dates d'emploi. Par exemple, dans le curriculum vitæ de la page 19, la section Qualité de chef listée sous les Talents et Habiletés tire son information de deux sources pour montrer que le candidat possède cette habileté spécifique.

Le curriculum vitæ fonctionnel permet de souligner les atouts personnels. Il est particulièrement utile lorsque l'emploi postulé demande de tels atouts. Ce curriculum vitæ peut également être indiqué pour une personne qui ne veut pas souligner le fait qu'elle a été absente du monde du travail pour une certaine période.

Lettre de demande d'emploi

Lorsqu'on postule un emploi, il faut se rappeler que les premières impressions sont très importantes. Une lettre d'accompagnement est une sorte de présentation à un employeur potentiel. Sa présentation et son contenu devraient vous présenter sous vos meilleures couleurs.

Le but de cette lettre est d'obtenir une entrevue. Ainsi, la présentation formelle devrait être impeccable, plaisante, sans fautes de grammaire ou d'orthographe. Le mieux est une courte lettre dactylographiée sur du papier de qualité. On utilise généralement le papier blanc quoique le blanc cassé est également acceptable tant pour la lettre que pour le curriculum vitæ. Cela peut même attirer l'attention du destinataire.

Si vous répondez à une annonce, indiquez la date et la source de cette annonce de même que le poste convoité. Mentionnez deux ou trois traits distinctifs montrant que vous seriez «un plus» pour la compagnie. Vous devriez éviter toute affirmation générale du genre: «Je crois que je serais très bon pour ce poste.» Terminez la lettre avec une demande d'une entrevue.

On peut utiliser un curriculum vitæ fonctionnel pour souligner les talents d'une personne.

<pre>
                              Leah Chan
                       7632, Montée Bow Valley
                         Calgary, Alberta
                             T2V 1J6

Téléphone   (403) 669-1244

Objectif de carrière   Je désire obtenir un poste de commis de bureau
                       qui me permettra d'acquérir l'expérience de
                       plusieurs opérations de bureau.

Scolarité
                   École professionnelle de Calgary Centre
Septembre 19 —   2905 MacLeod Trail
Juin 19 —   Calgary, Alberta

Talents et habiletés

Qualités de leadership

                       À l'école professionnelle de Calgary Centre, j'ai
                       été capitaine de l'équipe de volleyball pendant
                       trois ans et un an rédacteur de l'annuaire.

Relations humaines

                       De septembre 19 — à juin 19 —, j'ai été caissier,
                       commis et livreur au supermarché Zehr's. J'ai
                       gagné deux fois le prix de l'employé du mois pour
                       avoir contribué aux bonnes relations avec la
                       clientèle.

Expérience en bureautique

                       J'ai reçu mon diplôme d'études secondaires avec
                       une moyenne de 80. Mes matières fortes étaient le
                       traitement de texte, la comptabilité, le traitement
                       des données et l'anglais des affaires. Ma
                       participation dans les programmes d'expérience
                       au travail et d'éducation coopérative m'ont permis
                       d'apprendre la façon d'opérer un standard télé-
                       phonique, de récupérer et introduire électroni-
                       quement des données.

Références   Elles seront fournies sur demande.
</pre>

Si vous faites une demande générale, respectez la même présentation tout en indiquant le genre d'emploi que vous recherchez.

Parfois, votre lettre recevra une plus grande attention si elle est adressée à une personne précise de la compagnie. Appelez à la compagnie

Exemple de lettre de demande d'emploi.

```
                                    1740 41ᵉ Avenue est
                                    Vancouver, C.-B.
                                    V5P 4N5

                                    19— 05 11


        Madame J. Carver
        Directrice du personnel
        Fournitures de bureau Canadian
        675, rue Hastings ouest
        Vancouver, C.-B.
        V6B 1M2

        Madame Carver :

        J'aimerais poser ma candidature au poste d'opérateur de trai-
        tement de texte subalterne annoncé dans le Vancouver Sun du 11
        mai 19—.

        Je viens de recevoir mon diplôme de l'école secondaire tech-
        nique de Vancouver où je me suis spécialisé dans un programme
        d'études commerciales comprenant des cours en bureautique,
        en traitement des données, en commercialisation et en anglais
        des affaires. Au cours de la dernière année, j'ai pu mettre mes
        connaissances en pratique et acquérir de l'expérience addi-
        tionnelle grâce à un programme d'éducation coopérative.

        J'aimerais avoir l'occasion de vous parler pour examiner mes
        qualifications et objectifs. Vous trouverez, ci-joint, mon
        curriculum vitæ.

        Je suis disponible pour une entrevue à un moment qui vous
        convient.

                                    Veuillez accepter mes meil-
                                    leures salutations,

                                    Catherine Richardson

        pièce jointe.
```

et demandez le nom et la fonction de la personne la plus susceptible d'être impliquée dans l'embauche de nouveaux employés. Assurez-vous d'avoir le bon orthographe de son nom.

Vous pouvez envoyer une photocopie de votre curriculum vitæ quoique votre demande d'emploi devrait être un original. Si vous avez accès à un micro-ordinateur ou à un traitement de texte, il vous est facile de faire un original de chacune de vos demandes d'emploi. Conservez la lettre originale et modifiez le nom, l'adresse et la description de tâche selon le cas.

Compléter une demande d'emploi

Même si vous avez déjà envoyé une demande d'emploi et un curriculum vitæ à la compagnie de votre choix, la plupart d'entre elles vont vous demander de compléter une demande d'emploi. Cette formule donne des renseignements uniformes sur l'employé. Certains enquêteurs utilisent les demandes d'emploi pour mettre de l'ordre dans les questions qu'ils poseront lors de l'entrevue.

Vous devriez compléter cette formule avec soin car elle indique si le candidat sait être soigné et précis et s'il sait respecter minutieusement les consignes.

Apportez votre carte d'assurance sociale, une copie de votre curriculum vitæ et un stylo pour vous aider à compléter la demande d'emploi. Écrivez lisiblement et précisément. Consultez votre curriculum vitæ et révisez si votre information est exacte et complète. Certaines questions ne sont peut-être pas pertinentes à votre situation. Dans ce cas, écrivez «sans objet» ou S/O dans la case au lieu de la laisser vide.

Si vous n'avez pas de numéro d'assurance sociale, vous devriez en demander un le plus tôt possible. Les demandes pour un numéro d'assurance sociale sont disponibles dans tous les centres d'emploi Canada. Prévoyez un délai de trois semaines pour le traitement de votre demande.

Si vous vous préparez pour une entrevue en prévoyant les questions probables, cela vous aidera à rester calme lors de l'entrevue.
Gracieuseté de Drake International Inc.

**QUESTION
DE RÉVISION
ET DE DISCUSSION**

1. Il peut être envoyé des douzaines de lettres avec curriculum vitæ sollicitant un même emploi. Décrivez les facteurs qui vont faire ressortir un curriculum vitæ de tous les autres.
2. Dans le processus de sélection d'un employé, un employeur considérera deux critères principaux. Quels sont-ils? Quelle est l'importance de chacun?
3. Comment concevoir un curriculum vitæ pour qu'il vende le poste au candidat.
4. Décrivez le contenu d'une lettre de demande d'emploi efficace.

L'ENTREVUE

L'entrevue est l'occasion de vous vendre à l'employeur. Tirez-en le meilleur parti en étant bien préparé.

Votre apparence et langage auront un impact majeur sur l'intervieweur. Même s'il n'est pas prudent pour qui que ce soit de porter des jugements rapides sans connaître tous les faits, la première impression reste critique lors d'une entrevue.

Présentez-vous sous votre meilleur jour en choisissant bien vos vêtements et en prévoyant les questions qui peuvent survenir.

Une apparence propre, nette et sobre projettera une image d'affaires. Un habit ou un blazer et une jupe pour les femmes, une chemise et cravate avec un habit ou un blazer et un pantalon pour les hommes sont des vêtements d'affaires acceptables.

Ce que vous portez au cinéma, au magasin ou pour voir des amis est trop sport et n'est pas approprié pour le travail de bureau. Vous devrez éviter d'exagérer avec un surplus de bijoux et de maquillage.

La veille, choisissez vos vêtements et accessoires pour être assuré que tout est bien pressé et propre afin de ne pas être à la hâte juste avant l'entrevue.

Préparez le trajet d'avance pour vous rendre à l'entrevue. Si le secteur ne vous est pas familier, vous pourriez faire le trajet une fois auparavant. Partez tôt pour arriver à l'entrevue bien en avance.

Être en retard à une entrevue crée une mauvaise impression. L'intervieweur peut présumer que vous serez en retard quotidiennement au travail. Vous paraîtrez également plus calme et reposé si vous n'avez pas à vous hâter à la dernière minute. À votre arrivée à la compagnie, identifiez-vous à la réceptionniste et dites-lui, le nom de la personne que vous devez rencontrer et l'heure du rendez-vous. Utilisez le temps d'attente pour réviser votre curriculum vitæ ou pour lire la documentation de la compagnie, disponible dans la salle d'attente. Soyez courtois et aimable; ne soyez pas impatient si vous devez attendre. N'oubliez pas que vos actions peuvent encore influencer l'impression générale que vous faites.

Questions les plus fréquentes

Les entrevues sont des situations énervantes mais vous pouvez diminuer cette anxiété par une bonne préparation. Prévoyez et anticipez les questions qu'on pourrait vous poser. Le but des questions est de déterminer si, oui ou non, vous êtes la personne qui fera une contribution valable à la compagnie. Voici quelques questions usuelles :

1. «Parlez-moi de vous.» Cette demande peut être faite au début de l'entrevue. Elle aide à vous mettre à l'aise, à montrer votre habileté en expression orale et donne de l'information qu'on ne retrouve pas dans le curriculum vitæ. Il serait de mise de donner de l'information générale sur vos études, vos expériences de travail, vos passe-temps et vos objectifs de carrière.

2. «Pourquoi faites-vous une demande pour ce poste?» La réponse évidente est que vous cherchez un emploi. Toutefois, cette réponse ne montre pas à l'intervieweur la contribution positive que vous pouvez apporter à sa compagnie. Vous démontreriez de l'initiative si vous partagiez quelques faits appris dans votre recherche sur la position de la compagnie. Par exemple, «Je suis conscient que c'est un poste d'entrée à la base qui me donnera une bonne expérience des affaires» ou «Cette compagnie est bien connue pour ses programmes de formation qui aident les employés à acquérir plus d'expérience» sont des réponses sensées.

3. «Quels sont vos plans pour poursuivre vos études?» Si vous démontrez un intérêt pour des cours du soir ou par correspondance, cela indiquera que vous êtes désireux d'apprendre et que vous souhaitez vous tenir au fait des nouvelles idées et technologies.

4. «Seriez-vous disposé à faire du temps supplémentaire?» Il est parfois nécessaire pour une compagnie de demander des heures supplémentaires ou même mettre quelques minutes de plus pour terminer un travail. Votre réponse indiquera si on peut compter sur vous ou non lorsque le besoin se fera sentir, ou si vous avez l'œil sur l'horloge pour quitter précisément à 16 h 30 même s'il reste un peu de travail à terminer.

5. «Quel travail vous voyez-vous faire dans cinq ans?» Un intervieweur recherche une personne qui a des objectifs précis en tête. Cela montre souvent que la candidate est disposée à travailler fort, à faire un bon travail et à chercher l'avancement.

6. «Quel salaire recherchez-vous?» Si vous montrez que vous recherchez un salaire supérieur à celui offert, l'intervieweur peut penser que vous ne vous contenterez pas longtemps du poste en question. Il peut également penser que vous n'êtes pas très réaliste sur la tendance des salaires. Avant une entrevue, vous devriez parler avec un conseiller en emploi et scruter les annonces des journaux pour connaître les salaires offerts pour des postes semblables.

Intervieweur Date Commentaires

Données d'emploi Commencer avec l'employeur le plus récent. Lister tous les emplois à plein temps, temps partiel, temporaire ou autonome.

Nom de la compagnie _____ Employé de _____ au _____ (mois-année) (mois-année)

Adresse _____ Salaire ou gains Début Fin _____

Ville _____
Nom et fonction du supérieur immédiat
Description de tâch

Personne à cont

Nom _____

Adresse _____

Raison du départ

Nom de la compagnie
Adresse
Ville
Nom et fonction du supérieur immédiat
Description de tâch

Dossier d'emploi
Au moins une réfé

Candidat engagé

le _____

Raison du départ

Nom de la compagnie
Adresse
Ville
Nom et fonction du supérieur immédiat
Description de tâch

Raison du départ

Renseignement sur les data _____

ÉCOLES	NOM ET ADRESSE DE L'INSTITUTION	Dates	Genre de cours et spécialisation	Diplôme	Diplôme reçu
ÉCOLE SECONDAIRE					
COLLÈGE OU UNIVERSITÉ					
ÉTUDES UNIVERSITAIRES					
COURS PROF., COMM., SOIR, CORRESP.					
AUTRE					

Scolarité approxim

Rang : école second

Moyenne au collège

Activité

Ne pas nommer les

Activités scoiaires e

Autres intérêts prin d'affaires

La permission es

Je comprends qu employée, l'informa

Votre intérêt dan information que vou

Êtes-vous prése favorable pour n'im

Si votre réponse

Date _____

SERVICE DES RESSOURCES HUMAINES

Jackson Sanderson Ltée

DEMANDE D'EMPLOI

Date _____

Information personnelle

Emploi convoité _____ Salaire désiré _____ Date de disponibilité _____

Nom _____
(Famille) (Prénom) (Autre prénom)

Adresse actuelle _____
(Rue) (Ville) (Province) (Code postal)

Adresse permanente _____
(Rue) (Ville) (Province) (Code postal)

Numéro de téléphone _____ No d'assurance sociale _____
(ind. régional)

Êtes-vous légalement éligible à travailler au Canada? Oui ☐ Non ☐

Avez-vous déjà travaillé pour Jackson Sanderson Ltée? ___ Si «oui», quand? _____

Avez-vous déjà demandé du travail chez Jackson Sanderson Ltée? ___ Si «oui», quand? _____

Vous a-t-on référé à Jackson Sanderson Ltée? _____

Une demande d'emploi complétée proprement et précisément peut faire une bonne impression sur l'intervieweur.

Voici d'autres exemples de questions fréquemment posées: «Pourquoi devrions-nous vous engager?»; «Que diraient vos professeurs de vous?»; «Quelles sont vos matières préférées et les moins aimées?»; «Qu'aimez-vous faire de vos temps libres?» On peut également vous demander de parler d'un projet auquel vous avez travaillé, ou vous donner une situation problème en demandant votre opinion sur ce qui devrait être fait pour la régler.

Donner votre meilleure impression

Vous pouvez être la meilleure candidate; toutefois, votre intervieweur peut être distrait par votre choix de mots, l'usage de l'argot, votre apparence et vos manières. Ces distractions peuvent prendre le pas sur le contenu et diminuer vos chances d'avoir le poste.

Répondre aux questions

Écoutez bien les questions; prenez le temps d'amasser vos idées et répondez ensuite d'une façon claire, précise et organisée. Ne radotez pas. Parlez clairement et assez fort pour être entendu. Choisissez bien vos mots. Évitez les répétitions. Des mots tels «hum, vous savez, un peu comme, comme» devraient être éliminés de votre langage. Ces expressions sont abusives et donnent l'impression que vous ne pouvez pas vous exprimer correctement, ou que vous ne pouvez pas trouver de réponse adéquate.

Attention, toutefois, à donner la «réponse parfaite». Si vous paraissez sans défaut, vos réponses peuvent sembler répétées et l'intervieweur peut douter de votre sincérité.

Votre présentation

Vous créez également une impression par le non-verbal. Si vous vous tortillez sur votre chaise, bougez des mains, agitez vos pieds ou croisez et décroisez vos jambes, vous donnerez l'impression d'être inconfortable et mal à l'aise. La meilleure position assise est droite, un peu penchée vers l'avant. Cela vous permet de donner une impression d'intérêt tout en restant fixe sans toutefois paraître rigide. Laissez les mains sur les cuisses ou sur les accoudoirs. Gardez un contact visuel avec l'intervieweur. Cela vous permettra de garder votre concentration. Même s'il y a plusieurs personnes à l'entrevue, donnez vos réponses à la personne qui vous a questionné.

Questions que vous voudriez poser

À la fin de l'entrevue, les candidats ont souvent l'occasion de poser des questions à propos de la compagnie et/ou du poste. Il est bon de poser des questions qui donnent l'impression à l'intervieweur que vous êtes intéressé par les occasions d'avancement dans la compagnie. Les questions sur la durée des pauses et des heures de repas peuvent dénoter un intérêt pour des heures de travail brèves et les congés. Voici des exemples de questions que vous pouvez poser: «Avez-vous un programme de formation au travail pour les employés?» ou «Quelles sont les possibilités d'avancement?»

Une lettre de relance indique à l'intervieweur que l'emploi vous intéresse et cela peut vous rendre la décision favorable.

21, rue Tracey
Glace Bay, N.-É.
B1A 5N5

Le 2 juin 19 —

M. W. Geunther,
Overseas Shipping Ltée
Casier postale 281
Dartmouth, N.-É.
B2Y 2Y4

Monsieur Geunther,

J'ai bien apprécié notre rencontre d'hier pour parler du poste comme commis de bureau dans votre service du personnel.

Notre conversation a confirmé que j'aimerais travailler pour Overseas Shipping Ltée. Étant désireux d'apprendre, ce poste me donnerait l'occasion d'acquérir une expérience des affaires. Je crois que mes études antérieures avec spécialité en études commerciales et mon expérience d'éducation coopérative sont des atouts pour votre compagnie.

Merci de m'avoir accordée une entrevue. Des copies de références que vous m'avez demandées sont incluses.

Veuillez accepter mes meilleures salutations.

Trudy Szabo

P.j.

Souvent, on demande à un candidat de fournir toute autre information jugée pertinente et qui n'a pas déjà été donnée. Soyez prêt à résumer vos points positifs, mettant surtout en valeur ceux qui ont rapport avec le poste désiré.

Une relance est importante après une entrevue d'emploi.

À l'âge de 26 ans, Ray avait déjà postulé cinq fois aux principales lignes aériennes. Et chaque fois sa demande n'était pas retenue. Dernièrement, comme il apprenait qu'une compagnie de vols nolisés cherchait des agents de bord, il ne perdit pas de temps pour faire sa sixième demande.

Trois semaines après une entrevue qu'il jugeait excellente, la réponse arriva. Le second paragraphe commençait comme suit: «Même si vous étiez un excellent candidat...»

Écrire une lettre

Au lieu de frapper sur le mur comme il en avait le goût, Ray essaya quelque chose de nouveau. Il écrivit à la compagnie pour la remercier de l'avoir considéré. Il termina ainsi: «Je reste intéressé à travailler pour votre compagnie. Si, éventuellement, un poste devient disponible, j'espère que vous considérerez ma candidature.»

Quelques semaines plus tard, il recevait un appel de la compagnie pour lui offrir un poste.

Grâce aux efforts de son suivi, Ray débuta le travail la semaine suivante.

Il avait appris une leçon importante: une entrevue n'est pas nécessairement la dernière étape dans le processus de recherche d'emploi. Vous *pouvez* avoir une deuxième chance.

Sarah, jeune secrétaire, a elle aussi obtenu l'emploi recherché en utilisant des procédures professionnelles de relance. Elle était sur une liste de trois pour un poste de secrétaire subalterne au bureau de direction d'un promoteur important de la côte ouest.

Après une troisième et dernière entrevue, de retour à la maison, Sarah écriva un court mot de remerciement à la secrétaire de direction qui l'avait reçue. Elle la porta le jour même.

Le lendemain matin, la secrétaire l'appela pour lui offrir le poste.

Tout au long du processus de sélection, les employeurs cherchent des indices: ils veulent se faire une impression de vos attitudes, de votre professionnalisme et, bien entendu, de vos habiletés.

Michæl Rosenbush, président de Morgan Ross et Associés, firme conseil dans le choix de carrière, parle de l'embauche de sa secrétaire il y a quelques mois.

C'est payant d'être persistante

«Sandy a eu cet emploi parce qu'elle n'a pas lâché,» de dire Rosenbush. «Ce n'est pas tant son entrevue qui nous a impressionnés que sa persistance. Nous sommes un bureau de solution de problèmes et elle a démontré qu'elle possédait les habiletés que nous recherchions.»

Un suivi est la méthode parfaite «de rester en rapport avec les employeurs qui doivent prendre leurs décisions d'embauche,» de dire Rosenbush. Et cela démontre à un employeur que vous êtes intéressé et impliqué.»

Reproduit avec la permission du *Toronto Star*, par Janis Foord, chroniqueure consultante à l'emploi.

À la fin de l'entrevue, assurez-vous de remercier l'intervieweur et demandez-lui discrètement quand il pense que vous recevrez une réponse.

Après l'entrevue Une lettre de relance après l'entrevue peut servir de remerciement à l'intervieweur et de preuve que vous êtes vraiment intéressé par ce poste. Elle peut également fournir à l'intervieweur les sources de référence qui ne faisaient pas partie du curriculum vitæ. Si l'intervieweur est encore à juger du pour et du contre de chaque candidat, une lettre de relance peut faire pencher la balance en votre faveur.

Chercher un emploi est difficile. Si vous n'arrivez pas à avoir un poste après chaque entrevue, n'abandonnez pas. Restez positif et abordez chaque entrevue comme une occasion d'apprentissage.

Après chaque entrevue, prenez le temps d'analyser votre discussion. Écrivez les questions qu'ils vous ont été posées et évaluez chacune de vos réponses. Portez un jugement sur le déroulement de l'interview. Avez-vous trop parlé? Pas assez? Trop vite? Étiez-vous trop tendue ou nerveuse? Auriez-vous dû faire plus de recherches sur le poste et/ou sur la compagnie? Avez-vous oublié ou hésité à partager des renseignements qui auraient pu donner une meilleure impression?

Peut-être n'aviez-vous par les qualifications requises pour le poste ou que l'entrevue s'est très mal déroulée. Servez-vous de vos réponses pour améliorer votre présentation et préparer la prochaine entrevue.

QUESTIONS DE RÉVISION ET DE DISCUSSION

1. Comment doit-on se préparer pour une entrevue?
2. Lorsque tous les renseignements de base sont inscrits dans le curriculum vitæ, pourquoi un employeur poserait-il la question : «Parlez-moi un peu de vous?»
3. Préparez trois questions à poser lors de l'entrevue. Justifiez votre choix.
4. Une entrevue peut être énervante. Quels conseils donneriez-vous sur la façon de répondre aux questions de l'intervieweur?
5. D'une certaine façon, le moment qui suit peut être aussi important que l'entrevue elle-même. Quelles sont les deux raisons qui confirment cette affirmation?

UTILISATIONS

1. En feuilletant les journaux pour des emplois, vous constatez que vous devez faire plusieurs choix. Vous décidez qu'il est de votre intérêt de répondre aux questions suivantes : a) Quels sont mes objectifs de carrière à court et long terme?; b) Quelles mesures puis-je prendre pour les atteindre?

    Dans votre réponse, vous pouvez tenir compte des conditions de travail, du salaire, de la distance et du moyen de transport, et des habiletés que vous maîtrisez déjà.
2. Dans la recherche d'emploi, chacun doit évaluer ses forces et faiblesses. Sur la page suivante, vous trouverez pour vous aider une grille d'analyse de vos compétences.
3. Demandez à un confrère de classe ses impressions sur les réponses notées dans votre grille d'auto-évaluation. Demandez-lui d'inscrire chaque commentaire avec lequel il est en désaccord et de noter toute information qu'il croit devoir être incluse.
4. Choisissez une carrière à votre goût. Préparez un compte-rendu sur cette carrière comprenant les renseignements suivants :
    • une description détaillée des fonctions demandées;
    • la formation et les qualifications requises pour obtenir le poste;

GRILLE D'AUTO-ÉVALUATION

Présentation	Forces	Faiblesses	Moyens d'améliorer
Personnalité			
Expérience de travail			
Habiletés de base			
Scolarité			
Activités parascolaires			
Références			

- emplois disponibles dans cette région;
- l'échelle de salaire générale.

Voici quelques suggestions pour trouver l'information : lors d'échanges avec des conseillers à l'emploi, avec des gens qui travaillent dans le domaine, ou dans l'étude de la documentation de votre service d'orientation, à la bibliothèque scolaire ou au centre d'emploi du Canada le plus près.

5. Bill Scagnetti rencontra récemment Joe Evans, un confrère de collège. Après avoir parlé de leurs souvenirs, ils se rendent tous les deux compte qu'ils aimeraient ouvrir un magasin d'équipement de planche à voile. Ils sont prêts à y investir 15 000 $ chacun.

Serait-il plus avantageux de former une société en nom collectif ou d'ouvrir chacun leur magasin? De quoi devraient-ils tenir compte avant de décider? Que conseillez-vous?

6. Choisissez une annonce d'emploi pour un poste qui vous intéresse. Préparez une lettre de demande d'emploi et un curriculum vitæ en réponse à l'annonce.

7. Carla Moranis est votre cousine. Quels conseils lui donneriez-vous pour son curriculum vitæ? À partir des renseignements suivants, aidez-la à préparer un c.v. convenable.

Nom:	Carla Moranis 3918, rue Larson Vancouver-Nord
Travail:	Gardienne chez la famille Davis de juin 19 — à août 19 —, à Vancouver-Nord. Caissière chez McDonald's depuis janvier 19 —
Scolarité:	Diplômée du Richmond Centennial S.S. en juin 19 —. J'aimais jouer au volleyball et dans la troupe de théâtre de l'école. Mes cours préférés étaient le dactylo et la comptabilité. Diplômée du collège communautaire de Vancouver en juin 19 —
Passe-temps:	La randonnée pédestre et le ski
Références:	Mme Davis Vancouver-Nord, C.-B.

8. Shelley avait une entrevue à 14 h. Son amie l'appela à 11 h pour lui souhaiter bonne chance. Shelley lui confia qu'elle était nerveuse et son amie lui suggéra de dîner ensemble à 11 h 45 pour en parler et planifier la fin de semaine. Au lieu de s'inquiéter de l'entrevue, dîner avec une amie semblait être une bonne idée. Shelley s'habilla en vitesse et partit rejoindre son amie. Elle laissa son curriculum vitæ à la maison car la compagnie en avait déjà une copie et ce serait un souci de moins pendant le dîner.

Le temps fila et avant que Shelley s'en aperçoive, il était déjà 13 h 30 et le garçon ne leur avait pas encore donné l'addition. En conséquence, Shelley et son amie se ruèrent à la compagnie. Debout à la réception, l'intervieweure accueillit Shelley avec un sourire amical et l'invita dans son bureau.

a) Quelles sont les erreurs de Shelley?

b) Comment aurait-elle pu les éviter?

    c) Quelle impression l'intervieweure a-t-elle eue?

    d) Pensez-vous que Shelley va obtenir l'emploi? Si non, pourquoi?

9. Évaluez les réponses faites par deux candidats pour un emploi à Canadian Office Spécialists. D'après votre évaluation, lequel des deux engageriez-vous? Justifiez votre décision. Quelles suggestions feriez-vous à celui que vous n'avez pas engagé pour qu'il s'améliore?

Candidat A

1re question: «Pourquoi sollicitez-vous ce poste?»

Réponse: «Je viens tout juste de graduer et ma mère a vu l'annonce dans le journal local. Comme j'avais l'intention de chercher un emploi et que celui-ci semblait dans la ligne de ce que je voulais, j'ai pensé postuler.»

2e question: «Nos bureaux utilisent les micro-ordinateurs IBM PC. Quelles difficultés pensez-vous avoir avec ces appareils?»

Réponse: «Je n'ai pas utilisé les appareils IBM à l'école, mais je me suis bien débrouillé dans le cours de traitement des données. Je pense que je pourrais apprendre à les utiliser. Sont-ils très différents des autres appareils?

Candidat B

1re question: «Pourquoi sollicitez-vous cet emploi?»

Réponse: «Je viens de graduer et je lisais le journal local à la recherche d'occasions de travail approprié. Quand j'ai vu votre annonce, j'ai pensé que ce serait le genre d'emploi qui me permettrait d'utiliser mes habiletés et d'apprendre plus sur le monde des affaires.»

2e question: «Nos bureaux utilisent les micro-ordinateurs IBM PC. Quelles difficultés pensez-vous avoir avec ces appareils?»

Réponse: «J'ai entendu parler des appareils IBM quoique je ne les ai pas utilisés. Nous avions des appareils différents à l'école. J'ai vraiment apprécié le cours et je crois qu'il me serait facile de m'adapter à d'autres appareils. Si j'étais engagé par votre compagnie, me serait-il possible d'emprunter un manuel d'instructions IBM pour l'étudier à la maison?»

10. Vous avez passé une entrevue pour le poste de la 6e question de ce chapitre. Préparez une lettre de relance de l'entrevue.

2

TRAVAILLER AVEC DU TEXTE ET DES DONNÉES

Après lecture du chapitre, vous serez en mesure de

- comprendre comment utiliser les progiciels d'application pour augmenter le niveau d'efficacité d'un bureau.
- manipuler les textes et les données en utilisant une variété de progiciels d'application incluant le traitement de listes, les tableaux, les bases de données et les graphiques.
- comprendre les capacités d'un progiciel intégré.

Une des plus importantes composantes des opérations quotidiennes d'un bureau est l'organisation et le contrôle des données. En conséquence de la pression exercée pour traiter l'information efficacement, on a conçu plusieurs **progiciels d'application** et spécialisés. Ceux qui aident à monter des documents comprennent des progiciels de traitement de texte, dont certains incluent la **fusion du courrier** ou les capacités de **traitement de listes**. Les applications qui aident à la récupération et la manipulation des données sont souvent appelées des logiciels d'aide à la prise de décision et comprennent a) **les tableaux électroniques**, b) **les systèmes de gestion de base de données** et c) **les graphiciels**.

Ces progiciels d'application peuvent être achetés en progiciel de traitement autonome ou en plusieurs applications qu'on peut réunir en un seul, le progiciel intégré. Framework, Symphony, Jazz et Enable sont des exemples de progiciels intégrés.

Les progiciels intégrés permettent l'accès facile aux éléments d'application selon les besoins de l'utilisateur. Par exemple, vous pouvez préparer un rapport utilisant une application de traitement de texte et vouloir y intégrer de l'information à l'aide d'un tableau ou d'une base de données. Un progiciel intégré vous permet d'accéder aux capacités de ces éléments de créer un rapport mettant en vedette toutes ces applications sur un fichier.

Malgré des différences particulières, les progiciels d'application ont beaucoup de similitudes. Les habilités acquises dans l'apprentissage d'un progiciel d'application sont transférables aux autres.

Avant d'utiliser un progiciel, lisez attentivement le guide d'emploi. Ce guide montre les capacités particulières de ce progiciel d'application, la façon d'y accéder et d'exploiter le système, et fournit des directives pour l'entretien des disquettes.

Un opérateur de traitement de texte peut remplir certaines charges comme la rédaction, la conservation et l'impression en choisissant un menu à l'écran.
Gracieuseté de Xerox Canada Inc.

TRAITEMENT DE TEXTE

Il existe un grand éventail de progiciels de traitement de texte disponibles comme : Multimate, Wordstar, Word Perfect et Displaywrite 4. Chacun d'eux permet de produire et d'éditer des documents de préimpression.

Utilisations spécialisées

En plus des possibilités de base, il existe d'autres utilisations pour améliorer l'habileté à monter des documents. Un texte fréquemment utilisé peut être entré une fois et conservé électroniquement dans un **fichier principal** ou une programmathèque. On peut récupérer des parties de texte du fichier principal pour s'en servir ou pour les fusionner avec d'autres documents ou textes nouveaux.

Un fichier principal permet de colliger efficacement les documents. Lorsqu'un texte y est ajouté, on devrait corriger attentivement l'orthographe, la ponctuation et la syntaxe de même qu'éditer au besoin. Un opérateur peut récupérer et utiliser un texte du fichier central à partir de quelques touches. Le texte peut ensuite être intégré dans un autre document sans nécessiter de révision. L'opérateur n'a qu'à vérifier si les paragraphes sont dans l'ordre désiré. Cela accélère la production de documents tout en diminuant les possibilités d'erreur qui peuvent se glisser lors d'une nouvelle frappe. En plus, les employés de bureau n'ont pas à taper des textes répétitifs.

Les fonctions normales dans l'édition de texte

Déplacement du curseur: Le curseur est un clignotant qui indique à l'opérateur où paraîtra à l'écran le prochain caractère. C'est habituellement un carré clignotant ou une flèche.

Ligne d'état: La ligne d'état montre des fonctions précises de traitement de texte comme le nom du document, la page, le numéro de ligne et la position du curseur.

Centrage: Chaque ligne peut être centrée entre les marges latérales.

Marges latérales: Cette commande fixe la longueur des lignes disponible. L'opérateur peut choisir les marges latérales en fonction d'une longueur de ligne prédéterminée.

Interligne: Espace qu'il y aura entre chaque ligne à l'impression ou à l'écran comme simple, double ou triple interligne.

Espacement vertical: Cette commande fixe la ligne de début et de fin de page sur laquelle le texte sera imprimé.

Coupure de mot: Cette particularité permet de reporter automatiquement à la ligne suivante un mot trop long. Cela s'appelle aussi une boucle.

Justification: Cette commande permet d'obtenir une marge de droite uniforme par une redistribution des espaces au besoin.

Souligner: Cette commande indique à l'imprimante où le texte doit être souligné.

Caractère gras: Cette commande demande à l'imprimante une double impression pour obtenir un caractère gras.

Police: Cette commande permet de choisir le style de caractère appelé police qui indique le nombre de caractères qu'on peut entrer dans un espace de 25 mm. Le choix de police est soit 10 ou 12. Certaines imprimantes permettent des polices de 15 ou 17.

Pagination: Cette commande indique à l'imprimante le nombre de lignes par page.

Insertion: La touche insertion ajoute un espace à la position du curseur. Tout le texte qui suit est tassé d'un espace à droite.

Effacement: Cette touche enlève un caractère ou un espace soit à la position du curseur ou immédiatement à sa gauche. Le reste du texte tasse d'un espace équivalent.

Recherche et remplacement: Cette commande demande à l'ordinateur de chercher dans le texte un mot ou une expression précise et de le remplacer par autre chose.

Visualisation: Cette commande demande une visualisation. Sur la plupart des modèles, l'opérateur pourra visionner le document tel qu'il paraîtra une fois imprimé.

Le fichier principal a plusieurs applications dont la préparation de documents légaux et médicaux, de techniques et soumissions de construction, de même que de rapports et de lettres d'affaires usuelles. Il y a deux façons d'utiliser le fichier central pour produire un document fini: a) le paragraphe passe-partout et b) le traitement de liste et la fusion du courrier. Avant de commencer, vérifiez le guide qui accompagne le progiciel.

Paragraphe
passe-partout

Les paragraphes et expressions d'usage courant dans la correspondance sont mémorisés dans le fichier principal. Chacun d'eux est présenté comme paragraphe **passe-partout**, a son nom de fichier et son **code de récupération**. Les codes de récupération sont généralement courts et numériques ou alphabétiques. Par exemple, le contenu conservé au fichier principal d'une clinique médicale pourrait se lire comme suit: hp hémophilie. Le passe-partout du code de récupération est «hp» et «hémophilie» représente le texte conservé dans le paragraphe passe-partout. Le texte conservé au fichier principal est récupéré et inséré en tapant le code de retrait approprié. S'il vous faut le mot hémophilie, l'opérateur tape le code «hp». Dans certains cas, chaque paragraphe passe-partout est conservé sur une page différente au fichier principal. Le numéro de page devient alors le code de retrait.

La procédure de monter des documents par récupération et fusion de paragraphes s'appelle l'assemblage de paragraphes passe-partout ou le montage de document.

L'opérateur commence par créer un nouveau document. Il récupère ensuite les paragraphes et phrases nécessaires qui sont affichés à l'écran dans l'ordre demandé. Une fois le document monté, le nouveau fichier devrait être conservé. Le fichier principal n'est pas modifié par la récupération d'un paragraphe passe-partout et son insertion dans un nouveau document.

Les phrases suivantes représentent le texte normal mémorisé en format paragraphe passe-partout pour la création de documents. La lettre suivante a été faite à partir d'un texte échantillon normal.

Fichier principal de textes conservés

P1 Merci de votre récente demande d'emploi.

P2 Malheureusement, Datatech n'a présentement aucun poste disponible.

P3 Votre curriculum vitæ montre des qualifications et de l'expérience faisant de vous un candidat qualifié dans ce domaine.

P4 Nous conservons les demandes pour une période de six mois et elles sont vérifiées à chaque ouverture de poste.

P5 Nous vous souhaitons de trouver rapidement un emploi qui vous procurera succès et satisfaction.

P6 Ce fut un plaisir de parler avec vous lors de la récente entrevue.

P7 Nous avons vérifié toutes les qualifications et l'expérience des candidats interviewés et nous avons retenu la personne qui répond le mieux à vos besoins.

P8 Malheureusement, nous ne pouvons pas vous offrir le poste.

P9 Quelques candidats avaient des qualifications exceptionnelles ce qui a rendu la décision difficile à prendre.

P10 Nous apprécions votre intérêt pour notre compagnie.

P11 Tous les candidats seront contactés pour fixer des entrevues.

P12 Les candidats seront choisis pour une entrevue selon leurs qualifications et expérience.

Le contenu de la lettre de la page 38 à M. J. Salewski a été obtenu en utilisant les paragraphes **P1, P3, P4, P5** et **P10** du texte normal de l'exemple précédent.

Traitement de listes   Le traitement de listes, aussi connu comme la fusion du courrier, demande de récupérer l'information de deux documents conservés ou plus et de les fusionner en un seul. On utilise souvent le traitement de listes, par exemple, pour augmenter les ventes, pour demander des dons ou des paiements, et pour donner aux clients l'information sur les produits lorsqu'on a besoin de telles circulaires à grande échelle.

Fusion du courrier

Hannibal, le personnage joué par George Peppard dans la série télévisée «The A-Team», disait: «J'aime ça quand un plan se déroule comme prévu.»

Ce furent mes propres paroles la première fois que j'ai utilisé Mailmerge (Digital Equipment du Canada l'appelle List Processing). L'objectif de l'exercice était de mettre les noms de journaux de la liste de presse ethnique à l'endroit indiqué dans la lettre de souhait des Fêtes du ministre.

Comme la liste contenait plus de 230 noms, j'étais plus que désireux que Mailmerge fonctionne tel que promis.

Nous étions deux sur le projet. L'écrivaine rédigea la circulaire. Elle incorpora sur sa propre disquette de travail les modifications suggérées par les fonctionnaires du ministre à mesure que la lettre était approuvée. Je fis la liste des noms sur une autre disquette. Habituellement, on utilise une seule disquette pour la circulaire et la liste.

Les directives du guide WPS/WPS + étaient très simples. La rédactrice de la lettre n'avait qu'à indiquer l'endroit où le nom du journal serait classé. Elle choisit le nom «nom de journal» et le plaça entre deux crochets dans la circulaire — <nomdejournal>.

Dans mon document liste, je tapai le nom de champ <nomdejournal>, suivi du nom d'un journal listé. Aussitôt la circulaire approuvée et ma liste complétée et vérifiée pour les erreurs typographiques, j'ai transféré la lettre sur ma disquette.

L'étape suivante consistait à faire un document de spécification qui commandait la fusion de la circulaire et de la liste.

Cette fusion créa un quatrième document qui était les 230 lettres de souhait du ministre pour les Fêtes, du moins en théorie.

En pratique, il y eut un pépin. À mi-chemin de la liste, <nomdejournal> avait été écrit <momdejournal> ce qui déroutait l'ordinateur. Nous avons interrompu la démarche pour corriger l'erreur, nous sommes revenus au début et avons recommencé.

Comptant l'impression malgré le pépin, Mailmerge a pris moins de 90 minutes. L'année dernière, nous avions pris quatre jours.

Reproduit avec la permission du ministre de la citoyenneté et de la culture de l'Ontario, tiré de *Printout*, par Pat Hanson.

La fusion de fichier a pour but la production efficace de circulaires personnalisées adressées aux particuliers. Une lettre adressée personnellement est plus attrayante et commande plus d'attention.

19— 04 05

Monsieur J. Salewski
131, route Cambridge
Winnipeg, Manitoba
R3C 3V5

Monsieur Salewski,

P1 Merci de votre récente demande d'emploi.

P2 Malheureusement, Datatech n'a présentement aucun poste disponible.

P3 Votre curriculum vitæ montre des qualifications et une expérience qui fait de vous un candidat tout indiqué dans ce domaine.

P4 Nous conservons les demandes pendant six mois et nous les vérifions lors d'ouvertures de postes.

P5 Nous espérons que vous trouverez rapidement un emploi qui vous donnera la satisfaction et le succès les plus grands.

P10 Nous apprécions grandement l'intérêt que vous portez à notre compagnie.

Veuillez accepter nos meilleures salutations.

S. Breckenridge
directeur des ressources humaines

/tt

```
19 — 06 03

Madame A. Mickelwaithe
130, allée Kingsview
Bolton, Ontario
L7E 3V4

Madame Mickelwaithe,

La procédure de formation est un aspect important dans
l'évolution d'une carrière et je suis heureux de voir votre
inscription à une série d'ateliers.

Le premier atelier de la série est :

       Nom de l'atelier :  Gestion du stress au travail

                   Date :  15 juin

               Endroit :  Salle de conférence A

Toutes les sessions de la série commencent à 16 h et durent
deux heures.

J'espère que l'information que vous allez retirer de votre
participation à cette série d'ateliers vous sera utile
dans la réalisation de vos tâches de travail.

Veuillez accepter mes meilleures salutations.


R. Coleman
directeur des ressources humaines

/mib
```

Les circulaires types qui contiennent la même information et qui sont utilisées régulièrement devraient être conservées électroniquement. Cette information ne change pas et est appelée la **constante**. La constante ou le

fichier lettre peut facilement se combiner à un fichier de liste de courrier ayant les noms et adresses de plusieurs personnes. L'information prise du fichier de liste de courrier changera à la fin de chaque lettre d'où son nom de **variable**.

QUESTIONS DE RÉVISION ET DE DISCUSSION

1. Qu'est-ce qu'une application de logiciel? Pourquoi les progiciels d'application sont-ils des outils importants dans un bureau?
2. Montrez comment l'utilisation du paragraphe passe-partout peut augmenter la productivité du bureau?
3. Comment l'utilisation du traitement de listes peut augmenter la productivité du bureau?
4. Faites un compte rendu d'un logiciel d'application de traitement de texte disponible à votre école. Décrivez les commandes de base nécessaires pour monter un document en utilisant la technique du paragraphe passe-partout et du traitement de listes.

TABLEAUX ÉLECTRONIQUES

On peut comparer un tableau électronique à une calculatrice avec mémoire. Une calculatrice ordinaire sans mémoire effectue les opérations mathématiques demandées. Lorsqu'un chiffre change dans une colonne, la nouvelle réponse n'est obtenue que lorsque l'utilisateur réinscrit les chiffres. C'est inefficace, long et sujet à erreurs.

En utilisant un tableau électronique, tous les totaux affectés par la modification d'un chiffre sont ajustés. Cette capacité permet à l'employé de bureau de demander «Et si...?» et de projeter différents calculs selon différentes situations. Un comptable peut utiliser des tableaux pour faciliter la préparation d'états financiers ou de budgets. Par exemple, on projette un profit de 500 000 $ pour la prochaine année financière. Ce chiffre est basé sur la présomption d'une augmentation salariale de 4

Un tableau est un outil utile qui peut servir à comparer des renseignements financiers.
Gracieuseté de Monroe Systems.

pour cent pour la période. Toutefois, une augmentation de 6 pour cent est possible. On peut facilement utiliser un tableau pour changer une projection en ne modifiant que le chiffre des salaires. Il en résulte un ajustement automatique des chiffres du relevé affectés par cette augmentation. Cette capacité fait du tableau un outil des plus utiles dans la démarche de planification.

Il y a plusieurs progiciels de tableaux commerciaux; des exemples de progiciels utilisés en affaires sont le Lotus 1-2-3, le SuperCalc et Multiplan. Même s'ils offrent des caractéristiques particulières, leur organisation et fonctionnement sont sensiblement les mêmes.

Organisation d'un tableau

Un tableau est une grande feuille de travail qui dispose l'information en rangées et en colonnes. Son aspect général est celui d'une grille à plusieurs cases. Chaque case est une **cellule**.

Quand on introduit de l'information dans une cellule, le curseur nous amène d'une cellule à l'autre. Ainsi, celle qui a le curseur est appelée **cellule de travail**. Elle est mise en relief en paraissant en **vidéo inverse**. La couleur de fond des cellules en vidéo inverse est généralement celle du moniteur ce qui les distingue de toutes les autres cellules à l'écran.

Fenêtre de tableau

Un tableau peut contenir plus de cellules que l'écran qui ne représente, en fait, qu'une fenêtre du tableau. Un tableau peut avoir 256 colonnes et 9 999 rangées. La taille du tableau dépend de la capacité de mémoire de l'ordinateur utilisé.

Les données des cellules existent même lorsqu'elles ne sont plus à l'écran. On peut visionner les colonnes et les rangées en utilisant le curseur pour dérouler de haut en bas ou de gauche à droite.

Les cellules du tableau. Les cellules du tableau sont vides tant qu'elles n'ont pas reçu d'information. Lorsqu'elles en reçoivent, elles peuvent contenir une des choses suivantes :

a) Du texte sous forme d'étiquette ou de titre — ces cellules donnent des descriptions et ne servent pas dans les calculs.

b) Des valeurs sous forme de nombres. On présume que toute inscription possède une valeur lorsqu'elle commence par un nombre, un point décimal ou un symbole.

c) Des formules qui donnent les directives pour faire les opérations mathématiques requises.

Fixer le format du tableau

Dès que vous avez chargé le programme tableau, la partie visible à l'écran va habituellement comprendre a) la grille du tableau et b) le panneau de contrôle. (Dans Lotus 1-2-3, vous devez aller chercher le panneau de contrôle pour le voir à l'écran.)

La grille du tableau

Une série de chiffres est affichée tout le long du côté gauche commençant à 1. Ils indiquent les rangées du tableau. Une série de lettres commençant par A fait la rangée du haut. Elles indiquent les colonnes.

Chaque cellule est identifiée par une lettre et un chiffre. La cellule présentement en fonction dans l'exemple est A1, montrée en vidéo inversée. Le panneau de contrôle montre le contenu des données entrées. *Gracieuseté de Lotus Development Corporation.*

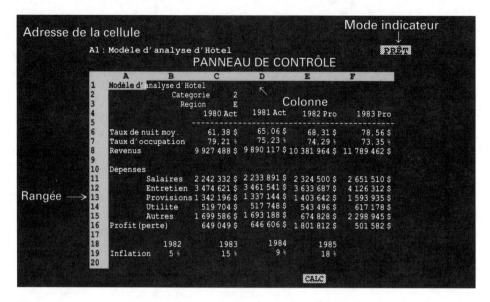

(Parfois un progiciel de tableaux utilise des nombres pour déterminer la rangée du haut.) On détermine ces rangées et colonnes comme **grille du tableau.**

Identification des cellules

La position d'une cellule est généralement indiquée par une lettre et un nombre selon le point d'intersection de la rangée et de la colonne dans la grille. On appelle ce point l'**adresse de la cellule.** Lorsque la grille du tableau est affichée à l'écran, la cellule A1 est généralement indiquée en fonction.

Étendue des cellules

On peut considérer dans les opérations d'un programme qu'une ou plusieurs cellules d'un tableau forment un groupe. L'identification d'une **étendue** est utile si vous avez à déplacer, effacer ou imprimer des ensembles de données. Pour délimiter une étendue, vous devez donner l'adresse du coin supérieur gauche du groupe suivi de deux points, tel qu'indiqué dans le programme, et l'adresse du coin inférieur droit. Cette formule montre que les valeurs de toutes les cellules entre la cellule du début et celle de la fin sont comprises dans l'étendue.

Le panneau de contrôle

Le **panneau de contrôle** du tableau vous aide à formater et à exploiter le tableau. On y trouve l'information indispensable sur le tableau comme le genre de cellule, la cellule en fonction et les données présentement entrées.

On peut habituellement voir le panneau de contrôle en haut de l'écran; toutefois, il se trouve en bas dans certains programmes. La disposition du panneau de contrôle peut varier d'un programme à l'autre, mais chacun a des fonctions et renseignements semblables.

On trouve habituellement sur un panneau de contrôle a) une **ligne d'état**, b) une **ligne d'accès** et c) une **ligne de guide-opérateur.**

Ligne d'état.   La ligne d'état montre la position ou l'adresse de la cellule active. Elle change quand le curseur se déplace à l'écran.

La ligne d'état peut également indiquer si la cellule active a une étiquette ou une valeur. Par exemple, si la cellule active a une étiquette, son adresse, le nom de l'étiquette et la lettre «L» pour étiquette peuvent apparaître sur la ligne d'état.

Parfois, on y retrouve aussi la quantité de mémoire disponible et le nom du tableau.

Ligne d'accès.   La ligne d'accès montre votre travail. Lorsque des données sont entrées, éditées ou effacées d'une cellule active, c'est indiqué sur la ligne d'accès.

On appelle également la ligne d'accès **bloc-notes** de travail à cause de ses capacités d'édition.

Ligne de guide-opérateur.   Sur demande, cette ligne nous donne le menu ou les directives qui permettent de faire des opérations précises. Ces commandes aident l'utilisateur à formater et à opérer le tableau. Les commandes typiques varient: éditer, copier, déplacer, effacer, imprimer et conserver.

L'espace est restreint sur la ligne de guide-opérateur. Ainsi, chaque commande n'est représentée que par une lettre.

Terminologie du tableau

1. Fixer la largeur des colonnes
   La plupart des programmes fixent la largeur des colonnes à 9 caractères. La commande de largeur des colonnes permet de modifier leur largeur. Vous devez prédéterminer les tailles différentes des colonnes.
2. Insertion
   La commande d'insertion permet d'ajouter de nouvelles rangées et colonnes. La position des rangées et des colonnes existantes est déplacée pour permettre cette insertion sans effacer l'information déjà au tableau.
3. Effacer
   Cette commande permet d'effacer des rangées et des colonnes devenues inutiles. Il est bon de conserver le fichier avant de l'effacer; autrement, les données effacées ne peuvent plus être récupérées au besoin.
4. Déplacer
   Cette commande prend le contenu d'une étendue précise pour le transférer à une autre position sur le tableau.
5. Sauter
   Cette commande permet à l'utilisateur de déplacer le curseur à une cellule désirée sans avoir à passer par toutes les rangées et colonnes du tableau.

(suite)

6. Calcul automatique

Lorsqu'on entre une valeur dans une cellule qui influence la valeur d'autres cellules, ces dernières sont calculées à nouveau. On ne peut pas entrer de nouvelles données pendant que des calculs sont en cours sur le tableau. Toutefois, on peut interrompre cette caractéristique lors d'entrées de données.

7. Reproduction

Cette commande permet à l'utilisateur de gagner du temps en copiant le contenu de même que les formules d'une cellule ou d'un groupe de cellules (la source) dans une autre cellule ou groupe de cellules (la destination). La cellule ou le groupe de cellules destination prend la même taille et forme que la source. L'information inscrite est remplacée alors que celle de la cellule source n'est pas affectée.

8. Caractéristique répétition

On l'utilise pour répéter un caractère partout dans la cellule.

9. @ Somme

Cette fonction est un raccourci pour faire les formules du tableau. La fonction @somme fait la somme d'un groupe de valeurs précises et inscrit le total dans la cellule active. Par exemple, si la cellule A10 représente le total de la colonne A, la fonction @ somme serait utilisée et apparaîtrait sur la ligne d'état comme suit: A10: @Somme (A1...A9) Les nombres des cellules A1 à A9 seraient additionnés et placés en A10. Cela élimine le besoin d'additionner, soustraire, multiplier et diviser manuellement les nombres.

Dans l'exemple, la ligne d'entrée montre la fonction @ somme additionnant les cellules C5 à C10 pour donner le total C12.
Gracieuseté de Lotus Development Corporation

```
C12:@somme (C5 à C10)                                          Prêt

          A        B        C        D        E        F        G        H
   = = = = = = = = = = = = = BUDGET DÉPARTEMENTAL = = = = = = = = = = = = = = =
1
2
3                          Janv.-87 Fevr.-87 Mars-87  Avr.-87  Mai-87   Juin-87
4  DÉPENSES DE BUREAU
5  Dépreciation             6 200    6 216    6 249    5 880    7 333    6 292
6  Téléphone-Telec.        15 150   14 880   18 630   19 290   20 160   21 120
7  Crédits budgetaires      5 250    5 520    4 980    6 750    7 050    8 010
8  Photocopies              4 320    4 320    4 320    4 320    4 320    4 320
9  Souscriptions            2 250    2 250    2 250    2 250    2 250    2 250
10 Postes                   1 740    1 740    1 650    1 920    2 010    2 010
11                          - - - -  - - - -  - - - -  - - - -  - - - -  - - - -
12    TOTAL                34 910   34 926   38 079   40 410   43 123   44 002
13                          = = = =  = = = =  = = = =  = = = =  = = = =  = = = =
14
15 FRAIS PROFESSIONNELS
16 Comptabilite            23 940   21 920   23 860   20 160   26 660   24 020
17 Autres                   3 840    4 160    4 520    4 240    3 880    8 800
18                          - - - -  - - - -  - - - -  - - - -  - - - -  - - - -
19    TOTAL                27 780   26 080   28 380   24 400   30 540   32 820
20                          = = = =  = = = =  = = = =  = = = =  = = = =  = = = =


23-02-87   13:30
```

**QUESTIONS
DE RÉVISION
ET DE DISCUSSION**

1. Quels sont les avantages d'utiliser un tableau?
2. Quelle différence y a-t-il entre une cellule active et une autre cellule du tableau?
3. Il existe trois sortes de cellules dans un tableau. Décrivez brièvement chacune d'elles.
4. Décrivez le but et l'organisation d'une grille de tableau.
5. Décrivez brièvement comment les trois fonctions de base du panneau de contrôle aident à formater et à opérer le tableau.

**SYSTÈME DE
GESTION DE BASE
DE DONNÉES**

La technologie informatique a rendu possible la mémorisation de parties de données apparentées sous format électronique qui permet l'accès rapide et facile. Des **bases de données** sont essentiellement des classeurs électroniques disposés de façon méthodique. Ils sont de deux ordres différents: externe et interne.

**Bases de données
externes**

L'information est devenue un produit que l'on peut acheter ou vendre. Il y a des commerces qui font un profit de la cueillette de données et de sa conservation électronique pour ensuite vendre l'information aux clients qui s'en servent pour répondre à des questions d'affaires précises. Il y a plus de 5 000 **bases de données externes** disponibles en Amérique du Nord. Des exemples d'information contenue dans ces bases incluent des statistiques générales, de l'information sur la bourse et des articles de journaux et de périodiques. Les bases de données externes populaires incluent InfoGlobe, I.P. Sharpe, The Source, CompuServe et The Dow Jones News Retrieval Service. Elles peuvent être associées avec un quotidien comme InfoGlobe avec *The Globe and Mail* qui comprend tous les textes publiés depuis 1977, de même que The Dow Jones News Retrieval Service aligné avec le *Wall Street Journal*. Ces bases de données externes sont mises à jour après chaque parution du journal pour fournir de l'information la plus récente.

On appelle souvent le service fourni par les banques de données **service d'information en direct**. Pour avoir accès à l'information de la base de données informatisée, les clients utilisent un **modem**, appareil de communication relié à un ordinateur. Le modem permet de transmettre par lignes téléphoniques l'information conservée sur disques ou rubans.

Les clients sont chargés à la minute pour le **temps branché**, en d'autres mots, le temps relié avec l'ordinateur de la base de données. Même si de telles recherches peuvent être dispendieuses, la réponse est instantanée. Certaines bases de données offrent la possibilité de rechercher l'information hors les heures de pointe, de l'imprimer et de vous l'envoyer par fac-similé. Cette façon est plus lente, mais moins dispendieuse.

Tous les documents sont conservés selon un index de mots-clés pris du document lui-même. Chaque document peut être conservé sous plusieurs mots-clés. Par exemple, si vous préparez un rapport sur l'exploration pétrolière dans la mer de Beaufort et qu'on vous demande de rechercher le sujet «huile» dans une banque de données publique, vous recevriez toute l'information contenue dans cette base de données sur le sujet de l'huile. Il peut être très long de parcourir toute cette matière pour quelques faits alors qu'une recherche plus circonscrite comme Huile-Beaufort, n'aurait fourni que la matière pertinente.

L'Association canadienne du barreau lance un service de communication

Les avocats pourront échanger leurs porte-documents boursouflés contre de minces cartables s'ils se mettent à utiliser CBANET, un service de communication pour la profession légale du Canada conçu par l'Association canadienne du barreau (ACB) et disponible sur iNet 2 000 de Telecom Canada.

Voici les caractéristiques de CBANET: messagerie électronique, panneau d'affichage électronique, conférences de données (jusqu'à 12 personnes peuvent visionner le même écran), accès aux bases de données légales et une option de code client qui permet aux avocats de charger à chaque client les coûts d'utilisation de CBANET.

Tout ça à un coût que les avocats devraient trouver raisonnable — un frais mensuel de 3 $ plus 15 $/heure pour utilisation des caractéristiques principales (des frais additionnels s'ajoutent pour l'accès aux bases de données publiques). Les utilisateurs doivent avoir un téléphone, un modem, un pc ou un logiciel de traitement de texte en communication et un logiciel en communication.

Les membres de ACB vont-ils embrasser cette technologie en un clin d'œil? Probablement pas, toutefois, il y a également eu de l'inquiétude lors de l'arrivée du traitement de texte. Louis Milrad, associé chez Goodman et Carr de Toronto et membre du comité de mise sur pied du programme CBANET, est très enthousiasmé par cette «naissance d'un réseau», tout en admettant qu'il faudra un certain temps aux avocats pour voir l'automation comme un outil et non comme une fin en soi.

On croit que dès la première année 500 des 33 000 membres de ACB vont se joindre à Milrad et d'autres s'abonneront la première année.

Reproduit avec la permission de *Access*, Southam Communications ltée.

Services d'entrée de base de données

La tâche de choisir la base de données externe qui convient pour répondre à une question précise peut être longue et dispendieuse. Vu que chaque base de données a son mot de passe et son moyen d'accès, la procédure pour obtenir l'information conservée dans une base de données externe peut être difficile.

Les compagnies en télécommunications ont élaboré des systèmes appelés **services d'entrée** pour aider les gens à choisir la base de données la plus appropriée et ensuite d'y gagner l'accès. Le service est disponible aux abonnés qui déboursent une mensualité ajoutée aux frais d'accès à la base de données.

iNet 2000, abréviation de **Intelligent Network**, est un exemple de service d'entrée offert par Telecom Canada. Un abonné appelle iNet en composant d'abord le numéro du réseau Datapac.

Datapac est un réseau de communication semblable au système de téléphone, mais élaboré par Northern Telecom expressément pour les ordinateurs. On y gagne accès par modem relié à une unité de traitement de texte, un micro-ordinateur ou un terminal relié à un ordinateur et en composant n'importe quel des 80 numéros de téléphones de Datapac à travers le Canada. Pour réduire le coût des frais d'interurbain, l'abonné signale le numéro du Datapac local.

iNet 2000 donne accès à plus de mille bases de données publiques, donnant de l'information sur des sujets aussi variés que l'actualité, les cotes boursières, les soins de santé et la technologie. Au nombre de ces bases, on retrouve «InfoGlobe», «Statistiques Canada», «Bibliothèque nationale du Canada» et «Bibliothèque de l'Université Waterloo». iNet 2000 est aussi capable de faciliter les messageries électroniques. Cela se fait à partir de Envoy 100 qui est étudié au chapitre 12.

Grâce à ce service d'entrée, l'utilisateur peut enregistrer, éditer, classer ou envoyer des données à d'autres abonnés. L'abonné ne reçoit également qu'un seul compte tout en pouvant accéder à plusieurs bases de données.

Bases de données internes

Les **bases de données** internes sont conçues pour organiser l'information particulière à une compagnie donnée. Un progiciel de gestion de bases de données comme dBase III Plus, PFS File, Paradox ou Reflex peut être

---

Une base de données consiste en plusieurs fichiers contenant chacun plusieurs éléments d'information.

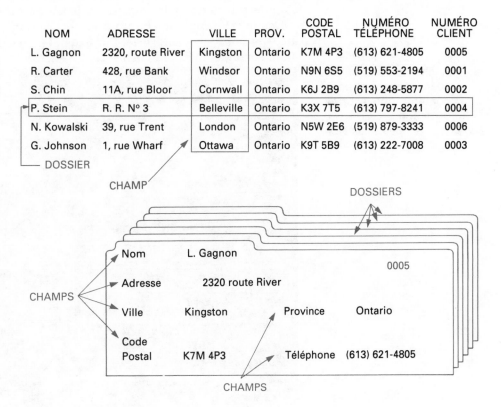

acheté par une compagnie et ensuite adapté à un système de micro-ordinateurs pour usage interne. Si votre organisme achète son propre progiciel de base de données, vous aurez peut-être à mettre sur pied la base de données de votre service ou compagnie.

Dans une base de données, on dispose l'information en rangées et en colonnes. Par exemple, chaque rangée peut avoir nom, adresse, numéro de téléphone et numéro de client. Chaque colonne indique une catégorie : une colonne de noms ou d'adresses. (Voir l'illustration pour des exemples de disposition de **champs** et de **dossiers**.) Les rangées sont les dossiers, alors que les colonnes sont les champs. Un seul dossier peut toucher différents champs.

Dans la plupart des progiciels de base de données, il y a une contrainte sur la longueur du nom d'un champ et le nombre de caractères d'information, la dimension du champ, que l'on peut y mettre. Par exemple, avec dBase III Plus, le plus grand nombre de caractères que l'on peut utiliser pour un nom de champ est dix, alors que la largeur maximale du champ est de 254 caractères.

Champs de base de données

Il y a également une contrainte sur la sorte de champ et le genre de données que l'on peut y conserver. Tous les progiciels de base de données offrent deux sortes de champs de base : des **champs de texte** ou de **caractères** et des **champs numériques**. En plus, il peut y avoir d'autres champs tels la **date**, la **logique** et le **bloc notes**.

Dès que la sorte de champ a été établie, il n'acceptera pas de données incompatibles à sa catégorie. Par exemple, en dBase III Plus, un avertissement sonore empêchera l'utilisateur d'entrer des données incorrectes.

Un champ de données peut être conçu pour contenir toutes sortes d'information. *Gracieuseté de Ashton-Tate.*

Champs de texte ou de caractères: ils contiennent des lettres, des nombres, des symboles ou des blancs.

Champs de nombres numériques: ils contiennent des nombres sous forme d'entiers ou de décimales.

Champs de dates: ils ne contiennent que des valeurs de date arrangées sous la forme suivante mm/jj/aa.

Champs logiques: ils sont élaborés pour conserver les réponses oui/non ou vrai/faux.

Champs bloc-notes: ils servent à conserver de longs textes comme des lettres ou des notes.

Le format dossier

La première étape dans la conception d'une nouvelle base de données est la disposition à l'écran. Vos exigences pour la base de données devraient guider vos décisions sur les dossiers à inclure. Dans l'exemple de la page 47, il aurait été impossible de sortir une liste des employés masculins ou féminins vu que l'information du sexe de chaque employé n'est pas incluse dans le format de chaque dossier. Après avoir fixé le format de dossier et y avoir consigné des données, on peut le modifier quoique la mise à jour demandera beaucoup de temps.

Vous pouvez éviter ce genre de situations si vous planifiez d'avance. Déterminez l'ensemble des besoins de la compagnie avant de concevoir le format de dossiers. Consultez les personnes et services qui désirent utiliser ces données. Cela vous permettra de déterminer quelle information est disponible, laquelle est nécessaire et la façon de s'en servir.

Il est nécessaire de consulter pour choisir l'information à inclure dans la base de données.
Gracieuseté de Midland Doherty Ltée.

Dans la cueillette de données, il peut être nécessaire de préparer un questionnaire ou un sondage demandant quelle information devrait paraître dans la base de données. Cela peut servir de document-ressource pour l'entrée de données. Une plus grande efficacité sera atteinte dans la procédure d'entrée de données si l'information demandée dans le questionnaire suit l'ordre qu'elle aura dans le format des fichiers de base de données.

Avant de placer le format de dossier à l'écran de votre ordinateur, il est préférable de faire un **plan écrit** pour bien fixer la position et la grandeur de chaque champ du dossier. Le papier quadrillé peut servir à cet usage chaque carré représentant une position à l'écran.

Soyez aussi concis que possible en fixant la taille de chaque champ du format dossier. Chaque caractère utilisé demande de l'espace de mémoire. Donc, plus le champ est petit, plus vous pourrez conserver de dossiers. Les caractères superflus demandant des touches supplémentaires ce qui nécessite plus de temps d'entrée.

Création d'une base de données

Dès que vous avez établi le plan et l'information qui apparaîtra à chaque dossier, commencez à entrer le programme du système de base des données. Choisissez du menu principal l'option qui vous permet de créer un nouveau fichier de base de données. À ce moment-là, donnez-lui un nom. Dès que le premier écran apparaît, procédez à l'entrée des noms de champs. Indiquez la sorte de champ, sa largeur et probablement sa largeur décimale.

Une fois les champs fixés, vous pouvez quitter le programme ou y entrer des données. Par exemple, en dBase III Plus, lorsque les champs sont fixés, vous pouvez appuyer sur la touche retour au point de définition d'un

Certaines bases de données offrent l'option d'utiliser des choix de menus standards ou de créer des menus sur mesure pour un besoin spécifique.
Gracieuseté de Ashton-Tate

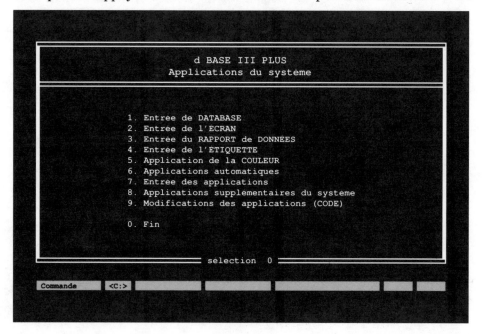

Dans l'exemple, l'option d'ouvrir un fichier a été choisie d'une liste de fonctions montrées sur la ligne d'état. *Gracieuseté de Ashton-Tate*

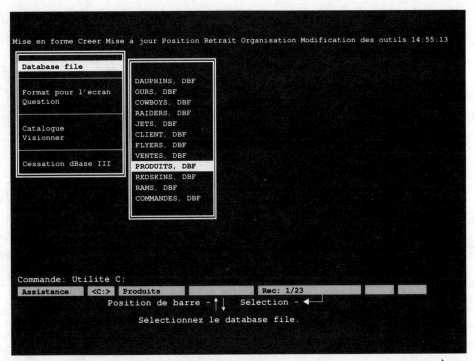

nouveau champ. dBase l'accepte comme complément de format. À ce moment-là, vous avez le choix d'y entrer des données.

Vous pouvez habituellement avoir accès direct à une base de données déjà créée pour y travailler. Par exemple, en dBase III Plus, au «point de guide-opérateur» entrer le mot utilisation — désignant la commande utilisation — suivi de votre nom de fichier, c'est-à-dire utiliser SALESQ1 pour ouvrir le fichier de base de données. Une fois le fichier ouvert, vous avez un choix d'options selon vos besoins. Vous pouvez désirer ajouter ou effacer d'autres dossiers, copier une base de données en entier ou en partie, modifier la structure, c'est-à-dire changer le nom d'un fichier, trier et classer les données en ordre alphabétique, numérique ou chronologique, ou créer un rapport.

Quand le travail est fini, suivez la bonne procédure pour vous assurer de conserver l'information et ensuite, quittez le programme.

Présentation de graphiques et de données

Les graphiques demandent la présentation de grandes quantités d'information écrite sous forme visuelle. Les statistiques passent de colonnes presque incompréhensibles à une variété de graphiques, celles-ci étant en barres, en courbes et sous forme de tarte.

D'un coup d'œil, le lecteur peut comprendre et analyser des concepts ardus plus facilement que si l'information prenait la forme d'un texte. Des statistiques présentées graphiquement sont plus attrayantes pour le lecteur et créent probablement une impression plus durable.

Si on utilise un logiciel autonome, la procédure pour produire des graphiques à partir d'information statistique contenue dans un tableau ou

Une présentation visuelle de données rend souvent les statistiques plus faciles à comprendre et à analyser. Des graphiques en barres peuvent illustrer efficacement des données.
Gracieuseté de Lotus Development Corporation

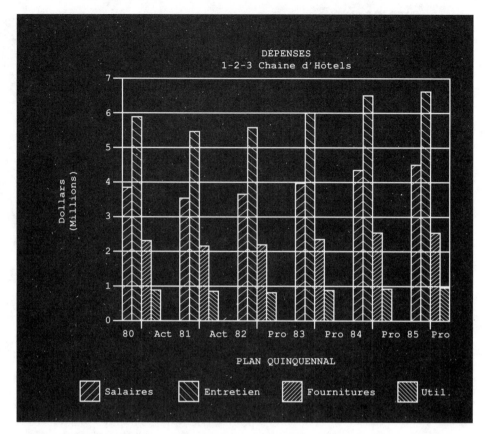

une base de données est plus lourde. Le fichier doit être conservé sur la disquette du tableau et on doit charger le programme de graphiques. Ensuite, on rappelle le fichier de tableau ou de base de données conservé avant de pouvoir produire le graphique. Les modifications aux données doivent se faire sur le tableau ou la base de données originale; on répète ensuite la même procédure pour faire un autre graphique.

Si on utilise un progiciel d'intégration, la démarche de charger un autre programme et de rappeler un fichier n'est plus nécessaire, et les graphiques peuvent être reproduits simplement.

QUESTIONS DE RÉVISION ET DE DISCUSSION

1. Quelle est la fonction d'une base de données? Quelle différence y a-t-il entre des bases de données externes et internes?
2. Qu'est-ce que le service d'entrée aux bases de données? Comment ces services contribuent-ils efficacement à la cueillette de l'information?
3. Comment est organisée l'information dans une base de données interne?
4. Expliquez l'importance de concevoir un format de fichiers concis avant d'y entrer des données.
5. Comment les graphiques peuvent-ils rehausser la présentation des données? Dans la préparation des graphiques, quels sont les avantages d'utiliser un progiciel d'intégration?

UTILISATIONS

1. Produisez un nouveau document et entrez-y l'avis suivant en utilisant un progiciel de traitement de texte. Consignes: double interligne, marges à 25 mm, justification à droite et le titre centré. Utilisez les tabulateurs pour centrer le graphique horizontalement. Conservez le document pour usage ultérieur.

Programme de conditionnement pour les employés

Les employés en forme tendent à être en meilleure santé et à produire davantage

Étant donné que notre politique est de promouvoir l'activité physique autant que possible, des ententes de service ont été conclues avec le Fitness Institute pour permettre aux employés d'utiliser les installations afin de promouvoir l'activité physique à l'heure du dîner du lundi au vendredi. Le gymnase, la piscine et le sauna seront disponibles à ces heures.

Horaire des cours organisés

Jour	Piscine	Gymnase
lundi	12 h	13 h
mardi	12 h	13 h
mercredi	12 h	13 h
jeudi	13 h	12 h
vendredi	13 h	12 h

Ne ratez pas l'occasion! Venez-y. Prenez un cours ou faites de l'exercice seul.

2. Affichez le document de la question 1 et éditez le deuxième paragraphe selon les consignes suivantes:
   a) Effacez les expressions: «autant que possible» et «aux employés».
   b) Dans le même paragraphe, servez-vous de la fonction rechercher et changer pour remplacer les mots «activité physique» par «conditionnement».
   c) Déplacez la première phrase pour la mettre immédiatement devant la dernière phrase.
   d) Imprimez le document révisé.
   e) Conservez le document révisé sous le nom du fichier initial.

3. Les phrases suivantes doivent servir comme texte de base pour créer des lettres. En utilisant le progiciel de traitement de texte disponible à votre école, entrez ces phrases dans la procédure de paragraphe passe-partout.

P1 Merci de votre demande de renseignements sur nos séminaires de formation du personnel.

P2 Merci de votre demande de renseignements sur nos services de consultation.

P3 Nos séminaires comprennent des sessions sur la gestion du temps et du stress, les habiletés en communication, les dynamiques de groupe et la sécurité au travail.

P4 Nos consultants sont spécialistes en implantation de systèmes informatiques et en bureautique.

P5 Avant de faire une présentation de séminaires, nos consultants vont discuter en détail de vos besoins.

P6 On peut adapter les cours aux besoins de votre compagnie.

P7 L'implantation d'un nouveau système ne se fait pas sans planification soignée.

P8 La formation du personnel est un des meilleurs investissements que vous puissiez faire.

P9 J'ai inclus une liste de nos cours et le coût de nos services.

P10 Il nous est possible de dispenser les cours au travail ou dans nos locaux.

P11 Tel que discuté, le coût d'un séminaire varie selon que le programme est donné dans vos bureaux ou les nôtres. Une copie de la liste de prix est incluse.

P12 Veuillez communiquer avec moi pour toute question.

P13 Je communiquerai avec vous pour fixer un rendez-vous de consultation.

P14 Permettez-moi de présenter notre compagnie et ses services.

En utilisant le texte usuel du fichier principal, organisez et imprimez les paragraphes adéquats pour répondre à chacune des situations suivantes:

- Une entreprise qui vous a déjà approché au sujet des ateliers de formation du personnel veut plus de renseignements.
- Une entreprise qui fait une demande générale sur le genre de séminaires de formation du personnel que vous offrez.
- Une lettre présentant les services de votre compagnie.

4. À partir d'un progiciel de traitement de liste, faites le travail suivant. Le document final devrait être disposé de la façon suivante:

M. K. Wilhelms
143, avenue Oak
Brandon, Manitoba
R8N 2K1

Cher M. Wilhelms,

   Votre commande de sofa sera livrée vendredi le 8 mai. Le paiement est dû 30 jours après livraison.

   Veuillez accepter mes meilleures salutations.

a) Établissez quelle information sera constante et servez-vous en pour créer un fichier.

b) Préparez des documents avec l'information variable suivante :

Mme E. Sorauren, 98, rue Maple, Lethbridge, ALB.;
T3P 8A4; une cuisinière électrique; lundi, le 18 mai

M. W. Harnett, 5650, rue Fremont, Bridgewater, N.-É.;
E3K 4M2; un fauteuil à bascule pivotant; jeudi, le 2 juin

Mme K. Oakes, 273, route Pennington, Fredericton, N.-B.;
E7A 3Z8; un téléviseur, un centre de divertissement; mercredi le 8 juin

5. Avec un progiciel, faites un nouveau document. Entrez-y l'information suivante pour une compagnie de musique appelée Round 'n' Round Records. Utilisez la @ somme et réutilisez les caractéristiques aussi souvent que possible.

ROUND 'N' ROUND RECORDS
Relevé des ventes par genre musical

Ventes Catégorie	Coût Unitaire	Prix Unitaire	Unités Vendues	Ventes
Classique			25 000	
Country			40 000	
Jazz			35 000	
Rock			38 000	
Enfants			15 000	
Folklore			10 000	
Total				

Après avoir entré l'information, éditez le tableau en changeant les totaux pour le Classique à 18 000 et le Rock à 47 000. Conservez le document pour usage ultérieur.

6. Entrez dans votre document le Round 'n' Round Records de la question 5. En utilisant le plus de fonctions possibles du tableau, suivez les consignes suivantes :

a) Entrez ces coûts unitaires : Classique 4,75 $; Country 4 $; Jazz 4,25 $; Rock 3 $; Enfants 5,25 $; Folklore 5,25 $.

b) Dans chaque cas, on obtient le prix unitaire (le prix de vente de chaque unité) en majorant de 100 pour cent le coût unitaire.

c) Entrez une formule pour le calcul des ventes totales pour chaque catégorie.

d) Calculez le total de chaque colonne.

    e) Conservez le document pour usage ultérieur.

    f) Imprimez une copie de votre tableau terminé et conservez-le pour usage ultérieur.

7. En utilisant un progiciel, faites un nouveau document. Entrez l'information suivante sur les totaux de ventes annuelles pour les représentants de Round 'n' Round Records.

ROUND 'N' ROUND RECORDS
RELEVÉ DES VENTES ANNUELLES

Nom	Ventes	Commission
S. Soni	429 875	
J. Kwon	537 889	
P. Samsa	465 332	
B. Bogart	498 190	
T. Seary	568 447	
Total		
Moyenne		

La commission est de 10 pour cent des ventes totales. Entrez une formule qui donnera le total et la moyenne pour chaque colonne.

8. Utilisez une base de données externe pour vous aider à cueillir de l'information pour un rapport sur «Les impacts de la bureautique sur les tendances à l'embauche.» Bien que ce rapport sera demandé comme partie d'un devoir du chapitre 3, vous devriez recueillir l'information immédiatement.

9. Utilisez un progiciel de gestion de base de données pour créer et conserver l'information sur les abonnements aux magazines demandés par chaque personne sur la liste.

Abonnés	Revue commerce	Le consommateur canadien	L'Actualité	Affaires Plus
D. Harriman 19704 65e Avenue Edmonton, ALB. T6E 1J6	X	X		
A. Gould 1297 rue Devine Halifax, N.-É. B3N 1P3		X		X

(suite)

M. Kaye 4807 rue Argyle Regina, SASK. S4S 3M4	X		X	
D. Phelps 70 The Esplanade Toronto, ONT. M5E 1R2	X	X		
E. Kleiner 702 rue Douglas Brandon, MAN. R7A 5V2	X			X
P. Jarsky 150 rue Princess Kingston, ONT. K7L 3R5		X	X	X
S. Murdoch 446 Place Princeton Brampton, ONT. L6Z 1T6	X			X
C. Michelli 2526 boul. Sir Wilfrid Laurier Sainte-Foy, QC G1V 2L1		X		
R. Turney 195 — 40ᵉ Rue ouest Moncton, N.-B. E5L 9T3	X		X	X

a) Utilisez un plan comme guide pour établir les noms, tailles et sortes de champs requis.

b) Entrez dans le système et créez la disposition à l'écran.

c) Entrez les données pour chaque dossier.

d) Faites une mise à jour des dossiers de la façon suivante :
D. Harriman est également abonné à *Le consommateur canadien*.
D. Phelps est abonné à *Affaires Plus* et non à *Le consommateur canadien*.
M. Batt, 188, Croissant Currey, Newmarket, Ont. L3Y 3M9 est un nouvel abonné à *Revue commerce*.

e) Imprimez une liste alphabétique d'abonnés de chaque magazine.

10. Vous êtes un analyste fonctionnel pour Round 'n' Round Records, la compagnie de musique mentionnée dans des devoirs précédents. Cette compagnie produit et distribue dans sa chaîne de magasins au détail, de la musique enregistrée pour tous les goûts y compris du jazz, du country et western, du rock, du populaire et du classique.

On a mené une enquête de service pour s'assurer que l'information nécessaire pour toutes les exigences soit disponible. En plus de données de base comme nom, adresse et numéro de téléphone, l'information suivante a été ajoutée.

Impliqué dans la fabrication des enregistrements, le service de production veut étudier les habitudes d'achat des clients, i.e., cassette, long jeu, disque compact, etc.

Le service des achats est à la recherche de nouveaux talents et a besoin de connaître les goûts en musique pour prévoir les tendances futures.

Le service de publicité élabore des campagnes de vente pour promouvoir certains produits. Rejoindre chaque client avec de la documentation peut devenir dispendieux; c'est pourquoi l'information d'un genre précis de musique n'est envoyée qu'à des groupes cibles déterminés dont le potentiel de ventes est le meilleur. Pour faire le profil d'un groupe cible, le service de publicité a besoin de données sur l'âge, le sexe, l'état civil, le montant dépensé mensuellement en disques et où ces achats sont habituellement faits, i.e., concerts, disquaires, magasins à rayons ou promotions télévisées.

a) Prenez une feuille de plan pour concevoir les noms de champ et le format nécessaire pour obtenir un format de dossiers adéquat. Ensuite, affichez l'information de ce plan à l'écran et créez la structure de la base de données.

La conception du format de la base de données devrait refléter les besoins de chaque service, tout en étant le plus concis possible. N'oubliez pas que chaque caractère entré occupe sur la disquette de l'espace de mémoire important.

b) Concevez un sondage qui fournira les données nécessaires aux dossiers personnels de la base de données.

c) Demandez à dix étudiants de l'école de remplir votre sondage. Avec votre progiciel de gestion de base de données, entrez toutes les données recueillies.

Avant de faire d) et e), consultez votre guide d'utilisation de la gestion de base de données.

d) Conservez votre fichier de base de données pour usage dans un chapitre ultérieur.

e) Imprimez les rapports suivants donnant le nom de ceux qui:
   i) préfèrent le format disque compact;
   ii) achètent la musique aux concerts;
   iii) écoutent du populaire et ceux qui préfèrent le rock.

11. Avec un progiciel graphique, faites un graphique circulaire montrant l'analyse en pourcentage des ventes de disques selon les genres de musique pour Round 'n' Round Records. Servez-vous des données du tableau fabriqué au numéro 6. Appelez le graphique circulaire «Répartition des ventes de disques.» Tirez une copie du graphique.

3

LE CYCLE DU TRAITEMENT DE L'INFORMATION

Après lecture de ce chapitre vous pourrez:
- Identifier les caractéristiques de la bureautique.
- Comprendre comment le cycle de traitement de l'information aide à sa gestion.
- Montrer l'impact de la bureautique.

La gestion de l'information comprend la cueillette et la transmission sous une forme précise et concise. L'information est composée de données ou de faits, et qui sont organisés d'une façon significative. Une entreprise florissante est celle qui peut gérer l'information pour prendre de bonnes décisions d'affaire.

CARACTÉRISTIQUES DE LA BUREAUTIQUE

Vu que les entreprises recherchent un mode de fonctionnement de plus en plus efficace, il y a une plus grande utilisation de l'équipement électronique pour la gestion de l'information. La nouvelle bureautique qui comprend la capacité vocale, l'audio et la vidéo, place le bureau d'aujourd'hui au seuil d'une **productivité** toujours croissante. L'habileté d'une entreprise à intégrer cette technologie de pointe est primordiale à l'accroissement de sa productivité.

De nos jours, la productivité d'un bureau peut être augmentée à mesure que les entreprises créent et partagent l'information électronique. *Gracieuseté de Xerox Canada Inc.*

La correction d'épreuves
de documents peut se
faire facilement de même
que l'édition sur logiciel.
*Gracieuseté de IBM Canada
Inc.*

**Contrôle de
l'information**

Tant aux employés qu'aux services d'une entreprise, la bureautique donne un plus grand contrôle de la gestion de l'information. Cela est possible dans la mesure où tous ceux qui utilisent le système comprennent les procédures et les suivent fréquemment. Par l'usage de progiciels intégrés, on peut conserver l'information en un seul endroit tout en l'intégrant à plusieurs documents pour des fins multiples.

Diminution de papier

On dit de la bureautique qu'elle est «sans papier». Bien que cette affirmation ne sera jamais complètement vraie, la technologie donne des moyens de réduire la consommation de papier. Plusieurs sortes de documents peuvent être écrits, révisés par une ou plusieurs personnes dans des lieux différents, édités et corrigés à l'écran avant d'être imprimés. Dans certains cas, le message peut être acheminé électroniquement à destination, diminuant le besoin de services postaux et de messageries internes et externes.

**Une meilleure
communication**

Les systèmes de **courrier électronique** diminuent la frustration de «courir après quelqu'un au téléphone» pour le rejoindre. On peut ainsi éliminer des tas de messages qui, auparavant, auraient provoqué d'énormes embarras.

L'organisation de conférences téléphoniques à l'aide de moyens électroniques, permet à des gens éloignés de se rencontrer, d'échanger des idées et de prendre des décisions sans avoir à se déplacer.

**Facilité d'accès
à l'information**

La technologie a élaboré des systèmes de classement électronique qui jouent le même rôle que les classeurs à divisions multiples. Cependant, l'information est conservée électroniquement plutôt que sur papier. Ce **système de classement électronique** peut être conçu pour permettre un classement central de l'information. Des usagers différents ont ainsi accès à l'information la plus courante.

**Présentation
des données**

En utilisant des tableaux électroniques, les données sont plus faciles à manipuler pour faire des prévisions budgétaires, des ventes et des états financiers.

Les calculs faits avec des tableaux peuvent aussi être présentés graphiquement. Une présentation visuelle rend les données plus accessibles et montre plus clairement les tendances.

La technologie rehausse la présentation visuelle des données.   *Gracieuseté de Hewlett-Packard du Canada Ltée.*

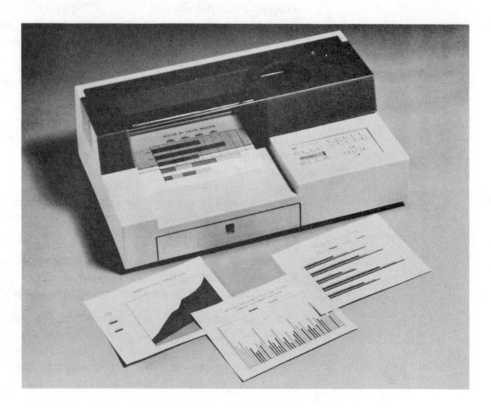

Par l'usage de progiciels d'application connus sous le nom d'**éditique** et appelés, entre autres, Page maker ou Ready-Set-Go, un employé de bureau peut créer et imprimer électroniquement avec une quasi-qualité d'imprimerie bulletins, magazines, guides et rapports sans quitter le poste de travail.

QUESTIONS DE RÉVISION ET DE DISCUSSION

1. Que veut-on dire par le mot information? Pourquoi le contrôle de la gestion de l'information est-il important à l'entreprise?
2. Expliquez brièvement pourquoi on appelle parfois «sans papier» la bureautique? Est-ce un commentaire valable?
3. Que veut dire «courir après quelqu'un au téléphone»? Comment ce phénomène peut-il être surmonté par la technologie?
4. Expliquez comment on peut utiliser la technologie pour présenter l'information de façon attrayante.

CYCLE DE TRAITEMENT DE L'INFORMATION

Un bureau ressemble à une courtepointe faite d'une série de pièces reliées et interdépendantes. Qu'elle soit traditionnelle ou moderne, la disposition du bureau devrait permettre aux employés de gérer l'information nécessaire pour prendre des décisions et pour compléter les transactions indispensables à l'atteinte des objectifs de l'organisation.

L'information à la base de toute communication doit être organisée de façon logique pour s'assurer que l'information finale soit aussi fidèle et complète que possible.

La procédure de gestion de l'information est appelé le **cycle de traitement de l'information** et comprend les étapes suivantes:

entrée	**distribution**
traitement	**gestion des dossiers**
sortie	

(Différents concepts comme la gestion des dossiers et la reprographie mentionnés dans la description du cycle, seront abordés de façon plus complète dans des chapitres ultérieurs.)

Le point central du cycle de traitement de l'information est de créer de façon originale notes, lettres, rapports de données, de distribuer cette information à l'intérieur et à l'extérieur de la compagnie, et de conserver ces données de même que toutes celles reçues des autres. La circulation de l'information de l'initiateur à la copie finale commence par l'étape d'entrée.

Entrée

L'étape d'entrée s'occupe de la provenance de l'information. On peut entrer des mots ou des chiffres d'une foule de façons, et ils peuvent provenir aussi bien de l'extérieur que de l'intérieur de la compagnie.

Écriture normale Les notes rédigées en écriture normale et ensuite tapées sur ordinateur ou processeur de texte sont faciles à produire. Il ne vous faut que papier et stylo. On peut noter ses idées en tout temps, n'importe où, sans équipement nécessaire pour utiliser un clavier ou un dictaphone. Il n'est également pas nécessaire à un adjoint de

Que le bureau soit traditionnel ou moderne, l'information suit une procédure en cinq étapes appelée cycle de traitement de l'information.

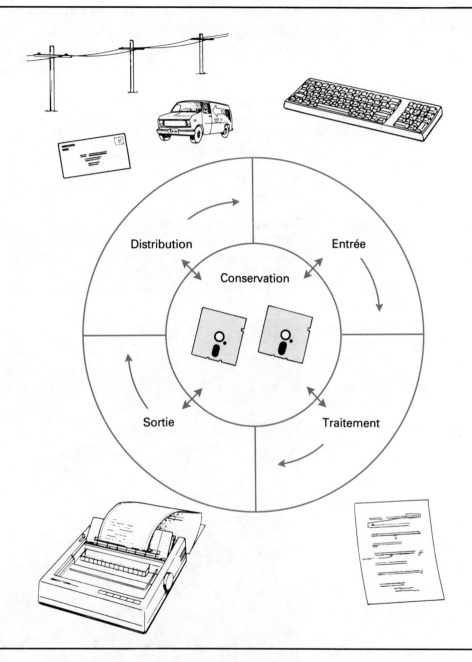

bureau de prendre des notes. C'est pourquoi l'écriture normale est souvent préférée par les rédacteurs ou les créateurs de documents.

Toutefois, les notes en écriture normale sont inefficaces et prennent du temps. Un rédacteur peut écrire environ 20 mots/minute qui doivent ensuite être interprétés par un opérateur de machine. Cela peut devenir une tâche ardue si l'écriture est illisible.

Sténographie Les notes prises en sténographie et ensuite transcrite sont une autre forme d'entrée. Par cette méthode, le créateur dicte à un secrétaire de bureau qui écrit en sténographie et ensuite, tape le texte. On peut également demander au secrétaire de prendre des notes du contenu du message et de rédiger une lettre ou un document. Dans tous les cas, cette forme d'entrée est très pratique pour le créateur et beaucoup plus rapide que l'écriture normale.

Dictaphone Comparée à l'écriture normale, le **dictaphone** est une autre méthode plus rapide et plus efficace pour produire un document. Le créateur enregistre ses idées sur magnétophone portatif ou dans une unité centrale. Les idées sont ensuite transcrites par un secrétaire pendant qu'il écoute l'information enregistrée. Cela permet à l'opérateur d'arrêter pour interruption et repartir ou rejouer l'information aussi souvent que désiré.

Une dictée efficace demande au créateur de bien organiser ses idées et peut demander de la pratique pour devenir efficace dans l'usage du dicta-

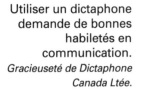

Utiliser un dictaphone demande de bonnes habiletés en communication.
Gracieuseté de Dictaphone Canada Ltée.

phone. Pour faire une transcription efficace, le secrétaire doit posséder de bonnes habiletés orales et écrites, et écouter attentivement ce qui est dit pour que la copie finale soit sans fautes d'orthographe et de syntaxe.

Entrée directe au clavier Le clavier devient beaucoup plus populaire comme forme d'entrée initiale. Un écrivain peut gagner du temps en tapant l'information directement sous forme de brouillon ou de message informel qui n'a pas à être impeccable. Un message envoyé par courrier électronique en est un exemple.

On peut donner au secrétaire qui en fait la finition des documents qui doivent avoir une facture professionnelle.

Il y a de nombreux avantages à composer un document directement au clavier. *Gracieuseté de Wang Canada Limitée*

Reconnaissance vocale Les appareils à reconnaissance vocale équipés d'un **synthétiseur vocal** vous permettent de dicter des messages directement à un ordinateur. Pendant que les mots sont dictés, ils sont traduits en signaux numériques, comparés à la banque de mots de l'ordinateur et ensuite, imprimés.

Les appareils à reconnaissance vocale ont toutefois des limites. Vous devez dicter de façon très claire et très articulée. Ces ordinateurs ne peuvent que capter et imprimer les sons; ils ne peuvent pas déterminer le sens. Les mots de même son mais de sens différent, les homonymes, peuvent changer le sens voulu de la communication. Par exemple, les mots «shah» et «chat» ont le même son, mais des sens différents. Le sens de la phrase suivante est que Mlle K. Simionas a vu le shah d'Iran.

«Mlle K. Simionas a vu le shah d'Iran.»

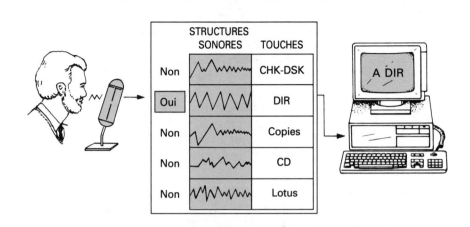

Les appareils de reconnaissance vocale comparent les structures sonores qui entrent avec celles préalablement consignées par la même personne.

Si le mot «char» avait été utilisé et que la phrase était:

«Mlle K. Simionas a vu le chat d'Iran», le sens serait changé. La phrase voudrait désormais dire qu'elle a vu un chat en Iran.

Lecteur optique de caractères   Les données peuvent être scrutées et lues par ordinateur grâce au **lecteur optique de caractères** sans utiliser un clavier. Le texte est traduit en signal numérique pour conservation informatique. On utilise beaucoup ces appareils dans les banques pour enregistrer et classifier la circulation de chèques et dépôts dans les comptes individuels.

Traitement   Aussitôt que la matière première sous forme de mots, de faits ou de chiffres est consignée dans le système à l'étape entrée, elle est éditée à l'étape de traitement en vue de l'impression. Le rédacteur peut consulter les autres pour tester les idées de son article ou vérifier les faits essentiels pour ensuite éditer la matière. Consulter et éditer peut se faire sans faire de tirage. Les autres qui sont rattachés au système peuvent aller chercher le texte électroniquement et y insérer leurs commentaires en le visionnant au moniteur.

Sortie   La sortie demande la création d'une copie finale et la préparation de copies en quantité suffisante pour les récipiendaires du document. Le moyen de reproduction, connu sous le nom de reprographie, est déterminé par le nombre de copies requises et jusqu'à un certain point, par le type d'appareils reprographiques dont dispose le bureau. La sortie peut comprendre une visualisation sur moniteur ou un tirage sous forme de document produit par imprimante.

Distribution   L'étape de distribution demande de prendre la copie sortie et d'envoyer le message aux destinataires prévus. Vous avez différentes options de distribution selon la nature de l'information et l'urgence de sa livraison.

Après avoir entré et édité l'information à l'étape de traitement, vous pouvez faire des tirages.
Gracieuseté de Xerox Canada Inc.

Les services traditionnels consistent à envoyer les documents par Postes Canada, **messagerie** privée ou **courrier interne**. Même si ces services sont encore utilisés, des moyens électroniques d'envoi de l'information, que ce soit pour un document complet ou un simple message, sont désormais disponibles. La technologie électronique permet de transmettre plus rapidement voix, graphiques, données et textes sur de grandes distances. Par exemple, l'information peut être échangée entre des ordinateurs qui sont reliés. On utilise des **télécopieurs** pour envoyer des reproductions fidèles de documents. Les audiomessageries sont des répondeurs sophistiqués qui permettent d'envoyer et recevoir oralement les messages.

On peut également utiliser des services de distribution qui combinent les formes traditionnelles et électroniques de livraison.

Gestion des dossiers

L'étape de gestion des dossiers comprend la conservation des documents pour récupération ultérieure. On dit que l'information est conservée lorsqu'elle est entrée électroniquement en mémoire informatique ou classée comme document écrit. Une multitude de moyens de conservation peuvent servir à garder l'information électroniquement et chacun d'eux est mentionné ici brièvement. (Pour une description complète, propriétés de chacun incluses, voir chapitre 15 sur la gestion des dossiers — l'équipement).

1. **Microformes**. Documents miniaturisés et conservés sur film.
2. Les moyens magnétiques peuvent comprendre : **disquettes** de 9 cm à 20 cm et ressemblant à un disque mou dans une pochette protectrice; **disques durs** semblables à un long jeu et scellés en permanence dans l'ordinateur; et le **ruban magnétique** enroulé sur de grandes bobines et utilisé habituellement comme fichier de sécurité.
3. La technologie du laser comprend les **disques optiques**, qui sont en plastique recouverts d'argent. Ils sont capables de conserver son, images, graphiques et données dans un espace très restreint.

La gestion des dossiers est une étape importante. Pendant que des documents circulent à travers le cycle de traitement de l'information, ils sont souvent conservés avant de passer d'une étape à une autre. C'est pourquoi la gestion des dossiers est une composante vitale qui doit marcher rondement pour permettre à l'information de circuler efficacement à travers le cycle. Vu que plusieurs personnes doivent consulter les fichiers, les documents doivent être conservés fidèlement selon une

Dans la conduite des affaires, l'échange d'information est essentielle. Un ensemble de moyens traditionnels et modernes peuvent servir.

On peut conserver
l'information électroni-
quement sur disquettes.
*Gracieuseté de Pendaflex
Canada Inc.*

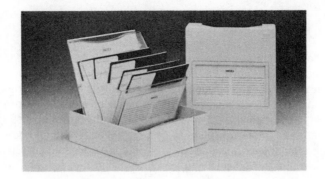

procédure reconnue. Pour que le système soit efficace, des procédures doivent être élaborées, comprises et suivies par les personnes concernées.

**QUESTIONS
DE RÉVISION
ET DISCUSSION**

1. Quelles sont les étapes du cycle de traitement de l'information?
2. Comment le cycle de traitement de l'information aide-t-il à la gestion de l'information?
3. Pourquoi l'entrée directe au clavier devient-elle populaire?
4. Montrez l'avantage et les inconvénients de l'appareil à reconnaissance vocale.
5. Nommez les trois activités qui peuvent survenir à l'étape traitement dans le cycle de traitement de l'information.
6. Décrivez l'importance de l'étape de gestion des dossiers dans le déroulement du cycle.

**L'IMPACT
DE LA
BUREAUTIQUE**

La technique existe pour atteindre des niveaux supérieurs de productivité et d'efficacité et pour permettre un plus grand contrôle de la gestion de l'information. Non seulement la technologie a-t-elle permis de produire et de distribuer l'information plus rapidement, elle a également changé le mode de travail de bureau. Même les relations de travail au bureau sont affectées; la façon de communiquer entre les employés s'est modifiée. Ces changements sont importants et l'impact dans le milieu non négligeable.

Quelques-uns des impacts les plus importants de la bureautique touchent les domaines de: sécurité d'emploi, redéfinition de tâche, compétition pour les emplois de bureau, formation et orientation, et dépersonnalisation de la communication.

Sécurité d'emploi

Plusieurs craignent qu'une plus grande productivité réduira le nombre de personnes au travail et diminuera les emplois disponibles. C'est faux. Dans la livraison de mars/avril 1985 de «La société de l'information», publié par la Banque Royale du Canada, on cite le Japon comme nation la plus productrice de toutes, pourtant le chômage y est bas selon nos normes occidentales. Au Canada, malgré une plus grande dépendance de la bureautique, le nombre

JE ME RAPPELLE QUAND...

Au risque de trop me dévoiler, je voudrais que ceux qui se «rappellent quand» fassent un voyage nostalgique avec moi. Ceux qui ne s'en rappellent pas, venez pour le plaisir! Prêt?

Je me rappelle quand il n'y avait pas de duplicateurs! Les copies de lettres, etc., étaient tapées à la main, avec papiers carbones entre les pages. Si votre touche était dure et le papier carbone neuf, vous pouviez taper six bonnes copies d'une frappe — douze copies signifiaient que vous aviez tapé *deux fois*. Je me rappelle le sceau de «copie conforme», les stencils, les duplicateurs, et quand «Xerox» était un procédé magique qui pouvait faire plusieurs copies à partir d'une copie «maîtresse.»

Je me rappelle quand il n'y avait pas de dactylos électriques — et que le meilleur dactylo était le bon vieux Underwood.

Je me rappelle quand il n'y avait pas de touche de correction. Bigre! Si je m'en rappelle! Le gaspillage de papier était énorme durant les mauvais jours!

Je me rappelle quand il n'y avait pas de dactylos à mémoire électronique — quand je devais taper une enveloppe pour chaque lettre et quand une modification à une lettre voulait dire qu'elle devait être «retapée» et non «rejouée».

Je me rappelle quand il n'y avait pas d'ordinateurs! Quand
* les listes d'adresses devaient être mises à jour manuellement — encore et encore et encore — sans fin?
* les étiquettes de chemises devaient être tapées au dactylo et que ça prenait des journées!
* quand un octroi ou des statistiques devaient être compilées manuellement d'ici, de là et de partout, ensuite mises en corrélation, écrites et tapées.
* le guide des fichiers devait être édité et retapé sans cesse.
* tout calcul était long — et à Dieu ne plaise si quelqu'un devait faire un changement!
* les circulaires devaient être adressées individuellement et les espaces vides remplis.
Seulement aujourd'hui j'ai:
* produit les étiquettes de toutes les chemises d'octroi pour 1987-1988.
* édité le guide de fichiers pour faire les étiquettes des fichiers pour 1987-1988.
* préparé une liste de courrier pour tous nos clients métropolitains.
* édité et imprimé divers documents.
* fait des prévisions budgétaires par organisation pour les octrois 1987-1988.
* écris cet article
et il m'est resté du temps de mes 7 h 25.

On n'a pas besoin de me traîner de force dans l'âge de la nouvelle technologie. Je crois que c'est fantastique, excitant, stimulant! Je ne peux apprendre assez rapidement — parce que je «me rappelle quand!»

Reproduit avec la permission du ministre de la citoyenneté et de la culture de l'Ontario, d'un article de Joyce L. Millard dans *Printout*.

d'emplois dans les industries de l'information n'ont pas cessé d'augmenter depuis 1971 et les projections vont en ce sens, selon l'édition de 1986 de «Tomorrow's Customers» publiée par Clarkson Gordon/Woods Gordon, firme canadienne de consultants en gestion. Ce même rapport montre que parmi les emplois de cols blancs, le travail de bureau est le plus grand secteur. Dans une étude récente, le service fédéral d'emploi et immigration a fait une étude sur les modèles de l'emploi. Il publia le *Consultation on Training Report* qui soulignait que les emplois de secrétaire et de sténographe étaient à la hausse. Les projections montrent une augmentation de 25 pour cent dans ce secteur passant de 351 000 emplois en 1983 à 438 000 en 1992.

***Nouvelle définition
de tâche au bureau***

L'utilisation de la nouvelle technologie ne semble pas diminuer le nombre d'emplois disponibles mais en change le type et les responsabilités.

Par exemple, le besoin de commis au courrier pour traiter et livrer le courrier interne et externe va diminuer. Mais de nouveaux emplois seront créés par l'installation de nouvel équipement et par la formation continue du personnel qui s'en servira.

De plus, l'image du rôle traditionnel de secrétaire devant son dactylo faisant des tâches répétitives s'estompe. Même le terme secrétaire tend à disparaître comme description de tâche pour être remplacé par «adjoint administratif» ou «agent de bureau». La livraison de janvier 1987 de *The Secretary* rapportait que dans un sondage sur les offres d'emplois dans les quotidiens des principales villes du Canada et des États-Unis, 41,8 pour cent des annonces demandaient des connaissances en traitement de texte. Une sur trois exigeait des habiletés sur ordinateur, comparé à un sur cinq en 1985, incluant l'utilisation de tableaux et de progiciels de gestion de base de données. Au même moment, le nombre d'emplois demandant la sténographie déclinait pour une troisième année consécutive. La sténographie est encore de mise pour des postes administratifs supérieurs.

L'emphase sur les connaissances du traitement de texte et de l'ordinateur a diminué le nombre de tâches répétitives. Le temps gagné permet à l'employé de bureau de fonctionner comme adjoint administratif, travaillant en plus étroite collaboration avec la gestion.

Compétence/habileté

Pourcentage d'annonces demandant

traitement de texte/ordinateur	41,8 %	interpersonnel	5,2 %
organisation	15,0 %	orthographe/syntaxe	4,4 %
communication	12,2 %	classement/général	4,2 %
compétence de secrétaire	9,2 %	écriture	4,0 %
initiative	7,8 %	bilinguisme	3,6 %
math/tenue de livre	7,6 %	personnalité	2,5 %
téléphone	7,2 %	apparence	2,2 %
administration	5,3 %	confidentialité	1,1 %
		supervision	1,0 %

Reproduit avec permission, Copyright 1987, *The Secretary*, organe officiel de Profession Secretaries International, Kansas City, MO.

Compétition

La compétition pour les emplois de bureau va augmenter à cause du plus grand nombre de candidats pour chaque emploi. Dans les manufactures, les postes d'entrée pour cols bleus sont progressivement éliminés avec l'introduction de la robotique; à cause des mises à pied, beaucoup de travailleurs vont chercher du travail de bureau. De plus, la technologie facilite le travail ailleurs qu'au bureau. N'importe qui trouvant le transport difficile et désirant rester à la maison avec la famille, par exemple, peut dorénavant être sur le marché du travail. Ces facteurs vont amener plus de gens à chercher du travail de bureau.

TÉLÉTRAVAIL : PLAIDOIRIE DE LA DÉFENSE

Pourquoi votre organisation songerait-elle à établir un programme de télétravail ou de travail à la maison? Voici une liste contrôle des raisons:

- Les expériences de télétravail aux États-Unis indiquent une augmentation de la production de 40 pour cent — l'argument étant que les travailleurs à domicile ont des périodes de concentration plus longues.
- On indique également une baisse de 70 pour cent de l'absentéisme.
- Le moral et la loyauté des employés augmentent en reconnaissance de la «marque de confiance» de la gestion.

- Le stress dû aux trajets routiniers et aux jeux de coulisses diminue.
- Les risques à la santé, principalement la fumée de cigarettes, sont diminués ou éliminés.
- Le temps passé en trajets routiniers peut être productif.
- Les coûts de transport sont diminués.
- Un employé a une meilleure impression de contrôle de son travail.
- Des horaires plus souples à domicile deviennent possibles.
- Les employés économisent en repas au restaurant et en habillement.

Reproduit avec la permission de Southam Communications Limited, tiré de *Access*.

Recyclage et orientation

La conséquence de l'automation est une plus grande emphase sur les programmes de formation et de recyclage. À mesure que chaque nouveau progiciel d'application ou pièce de bureautique fait son apparition, le personnel doit apprendre à s'en servir. Sans un soutien suffisant pour apprendre à gérer la technologie, les employés peuvent subir de grandes quantités de stress.

Dépersonnalisation

Vu que les messages par courrier électronique ont tendance à être courts et précis, et que des messages complets peuvent être livrés en silence, certains craignent que la procédure de communication soit dépersonnalisée. Quoique possible, cette technologie élimine les procédures inutiles, par exemple lorsqu'on fait un appel pour se rendre compte que l'interlocuteur désiré n'est pas disponible. Le temps gagné peut être utilisé de façon plus productive en communication de personne à personne.

De plus, les possibilités de **téléconférences vidéo** peuvent réunir des gens qui n'auraient pas pu se rencontrer autrement. La capacité de mettre un visage sur un nom et/ou une voix sert à améliorer la procédure de communication.

En conclusion, Clarkson Gordon/Woods Gordon prédisent qu'au cours des dix prochaines années le marché va demander encore plus de produits favorisant la communication et donnant une plus grande efficacité au bureau. Selon ce groupe, en 1996, nous disposerons de la technologie pour des photocopieurs couleurs, des entrées directes vocales dans les processeurs de texte, des traductions informatisées de rapports de l'anglais au français et vice-versa. En plus, l'information sera reconnue comme étant une ressource réelle. Les entreprises vont réagir en ouvrant des postes de cadre supérieur de l'information, responsable de tous les aspects de la gestion de l'information.

QUESTIONS DE RÉVISION ET DE DISCUSSION

1. «Si l'usage de la technologie amène une augmentation de la production, il y aura des pertes d'emploi.» Commentez cette affirmation.
2. Comment est-ce possible que le rôle du commis de bureau devienne celui d'un «prolongement de cadre» impliqué dans la procédure de prise de décisions?
3. La technologie conduit à une communication dépersonnalisée. Êtes-vous d'accord? Trouvez des appuis à votre réponse.

UTILISATIONS

1. L'informatique influence notre vie, que nous soyons au travail, aux études, en magazinage, à l'écoute d'un concert ou en voyage. Les feux de circulation de votre trajet au travail ou à l'école sont réglés par des ordinateurs. Les dépôts ou retraits bancaires sont enregistrés et votre solde est automatiquement mis à jour par ordinateur. Ce ne sont que deux exemples. Cherchez et notez tous les exemples additionnels que vous pouvez trouver.
2. Après 20 ans comme gérant des services administratifs chez Canadian Artisan Services, M. Karlson se retire. Il parle des détails de ses responsabilités avec son successeur, Mme Rita D'Onofrio. Pendant l'échange, il se rappelle sa première semaine en poste. Une de ses première tâches avait été la préparation d'un rapport pour le conseil d'administration. L'épreuve était un cauchemar. L'information d'Halifax par courrier aérien avait un retard important à cause du mauvais temps. Il fallait chercher à la mitaine certains faits dans des fichiers. Il avait beaucoup de difficulté à rejoindre au téléphone quelqu'un pour le conseiller. Souvent, il faisait un appel urgent pour s'apercevoir que la personne à rejoindre n'était pas disponible. Quand il a eu tous les faits et chiffres, il fallait encore faire des changements dans les calculs de différentes projections de coûts et ce, jusqu'à la dernière minute pour le rapport final qui devait être présenté à la réunion du conseil.

   Comment la technologie existante aurait-elle pu faciliter la préparation de ce rapport?
3. La technologie actuelle permet le travail à domicile.

   «Au XXIe siècle, 50 pour cent de la main-d'œuvre travaillera à domicile avec de rares visites au bureau central.»

Discutez de cette affirmation en petits groupes. Nommez une personne pour noter les commentaires et la décision finale de soutenir ou refuter l'affirmation.

4. Faites un rapport sur les divers emplois de bureau qui nécessitent la connaissance d'un processeur de texte ou d'un ordinateur.

   Consultez la bibliothèque locale ou le centre d'emploi Canada pour un exemplaire de la publication *Classification canadienne descriptive des professions* pour vous aider dans votre rapport.

   Décrivez sommairement les emplois par une analyse des compétences et de la formation requises ainsi que l'échelle salariale probable pour chacun.

5. Travaillez en groupe pour faire un sondage des emplois de bureau disponibles dans les annonces classées d'un journal national ou régional qui dessert votre région. Pour une période consécutive de cinq jours, notez le nombre d'emplois de bureau disponibles et combien d'entre eux demandent des connaissances en traitement de texte et/ou en ordinateur.

   Faites un bref compte-rendu de vos résultats.

6. Interviewez une personne qui travaille sur un appareil de traitement de texte pour évaluer l'influence de cette technologie sur son travail.

   Préparez un questionnaire et faites-le approuver par votre professeur avant de mener l'entrevue.

   Après l'entrevue, soyez prêt à donner en classe un compte-rendu verbal de vos résultats.

7. Analysez chaque activité énumérée et trouvez à quelle étape du cycle de traitement de l'information elle appartient.
   a) Mettre un fac-similé d'une lettre dans une chemise.
   b) Changer l'ordre d'un paragraphe dans un rapport.
   c) Utiliser une commande qui va envoyer électroniquement l'information à un autre poste de travail.
   d) Faire usage de la caractéristique synthétiseur vocal de votre ordinateur.
   e) Conserver l'information sur une disquette.
   f) Utiliser une messagerie privée.
   g) Scruter un document par reconnaissance optique des caractères.
   h) Photocopier un document.
   i) Consulter un confrère de travail sur le contenu d'un brouillon.
   j) Utiliser un télécopieur.
   k) Faire le tirage d'un document.

8. Étudiez les données sur les tendances à l'emploi ramassées au chapitre 2, question 8. À l'aide d'un progiciel graphique, illustrez-les sous forme graphique. Préparez une brève interprétation écrite des données titrée «L'impact de la bureautique sur les tendances à l'emploi.»

4

LE TRAITEMENT DE TEXTE AVEC LA TECHNOLOGIE D'AUJOURD'HUI

Après lecture de ce chapitre, vous pourrez:

- comprendre l'évolution du traitement de texte.
- identifier les composantes de l'équipement de traitement de texte.
- comprendre comment les différentes sortes d'ordinateurs sont utilisées au bureau.
- comprendre le concept de constitution de réseaux et son rôle au bureau.
- comprendre l'importance de connaître vos besoins avant d'acheter vos appareils électroniques.

Bien que le terme «traitement de texte», utilisé la première fois par International Business Machines (IBM) en 1964, projette une image moderne, le monde a été impliqué dans le traitement de mots depuis qu'on précise et écrit les pensées. Aujourd'hui, le traitement de texte se rapporte à la saisie de l'information sous forme magnétique, sur cassettes ou disquettes, afin de préparer et d'éditer un texte. Pour bien mesurer le concept de traitement de texte, on doit considérer les sortes d'équipement existantes et voir leur évolution à partir des systèmes précédents.

OÙ TOUT ÇA A-T-IL COMMENCÉ?

L'invention du dactylo par C.L. Sholes et sa production en série par la compagnie Remington vers 1860 a eu un impact majeur sur la façon de traiter l'information dans les entreprises. Elles pouvaient désormais produire des documents imprimés trois ou quatre fois plus vite que manuellement.

Chaque manufacturier produisait des machines avec un arrangement différent du clavier. Il était coûteux de manufacturer les appareils et difficile aux employés de les maîtriser. L'entente sur un clavier uniforme diminua le coût de production des appareils les rendant plus accessibles. L'arrangement normal du clavier était le **format QWERTY** qui prend son nom de la disposition des six touches à gauche au-dessus de la rangée principale. Le format QWERTY a originalement été conçu pour ralentir l'opérateur et prévenir le coincement des touches. Même si la technologie moderne a réglé ce problème, le format QWERTY est encore en usage.

Comparez l'équipement utilisé dans les bureaux actuels avec celui du bureau du directeur général du service des travaux publics de 1928.
Gracieuseté des Archives publiques du Canada/PA143667

En 1925, la compagnie Remington remplaça le dactylo manuel avec un modèle électrique plus rapide. Les machines électriques ont amené des caractéristiques comme la variation de la taille, la forme des caractères et la correction des erreurs sur l'original en couvrant ou en enlevant les caractères qui devaient être effacés.

Dans les années 30, il y a eu invention d'un dactylo automatique qui pouvait reculer de plusieurs lettres en utilisant une bande de papier perforé. Cette possibilité évolua pour introduire en 1964 le dactylo IBM Selectric à bande magnétique, appelé le MT/ST, et qui devint le premier dactylo électronique. La bande de papier était remplacée par une bande magnétique et permettait de récupérer pour révision, inclusion ou effacement l'information conservée sur la bande sans retaper le document. Cet appareil fut remplacé par le dactylo Mag Card Selectric qui pouvait chercher et récupérer plus rapidement que le MT/ST et permettait à l'opérateur de visionner une page complète sur une carte. Les appareils Mag Card pouvaient être reliés pour transmettre l'information à d'autres endroits.

Le format QWERTY fait référence à l'arrangement standard des touches sur un clavier.

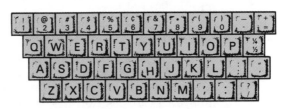

L'invention du dactylo a accéléré la reproduction de documents.   *Gracieuseté de IBM Canada Ltée.*

Le dactylo électrique actuel ressemble au modèle régulier mais l'ajout d'un microprocesseur interne lui permet d'effectuer des fonctions semblables à celles d'un traitement de texte, éliminant plusieurs tâches

Dans les années 50, le dactylo électrique remplaça le manuel dans presque tous les bureaux. *McGraw-Hill Ryerson remercie BROTHER INTERNATIONAL pour sa précieuse contribution à ce manuel.*

Le dactylo électrique peut faire plusieurs tâches comme le centrage et l'alignement des décimales, ce qui devait naguère être fait manuellement.
McGraw-Hill Ryerson remercie Brother International pour sa précieuse contribution à ce manuel.

répétitives reliées à taper. Par exemple, le centrage, la correction d'erreurs, le retour automatique du charriot, l'alignement décimal et la mémoire limitée sont quelques-unes des caractéristiques disponibles sur les appareils électriques.

Un dactylo électrique peut également servir d'imprimante lorsque branché sur certains ordinateurs.

L'équipement de traitement de texte possédant une plus grande mémoire et de meilleures capacités d'édition apparut dans les années 70 en réponse aux demandes des entreprises pour une efficacité et productivité accrues.

QUESTIONS DE RÉVISION ET DE DISCUSSION

1. Définissez l'expression «traitement de texte».
2. Décrivez brièvement l'histoire du traitement de texte avant 1964.
3. Pourquoi le dactylo à ruban magnétique Selectric de IBM (MT/ST) était-il considéré comme révolutionnaire?

ÉQUIPEMENT DE TRAITEMENT DE TEXTE

Les composantes principales de tout appareil utilisant le traitement de texte sont: un mécanisme d'entrée, habituellement un clavier, quoique d'autres formes d'entrée sont possibles; une **unité centrale de traitement**; une **unité de mémoire**; et une **imprimante**. L'unité centrale de traitement agit comme un cerveau acceptant des directives spéciales du mécanisme d'entrée, les interprète et fait exécuter les commandes, comme imprimer ou conserver, par les autres composantes.

L'unité de mémoire conserve et classe les documents qui peuvent être facilement récupérés et édités. Tout changement découlant de l'édition ne serait enregistré sur le fichier que s'il était remis en mémoire.

L'imprimante est un appareil qui accepte les extraits informatiques et fait un tirage.

Les composantes d'un processeur de texte comprennent une unité centrale de traitement, une unité de mémoire et une imprimante.

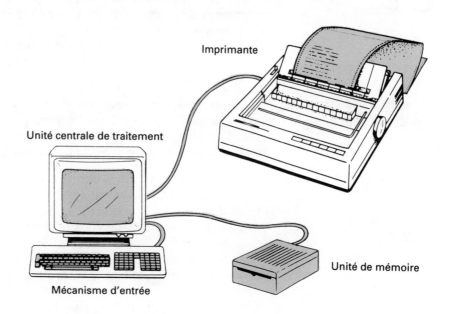

Imprimante

Unité centrale de traitement

Unité de mémoire

Mécanisme d'entrée

Processeurs de texte autonomes

Les **processeurs de texte autonomes** fonctionnent comme unités complètes et indépendantes utilisant des disquettes ou des rubans magnétiques. Une unité autonome a un mécanisme d'entrée (habituellement un clavier), son propre système intelligent pour recevoir et traiter les directives, et une imprimante pour faire des tirages. Ces fonctions sont toutes accomplies dans un espace restreint.

Il y a plusieurs sortes de processeurs de texte autonomes, des systèmes aveugles incapables d'afficher jusqu'à ceux qui ont un affichage partiel ou total de une ou plusieurs pages.

Les **systèmes aveugles d'édition de texte** n'ont pas de moniteur ce qui empêche d'afficher le texte. Vu qu'il est impossible d'éditer sans voir le texte, cet appareil n'est utilisé que dans les cas de catégories de documents répétitifs qui demandent très peu d'édition comme les circulaires qui n'ajoutent que le nom et l'adresse pour devenir personnalisées. Les systèmes aveugles d'édition de texte comprennent le dactylo à mémoire qui peut garder jusqu'à cent pages en mémoire à la fois.

Les **systèmes à affichage** incorporent l'usage d'un écran ou moniteur qui vous permet de voir et d'éditer le texte avant d'en faire un tirage. Cette capacité est utile pour les lettres (autres que circulaires), les documents volumineux, les rapports et les états financiers complexes qui pourraient demander une révision approfondie. Des fonctions spéciales comme la recherche et le déroulement permettent à l'opérateur de trouver et éditer rapidement le document.

Le système d'affichage permet un usage plus efficace du temps de l'employé.

Vu que les fonctions entrée et sortie peuvent fonctionner simultanément, un employé peut continuer à taper l'information pendant que le travail déjà conservé s'imprime.

Les unités d'affichage autonome comprennent des processeurs de texte spécialisés aussi bien que des micro-ordinateurs capables de faire du traitement de texte.

Processeurs de texte spécialisés

Le nom de «**processeur de texte spécialisé**» vient du fait que ces appareils ont été expressément conçus pour ne faire que du traitement de texte. Ces appareils ne peuvent que faire du traitement de texte comme l'entrée, la mémorisation, le rappel, la révision et l'impression d'un texte.

Micro-ordinateurs

Ils sont les plus petits ordinateurs tout usage disponibles. Le véhicule traditionnel du traitement de texte a été le processeur de texte spécialisé, quoiqu'il a été supplanté en usage et en popularité par les micro-ordinateurs. Une firme de consultation indépendante de Toronto, Evans Research, a établi qu'à la fin de 1986 près de 1,3 millions de Canadiens utilisaient un micro-ordinateurs au travail. Leur facilité d'usage de même que leur versatilité ont provoqué une hausse de leur présence dans les entreprises.

Un micro-ordinateur n'est pas seulement un processeur de texte, mais également un processeur de l'information. Selon le logiciel utilisé, il est capable de traiter le texte et les données, aussi bien qu'une foule d'autres

Les processeurs de texte spécialisés ne peuvent faire que des tâches de traitement de texte.
ETV260 Secretarial Workstation, gracieuseté de Olivetti Canada Ltée.

Un micro-ordinateur est l'ordinateur le plus souvent utilisé par les employés de bureau pour le traitement de texte et des données.   *Gracieuseté de Digital Equipment du Canada Ltée.*

tâches comme le classement électronique et la gestion de base de données, la création de tableaux et de graphiques pour les rapports, et le courrier électronique.

L'ordinateur le plus en vogue au bureau est le micro-ordinateur; toutefois, d'autres ordinateurs — l'**unité centrale** et le **mini-ordinateur** — sont aussi utilisés en affaires. Les différences entre les ordinateurs micro, mini et à unité centrale sont la quantité de **mémoire interne**, la capacité de **conservation externe** et le coût. Avec l'avancement de la technologie et les **puces à circuit intégré** servant à donner de la puissance aux ordinateurs et devenant plus petites, il y aura moins de différence entre les sortes d'ordinateurs. Un micro-ordinateur pourra être presqu'aussi puissant qu'un ordinateur à unité centrale.

Les unités centrales

Ce sont les plus gros et les plus puissants appareils. Ils servent aux tâches de traitement de la paie et des comptes recevables des grosses compagnies. Ils peuvent accomplir plusieurs tâches à la fois. Un large éventail d'équipement optionnel peut s'ajouter pour augmenter la mémoire et faire les raccords avec d'autres terminaux.

L'utilisation de l'ordinateur à unité centrale a toutefois quelques inconvénients. Le fonctionnement de cet appareil demande une pièce à température contrôlée sans poussière. Si l'unité centrale est la seule source d'intelligence ou de mémoire, tout travail du système s'arrête lors de panne.

Les mini-ordinateurs

Sous plusieurs aspects, le mini-ordinateur est une version réduite de l'unité centrale. Il est moins puissant, a moins de mémoire et est plus lent à

L'usage des micro-ordinateurs croît rapidement dans l'entreprise à cause de leur versatilité.

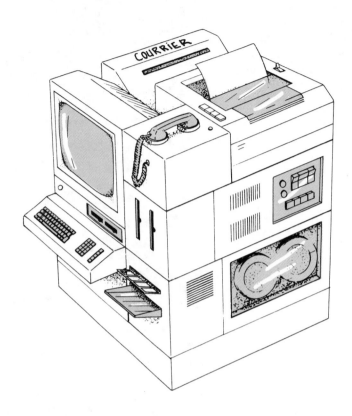

Les unités centrales sont de gros ordinateurs puissants capables d'effectuer plusieurs tâches à la fois.
Gracieuseté de l'Université York

Les puces à circuit intégré dotent les ordinateurs de capacités de logique. Cette puce peut contenir environ 400 pages de texte dactylographié à double interligne et peut lire les données en un quart de seconde.
Gracieuseté de IBM Canada Ltée.

traiter l'information. Toutefois, un mini-ordinateur peut effectuer plusieurs tâches à la fois et a certains avantages sur les unités centrales. Une entreprise peut choisir d'acheter plus d'un mini-ordinateur pour atteindre la même puissance qu'une unité centrale. Le fonctionnement de l'entreprise ne repose plus ainsi sur un seul ordinateur; la panne d'un mini-ordinateur n'empêche pas l'autre de poursuivre le traitement de l'information.

QUESTIONS DE RÉVISION ET DE DISCUSSION

1. Décrivez les composantes essentielles d'un système de traitement de texte.
2. Qu'est-ce qu'un processeur de texte spécialisé? Comment ses capacités diffèrent-elles de celles d'un micro-ordinateur?
3. Comment l'entreprise utilise-t-elle l'unité centrale et les micro-ordinateurs? Pourquoi une entreprise achèterait-elle deux micro-ordinateurs ou plus au lieu d'une unité centrale?

RÉSEAUX D'ORDINATEURS

Dans les années 70, on a développé l'habileté à relier des processeurs de texte à des micro-ordinateurs. On a appelé le résultat un système réseau ou regroupement. L'aménagement de processeurs de texte et de micro-ordinateurs en réseaux ou regroupements repose sur l'existence d'un ordinateur d'accueil — une unité centrale, un mini-ordinateur ou un micro-ordinateur spécialisé. L'usage d'un ordinateur d'accueil ou central pour créer un système réseau permet de partager un ou plusieurs périphériques comme les imprimantes ou les unités centrales de traitement.

Le partage de ces périphériques réduit les coûts en éliminant le dédoublement des appareils et donne accès à une plus grande mémoire que l'on ne trouve que dans les grosses unités centrales, les mini-ordinateurs ou les micro-ordinateurs spécialisés.

Le système réseau gagne en popularité. Toutefois, l'unité autonome conserve la faveur des petites entreprises. On retrouve les systèmes réseaux dans deux grosses catégories : **ressource partagée** et **logique partagée**.

Système à ressource partagée

Dans ce système, on peut diminuer les coûts en partageant une imprimante et un espace d'unité de disquette pour quelques ordinateurs et processeurs de texte. Vu que les tirages sont faits en ordre séquenciel des demandes (procédure mise en **file d'attente**), l'impression de documents importants pourrait se perdre dans des articles de moindre importance. Un système de priorité qui donne un état à chaque document doit être conçu et respecté pour assurer la priorité d'impression aux documents de première importance.

Système à logique partagée

Ces systèmes n'ont pas de processeur interne. Ils partagent la logique ou l'intelligence d'une unité de traitement centrale, habituellement logée dans une plus grande unité centrale, un mini-ordinateur ou un micro-ordinateur sophistiqué ayant une plus grande capacité de mémoire que les unités autonomes.

Les systèmes à logique partagée ont souvent des équipements de mémoire externes et communs. Cela permet la conservation sur disques durs dotés d'une plus grande mémoire et d'une récupération plus rapide que les disques mous. La mémoire étendue peut aussi suivre des directives plus complexes et remplir plus de fonctions.

Dans un système à ressource partagée, les micro-ordinateurs sont reliés pour partager une même imprimante, une unité de mémoire et/ou un modem tout en maintenant leur propre système logique.

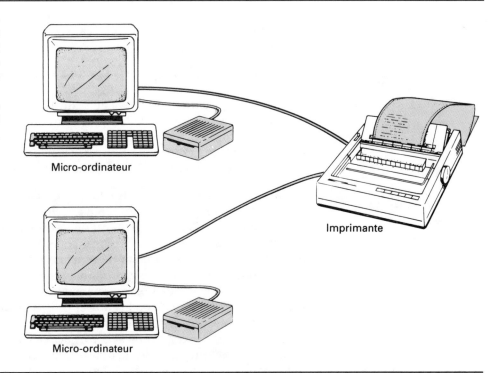

Micro-ordinateur

Micro-ordinateur

Imprimante

Dans un système à logique partagée, les micro-ordinateurs partagent la logique d'une unité centrale ou d'un mini-ordinateur.

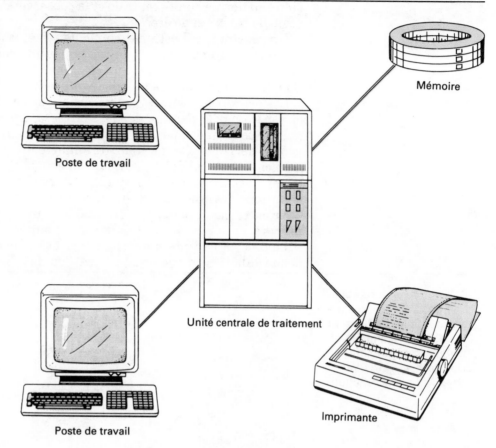

Poste de travail

Mémoire

Unité centrale de traitement

Imprimante

Poste de travail

On appelle souvent **terminaux bêtes** les processeurs de texte qui dépendent entièrement d'une unité centrale de traitement pour les fonctions de logique et de mémoire. Bien qu'il y ait d'énormes avantages à un système de logique partagée, le temps de réponse peut être lent si plusieurs demandes de services sont faites simultanément. Si cela se produit, un opérateur perd du temps en attendant d'entrer ou de conserver l'information. En plus, une panne à l'unité centrale de traitement peut paralyser le système. Cela voudrait dire qu'aucune unité pourrait fonctionner, que des données pourraient être effacées ou que des erreurs pourraient se glisser dans les données restantes.

Les systèmes se servant de l'unité centrale de traitement mais qui ont leurs propres processeurs internes et unités de mémoire additionnels sont appelés **postes de travail intelligents**. Un poste de travail intelligent intègre tous les avantages d'un système à logique partagée, tout en surmontant les problèmes de réponse lente et de perte possible de données. Le principal avantage de ce poste est que l'utilisateur peut accéder à l'information de l'unité centrale et la conserver dans l'unité de mémoire du poste de travail si désiré.

Un **réseau local** est un exemple de système à logique partagée reliant terminaux et imprimantes en un réseau interne de communication. Ces systèmes internes procurent un chemin qui permet de partager l'information dans un endroit, habituellement une bâtisse ou entre deux bâtisses.

Les réseaux régionaux locaux permet aux entreprises d'épargner argent et espace par le partage des ressources. Par exemple, une même imprimante peut imprimer des documents provenant d'employés de divers postes de travail. Plus d'un terminal peut partager les capacités de mémoire d'un seul disque dur. L'équipement n'a pas à être placé près d'un terminal spécifique mais plutôt là où c'est plus pratique.

Lorsque des ordinateurs sont raccordés, les employés peuvent communiquer entre eux à partir du terminal de leur poste de travail. Le message préparé, il est envoyé électroniquement plutôt que par écrit.

Le concept de **temps partagé** permet à une entreprise d'avoir accès à des installations d'une unité centrale ou de mini-ordinateur sans investir

Dans un réseau régional local, les messages passent habituellement par un mécanisme de distribution central afin de coordonner la circulation de l'information.

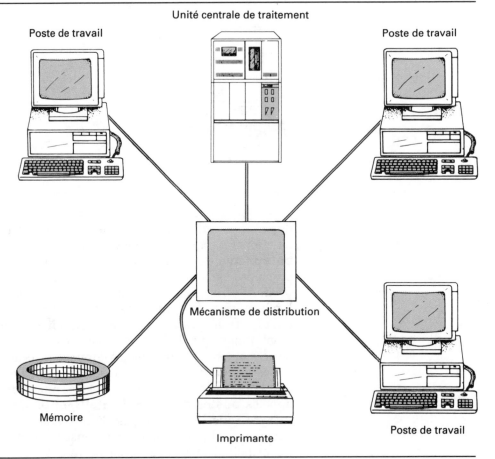

Unité centrale de traitement

Poste de travail

Poste de travail

Mécanisme de distribution

Mémoire

Imprimante

Poste de travail

Les services de temps partagé permettent à l'entreprise de louer les capacités informatiques d'une unité centrale.

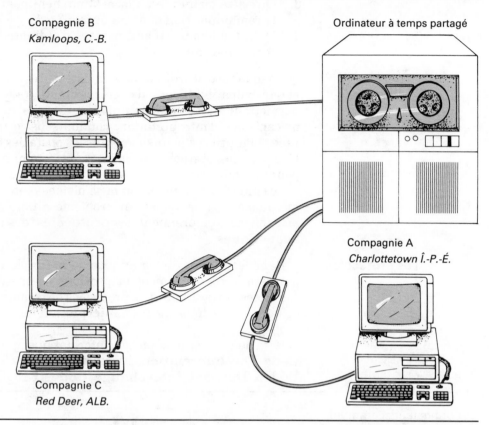

Compagnie B
Kamloops, C.-B.

Ordinateur à temps partagé

Compagnie A
Charlottetown Î.-P.-É.

Compagnie C
Red Deer, ALB.

de sommes importantes en équipement. Les entreprises qui achètent du temps d'ordinateur n'ont besoin que d'un terminal à prix modique et d'un modem pour profiter de la grande variété de logiciels offerte par les services à temps partagé. En plus d'être abordable, le temps partagé donne de la souplesse aux entreprises qui veulent utiliser le service comme sauvegarde à leurs appareils existants.

Les entreprises, connues comme abonnées, ont accès au système par ligne téléphonique. Aussitôt la ligne établie, l'information peut être envoyée n'importe où; la distance n'est pas un problème. Les frais sont généralement réglés sur base mensuelle, pour le temps passé en ligne ou relié à l'ordinateur.

Le concept ressemble au système à logique partagée et montre également quelques-uns des mêmes problèmes comme la lenteur de temps de réponse ou les lignes occupées lorsque trop de monde veut utiliser le système simultanément. Des procédures spécifiques doivent être suivies pour entrer et sortir du système afin d'assurer une protection adéquate de l'information.

QUESTIONS DE RÉVISION ET DE DISCUSSION

1. Décrivez brièvement la différence entre des systèmes informatiques à ressources partagées et à logique partagée.
2. Qu'entend-on par terminal bête?

3. Qu'est-ce qu'un réseau local? Comment peut-il contribuer à améliorer la communication dans un bureau?

4. Qu'entend-on par temps partagé d'ordinateurs? Comment cela peut-il servir une entreprise?

COMMUNICATION INFORMATIQUE

Chaque sorte d'ordinateur a sa liste de règles, de procédures et de codes, et d'incompatibilité avec d'autres ordinateurs. Tout comme les interprètes permettent des échanges entre personnes de langues différentes, les mécanismes d'interprétation, connus sous le nom d'**appareils d'interface**, sont utilisés pour surmonter les obstacles entre différents appareils. Une fois ces obstacles surmontés, la communication entre ordinateurs peut s'établir.

Les interfaces viennent en mécanismes matériels ou de logiciel. Chaque mécanisme sert à régler un problème différent de communication. Ces mécanismes comprennent des **protocoles**, des modems et des **coupleurs acoustiques**.

Les protocoles

Dans les cercles diplomatiques, le protocole est un ensemble de règles qui gère le comportement et prévient les mésententes entre différentes coutumes et traditions. Les protocoles de communication font le pont entre différentes technologies en interprétant les règles de formatage et le langage.

Il y a deux codes de protocole informatique appelés **American Standard Code For Information Interchange (ASCII)** et **Extended Binary Coded Decimal Interchange Code (EBCDIC).** Ces codes sont in-

Les ordinateurs communiquent en passant par une série de codes de protocole informatique.

corporés dans différentes sortes de matériel et de logiciel et déterminent toutes les lettres, chiffres et symboles du clavier. En utilisant un convertisseur de protocole, un ordinateur est capable de comprendre l'information transmise dans un code de protocole informatique différent.

Quand des ordinateurs communiquent, il est nécessaire d'envoyer les instructions de formatage de même que le texte du message. Ces instructions de formatage sont les règles et procédures qui indiquent à l'ordinateur récepteur comment le message doit être placé sur la page. Les codes contenant les instructions de formatage sont transmis avant, pendant et après la transmission du texte même.

Sans la capacité d'interprétation du protocole, on verrait les messages du terminal récepteur comme une suite de lettres et symboles inintelligibles.

Modems et coupleurs acoustiques

Quand on a besoin d'interurbain, l'information de l'ordinateur utilise généralement le réseau téléphonique initialement prévu pour les messages oraux. Les messages oraux voyagent sur fil comme une suite de modulations connu sous le nom de format **analogique**. Les données sous forme de petits bits donnent un signal sonore appelé **numérique**. Celui-ci doit être traduit en code analogique pour utiliser le système téléphonique. À l'arrivée, ce code analogique est remis en signal numérique à l'usage de l'ordinateur.

Formé des mots **MO**dulateur et **DEM**odulateur, le **modem** est un appareil qui permet de traduire l'information afin que le système téléphonique puisse la transmettre. Un modem change le format des données d'un signal numérique en signal analogique dans le terminal transmetteur pour le reconvertir au terminal récepteur.

Un protocole peut s'avérer nécessaire si les deux ordinateurs sont incompatibles. Des capacités de protocole sont déjà intégrées dans certains modems.

Un modem est un mécanisme d'interface utilisé pour la transmission de l'information.

Les modems peuvent être externes ou intégrés au tableau de circuit interne qui contient le système d'intelligence informatique. On ne voit pas les modems internes. Les modems externes sont des unités séparées placées à côté de l'ordinateur et reliées directement au téléphone par fils et raccords.

Un coupleur acoustique est un modem moins dispendieux fait de caoutchouc mousse et de plastique ressemblant à un support. Le combiné du téléphone s'y emboîte juste bien afin de ne pas capter de sons extérieurs qui pourraient provoquer de l'interférence.

Les coupleurs acoustiques sont plutôt utilisés pour relier des duplicateurs au système de télécommunication. Les employés sur la route ou travaillant à domicile utilisent des coupleurs acoustiques pour envoyer l'information à l'ordinateur central. C'est possible parce qu'on peut utiliser un coupleur acoustique avec n'importe quel combiné de téléphone.

QUESTIONS DE RÉVISION ET DE DISCUSSION

1. Qu'est-ce qu'un mécanisme d'interface et comment s'en sert-on?
2. Comment fonctionnent les protocoles et les modems pour favoriser la communication informatique?
3. Quelle différence y a-t-il entre un modem interne et externe? Décrivez une sorte de modem externe.

CHOIX DE L'ÉQUIPEMENT

L'achat d'équipement pour aider à la gestion de l'information est un investissement majeur pour une entreprise. Il y a plusieurs produits, mais une entreprise doit faire un examen sérieux de toutes les options avant de faire un achat important.

La sorte d'équipement nécessaire varie selon la nature des activités de l'entreprise. Par exemple, une entreprise dont l'activité principale est la vente au téléphone suivie d'une circulaire, n'aurait pas besoin du même

Une analyse sérieuse des besoins de l'entreprise sont un préalable à l'achat d'équipement.

Lequel choisir

Les diverses sections du ministère ont des besoins et des ressources différents en personnel et en équipement. Pour tirer plus de ces ressources, suivez les directives suivantes pour décider de l'équipement à utiliser pour les tâches de dactylo.

Dactylo	Dactylo électrique	Processeur de texte
— court document — ne demande qu'un tirage — peu ou pas d'édition — une copie requise — formulaires	— caractéristiques spéciales: caractères gras, centrage, alignement décimal — besoin d'édition — aucune mise à jour après distribution — éventuellement classé en fac-similé — situation d'urgence (pas d'attente d'imprimantes centrales), aucun terminal disponible — formulaires	— gros documents et rapports — manuscrits — mise à jour et édition fréquentes, i.e., listes, listes de courrier — formats pré-établis (i.e., notes d'instructions, contrats, itinéraires, etc.) — besoin de mémoire électronique (i.e., accès généralisé au ministère)

Reproduit avec la permission du ministère de la Citoyenneté et de la culture de l'Ontario, tiré de *Printout*.

équipement qu'une entreprise produisant des rapports à partir de recherches poussées et d'intrants de diverses sources. Le choix d'équipement pour une grosse corporation ayant plusieurs succursales et des milliers de clients ne serait probablement pas indiqué pour une petite entreprise.

Le processus de sélection doit comprendre une analyse sérieuse des besoins de l'entreprise. Parfois cette analyse est faite par une firme conseil spécialisée en systèmes de traitement informatisés.

Avant l'achat d'équipement électronique, il faut trouver la réponse aux six questions suivantes:

1. Quel genre d'activités manuelles faisons-nous dont la productivité pourrait être augmentée si elles étaient automatisées?
2. Quelle économie de temps y aurait-il pour chaque activité manuelle?
3. Quelles nouvelles activités prévues par l'entreprise seraient faites plus efficacement par équipement électronique?

4. Qui utilisera l'équipement?
5. Quels sont les coûts de transformation d'un bureau manuel à un bureau automatisé?
6. Quelle est la formation nécessaire?

Dès que l'identification des procédures est faite, les logiciels appropriés peuvent être achetés. Les logiciels requis ont une influence déterminante sur le choix du matériel et, ainsi, doivent être choisis en premier. Il est possible que le matériel compatible à vos logiciels soit fabriqué par plusieurs compagnies. L'entreprise devrait alors résoudre certains problèmes reliés au matériel lui-même. Par exemple, quelles sont les caractéristiques du matériel disponible? Sera-t-il possible de moderniser l'équipement pour lui augmenter sa mémoire? Quelles sont les ententes de service pour l'entretien? Le fabriquant offre-t-il des stages de formation? La réponse à ces questions aidera une entreprise à faire le choix d'équipement le plus judicieux.

QUESTIONS DE RÉVISION ET DE DISCUSSION

1. «La procédure de sélection devrait comprendre une analyse sérieuse des besoins de l'entreprise.» Est-ce vrai? Justifiez votre réponse.
2. Pourquoi doit-on choisir les logiciels avant le matériel informatique?
3. Lorsqu'on a décidé d'automatiser, donnez trois questions qui devraient être posées avant l'achat de pièces d'équipement spécifiques.

UTILISATIONS

1. Maria travaille comme adjointe au gérant du service de commercialisation. Ce poste exige la préparation de rapports volumineux qui demandent l'utilisation des données de ventes actuelles et projetées, ainsi que la rédaction de plusieurs circulaires. Souvent, il faut faire des modifications dans les rapports avant d'arrêter un document.

   Le gérant a décidé d'acheter un dactylo à mémoire électronique pour rendre plus efficace le déroulement du travail. On n'a pas demandé l'opinion de Maria. Si on l'avait fait, elle aurait dit qu'un micro-ordinateur serait mieux indiqué.

   Aidez-lui à présenter un raisonnement à son directeur pour soutenir son opinion. Comment devrait-elle l'approcher?

2. Automatiser un bureau est dispendieux. N'importe quelle entreprise désirant implanter la technologie électronique devrait étudier tous les faits avant de prendre une décision.

   Avec un petit groupe, préparez une argumentation pour soutenir l'introduction de technologie moderne dans un bureau actuellement sans processeur de texte ou de micro-ordinateur. Votre argumentation devrait prendre en considération:

a) les aspects positifs d'utiliser la technologie électronique;

b) les inconvénients possibles de la technologie;

c) l'impact de cette technologie sur le personnel impliqué.

3. Comme groupe, préparez un questionnaire et faites un sondage auprès de quatre compagnies pour déterminer la sorte d'équipement électronique utilisé par les entreprises de votre milieu. Faites-le approuver par votre professeur avant de le présenter. Pour que la même compagnie ne reçoive pas plusieurs groupes, donnez le nom des compagnies que vous voulez questionner lorsque vous remettrez votre questionnaire pour approbation de votre professeur.

4. Demandez en petit groupe de l'information aux manufacturiers ou aux distributeurs sur leur équipement de traitement de texte. Avec l'information en main, comparez les différentes caractéristiques et le coût des différents équipements. Préparez un graphique pour illustrer vos résultats.

5. Vous êtes nommé pour faire partie d'un comité qui étudiera l'achat d'équipement de traitement de texte pour un bureau de six personnes, incluant un directeur et cinq personnes de soutien. Le bureau est équipé de dactylos électroniques. Une somme de 15 000 $ a été attribuée à l'achat de nouvel équipement.

    Quelles questions devraient être retenues par votre comité avant de prendre une décision?

6. Visitez un magasin d'informatique. Comparez le coût et les caractéristiques des modems disponibles. À partir de votre recherche, recommandez l'achat d'un modem spécifique.

7. Vous devez enseigner à un nouvel employé qui n'a aucune connaissance du fonctionnement d'un micro-ordinateur de bureau.

    Préparez une liste de directives simples pour faire chacune des activités suivantes, en utilisant l'équipement déjà sur place.

    - formater une disquette
    - visionner un répertoire
    - récupérer un nouveau document
    - conserver un nouveau document
    - conserver un document révisé
    - imprimer un document

    Demandez ensuite à quelqu'un d'autre de jouer le rôle d'un nouvel employé et d'essayer de faire chaque chose selon vos directives. Demandez-lui de noter les problèmes rencontrés et de se rapporter à vous.

L'ÉTUDE LÉGALE

Il y a une demande grandissante de personnel de bureau ayant une connaissance de la loi.

Les occasions dans ce domaine ne se limitent pas aux études légales. Les services légaux de corporations, de lignes aériennes, de firmes immobilières, d'agences d'assurance, de bureaux municipaux et autres organismes gouvernementaux ont souvent besoin de commis de bureau avec connaissances légales.

**JEUNE JURISTE/
ASSISTANT JUDICIAIRE**

Un jeune juriste est un spécialiste qui travaille sous la supervision d'un avocat. Il prépare la recherche de fond sur les causes en instance en étudiant les dossiers et les documents légaux pour trouver de l'information pertinente, et tient des fichiers sur tous les documents et la correspondance de la cause. Le jeune juriste peut également préparer des déclarations écrites sous serment, documents écrits pouvant servir de preuve en cour, ou rechercher des titres pour les transferts de propriété.

Un assistant judiciaire peut être impliqué dans la préparation de documents légaux souvent volumineux et compliqués. On demande habituellement plusieurs ébauches du document avant que les parties s'entendent. Chaque modification à la phraséologie entraîne la rédaction d'un nouveau document sans fautes. On peut éviter de taper le document à nouveau que si les modifications à l'original et aux copies sont initialées par les parties concernées.

À cause des exigences particulières de la préparation de documents légaux et le besoin de faire des vastes recherches pour trouver un précédent légal, les études légales se tournent de plus en plus vers la technologie.

Par exemple, testaments et contrats ont tous de grandes sections uniformes. On peut conserver sur disquettes des paragraphes déjà prêts sur n'importe quelle situation légale. On peut récupérer les paragraphes appropriés sur une situation particulière et les organiser pour en faire un document fini en se servant de la technique du paragraphe passe-partout.

Parfois, quand on est face à de volumineux documents compliqués, plusieurs employés peuvent contribuer au même. On termine chaque section indépendamment pour fusionner le tout en un seul document final.

Auparavant, les recherches légales demandaient de longues lectures de causes individuelles à la recherche d'un précédent. Plusieurs bibliothèques légales ont classé les transcriptions sur microformes qui peuvent être facilement récupérées par des systèmes de récupération informatisés. Dernièrement, cette information a été enregistrée sur disque optique sous forme de base de données. Grâce à un raccord téléphonique entre l'ordinateur du bureau et la centrale de base de données, on peut faire la recherche d'un sujet et en recevoir l'information en quelques secondes.

* Note: Toutes les carrières présentées dans cette concentration sont également offertes aux hommes et aux femmes.

Une personne à la recherche d'un emploi de jeune juriste ou d'assistant judiciaire doit posséder des compétences supérieures en communication et une connaissance approfondie de la terminologie et des documents légaux. Des habiletés en traitement de texte seraient également utiles. La précision est obligatoire; la moindre erreur peut rendre un document caduque et provoquer de sérieux ennuis et embarras tant à l'employeur qu'au client. Parmi les qualités personnelles exigées des études légales, on retrouve le désir de maintenir des normes de travail élevées et la confidentialité.

Ce poste demande habituellement d'avoir complété un cours de deux ou trois ans dans un collège d'arts appliqués et technologie ou dans une école commerciale privée. On peut également exiger de la formation au travail.

DÉVELOPPER VOTRE CONSCIENCE DE CETTE ENTREPRISE

1. Définissez les mots suivants et utilisez-les dans une phrase qui se rapporte au domaine légal.

exécuteur	héritage
codicile	cession
acte judiciaire	action civile
homologation	plaignant
contrat	incontesté

2. Interviewez un membre du personnel de deux études légales. Comparez les méthodes de préparation de documents et faites un rapport oral en classe.

PLAIDOIRIE
Étude légale recherche une personne très motivée et autonome demandant peu de supervision en loi de faillite. Expérience dans ce domaine légal préférée mais formera en fonction de l'habileté du plaideur. Salaire compétitif. Excellents bénéfices marginaux. Milieu de travail agréable. 321-1450.

ÉTUDE LÉGALE demande personne mûre autonome pour assumer les responsabilités de commis à la recherche corporative. 12ᵉ année et expérience de bureau exigées. Formation fournie. Appeler Anne-Marie 982-1214.

Stagiaire juridique 16 500 $
Compagnie internationale. Assister le conseil juridique. Taper 55 mots, dictaphone et traitement de texte.

Profile Consultants 648-1539

LES HABILETÉS EN COMMUNICATION D'AFFAIRES

5

DISPOSITION D'UN TEXTE SUR PAPIER

Après la lecture de ce chapitre, vous serez en mesure:

- D'acquérir les compétences en communication écrite nécessaires pour réussir en affaires.
- D'utiliser le matériel de consultation traditionnel et électronique.
- D'être l'initiateur de notes de service, de lettres d'affaires et de brefs rapports.

Sans communication, une compagnie est incapable de faire des transactions d'affaires. Tous les employés de bureau doivent être capables de s'exprimer clairement par écrit afin que les messages envoyés et reçus soient compris. La clarté du produit fini est la résultante de l'agencement de la forme et du contenu du document. Par exemple, si un chef de service demande au service des ressources humaines d'annoncer l'ouverture d'un poste, il doit clairement décrire les qualifications requises et organiser l'information d'une façon logique pour en faciliter la compréhension. S'il manque de l'information ou si la présentation est confuse, des candidats non qualifiés peuvent postuler causant une perte de temps.

L'IMPORTANCE D'ÉCRIRE

La communication écrite exige des employés de composer et envoyer des messages de même qu'en recevoir et interpréter. On demande de contribuer à écrire des lettres aux employés de tous les niveaux. Que les messages soient courts comme les notes de service pour demander du matériel, ou des réponses plus longues et plus détaillées à des lettres de clients, le message doit être précis, clair et concis.

Toute correspondance envoyée crée l'image de la compagnie. Pour produire un document professionnel, il faut être familier avec les formes de lettres acceptées, les notes de service et les rapports tout en s'assurant d'un usage exact de l'orthographe et de la grammaire.

Si un article contient des fautes d'orthographe et de grammaire ou est présenté de mauvaise façon, le lecteur a une mauvaise impression de la compagnie. Un article bâclé rempli de fautes de toutes sortes donne l'impression d'un manque de fierté dans le travail de la compagnie. On pourrait également présumer de la piètre qualité du travail de la compagnie.

On obtient des documents écrits efficaces quand les idées sont exprimées de façon claire et intelligible.

La rédaction elle-même devient plus facile en utilisant la fonction édition d'un processeur de texte qui vous permet de taper sur le texte existant et d'éditer tout en composant.

SE PRÉPARER À ÉCRIRE

Voici les questions que vous devriez vous poser quand vous vous apprêtez à écrire:

1. Quel est le but de la communication? La communication écrite sert habituellement à faire une demande ou à échanger de l'information. La réponse à cette question déterminera le ton de votre lettre. Un premier rappel d'une facture non payée n'a pas le même ton qu'un dernier avis informant le client d'une possibilité de poursuite.

   Le ton de votre lettre ne repose que sur votre choix de mots vu que le lecteur ne peut pas voir vos expressions faciales ou gestes ni entendre le son de votre voix.

   Les bonnes relations en affaires dépendent de votre habileté à écrire d'une façon amicale et courtoise, même lorsque vous transmettez de mauvaises nouvelles. Voici quelques exemples de façons de modifier le ton par le choix des mots.

   Émotions négatives: Il nous est impossible d'accéder à votre demande pour ces articles.

La technologie a facilité la création et l'édition de documents écrits.
Gracieuseté de Datafile Wright Line Ltée.

Émotions positives: Ces articles sont présentement manquants et ils vous seront livrés dès que disponibles.

Émotions négatives: Nous n'acceptons plus de demandes d'emploi.

Émotions positives: Merci de votre demande. Elle sera gardée en filière par le service des ressources humaines.

Émotions négatives: Envoyez immédiatement votre paiement: votre compte a deux semaines de retard.

Émotions positives: Vous avez probablement oublié que votre compte était en retard. Veuillez, s.v.p., nous envoyer le montant dû.

Le choix des mots doit être judicieux pour exprimer la pensée et pour être compris du lecteur.

2. Qui est le lecteur? Ce n'est pas pour vous que vous écrivez. Vous devez tenir compte du lecteur et de son milieu et de sa situation. Par exemple, si vous écrivez sur la situation d'un projet quelconque, vous utiliserez probablement des termes plus techniques si le récipiendaire est un des consultants. Si vous écrivez à un client, ce même langage ne ferait que l'embrouiller. Une explication générale serait plus à point.

QUESTIONS DE RÉVISION ET DE DISCUSSION

1. Pourquoi la communication écrite est-elle importante pour l'image d'une compagnie?
2. Que veut-on dire par le ton d'une lettre?
3. Refaites les phrases suivantes pour les rendre plus positives.
   a) Tenez ce compte pour fermé.
   b) Nous allons prendre des mesures à moins de recevoir immédiatement de vos nouvelles.
   c) Votre point de vue est biaisé.
   d) Nous avons reçu un produit défectueux par votre faute.
   e) Le projet est un échec à cause de votre mauvaise préparation.

L'ORDRE DANS LES IDÉES

Chaque communication comprend les points suivants:
1. Une introduction qui expose le but de la lettre, présente le sujet et donne le ton.
2. Le corps de la lettre qui présente les détails. On utilise un paragraphe par idée.
3. Une conclusion qui résume les idées et termine le message.

Ce n'est pas tout le monde qui peut s'asseoir et réussir un message parfait du premier coup. Il est utile de faire un schéma et la liste des idées que vous voulez inclure. Cela vous permet de ne rien oublier d'important et de mettre vos idées en ordre.

Vous pouvez désirer utiliser un processeur de texte pour le réarranger. Vous pouvez déplacer expressions, phrases et paragraphes d'un endroit à l'autre dans le texte.

Le coffre d'outils

Certains progiciels de traitement de texte peuvent repérer les fautes d'orthographe et de grammaire. Toutefois, l'opérateur doit les corriger une fois trouvées. En plus, ces programmes ont des capacités limitées. Ils ne nous enlèvent pas totalement la tâche de vérification du travail et on doit avoir quelques sources de consultation à portée de la main. Chaque employé de bureau devrait avoir accès à un dictionnaire de définitions, un dictionnaire de synonymes et un précis de stylistique.

Vous trouverez à l'annexe 3 du livre de l'information essentielle en grammaire et en choix de mots, le formatage de documents écrits, et des suggestions de lectures pour augmenter votre vocabulaire d'affaires. Servez-vous en pour consultation personnelle afin de remplir les devoirs du livre.

On peut vérifier du matériel de consultation pendant la rédaction.

Dictionnaire   Un dictionnaire, comme le *petit Guérin express* ou le *Petit Robert*, renseigne sur l'orthographe, la prononciation, la coupure des mots et le sens. Un dictionnaire aide à choisir le mot le plus approprié pour exprimer la pensée voulue.

Dictionnaire de synonymes   Lorsque vous avez de la difficulté à trouver le bon mot, c'est le genre de dictionnaire à consulter. Alors qu'un dictionnaire rassemble des mots et les définit, un dictionnaire de synonymes rassemble des idées et donne le ou les mots qui marchent le mieux. Un exemple de dictionnaire synonymique est le *petit Guérin express*, publié par Guérin, éditeur ltée, Canada.

Un manuel de stylistique   Ce livre donne des lignes directrices sur des sujets comme la bonne façon d'adresser et le bon usage de la ponctuation et de la grammaire. Par exemple, si vous voulez écrire à un député, vous pouvez consulter un manuel de stylistique pour choisir la forme de salutation la plus appropriée.

Un manuel de stylistique recommandé serait le *Cours de français, Méthodes et techniques du savoir-écrire*, Armand Daigneault, coll. SARP, Guérin, éditeur ltée.

CONSTRUIRE LA PUISSANCE DU MOT

Vous pouvez améliorer votre expression écrite, mais soyez prêt à y mettre temps et efforts.

Un employé de bureau devrait prendre toutes les occasions pour lire. La lecture augmente votre sensibilisation au bon usage des mots et vous aide à enrichir votre vocabulaire. En lisant, vous pouvez rencontrer des mots que vous ne comprenez pas. Lisez les phrases attentivement. Le

Un dictionnaire donne le sens et l'origine des mots.

Les parties d'une inscription au dictionnaire

comment utiliser ce dictionnaire

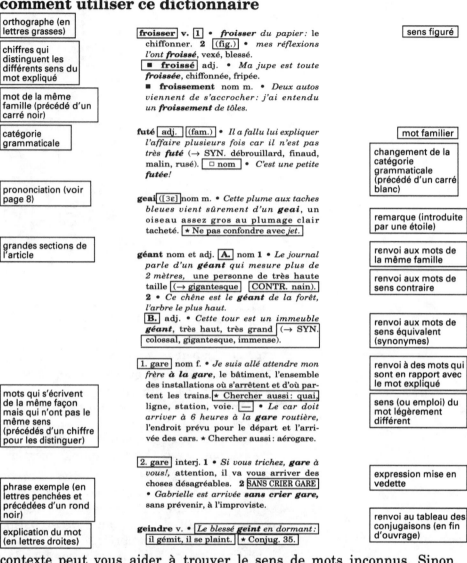

orthographe (en lettres grasses)

chiffres qui distinguent les différents sens du mot expliqué

mot de la même famille (précédé d'un carré noir)

catégorie grammaticale

prononciation (voir page 8)

grandes sections de l'article

mots qui s'écrivent de la même façon mais qui n'ont pas le même sens (précédés d'un chiffre pour les distinguer)

phrase exemple (en lettres penchées et précédées d'un rond noir)

explication du mot (en lettres droites)

froisser v. 1 • *froisser* du papier: le chiffonner. 2 (fig.) • *mes réflexions l'ont froissé*, vexé, blessé.
■ **froissé** adj. • *Ma jupe est toute froissée*, chiffonnée, fripée.
■ **froissement** nom m. • *Deux autos viennent de s'accrocher: j'ai entendu un froissement de tôles.*

futé adj. (fam.) • *Il a fallu lui expliquer l'affaire plusieurs fois car il n'est pas très futé* (→ SYN. débrouillard, finaud, malin, rusé). □ nom • *C'est une petite futée!*

geai ([ʒɛ]) nom m. • *Cette plume aux taches bleues vient sûrement d'un geai, un oiseau assez gros au plumage clair tacheté.* ★ Ne pas confondre avec *jet*.

géant nom et adj. A. nom 1 • *Le journal parle d'un géant qui mesure plus de 2 mètres, une personne de très haute taille* (→ gigantesque CONTR. nain). 2 • *Ce chêne est le géant de la forêt, l'arbre le plus haut.*
B. adj. • *Cette tour est un immeuble géant, très haut, très grand* (→ SYN. colossal, gigantesque, immense).

1. **gare** nom f. • *Je suis allé attendre mon frère à la gare*, le bâtiment, l'ensemble des installations où s'arrêtent et d'où partent les trains. ★ Chercher aussi: quai, ligne, station, voie. — • *Le car doit arriver à 6 heures à la gare routière*, l'endroit prévu pour le départ et l'arrivée des cars. ★ Chercher aussi: aérogare.

2. **gare** interj. 1 • *Si vous trichez, gare à vous!*, attention, il va vous arriver des choses désagréables. 2 SANS CRIER GARE • *Gabrielle est arrivée sans crier gare*, sans prévenir, à l'improviste.

geindre v. • *Le blessé geint en dormant:* il gémit, il se plaint. ★ Conjug. 35.

sens figuré

mot familier

changement de la catégorie grammaticale (précédé d'un carré blanc)

remarque (introduite par une étoile)

renvoi aux mots de la même famille

renvoi aux mots de sens contraire

renvoi aux mots de sens équivalent (synonymes)

renvoi à des mots qui sont en rapport avec le mot expliqué

sens (ou emploi) du mot légèrement différent

expression mise en vedette

renvoi au tableau des conjugaisons (en fin d'ouvrage)

contexte peut vous aider à trouver le sens de mots inconnus. Sinon, consultez le dictionnaire et essayez de les incorporer dans votre langage de tous les jours. Vous devriez garder un calepin et y noter les nouveaux mots appris avec le sens pour usage ultérieur. Vous trouverez à l'annexe 3 une liste de lectures recommandées pour consultation.

Si vous remarquez un usage excessif d'un mot ou d'une locution, consultez le dictionnaire ou le dictionnaire des synonymes pour trouver un autre mot ou une autre locution. Un synonyme est un mot qui a le même sens. Votre message sera plus vivant à lire si vous éliminez les mots et

Étendez votre vocabulaire
par la lecture personnelle.

locutions répétitives. Le mot choisi ne devra pas être si sophistiqué qu'il en fait perdre la clarté et la concision de votre texte.

Voici quelques exemples de substitutions par synonymes :

informer	aviser, signifier
travail	labeur, besogne
bavard	verbeux, redondant
difficulté	ennui
suspendre	remettre

L'usage des homonymes peut vous aider à améliorer et étendre votre vocabulaire. Un homonyme est un mot qui a le même son mais un sens différent. Vous devez connaître le sens pour l'écrire avec le bon orthographe.

Voici deux séries d'exemple d'homonymes :

vert	couleur
verre	gobelet
champ	terrain
chant	chanson

Il est important d'aller droit au but simplement. N'embrouillez pas le lecteur avec des mots superflus. Soyez aussi bref que possible sans sacrifier l'exactitude et la courtoisie.

Les mots et locutions suivants sont des exemples d'expressions à éviter. Elles sont démodées et redondantes, pompeuses et empesées.

Évitez	*Meilleur choix*
Ceci est pour confirmer la réception de	J'ai reçu
Dans le cas où	Si
Tout le long de	Pendant

| Dû au fait que | Puisque |
| Sans plus de délais | Immédiatement |

Vous devriez éviter les répétitions superflues.

Évitez	*Meilleur choix*
Condition préalable nécessaire	Condition préalable
Le résultat final	Le résultat
Aide et collaboration	Aide ou collaboration (un seul)
Agréable et satisfaisant	Agréable ou satisfaisant (un seul)
Exactement le même	Le même

MÉCANIQUE DE L'ÉCRITURE

Cette section fait un survol de la grammaire. L'annexe 3 donne des règles et des exemples spécifiques à consulter en écrivant. En plus, vous devriez disposer d'un manuel de stylistique à portée de la main pour consultation sur les subtilités de style.

Le paragraphe. Il sert à donner au lecteur une meilleure idée du sens par l'organisation du texte. Un paragraphe regroupe des phrases qui se rapportent à la même idée. Chacun contient une phrase qui donne le sujet ou l'idée principale. Les phrases suivantes donnent des précisions sur le sujet.

Composer une phrase. Une phrase contient une idée complète. En écrivant chaque phrase, demandez-vous «Est-ce vraiment ce que je veux dire?»; «Le lecteur comprendra-t-il?»; «Est-ce concis?»; «Y a-t-il du sens?»

Par exemple, les mots et locutions suivants n'ont pas de sens. Donc, il n'y a pas de phrase. Dans ces exemples, il manque un mot ou une locution pour compléter la pensée:

a) Vendredi le 30 juin, le représentant ira

b) Le message d'hier

En ajoutant un sujet (nom ou pronom) ou un verbe, on complète chaque idée et on obtient une phrase:

a) Vendredi le 30 juin, le représentant ira à notre bureau d'Halifax.

b) Le message du courrier d'hier a été classé.

Le sujet d'une phrase peut être un nom ou un pronom sous la forme d'une personne, d'un endroit ou d'une chose. Un verbe montre l'action prise par le sujet et devrait s'accorder avec lui.

Il arrive parfois qu'il soit difficile de déterminer si le sujet est singulier ou pluriel. On pense souvent que les mots suivants sont collectifs alors qu'ils ne le sont pas nécessairement:

Mauvais

Chaque personne du service a leur évaluation annuelle.

      ↑   ↑

individuel   collectif

Bien

Chaque personne du service a son évaluation annuelle.

      ↑   ↑

individuel   individuel

Mauvais

La majorité des amis est là.

      ↑   ↑

collectif   individuel

Bien

La majorité des amis sont là.

      ↑   ↑

collectif   collectif

QUESTIONS DE RÉVISION ET DE DISCUSSION

1. Quelles sont les trois parties d'une pièce de communication écrite? Quel est le rôle de chacune?

2. Quelle différence y a-t-il entre un dictionnaire et un dictionnaire de synonymes? Quelle est l'importance de chacun?

3. Quelles mesures pouvez-vous prendre pour améliorer votre style écrit?

4. Prenez un dictionnaire ou un dictionnaire de synonymes pour remplacer chacun des mots suivants :

travail	trouver
réunion	rendez-vous
aide	actif

5. On peut facilement confondre les mots suivants. Vérifiez-en le sens et servez-vous en dans une phrase.

compliment	conseil
complément	conseiller
accès	antérieurement
excès	formellement

6. Trouvez le mot concis pour chaque locution suivante :

le résultat final	en tout temps
sans plus de délais	à ce moment dans le temps

7. Refaites chacune des phrases suivantes en corrigeant les erreurs trouvées :

a) Tout le monde est bienvenu pour assister à la session.

b) Qu'arrive-t-il?

c) Chacun a apporté ses propres livres.

d) Le patron est entré.

LES DOCUMENTS D'AFFAIRES

Les entreprises communiquent leur information et leurs idées par l'échange de lettres, de notes de service et de rapports.

Les lettres

Les lettres représentent une forme normale de communication entre l'entreprise et ses clients. Elles peuvent être écrites pour demander ou donner de l'information. Par exemple, elles peuvent faire la promotion d'un nouveau produit, demander ou confirmer un renseignement, exhorter un client à régler son compte ou exprimer la satisfaction ou la déception avec un produit ou service.

Une personne qui formate une lettre doit également tenir compte du style de la lettre et de la ponctuation.

Styles de lettres

Le style de lettre se rapporte à la position de ses différentes parties en fonction de la marge de gauche. Chaque entreprise a sa préférence concernant l'apparence du produit final en rapport avec l'en-tête; de même, chaque compagnie est soucieuse d'émettre le plus grand nombre de documents dans un temps donné.

Un bloc intégral, aussi appelé bloc, gagne en popularité parce que c'est plus facile et rapide à faire. Chaque ligne d'une lettre bloc commence à la marge de gauche.

Les styles de ponctuations

Le style de ponctuation se réfère à la position de la ponctuation après certaines sections de la lettre.

Une lettre avec *ponctuation ouverte* est la plus facile et la plus simple à préparer. Avec ce style, il n'y a pas de ponctuation à la fin de chaque ligne autre que dans le texte de la lettre. L'exception à la règle serait pour toute ligne finissant par une abréviation.

Le style bloc intégré avec ponctuation ouverte est une méthode généralement acceptée pour formater une lettre d'affaires. La lettre témoin de la page 109 donne un exemple du style bloc intégré avec ponctuation ouverte. Il existe d'autres styles de lettre et de ponctuation de moindre usage montrés à l'annexe 3.

Disposition de la lettre

La plupart des progiciels de traitement de texte permettent de conserver dans le système les formes de lettres préférées, incluant la fixation des marges. La même longueur de ligne sert pour toutes les lettres.

On obtient une lettre équilibrée, centrée sur la page, en variant les interlignes entre les différentes parties de la lettre. Par exemple, le nombre d'interlignes entre la date et l'adresse du destinataire peut varier entre trois et neuf. Vous pouvez aussi laisser de quatre à huit interlignes pour la signature et les salutations.

Les lettres de deux pages

Les longues lettres demandant parfois deux pages. Seule la première page est faite sur le papier à en-tête. La seconde est tapée sur du papier de qualité en respectant les mêmes marges.

Le style de plus en plus populaire de lettre à bloc intégré sans ponctuation est montré dans l'exemple ci-contre.

bc W. Chauveau

FOURNITURES DE BUREAU DE L'ONTARIO
1529 Devon Road
Oakville, Ontario

Fax   **L6J 2M7**   Téléphone
(416) 844-0827   (416) 844-1490

mode d'expédition	LIVRAISON SPÉCIALE
ligne de date	19___ 08 29
statut à la réception	CONFIDENTIEL
adresse du destinataire	Rembourrage Raymond Inc. 53, avenue Arlington Halifax, N.-É. B2N 1Z9
destinataire	À l'attention de Monsieur L. Genois
objet	dossier n° 234-LF
salutation	Monsieur,
	Vous trouverez, ci-joint, le plan de votre nouveau bureau. Comme vous voyez, il y a six postes de travail dans l'espace ouvert, une réception et une salle de conférence.
corps	De plus, nous avons respecté vos exigences de trois bureaux fermés sur le côté vitré et d'agrandissement des espaces de rangement et de photocopie.
	Le travail débutera dès l'acceptation des modifications.
salutation	Veuillez accepter nos meilleures salutations.
	Charles Rinfret Vice-président
initiales	/tt DK-110 ◄— conservation du document
pièces jointes	p.j.
copies conformes	cc C. Charles R. Joncas
nota bene	N.B. À moins d'avis contraire, la rencontre de la semaine prochaine aura lieu comme prévue.

Les autres pages doivent avoir un en-tête pour les identifier. Elle comprendra le nom de la personne ou compagnie destinataire, la date de la lettre et le numéro de page. Cet en-tête se place à deux centimètres et demie du haut de la page. Un triple interligne la sépare du corps de la lettre.

Il y a quelques formes acceptables. La plus usuelle sur les logiciels de traitement de texte était dans le premier exemple:

Rembourrage Raymond Inc.   -2-   19__ 08 29

Rembourrage Raymond Inc.
Page 2
19__ 08 29

Suivez ces directives avant de commencer une autre page d'une lettre qui en a plusieurs.

1. Laissez au moins deux centimètres et demie au bas de la page.
2. Ne finissez pas une page avec un mot coupé.
3. Si vous êtes au milieu d'un paragraphe, prévoyez au moins deux lignes en bas de la page 1 et deux autres en haut de la page 2.
4. Il doit y avoir au moins une partie de paragraphe sur la page 2.

Exemple de présentation d'une lettre sur deux pages.

```
                        DYNAMIQUE DE BUREAU
                        21, avenue Hudson est
                        Lethbridge, Alberta
                            T4L 3I9


        Le 25 février 19__



        M. W. Oligny
        Usine Wilson
        495, rue Watson
        Lethbridge, Alberta
        T1H 3K8

        Monsieur Oligny,

            _____
            _____
            _____
            _____
```

```
        M. W. Oligny, Usine Wilson      -2-              19__ 02 25



            _____
            _____
            _____
            _____



        Acceptez nos meilleures salutations
```

***Créer une bonne
impression***

La responsabilité de donner une apparence professionnelle à un document repose autant sur le rédacteur que sur la personne chargée de préparer la présentation. Avant de signer un envoi pour distribution, posez-vous les questions suivantes:

- Est-ce soigné et propre, sans plis et sans traces de doigts?
- Le style de la forme et de la ponctuation est-il à point?
- Le contenu a-t-il été révisé?
- Les fautes d'orthographe et de grammaire sont-elles corrigées?
- Les corrections faites sur la feuille sont-elles visibles?
- Une copie pour dossier et une enveloppe ont-elles été préparées?

***Présentation d'une
lettre pour signature***

On devrait présenter une lettre pour signature d'une façon ordonnée afin de faciliter le travail du signataire et son retour à la distribution. Vérifiez avec le rédacteur ses préférences pour la façon de lui présenter les articles.

À moins de demande spéciale du rédacteur pour une façon différente d'organisation, placez l'original sur les copies et toute pièce jointe, le tout sous le rabat de l'enveloppe et retenu par un trombone. Tout document à être signé devrait être gardé dans une chemise à la disposition du rédacteur au besoin.

Les lettres devraient être présentées pour signature de façon ordonnée.

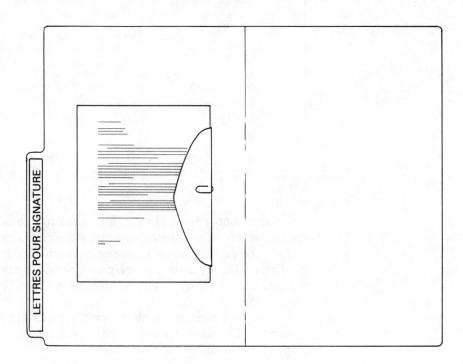

NOTES DE SERVICE

Pour communiquer avec les membres du personnel, on utilise une note de service. Des formulaires imprimés transmettent l'information aux autres employés.

L'information suivante est demandée par une série de rubriques en haut du formulaire dont:

- le nom du(des) destinataire(s)
- le nom de l'envoyeur
- l'objet de la note
- la date à laquelle la note a été faite

Bien que la disposition des rubriques peut varier, son organisation est directe et efficace:

NOTE DE SERVICE

À : T. Samson, consultant de projet
    R. Singer, représentant en relations de travail
    P. Barbeau, directeur de la comptabilité
    K. Breault, consultant de projet

DE : Mlle A. Filteau, adjointe au directeur

OBJET : Entrevues pour un directeur des opérations

DATE : 19__ 10 16

Les cinq candidats ont été avisés que les entrevues finales pour le poste ci-haut mentionné auront lieu jeudi dans la salle de conférence.

Vu que chaque entrevue dure une heure et le tout commence à 10 h, vous devriez planifier votre horaire en conséquence.

Les curriculum vitæ de chaque candidat vous seront envoyés pour lundi prochain.

/tt

Tel que montré dans l'exemple, une note de service est moins officielle qu'une lettre. Les salutations ont été éliminées.

La note de service se tape rapidement. C'est pourquoi on ne fait pas d'alinéa. Un simple interligne doublé entre les paragraphes est suffisant. Si la note est vraiment courte, elle peut être à double interligne.

Le nom du rédacteur ne devrait apparaître au bas que s'il n'est pas inscrit à l'en-tête. Il est normal de ne mettre que les initiales de l'opérateur comme sur une lettre.

**QUESTIONS
DE RÉVISION
ET DE DISCUSSION**

1. Éditez la lettre suivante pour le style et le contenu. Envoyez une copie corrigée à J.P. Saulnier, vice-président des opérations, Citibank, 130, rue Front, Toronto, ONT., M3B 2G5

   Cette lettre a pour objet de vous aviser de la nomination de Rita Simard comme représentante en relations de travail à notre siège social. Jusqu'à tout récemment, Mlle Simard a agi pendant 5 ans comme représentante en ressources humaines chez Magna Electronique. Vous devez vous rendre compte que ses responsabilités comprenaient l'embauche et le placement des nouveaux employés de cette compagnie en même temps que la formation et le recyclage du personnel. Elle joint notre compagnie le 30 octobre et assume les responsabilités de son poste sans délai.

2. Éditez et envoyez la note de service suivante aussi vite que possible.

   À: C. Paul, consultant de projet
   De: Gérant, service des opérations
   J'ai devant moi une copie de votre plan pour le projet des Publications Edilivre Ltée. Dû au fait que ce projet doit être soumis dans les 5 prochains jours et que vous avez été impliqué dans celui-ci, nous devrions nous rencontrer pour discuter de quelques détails sans aucun retard.

**RAPPORT
D'ENTREPRISE**

Un rapport d'entreprise présente de l'information factuelle sous forme manuscrite. Il peut être simple et très court, ou complexe et demandant beaucoup de recherche. L'exemple de la page 114 est un rapport court d'une page.

Le texte de l'échantillon se rapporte à l'implantation d'un nouveau système. De bons exemples de rapport d'une page seraient un horaire des vacances des employés, le lancement d'un nouveau produit ou une courte annonce d'un poste cadre qui vient d'être comblé.

On appelle généralement formel un rapport plus complexe. Il peut contenir:

- une page titre
- une table des matières
- un texte de plusieurs pages
- des notes au bas de page ou à la fin
- une bibliographie

L'exemple des pages 115 à 120 traite des trouvailles sur l'émission de radiation des unités d'affichage vidéo. À cause de la longueur et de l'ampleur de la recherche, il était nécessaire de mettre une table des matières, des notes au bas des pages et une bibliographie.

Un rapport simple d'une page.

utilisez une ligne de 60 caractères

Centrez le titre principal sur la 13e ligne

Alinéa de 5 frappes à chaque paragraphe

L' IMPLANTATION — LA RESPONSABILITÉ DU DIRECTEUR

↓ 3

Comme planificateurs de bureau nous devons être conscients de l' impact majeur qu' auront les nouvelles technologies sur le rôle traditionnel de secrétaire.

Le secrétaire ne devrait pas voir les nouvelles technologies comme une menace, mais comme la chance de se libérer des tâches de bureau longues et répétitives. Le secrétaire peut saisir l' occasion d' utiliser ce temps retrouvé dans le but de collaborer à plusieurs rôles décisionnels.

↓ 3

La responsabilité du directeur

Le directeur de service est un joueur-clé dans l' implantation d' une nouvelle procédure. C' est lui qui doit tenir les employés informés et impliqués dans le projet en sollicitant leurs opinions, en étant attentif à leurs inquiétudes et en fournissant du temps et du personnel de soutien pour aider à l' apprentissage d' un nouveau fonctionnement. Le directeur devrait connaître les capacités de chaque employé et utiliser ses talents au maximum.

Titres sur le côté

↓ 3

Conclusion

Nous recommandons que la formation en service soit une priorité pour tous les employés impliqués dans une réorganisation du bureau. Il devrait être obligatoire aux directeurs d' incorporer les éléments de formation et de recyclage du personnel dans les buts et objectifs de leur service.

Page titre

LA RELATION ENTRE

L'AFFICHAGE À L'ÉCRAN CATHODIQUE

ET LE BIEN-ÊTRE DE L'EMPLOYÉ

Préparé pour :   J. Marchand
                 Président, Spécialistes
                 de bureau canadiens

Préparé par :   J. Cottin
                 Directeur des opérations

Date :   Rapport d'automne

Page titre   Cette page donne le but du rapport et identifie les responsables de sa rédaction.

Table des matières

TABLE DES MATIÈRES

Table des matières C'est comme un guide qui permet au lecteur de savoir sur quelle page il peut trouver n'importe quelle section du rapport. Elle se place après la page titre mais avant le texte.

Le contenu du rapport

LA RELATION ENTRE

L'AFFICHAGE À L'ÉCRAN CATHODIQUE

ET LE BIEN-ÊTRE DE L'EMPLOYÉ

À cause d'un plus grand usage des appareils micro-électroniques, il y a un souci grandissant des effets sur les employés. L'étendue de cette inquiétude va de l'effet des transmissions radioactives des écrans à affichage cathodique jusqu'au stress, la fatigue de la vue et les maux et douleurs musculaires.

«Le syndicat canadien de la fonction publique qui a fait paraître plusieurs publications sur les questions de santé et de sécurité en rapport à la technologie naissante, situe le problème à quatre niveaux : visuel, physique, psychologique et de radiation.»[1]

Les sources de problèmes psychologiques

Les plus grands problèmes psychologiques sont reliés au stress. Les employeurs qui ont investi massivement en bureautique, ont donné un message clair à leurs employés qu'ils voulaient une augmentation de la productivité. Les employés qui s'efforcent de rencontrer ces attentes font état d'un stress grave provoqué par les techniques de surveillance rendues possibles par les appareils électroniques. Ces appareils peuvent surveiller le nombre d'appels et de billets vendus, enregistrer n'importe quelle conversation,

---

1. Gail Lem, «Setting VDT Regulations Hampered by Lack of Data», The Globe and Mail, 19 octobre 1984, p. R15.

Le contenu du rapport Cette section du rapport contient l'information fondée sur la recherche et l'expérience et expose toutes les recommandations que le rédacteur veut bien faire.

Montrez toute information additionnelle en tableaux ou en graphiques. Les sources citées peuvent être intégrées pour soutenir le point de vue de l'auteur.

Voici une autre façon de commencer une deuxième page.

comptabiliser quotidiennement le nombre de minutes pendant lesquelles l'employé ne travaille pas sur son terminal. La plupart des employés trouvent cette surveillance humiliante et démoralisante.

Alors que le nombre d'employés qui manifestent leur malaise devant ce genre de situation a augmenté, c'est également le cas pour le nombre de personnes qui prennent des journées d'absence pour «santé mentale.» La situation est devenu une inquiétude qui fait surface dans les négociations syndicales.

Les inquiétudes pour la santé

La majorité des plaintes de santé concernent les problèmes visuels généraux comme la tension, la rougeur et la vue embrouillée. Ces problèmes proviennent des reflets et des oscillations des images à l'écran. Le type d'éclairage qu'on retrouve dans la plupart des bureaux fait des reflets sur l'écran qui rendent les caractères difficiles à lire. De plus, chaque caractère est composé de points qui ne font pas une image claire et précise; mais, plutôt une image fade et embrouillée. Plus l'équipement est dispendieux, plus l'image sera distincte. Tous les employeurs ne sont pas prêts à investir considérablement dans des terminaux de qualité et en achètent de qualité inférieure.

La fatigue musculaire avec tension dans le cou et le dos est un autre problème physique. Les employés qui sont sous un stress constant de produire de grosses quantités de matériel dans de courts délais se retrouvent souvent assis dans la même position pendant des heures.

Notes au bas de page   Si le contenu dans le rapport vient d'une citation, vous devez en indiquer l'auteur. Si vous citez directement un autre auteur sans l'indiquer, on peut vous accuser de plagiat.

Une autre mise en page est utilisée pour la troisième page avec une note au bas de la page.

-3-

Quoique ce problème peut être contrôlé par du mobilier approprié, il demeure une inquiétude.

Les effets de la radiation

Les rapports sur les effets des radiations émanants des écrans cathodiques sont très contradictoires. On n'a pas trouvé de preuves concluantes confirmant l'affirmation que les émissions provoquent des malformations génétiques ou des maladies visuelles.

Même si les résultats restent ambigus, plusieurs syndicats tentent de protéger leurs membres en recherchant l'établissement de directives comme partie intégrante des négociations de contrat.

«L'exigence la plus courante acceptée par les employeurs est de tester les écrans cathodiques pour les émissions de radiation, de faire des examens de la vue annuels et, plus rarement, d'accorder le droit de réaffecter une femme enceinte sans perte de salaire, à un poste qui ne comporte pas l'utilisation d'écran cathodique.»[2]

Conclusion

Même si ce rapport semble négatif, il y a place pour l'optimisme. La plupart de ces problèmes peuvent être surmontés par une implantation prudente qui fournit un éclairage et un mobilier adéquats, l'achat de moniteurs de qualité, un suivi des inquiétudes des employés et leur intégration à la démarche de planification.

---

2. Ibid., p. 115

On définit le plagiat comme étant «l'action de faire passer les idées ou les paroles d'un autre pour les siennes.»

Les notes au bas des pages permettent aussi de consulter l'article original si on veut plus d'information.

La bibliographie donne une liste de toutes les sources de référence utilisées dans le rapport.

BIBLIOGRAPHIE

Duffy, J. et D. Bentley, <u>Le traitement de texte dans le bureau intégré</u>, Toronto, McGraw-Hill Ryerson, 1984.

Lem, Gail, «L'établissement des normes pour les écrans cathodiques est retardé par le manque de données», <u>The Globe and Mail</u>, 19 octobre 1984.

Bibliographie Dans sa recherche pour un rapport, un écrivain peut avoir consulté, sans les citer, différents documents, rapports ou livres. Toutes les sources qui soutiennent l'information utilisée pour faire le rapport doivent être données dans la bibliographie qui est toujours placée à la dernière page. (Voir annexe 3 pour le format de la bibliographie.)

ACQUÉRIR LES HABILETÉS DE LECTEUR D'ÉPREUVES

La technologie actuelle facilite la tâche de présentation de documents d'allure professionnelle. On peut facilement monter un document, trouver et corriger les erreurs d'orthographe et de grammaire avant de faire un tirage. Cela n'enlève pas le besoin de vérification avant la distribution.

La procédure de lecture d'épreuves

Quand le document est tout entré sur ordinateur, il devrait être lu attentivement pour assurer la sortie d'une copie parfaite. Suivez ces étapes:

1. Lisez une fois pour saisir le sens. En lisant, demandez-vous si le texte a du sens. Cela montrera des mots ou locutions oubliés.
2. Lisez une deuxième fois pour déceler les fautes de forme, d'orthographe, de coupure des mots, de ponctuation et de grammaire.
3. Lisez-le une troisième et dernière fois. Cette fois-ci, demandez-vous si le choix et la position des mots a rendu le ton désiré.

La façon d'aborder la lecture d'épreuves peut dépendre de votre méthode d'entrée du texte. Si le document a été construit à partir d'un dictaphone, rejouez l'information et écoutez-la en lisant. Si vous utilisez un dactylo conventionnel, relisez avant d'enlever le papier de la machine. Servez-vous du guide de papier de l'appareil pour vous centrer sur une ligne à la fois. Si vous utilisez un processeur ou un micro-ordinateur, visualisez le texte à l'écran et corrigez les erreurs avant de conserver et de faire un tirage. Servez-vous du curseur pour lire attentivement le texte ligne par ligne pendant que l'information se déroule sur le moniteur.

Si vous travaillez sur un texte très difficile, vous devriez le lire lentement et attentivement à un autre qui compare vos paroles au texte original.

Les symboles de lecture d'épreuves

Un écrivain travaille son texte jusqu'à ce qu'il soit satisfait. Si les corrections sont faites sur un texte écrit, on utilise des symboles usuels nommés signes de lecture d'épreuves ou de l'éditeur. L'écrivain peut communiquer avec la personne qui tape le texte au moyen de ces symboles. Consultez l'annexe 3 pour une liste des symboles les plus fréquents.

La plupart des progiciels de traitement de texte sont conçus pour aider à la lecture d'épreuves. On peut facilement formater les documents et le programme peut déceler les fautes d'orthographe et de grammaire permettant à l'opérateur de les corriger avant impression.

Les outils d'écriture électroniques

On trouve des progiciels équipés d'un dictionnaire et/ou un dictionnaire de synonymes et d'un contrôle des fautes de grammaire.

Les dictionnaires électroniques ont une banque de mots qui fusionne un ensemble de mots prévus avec ceux que vous voulez ajouter pour inclure les termes spécialisés de votre entreprise. On compare l'ortho-

Les symboles de lecture d'épreuves sont utilisés pour éditer les copies écrites des documents.

---

3. Tapez la note de service suivante sur du papier blanc.

FERRONNERIE SARRAZIN

À   LES EMPLOYÉS MIS À PIED   *tapez en lettres minuscules et aligner avec le tabulateur*

DE   R. Attard, directeur des ressources humaines

DATE   2 juin 19__

OBJET   Réunion importante

Vous êtes invités à assister une réunion fixée à l'horaire. Pendant la réunion vous serez informés sur l'assurance-chômage, l'assurance collective, les procédures de rappel et l'inscription à main-d'œuvre Canada de même que tout autre sujet qui peut vous être utile avant et après votre mise à pied. Vous serez également invités à assister à une autre réunion fixée à l'horaire la semaine du 20 juin et à ce moment-là vous pourrez vous inscrire à l'assurance-chômage, à main-d'œuvre Canada et à l'assurance collective. Ces rencontres vous épargneront temps, effort et argent. Si vous ne désirez pas y assister vous devrez vous inscrire individuellement au bureau d'assurance-chômage, à celui de main-d'œuvre Canada et au bureau des ressources humaines de l'assurance collective et au bureau des ressources humaines pour le rappel, durant les moments indiqués par ces bureaux.

Simple interligne dans le texte — double interligne entre les paragraphes

Source: M. Sanderson, *C'est tout un brouillon*, 2ᵉ éd., McGraw-Hill Ryerson, 1986, p. 28.

---

graphe des mots du texte que vous écrivez à ceux de la banque. Les mots qui ne correspondent pas sont mis en relief pour vous permettre de les vérifier et corriger.

La banque ne peut pas contenir tous les mots que vous utiliserez. Donc, les mots qui n'y sont pas seront mis en relief comme erreurs même s'ils sont justes. Un dictionnaire électronique est incapable de distinguer entre

Un dictionnaire des syno-
nymes peut servir à
choisir le mot le plus
précis ou un autre mot.

Rem.: a) dans *tout entières*, le m. *tout* est inv. b) *en entier* (loc. adv.): en totalité.

entièrement adv. (de *entier*), d'une manière totale.
syn.: absolument, en bloc, complètement, en entier, de fond en comble, intégralement, en masse, parfaitement, pleinement, tout à fait, totalement.

entomo- préf. (gr. *entomon*, insecte).
ex.: entomogame, entomologie, entomophage, entomostracés, entomophiles, entomorhize.

entorse n.f. (*en* et v.fr. *tors*, de *tordre*), distension violente et subite des ligaments.
syn.: atteinte, entrave, faute, foulure, infraction, luxation, manquement.
ant.: articulation, respect.
Rem.: a) *entorse* s'emploie avec *donner* ou *faire.* b) *donner une entorse à quelqu'un* lui enlever crédit de.

entortillé(e) adj. (de *entortiller*), qui a le caractère de l'entortillage.
syn.: couvert, embarrassé, enveloppé, lié, obscur, tordu, trompeur.

entortiller(s') v.tr. et pron. (lat. *tortilis*, tordu), envelopper en tortillant.
syn.: circonvenir, couvrir, emberlificoter, embarrasser, embrouiller, entourer, envelopper, fermer, lier, obscurcir, prendre, séduire, serrer, tromper, compliquer.
ant.: défaire, dégager, dépêtrer, désentortiller, simplifier.
Rem.: *s'entortiller* (qué.): se vêtir chaudement.

entourage n.m. (de *entourer*), qui entoure, vit auprès de.
syn.: ambiance, atmosphère, amas, cercle, compagnie, décoration, entours, environnement, famille, milieu, société, voisinage.

entourer(s') v.tr. et pron. (*en* et *tour*, lat. *circum*, gr. *peri*), mettre autour.
syn.: assiéger, attaquer, border, ceindre, clore, clôturer, cerner, accabler, aduler, combler, embrasser, enclaver, encadrer, enceindre, encercler, enclore, enfermer, environner, enserrer, envelopper, fermer, renfermer, resserrer, réunir, serrer.

ant.: dégager, abandonner, délivrer, éloigner, lever le siège, négliger, délaisser.

entours n.m.pl. (de *entourer*), environs.
syn.: alentours, cadre, circuit, circonvoisin, environs, entourage, périmètre, périphérie, autour.
Rem.: a) *alentour de* (loc.prép.): autour de. b) *à l'entour* (loc.adv.): autour.

entracte n.m. (*entre* et *acte*), intervalle entre deux actes, moment de repos.
syn.: arrêt, interlude, intermède, intervalle, pause, repos, suspension.
anal.: saynète, scène, théâtre, acteurs, chanteurs, foule, spectateurs, première, représentation.
Rem.: *entr'acte* (forme arch.).

entraide n.f. (*entre* et *aide*), aide mutuelle, action de s'entraider.
syn.: aide, association, collaboration, charité, don, service.
Rem.: *entr'aide* (forme arch.).

entrailles n.f.pl. (lat. *intranea*), organes abdominaux, surtout les intestins.
syn.: boyaux, cœur, intérieur, intestins, profondeur, sein (de la mère, de la terre), sensibilité, viscères, abdomen, ventre.
Rem.: a) *entrailles* se dit des *intestins*, tandis que *viscères* se dit aussi du cerveau, du foie, des poumons. b) *sans entrailles:* dur, insensible.

entrain n.m. (*en* et *train*), gaieté naturelle, communicative.
syn.: activité, allant, animation, ardeur, brio, cœur, élan, empressement, enthousiasme, feu, fougue, gaieté, joie, mouvement, vie, vivacité, zèle.
ant.: apathie, calme, dépression, inertie, froideur, nonchalance, tristesse.

entraîner(s') v.tr. et pron. (*en* et *traîner*), traîner avec soi, emmener avec violence.
syn.: attirer, aguerrir, charmer, convaincre, causer, conduire, amener, apporter, comporter, charrier, dresser, décider, déterminer, déclencher, emporter, engendrer, exercer, endurcir, engager, former, guider, influencer, inviter, impliquer, occasionner, persuader, produire, provoquer, préparer, nécessiter, rouler, tirer, traîner, transporter.

des mots bien épelés qui n'ont pas le sens juste. Par exemple, un mauvais usage des mots «a, à, ah» ou «mes, mais» ne serait pas mis en relief à moins de faute d'orthographe.

Le dictionnaire des synonymes peut donner une définition ainsi qu'un choix de mots de remplacement.

Il y a aussi un logiciel capable de déceler certaines fautes fondamentales de grammaire. Cette particularité mettra en relief l'usage d'un sujet au singulier avec le verbe au pluriel ou à l'infinitif. Cette capacité est très limitée et il vous faut quand même vérifier attentivement votre travail. Par exemple, d'autres erreurs comme des phrases non séparées ou incomplètes ne seront pas décelées.

Les progiciels peuvent contenir un dictionnaire et/ou un dictionnaire de synonymes pour aider à écrire.   *Gracieuseté de Ashton-Tate*

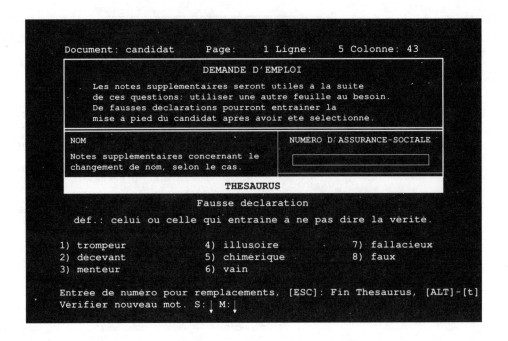

```
Document: candidat       Page:     1 Ligne:     5 Colonne: 43

                         DEMANDE D'EMPLOI
        Les notes supplémentaires seront utiles à la suite
        de ces questions; utiliser une autre feuille au besoin.
        De fausses déclarations pourront entraîner la
        mise à pied du candidat après avoir été sélectionné.

  NOM                                    NUMERO D'ASSURANCE-SOCIALE
  Notes supplémentaires concernant le
  changement de nom, selon le cas.

                            THESAURUS
                       Fausse déclaration
      déf.: celui ou celle qui entraîne à ne pas dire la vérité.

      1) trompeur          4) illusoire          7) fallacieux
      2) décevant          5) chimérique         8) faux
      3) menteur           6) vain

      Entrée de numéro pour remplacements, [ESC]: Fin Thesaurus, [ALT]-[t]
      Vérifier nouveau mot. S:↓ M:↓
```

QUESTIONS DE RÉVISION ET DE DISCUSSION

1. Trouvez les erreurs faites dans chacune des notes bibliographiques ci-dessous.

Pour un livre:
Eswan, G. et D. Upton, L'histoire de l'autochtone canadien, McGraw-Hill Ryerson, Toronto, 1987.

Pour un article:
Gary Horvath, *Analyse scientifique d'un ouragan*, The Vancouver Sun, 29 octobre 1982, p. 6.

2. Trouvez les erreurs dans les entrées d'une bibliographie.

Pour un livre:
   Sanders, E. et Barnes, J. et autres, *Les tableaux expliqués*, McGraw-Hill Ryerson, 1986.

Pour un article:
Lawrence, R., «L'automation prend charge,» The Ottawa Citizen, décembre, 1987.

3. Comment pouvez-vous convaincre un autre employé de l'importance de la lecture d'épreuves même avec la technologie actuelle? Faites une liste de suggestions pour aider à votre collègue.

UTILISATIONS

1. En tant que nouveau directeur du personnel de soutien du service de commercialisation d'une grande entreprise, vous êtes constamment interrompu par des employés qui ont des questions sur des directives de formatage fondamentales, sur des façons de s'adresser à quelqu'un et sur la structure grammaticale. Vu que leur liste est sans fin, vous décidez de mettre sur pied un petit centre de consultation à l'usage du personnel de soutien.

   Le budget des dépenses doit être signé par votre supérieur et ainsi, une justification doit soutenir chaque achat. Préparez un projet à soumettre pour l'achat de textes de consultation pour votre service. Donnez le raisonnement derrière chaque achat de votre projet. Utilisez la bibliothèque scolaire comme source d'information.

2. Janet Carter est une consœur enthousiaste et passionnée; elle est devenue une de vos amies intimes. Sa seule faiblesse est de trouver difficile la production de correspondance d'affaires de qualité acceptable. Vu que son choix de mots et de structures grammaticales est faible, elle se fie à vous pour éditer et recomposer des parties de correspondance écrite qu'elle reçoit de son patron. Étant données vos propres responsabilités, vous trouvez que cela prend trop de votre temps et votre travail s'en ressent. Vu qu'elle est votre amie, vous ne voulez pas mettre son poste en jeu. Quels problèmes pourraient découler de cette situation si elle persiste? Quelles suggestions pouvez-vous faire pour la corriger et l'améliorer.

3. Taper cette note du directeur des ressources humaines au service des directeurs. Éditez le matériel au besoin. Utilisez l'annexe 3 comme source de consultation.

   Le mois dernier, à la réunion du conseil, les directeurs de la compagnie ont entériné une résolution donnant trois semaines de vacances à tous les employés. Cette politique entre en vigueur le 1er janvier de l'année qui vient. Tous les employés qui ont 5 ans de service pourront prendre quatre semaines. En tenant compte de cela, veuillez préparer un projet d'horaire de vacances 19— des employés de votre service.

4. Tapez le texte suivant à double interligne et marges à 25 mm. Réorganisez et éditez au besoin. Utilisez les signes de lecture d'épreuve sur votre brouillon.

La peur de la nouvelle technologie :

La question principale qui vient à l'esprit d'un employé est "Est-ce que je serai capable de faire fonctionner ce nouvel équipement ?" L'habileté d'un employé à opérer dans un bureau pourrait être grandement influencé s'il combat la peur de se sentir incompétent. L'environnement de bureau en changement constant peut être une expérience apeurante pour plusieurs employés. Chacun d'eux a des craintes fondées sur l'ignorance qui provient d'un manque de sensibilisation à la nouvelle technologie peut provoquer des craintes. Des mots comme déroulement, édition, unités autonomes et système intégré pourraient ne pas avoir plus de sens qu'une langue étrangère pour quelques employés de bureau. L'implantation d'un nouvel équipement doit impliquer les employés concernés dans les étapes initiales de planification et être complétée par des sessions de formation offerts par la compagnie de manière à les employés qui utiliseront ce nouvel équipement. Les employés qui connaissent déjà les nouvelles procédures connaîtront mieux tout le procédé en cours et adopteront une attitude plus positive devant l'adaptation aux divers changements.

5.   Suivez les directives notées sur cette lettre.

927, place Bellwood
Kingston, Ontario
K7P 1P4

22 mai 19__

Madame R. Sauvé
Représentante en relations de travail
Canadian Office Specialists
380, rue Wellington
London, Ontario
N6A 5B5

Madame Sauvé,

Je viens de terminer un MBA à McGill et je voudrais postuler un emploi dans le service de commercialisation de votre compagnie. Une copie de mon curriculum vitæ est incluse.

Le Canadian Office Specialists est une firme bien connue et très respectée ayant la réputation d'offrir à ses employés une carrière stimulante et rémunératrice.

J'attends avec impatience la possibilité d'être à votre emploi et je vous prie d'agréer, Madame, l'expression de mes sentiments les plus distingués.

G. Tétreault

G. Tétreault

/gt

pièce jointe

- aucun poste disponible présentement
- gardez en filière si une ouverture se produit
- préparez, s.v.p. une réponse

6. Suivez les directives notées sur cette lettre.

MISSISSAUGA OUTILS ET MOULAGE

73, rue King ouest
Mississauga, Ontario
L5B 1H5

19__ 05 22

Canadian Office Specialists
380, rue Wellington
London, Ontario
N6A 5B5

Messieurs ou Mesdames,

Nous sommes une moyenne entreprise de fabrication qui pré-
voyons déménager dans de nouveaux locaux à l'automne. La
publicité nous indique que votre compagnie peut nous aider à
concevoir un bureau ergonomique pour nos employés.

Présentement, nous évaluons les coûts et sommes à demander
des estimations à deux autres compagnies. Pourriez-vous nous
envoyer votre estimation des coûts pour une surface approximative de 1 300 mètres carrés et une liste de prix de vos
services?

Acceptez nos meilleures salutations.

L. Leblanc

Lloyd Leblanc
Président

/mib

Répondre s.v.p.
- *une liste de prix générale n'est pas disponible*
- *chaque projet est examiné et évalué individuellement*
- *on peut envoyer un consultant si désiré*

---

7. Retournez à la question 3 du chapitre 2, Travailler avec du texte et des données. En utilisant le texte normal que vous avez entré lors de cette question, créez et formatez une lettre présentant votre compagnie à une entreprise qui pense implanter un nouveau système de réseau informatique. Le nom de l'entreprise est Manufacture Castlemore Ltée, 3775 Industrial Parkway, Burlington, Ontario, L3Y 5B9.

8. Cette liste de numéros d'assurance sociale a été prise sur des formulaires de demande d'emploi et inscrite sur une feuille d'entrée de données. La colonne A indique le numéro sur la demande et la colonne B, le numéro sur la feuille d'entrée de données. Lisez attentivement et notez les erreurs.

Colonne A	Colonne B
426-019-691	426-019-691
445-893-554	445-983-554
436-882-976	426-882-976
499-325-998	499-325-998
486-499-554	486-499-544
421-660-975	421-606-975
477-884-743	477-884-743

6

PARLER ET ÉCOUTER

Après la lecture de ce chapitre vous serez en mesure de:
- reconnaître l'importance de la circulation de la communication orale dans l'organisation d'un bureau.
- maîtriser efficacement la parole.
- utiliser des techniques d'écoute active.
- reconnaître comment créer une impression favorable par la communication non verbale.
- savoir utiliser de bonnes techniques de synthèse.

La communication est un traitement de l'information qui demande au moins deux personnes — un envoyeur et un récepteur. Pour une communication réussie, le récepteur doit comprendre clairement le message de l'envoyeur. La communication peut être écrite ou verbale. Point central du chapitre, la communication orale se réfère à une méthode continue de communication impliquant autant les talents de parole que d'écoute, de même que les éléments subtils sous-jacents du non-verbal.

Quel que soit l'arrangement du bureau, vous utilisez la communication orale à cœur de journée. Que vous soyez en réunion, receviez des visiteurs à la compagnie, répondiez au téléphone ou donniez ou receviez des directives ou explications, vous utilisez vos talents de communication verbale. Une entreprise florissante a besoin de l'habileté de ses employés pour bien utiliser leurs talents de bien parler et écouter. L'échec à communiquer peut entraîner des pertes d'affaires pour la compagnie. Par exemple, si vous tenez une réunion interne sans faire une présentation claire, concise et logique, le sens du message peut être incompris de vos collègues. Si vous n'écoutez pas attentivement la demande du visiteur, vous pouvez donner une fausse information et vous mettre dans l'embarras avec votre employeur.

TALENTS DE LA PAROLE

Parler est plus que dire des mots. C'est l'expression de votre personnalité. Votre aptitude à communiquer efficacement est influencée par votre qualité vocale, votre articulation et prononciation, et votre choix de mots. Ces facteurs influencent l'auditeur et peuvent déterminer le succès ou l'échec de la communication.

Que vous soyez en réunion, parliez au téléphone ou donniez des directives, ce que vous dites et la façon de le dire sont aussi importants.
Gracieuseté de Hewlett-Packard du Canada Ltée.

La qualité de votre voix

Votre voix peut aider ou nuire à une conversation. Une voix irritante peut agacer l'auditeur alors qu'une voix enjouée peut le rendre content de vous parler.

Le son de la voix est déterminé par le volume, la hauteur, le ton et la vitesse du débit.

Volume Vous devez vous faire entendre. Si c'est trop fort, les gens penseront que vous criez après eux. Trop faible, on ne vous comprendra pas.

Ton Une voix trop haute peut être grinçante, criarde et déplaisante. La plupart des gens préfèrent une voix modérément basse. Si vous prenez de grandes respirations et parlez du diaphragme, une voix grinçante et criarde baissera.

Timbre Votre timbre de voix montre votre attitude envers l'auditeur et/ou la situation. Regardez-vous parler dans le miroir. Remarquez votre changement de timbre quand votre expression change. Il est impossible d'avoir un ton fâché ou embêté en souriant.

Vitesse de débit Votre débit devrait couler selon un rythme facile à suivre. On peut souligner les mots ou locutions importantes par une pause au bon moment. Comme exemple, regardez les phrases suivantes:

Finalement c'est le temps d'étudier la procédure de promotion.
Finalement, c'est le temps d'étudier la procédure de promotion.

Dans la seconde phrase, la virgule sert à indiquer une pause. Cela fait ressortir un point.

Si vous voulez que l'auditeur se souvienne d'un point précis que vous faites, parlez plus lentement que d'habitude.

La procédure de communication comprend l'envoi et la réception d'information.

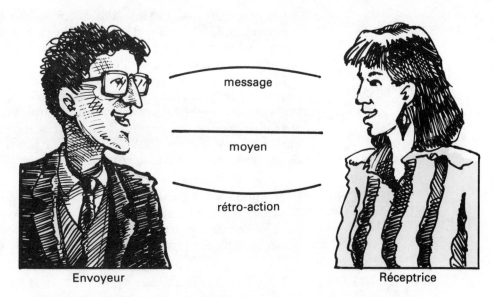

Envoyeur   Réceptrice

Articulation et diction

Pour faire une bonne impression en parlant, vous devez dire les mots **distinctement** et **correctement**.

Une mauvaise articulation veut dire parler avec un débit qui escamote ou ajoute lettres ou syllabes.

Mauvaise articulation	*Bonne articulation*
ça va ti ben?	est-ce que ça va bien?
tu as tu mangé?	as-tu mangé?
c'est quoi que tas bouffé?	qu'est-ce que tu as mangé?
m'a awouèr un metting.	je vais avoir une réunion.
inconvégniant	inconvénient
nathlèt	athlète

Le choix de mots et le ton de voix influencent la façon de recevoir le message. *Gracieuseté de l'Institut d'assurance du Canada.*

Les structures de diction sont acquises par imitation et dévoilent les expériences personnelles d'un individu et son milieu culturel. Toutefois, ces structures ne sont pas «coulées dans le ciment» et peuvent être modifiées par la pratique si la volonté y est.

Le son que vous croyez avoir en parlant n'est peut-être pas celui qui est entendu par les autres. Vous pouvez améliorer vos talents en expression orale en vous enregistrant et en vous écoutant de façon critique pour vous entendre comme les autres. Travaillez à développer une voix qui peut varier volume, timbre, ton et débit tout en étant distincte et correcte. Vous deviendrez alors un orateur qui captive son auditoire.

QUESTIONS DE RÉVISION ET DE DISCUSSION

1. Quand y a-t-il communication? Qui est impliqué dans la procédure?
2. Discutez l'affirmation «Votre voix, c'est vous.»
3. Quelle différence y a-t-il entre articulation et diction? Pourquoi les deux sont-elles importantes?

METTRE DES MOTS À LA SUITE

Pour bien communiquer oralement, vous devez bien agencer les mots. Voici trois suggestions pour encourager l'auditeur à demeurer attentif jusqu'à la fin de la présentation.

Penser avant de parler

Faire une pause pour organiser ses idées avant de parler est une technique utilisée pour développer un discours efficace. Cela vous donne le temps de choisir vos mots pour exprimer votre pensée et organiser la façon de la livrer. Par la pratique, un bon orateur peut le faire sans que l'auditeur décèle la pause. Mais si vos pauses sont pleines de «eee», vous créez l'impression que vous n'êtes pas prêt et que vous ne savez pas de quoi parler.

Choisissez vos mots avec soin

La gamme des mots que vous utilisez dans le langage peut passer du désinvolte au formel et est influencée par la situation et l'auditoire. Si vous rencontrez un ami, un proche, «Salut, comment ça va?» est acceptable, mais la même expression serait déplacée avec un de vos supérieurs au travail. Quelque chose de plus formel comme «Bonjour, Mme Hawkins» serait de mise.

On considère comme joual tout mot ou expression non conforme avec le français international. Certaines expressions sont utilisées dans les conversations informelles avec des amis, mais dans un contexte d'affaires, vous devriez avoir un langage plus formel tout en restant courtois et amical. Des expressions comme «pas de problème», «je t'attrape plus tard» et «ça me sort des oreilles» sont des exemples de joual usuel qui devrait être évité. Un employé frustré des demandes constantes de ses supérieurs pourrait dire «fichez-moi la paix.» Toutefois, «j'aimerais que vous soyez un peu plus compréhensif» exprime la même idée tout en étant plus de mise.

On appelle expressions familières celles qui sont particulières à une région ou à un groupe de personnes. Elles devraient être évitées parce qu'elles peuvent provoquer de la confusion. Par exemple, avant l'introduction des ordinateurs, les dossiers écrits avec de l'information sur les clients ou les projets circulaient à travers plusieurs bureaux. Ils pouvaient facilement être ensevelis accidentellement sous un tas de papiers sur un bureau et être introuvables par les collègues impliqués dans le projet. Si une compagnie les appelait les «introuvables», le personnel comprenait l'expression et s'en servait. Toutefois, les nouveaux employés et les étrangers étaient perplexes, par exemple, en entendant la phrase «Ce doit être un introuvable.»

Organisation logique

Les bons mots trouvés, vous devez les organiser de façon cohérente et logique. Assurez-vous que votre discours respecte la grammaire et qu'il ne porte pas l'auditeur à confusion. Par exemple, l'énoncé suivant décrit l'eau de cologne d'un collègue: «En ouvrant la porte, l'odeur d'un fort parfum me frappa.» Cette phrase laisse croire que c'est l'odeur qui ouvra la porte alors qu'on sait que c'est l'employé.

Un conférencier incapable d'exprimer ses idées d'une façon claire, juste et cohérente va perdre son auditoire. L'auditeur peut même en venir à douter de son intelligence et de sa compréhension du sujet.

QUESTIONS DE RÉVISION ET DE DISCUSSION

1. Quand vous enlignez des mots, quels sont les trois aspects à considérer?
2. Expliquez la différence entre une expression de joual et une expression familière? Donnez un exemple de chacune.
3. Montrez deux exemples de joual utilisés fréquemment et refaites-les sous une forme acceptable dans une situation d'affaires.
4. À l'aide d'un magnétophone ou d'un dictaphone, enregistrez les phrases suivantes avec un partenaire.
    a) Nous tiendrons la réunion annuelle mercredi le 19 février à onze heures dans la pièce en face de la salle du conseil.
    b) Toutes les façons de conserver disques, rubans et films, seront utilisés dans notre centre de gestion des dossiers.
    c) Le gérant régional a demandé à tous les employés de faire du service à la clientèle leur première priorité.
    Rejouez les phrases et analysez le son de votre voix pour le volume, le timbre, le ton et la vitesse de débit. Demandez à votre partenaire de les analyser lui aussi. Enregistrez-les à nouveau. Concentrez-vous sur l'amélioration de vos faiblesses. Rejouez-les une autre fois. Notez les endroits qui ont encore besoin d'amélioration.

LES TALENTS D'ÉCOUTE

Un auditeur doit faire plus qu'écouter passivement les mots et phrases lorsqu'il reçoit un message. Écouter demande une participation active dans le moyen de communication par l'usage des oreilles, de l'esprit et des yeux.

Le succès d'une carrière repose en partie sur votre habileté à utiliser vos talents d'écoute. Vous devrez suivre des directives et des ordres ainsi qu'accepter des suggestions d'amélioration personnelle. Manquer à bien écouter peut entraîner des erreurs et des méprises coûteuses. Par exemple, une entreprise en ventes et services dépend de ses employés pour être à l'écoute des besoins de la clientèle. Les clients qui ne reçoivent pas les marchandises ou services commandés rechercheront probablement une autre compagnie capable de les servir.

Mettez au point vos talents d'écoute

Avez-vous déjà remarqué comme c'est frustrant de parler à quelqu'un qui bouge et regarde en l'air? La plupart de nous sommes coupables de mauvaise écoute pour plusieurs raisons. Nous en avons demandé la raison à Andrew Spanyi. Il est directeur de la commercialisation et de la planification pour *Learning International de Toronto* qui donne un programme d'écoute active.

«L'écoute active est difficile», dit-il, «à cause du nombre d'obstacles — les bruits de fond, un orateur monotone, le goût de donner votre point de vue ou l'idée d'être trop occupé pour prêter totalement attention. Donc, la plupart de nous écoutons de façon distraite. On alterne entre écouter et faire la sourde oreille». Il ajoute que des études démontrent que c'est plus fréquent avec les personnes connues.

Une mauvaise écoute peut amener des conséquences dramatiques: désintégration d'un mariage, perte d'argent pour les entreprises et perte d'emploi. La bonne nouvelle est que l'écoute est une habileté qui s'apprend et se perfectionne. Spanyi donne les conseils suivants pour améliorer votre écoute active.

• Portez attention. Établissez contact avec l'interlocuteur en vous concentrant entièrement sur ce qu'il dit, en l'encourageant verbalement («Ah oui, je vois ce que vous voulez dire») et par votre langage corporel (gardez un contact visuel, souriez, hochez de la tête, penchez-vous attentivement et résistez à l'envie de bouger).

• Clarifiez. Parfois, il vous faut de l'information supplémentaire pour bien comprendre ce qu'on vous dit. Ne soyez pas gêné de demander à l'interlocuteur de vous aider à comprendre ou d'être plus précis.

• Confirmez. Vous croyez comprendre ce qui est dit sans en être complètement certain. Vous devriez redire le message dans vos mots et demander à l'interlocuteur de vous le confirmer. («Seulement pour m'assurer de bien comprendre, Hélène, vous dites que parce qu'on n'a pas reçu les résultats du sondage de Marie, nous dépasserons la date limite. C'est bien ça?»)

• Lisez le langage corporel. Les gens ont souvent de la difficulté à s'exprimer, ce qui rend également important de confirmer ce que vous voyez autant que ce que vous entendez. L'expression faciale de l'interlocuteur et son ton de voix peut en dévoiler plus que ses paroles. Aidez-le en disant ce que vous pensez qu'il ressent: «Il semble que la situation vous tracasse vraiment.»

• Pratiquez l'écoute active. Il est facile d'avoir une bonne idée de ce qui est dit, mais plus difficile de le saisir entièrement. L'écoute active demande de constamment réviser et organiser ce que dit l'interlocuteur. Voici comment:
a) Essayez d'identifier les points majeurs de l'interlocuteur ainsi que ses points secondaires.
b) Préparez un schéma mental en faisant une liste de tous ses points majeurs.
c) Centrez-vous sur les mots-clés, pour garder les points bien en vue.
d) Divisez les points en catégories, comme les pour et les contre, les goûts et aversions, les ressemblances et différences. (Dites-vous, «Voici un autre exemple de ce qu'il déteste.»)

Reproduit avec la permission de *Canadian Living Magazine*, par Kerry Dean.

L'écoute active Votre niveau d'éveil à l'écoute dépend de la situation. Par exemple, si on vous présente à quelqu'un, vous devez être attentif à certains détails comme le nom, le titre et la compagnie. Si vous assistez à un séminaire de compagnie, vous devez être attentif aux questions et idées principales discutées.

Écoutez attentivement et concentrez-vous sur le conférencier pour avoir une meilleure idée du sujet. *Gracieuseté de l'Université York.*

Votre habileté à bien écouter s'améliore si vous pouvez éliminer les distractions et concentrez-vous sur l'interlocuteur. Évitez de griffonner, de regarder partout ou de planifier le reste de la journée tout en l'écoutant.

Les préjugés personnels peuvent nuire au déroulement de la communication. Certaines personnes «n'entendent que ce qu'elles veulent entendre» plutôt que d'accepter la critique et les mauvaises nouvelles. D'autres refusent d'écouter l'interlocuteur qui ne partage pas leur point de vue. Rappelez-vous qu'il est toujours possible d'apprendre si vous abordez chaque situation avec un esprit ouvert.

Si vous devez assister à une réunion ou une conférence, essayez d'en connaître le sujet à l'avance. Il serait peut-être nécessaire de faire une recherche sur le sujet. Dans le quotidien des affaires, vous devriez lire le plus possible pour élargir vos connaissances des affaires en général et de votre compagnie en particulier. Quand vous avez une maîtrise de base du sujet, vous trouvez le conférencier plus intéressant et plus facile à comprendre.

Posez des questions si vous ne comprenez pas bien l'interlocuteur. Si vous êtes incertain des directives de votre supérieur, vous devriez toujours clarifier chaque aspect avant de commencer sinon vous serez incapable de mener votre tâche à bien. Il est préférable de demander et d'être certain plutôt que de faire des erreurs inutiles.

Vous pouvez diminuer le nombre de fois que vous demandez des éclaircissements en vous concentrant sur l'interlocuteur et en écoutant attentivement lorsque les directives sont données pour la première fois. Des questions répétées sur un même sujet peuvent devenir irritantes pour l'interlocuteur.

Lorsque vous portez attention aux expressions faciales et aux manières, vous avez une meilleure idée du message que le conférencier veut passer. Par exemple, le conférencier qui veut insister sur une affirmation «Vous devriez mettre immédiatement cette procédure en place», devrait se pencher légèrement en avant et fixez l'auditoire.

Un conférencier peut se
servir de gestes pour
insister sur un point.

Un bon discours ou une bonne conversation a peu de points majeurs;
tout le reste n'est que détails se rattachant à l'idée principale. En se
concentrant sur les idées maîtresses du conférencier, le message est plus
facile à comprendre et à mémoriser.

**Créer une impression
favorable**

Pour une communication efficace, l'envoyeur (interlocuteur) et le
récepteur (auditeur) ne doivent pas seulement faire preuve de talents de
parole et d'écoute, mais doivent être conscients de facteurs plus subtils.

L'atmosphère et le cadre, les effets visuels habituels, sont souvent des éléments décisifs sous-estimés. Une mauvaise présentation personnelle, un comportement négligé et un langage corporel impropre peuvent tous donner des distractions qui interrompent ou brisent le roulement de la communication. De plusieurs façons, un bon conférencier est aussi un bon acteur qui comprend que le message ne sera pas seulement saisi par les oreilles mais vu par les yeux. La perception visuelle des autres est importante.

Présentation personnelle

L'habillement, la posture, le langage, les expressions personnelles et vos manières influencent votre **image** personnelle. (Vu qu'une section précédente a traité du langage, il n'en sera pas fait mention ici.) Si vous voulez communiquer une image positive, vous devez projeter une image professionnelle et efficace. Le message d'une personne portant des vêtements froissés, affalée sur une chaise et bâillant ne sera décidément pas pris au sérieux.

Certaines compagnies ont un code de tenue vestimentaire qui fixe des normes. Une surveillance attentive des autres au bureau vous donnera les

Votre image personnelle est importante. Assurez-vous de vous présenter sous votre meilleur jour.

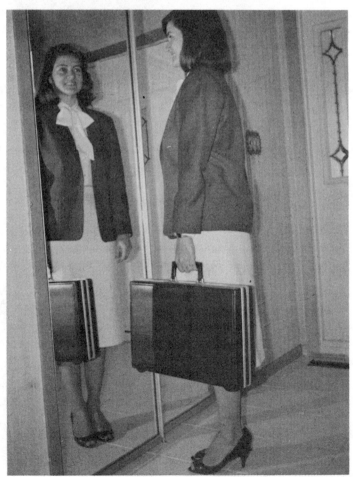

Vos expressions faciales peuvent transmettre un message non voulu.

jalons d'un code de tenue vestimentaire non écrit. Servez-vous de votre jugement pour le choix des vêtements, du maquillage et des accessoires qui conviennent à un bureau, qu'il y ait un code de tenue vestimentaire écrit ou non.

Recherchez une apparence bien ordonnée, nette et propre qui convient à votre taille et à votre âge. Une tenue impropre et négligée montre un manque d'attitude efficace.

Avant d'aller au travail, regardez toute votre apparence de façon objective dans un miroir et demandez-vous si vous avez l'allure qui correspond à votre poste.

Votre posture montre souvent comment vous vous sentez. Marchez avec aplomb: tenez-vous droit et gardez la tête haute. Derrière un bureau, assoyez-vous droit tout en restant confortable. Une personne qui se traîne les pieds, regarde le plancher ou qui s'appuie sur le bureau peut facilement être vue comme étant paresseuse, négligée ou embêtée.

Votre expression peut dévoiler vos pensées intérieures. Votre physionomie peut dire «Je m'embête» ou «Je suis excité par ce que je fais.» Votre enthousiasme se voit dans un sourire chaleureux, une face vivante et un bon contact visuel. Essayez de projeter une expression qui invite au «bonjour».

Tous les éléments de présentation personnelle peuvent se mettre en place à la perfection, mais si vous dérangez vos collègues avec des manies comme mâcher de la gomme, pouffer de rire, craquer les doigts, taper du crayon, faire des farces ou vous vanter, vous détruirez la bonne impression que l'on a de vous. Ces tics seront les plus difficiles à éliminer parce que vous n'en êtes souvent pas conscient. Observez les manies des autres. Quand vous voyez quelqu'un avec une manie agaçante et distrayante, demandez-vous si vous l'avez. Si «oui», concentrez-vous et travaillez à l'éliminer.

**QUESTIONS
DE RÉVISION
ET DE DISCUSSION**

1. «Écouter est une activité active, non passive.» Êtes-vous d'accord? Donnez des raisons pour justifier votre réponse.
2. Comment pouvez-vous vous préparer à devenir un bon auditeur?
3. Comment votre présentation peut-elle influencer le déroulement de la communication?

**ÉCOUTER—
PARLER**

Les activités d'écoute et de parole sont interreliées et complémentaires. Le développement d'un aspect de la communication favorise la croissance de l'autre.

Ayez une écoute critique de l'organisation générale du sujet d'un conférencier, de même que son choix de mots et son usage du ton et des maniérismes pour vous aider à polir vos habiletés d'orateur. Par l'écoute, vous prendrez plus conscience de l'usage des mots et vous étendrez votre vocabulaire et compréhension.

Présentations

Les bonnes relations d'affaires sont souvent bâties sur la politesse sociale qui demande des talents d'écoute et de parole. Une présentation est une de ces situations. Lors d'une première rencontre, vous devriez vous concentrer sur la personne. Écoutez attentivement la prononciation de son nom et les autres détails sur son poste ou sa compagnie. Si le nom est difficile ou que vous ne l'avez pas saisi, demandez de le répéter. Vous aurez peut-être besoin de l'information plus tard et la personne pourrait être offusquée par une mauvaise présentation.

Les règles de présentation sont simples. Si vous présentez quelqu'un, articulez et nommez en premier la personne avec le poste le plus élevé. Par exemple, si Mme Martinez, votre directrice, interviewe Jean Bauvais,

Une poignée de main ferme peut donner une impression de confiance en soi.

candidat à un poste, vous présenteriez Jean en disant: «Mme Martinez, voici Jean Bauvais».

Si vous vous présentez, commencez par une salutation comme «Bonjour,» et dites le nom de la personne que vous rencontrez si vous le savez, et donnez votre nom et prénom. Voici un exemple, «Bonjour, Mme Raymond. Mon nom est Jacques Couture.» En même temps, donnez une poignée de main à la personne que vous rencontrez. Ayez une prise ferme, souriez et regardez la personne dans les yeux. Cette approche aidera à vous projeter comme personne efficace.

L'art de résumer

Un résumé est un survol des points majeurs présentés oralement ou par écrit.

Rapports écrits

Votre patron peut vous demander de résumer un article de journal ou un énoncé de politique sur des nouvelles règlementations gouvernementales. La tâche n'a pas à être difficile si vous respectez les suggestions suivantes:

1. Lisez le rapport en entier pour en avoir une vue générale.
2. Utilisez un surligneur pour faire ressortir les idées-clés.
3. Notez les mots-clés dans la marge.
4. Réécrivez et condensez chaque idée principale.

On peut utiliser un surligneur pour résumer un rapport écrit. *Gracieuseté de l'Institut de l'assurance du Canada.*

Rapports oraux

Si vous assistez à un séminaire ou recevez des directives détaillées de votre directeur, vous ne pouvez pas toujours tout transcrire. Si vous préparez un résumé d'une conversation ou d'un discours, vous aurez l'information et serez en mesure de la partager éventuellement avec vos collègues.

Il est plus difficile de préparer un résumé oral qu'écrit. Il est cependant utile de maîtriser au préalable la technique de préparation du résumé écrit.

Voici quelques suggestions pour vous aider à bien prendre des notes. Préparez-vous à prendre des notes en suivant les techniques discutées dans une section précédente, «Comment écouter activement». Si vous êtes dans un séminaire, vous allez mieux comprendre si vous êtes assis là où vous pouvez mieux voir et entendre le conférencier. Ayez toujours crayon, stylo et papier à portée de la main pour noter les points-clés. Résumez l'information en notant les points principaux et les mots-clés sur le côté gauche de la page. La partie de droite servira à ajouter d'autres notes plus tard.

QUESTIONS DE RÉVISION ET DE DISCUSSION

1. Quelles interactions y a-t-il entre écouter et parler?
2. Quelles sont les quatre étapes à suivre pour résumer un rapport écrit?
3. Pourquoi serait-il nécessaire de faire un résumé d'une présentation orale? Comment le feriez-vous?

UTILISATIONS

1. Judy expliqua à son directeur la raison du ralentissement de travail (voir plus bas). Quelles sont ses erreurs de communication? Comment amélioreriez-vous son explication? Réécrivez son explication de la façon que vous croyez qu'elle aurait dû la faire.

   «M'étant assise pour travailler, le lecteur de disque flancha. Je suis incapable de mettre à l'ordinateur ce que j'ai conservé, vous voyez. Les disques sont o.k., donc ça doit ben être aut' chose. Il a trop fonctionné dernièrement et a surchauffé, n'est-ce pas? Je vais essayer encore plus tard et si ça ne marche pas, il faudra que je l'envoie réparer.»

2. Analysez la situation suivante entre Roger et son directeur. Quelles sont les erreurs et comment amélioreriez-vous la conversation? Réécrivez la conversation, y incluant le langage corrigé de Roger.

   DIRECTEUR: «Bonjour, Roger.»
   ROGER: «Salut, comment va?»
   DIRECTEUR: «Quand sera prêt le rapport du résumé financier du quatrième trimestre?»
   ROGER: «Le rapport, ah oui! Je suis tellement embourbé, j'en ai jusqu'aux oreilles. Je pense l'avoir fait. Il me faut le trouver, pas vrai?»
   DIRECTEUR: «S'il vous plaît, essayez de l'avoir à mon bureau pour demain matin.»
   ROGER: «Compris. Pas de problème.»

3. Lisez l'article de la page 145. Quelle est la philosophie de l'auteur sur l'importance de l'image non verbale? Êtes-vous d'accord avec les énoncés de l'article? Expliquez les raisons de votre position.

12 × 12 × 12

Notre image non verbale est très importante. Ce que vous dites et projetez d'une façon non verbale doit être conforme à ce que vous voulez dire et projeter.

L'outil 12 × 12 × 12 est de savoir qu'au fond, vous êtes jugé trois fois par les autres. La première fois est à la distance de 12 pieds. Jouez-vous le rôle d'une secrétaire ou d'une femme d'affaires qui réussit quand les autres sont à 12 pieds de vous?

La deuxième fois que vous êtes jugé est à la distance de 12 pouces. Paraissez-vous aussi bien de près que de loin?

La troisième fois est sur les 12 premiers mots que vous dites. Êtes-vous bien articulé?

Une image ne s'adapte pas toujours dans toutes les situations. Pour réussir, vous devez être des caméléons — pouvoir changer de présentation selon la situation.

Vous pouvez contrôler ce que les autres pensent de vous. Si vous paraissez et jouez le rôle, les gens vous considérerons comme tel. Sinon, ils ne vous laisseront pas vous rendre au deuxième 12. Mais avant de paraître et de jouer le rôle, vous devez le penser. Vous devez vous voir comme un gagnant pour agir comme un gagnant et pour être perçu ainsi par les autres.

Reproduit avec permission, Copyright 1987, *The Secretary,* publication officielle de Professional Secretaries International, Kansas City, MO.

4. Regardez les photographies de la page 139.
    a) Quelles techniques ont-ils utilisées pour faire leur présentation?
    b) Quelle est votre impression de chaque conférencier? Pourquoi? Justifiez votre réponse.
    c) D'après vous, quel conférencier fait la meilleure présentation? Pourquoi?

5. Préparez une grille d'évaluation d'une introduction. Prenez comme rubriques les cinq catégories suivantes : contact visuel, poignée de main ferme, nom dit clairement, impression générale et amélioration nécessaire. Présentez-vous ensuite à cinq professeurs et/ou administrateurs de l'école, préférablement ceux que vous connaissez peu. Après vous être présenté, demandez à chacun de remplir et signer la grille d'évaluation.

6. Choisissez une compagnie et prenez un nom et un poste fictifs avec elle. Soyez prêt à présenter votre personnage à un groupe de cinq ou six étudiants. À tour de rôle, chaque étudiant se présentera de la même façon. Après que tout le monde a passé, écrivez autant

de noms, postes et compagnies que possible. Comparez vos notes avec les autres pour les justifier.

7. Lisez le passage suivant à un confrère qui peut prendre des notes. Dites-lui de répondre aux questions suivantes se référant à ses notes au besoin.

Votre compagnie a des succursales à Saint-Jean, Montréal et Regina. Leurs directeurs vont se rencontrer à Vancouver pour la conférence annuelle. Voici les sujets de discussion : gestion du temps, techniques de vente efficaces et développement de nouveaux produits. La conférence se tiendra du 20 au 22 mai au Pacific Centre. Les participants devraient arriver le 19 mai et s'enregistrer au Holiday Inn Bayshore.

   a) Où sont situées les succursales de la compagnie?
   b) Où sera tenue la conférence?
   c) Nommez deux sujets de discussion.
   d) Nommez deux sujets qui ne seront pas discutés.
   e) Quelle est la date d'ouverture de la conférence?
   f) Où logeront les participants?
   g) Quand devront-ils arriver?

8. Trouvez un court article dans un magazine comme *Commerce* ou *Informatique et Bureautique* qui traite d'une nouvelle tendance dans les bureaux. Lisez l'article à un groupe de trois étudiants. En lisant, les étudiants devraient prendre des notes pour résumer l'article. Gardez les résumés pour usage à la question 9.

9. Choisissez un des articles écoutés à la question 8 et préparez un résumé écrit.

LE BUREAU MÉDICAL

Les occasions de travail dans le domaine des soins de santé se retrouvent dans les cabinets de médecin, les hôpitaux, les cliniques médicales, les centres de recherches médicales et les services de soins médicaux des compagnies et des gouvernements. Avec le vieillissement de la population au Canada, la demande de services de soins de santé augmentera et accroîtra les occasions d'emploi.

Un assistant de bureau médical pourra avoir à rencontrer des patients, fixer des rendez-vous, prendre les renseignements essentiels pour des études de cas, s'occuper des réclamations d'assurance-santé et d'accidents de travail et expédier les comptes. Une connaissance de la terminologie médicale et pharmaceutique de même que la compréhension des tests de rayon X et de laboratoire sont nécessaires. Il faut aussi une connaissance de base de l'anatomie et de la physiologie.

Un assistant de bureau médical devrait posséder de bonnes aptitudes interpersonnelles et en communication, être capable de garder la confidentialité et être empathique envers les autres.

ADMINISTRATEUR DE DOSSIERS MÉDICAUX

Évidemment, un administrateur de dossiers médicaux travaille dans un hôpital ou une clinique au maintien des dossiers des patients. Bien que cette personne ne travaille pas directement dans un cabinet de médecin, elle doit garder un contact étroit avec le personnel médical pour s'assurer que les dossiers des patients sont complets.

L'administrateur de dossiers de santé code et classe les dossiers médicaux y inclus les résultats de tests, les diagnostics et les traitements. On peut également demander à cette personne de compiler les statistiques prises dans les dossiers médicaux servant à la recherche ou aux sondages médicaux.

Le poste demande de bonnes aptitudes d'organisation; une connaissance du traitement des données est un grand avantage vu que les ordinateurs sont de plus en plus utilisés dans les hôpitaux.

Un poste d'administrateur de dossiers de santé demande de suivre un programme de deux ans offert dans les collèges d'arts et de technologie appliqués et dans des écoles commerciales.

ASSISTANT PHARMACIEN

Un assistant pharmacien travaille sous la supervision d'un pharmacien. Il peut être responsable du contrôle de l'inventaire et de tâches administratives comme la mise à jour des dossiers des clients et des médicaments à l'aide de l'informatique.

Un assistant pharmacien doit suivre un programme d'un an dans un collège d'arts et de technologie appliqués orienté sur les mathématiques et la chimie. Pour faire une carrière d'assistant pharmacien, l'informatique est un atout. Les occasions d'emploi sont bonnes à cause du rôle changeant du pharmacien.

* Note: Toutes les carrières présentées dans cette concentration sont également offertes aux hommes et aux femmes.

**DÉVELOPPER
VOTRE CONSCIENCE
DES AFFAIRES**

1. Définissez les termes suivants et utilisez chacun d'eux dans une phrase relative au champ des soins de santé :

cardiovasculaire	hémoglobine
contusion	analyse d'urine
thrombose	congestion
pulmonaire	réanimer
vertèbre	anesthésique

2. Interviewez une personne qui travaille dans un bureau médical. Préparez un rapport sur le genre d'équipement utilisé. Demandez s'il y a des plans pour une plus grande utilisation de la technologie.

ADMINISTRATEUR
DE DOSSIERS DE SANTÉ

Occasion **STIMULANTE** pour administrateur de dossiers de santé dans un contexte non traditionnel pour superviser et coordonner les fonctions découlant de tous les dossiers de patients. Expérience exigée. Envoyez votre curriculum vitæ à: Viviane Tremblay, 4510, avenue Moss, Vancouver, C.-B., V5G 2B9

3

VOTRE ENVIRONNEMENT DE TRAVAIL

7

L'ORGANISATION DU BUREAU D'AUJOURD'HUI

Après lecture de ce chapitre, vous serez en mesure de:

- Voir le besoin d'une structure organisationnelle dans un cadre d'affaires.
- Comprendre l'impact de la hiérarchie, de l'organigramme et de la structure fonctionnelle de l'organisation.
- Distinguer les composantes d'un bureau ergonomique.
- Savoir la différence entre des aménagements de bureau ouvert ou fermé.
- Comprendre les exigences d'un poste de travail adapté.

Qu'elles existent pour offrir des produits ou services ou pour encourager des causes charitables, les institutions ont besoin d'une structure organisationnelle solide pour atteindre leurs objectifs. Un objectif majeur d'une organisation d'affaires, comme le commerce ou la dentisterie, est de faire un profit de la vente de biens ou services. Des organismes comme la Croix-Rouge et les agences gouvernementales fédérales ou locales tirent leurs revenus de dons ou de taxes pour offrir leurs services.

Tous les organismes ont un besoin critique d'élaborer une structure organisationnelle qui leur permet de fonctionner aussi efficacement que possible. Le succès d'une entreprise dépend de la compréhension de la structure organisationnelle existante pour identifier les besoins et prendre

Une structure organisationnelle solide encourage une communication efficace. *Gracieuseté de IBM Canada Ltée.*

les décisions. Une entreprise est responsable de son succès ou échec à un ou plusieurs investisseurs. Les œuvres de charité doivent faire une utilisation judicieuse des fonds si elles veulent être dignes de nouveaux dons. Les institutions publiques sont organisées par des représentants élus responsables aux électeurs.

Si l'opération ne demande qu'une personne, elle en est entièrement responsable. Toutefois, la croissance d'une entreprise exige plus de personnel et une répartition des tâches plus formelle. Les postes d'une organisation sont les pièces d'un casse-tête qu'on doit rassembler de la façon la plus logique et réaliste. Une bonne structure organisationnelle devrait être élaborée en identifiant les niveaux de responsabilité et les lignes de communication et d'autorité. On a un sentiment de stabilité quand on sait que chacun a une responsabilité précise à remplir pour que l'entreprise atteigne ses objectifs globaux. Une organisation d'entreprise efficace ne peut pas exister sans cette mise en commun.

LES STRUCTURES ORGANISATIONNELLES EN AFFAIRES

Une entreprise peut utiliser plusieurs structures pour s'organiser. Entre autres, il y a **l'organigramme en ligne, l'organigramme en ligne de soutien** et **l'organigramme fonctionnel**.

Organigramme en ligne

C'est la structure la plus simple et la plus directe. Chaque personne se rapporte à son supérieur immédiat. Les ordres partent d'en haut et descendent jusqu'à ceux qui doivent les exécuter. Même si ce fonctionnement facilite la communication à l'intérieur des divisions, il ne l'encourage pas entre elles. Par exemple, les employés n'ont pas la chance de voir à l'extérieur de leur division et d'avoir une idée globale de la compagnie. Aussi, vu que chaque division tend à fonctionner en vase clos et être responsable de ses décisions, il peut y avoir dédoublement de travail. Si chaque groupe est responsable de l'achat du matériel de bureau, le coût peut être plus élevé que si une division centrale plaçait de grosses commandes pour toute la compagnie. Également, cela demanderait une personne par division pour s'en occuper au lieu d'une seule personne pour toutes.

Il pourrait être plus difficile de prendre des décisions fondées sur des connaissances spécialisées. Par exemple, pensez comme il serait difficile d'acheter de l'équipement informatique si personne du service ne connaissait les ordinateurs.

Organigramme en ligne de soutien

Cette structure regroupe le personnel d'une façon précise: les gens qui prennent des décisions opérationnelles directes (ligne) et ceux qui donnent des conseils et du soutien (équipes).

C'est un modèle militaire. On appelait «ligne de front» ou «la ligne» les unités de l'armée qui engageaient le combat. Les autres comme les équipes médicales qui travaillaient à soutenir et garder la ligne de front en action s'appelaient «unités de soutien.» En affaires, les unités de ligne comme les équipes de vente et de production transigent avec les clients et génèrent l'argent pour l'organisation. Les unités de soutien sont engagées dans la

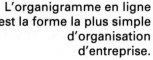

L'organigramme en ligne est la forme la plus simple d'organisation d'entreprise.

L'ORGANISATION EN LIGNE

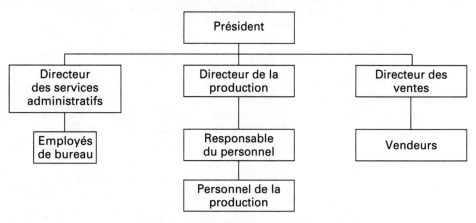

Un organigramme en ligne de soutien répartit les employés en groupes fonctionnels et de soutien.

ORGANIGRAMME EN LIGNE DE SOUTIEN

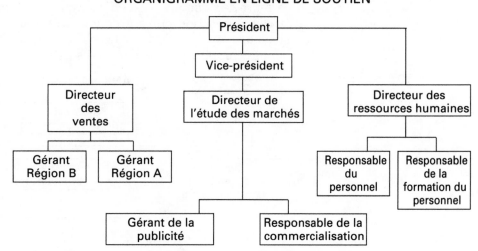

recherche et le développement, les ressources humaines, l'administration et les finances.

Les lignes de communication et la responsabilité ne sont pas aussi bien définies que dans l'organigramme en ligne. Une unité de soutien pourrait travailler pour plusieurs unités de ligne ayant chacune leurs attentes. Cela peut causer de la tension, ce qui est aussi possible dans le modèle en ligne de soutien, si les équipes de ligne ne suivent pas les conseils des équipes de soutien. Par exemple, supposons que le service de recherche en commercialisation d'une grande chaîne de magasins à rayons recommande d'éliminer les tissus et la mercerie et que le gérant des ventes décide d'ignorer la recommandation. Ou supposons qu'un gérant régional des ventes de secteur veut que le service des ressources humaines passe au crible tous les candidats aux postes de vente alors qu'un autre engage du personnel en se fiant à ses contacts dans l'industrie.

Pour faire des profits, une compagnie a besoin des services des finances, de recherche et de développement. Ces services devraient être impliqués dans les prises de décision globales et ne devraient pas seulement être consultés. Grâce aux ordinateurs, l'accès instantané à l'information a rendu possibles les décisions centralisées.

Organigramme fonctionnel

Il divise les principaux secteurs d'activité en fonctions comme la comptabilité et les ressources humaines. Les activités de l'entreprise sont coordonnées et exécutées selon des fonctions précises. Cette structure met l'emphase sur l'expert ou le spécialiste, et transforme des secteurs de spécialisation en unités indépendantes décisionnelles. Par exemple, les pratiques comptables élaborées au service des finances seraient utilisées dans toutes les divisions de la compagnie.

Chaque groupe d'un organigramme fonctionnel a un plus grand sentiment d'importance sachant que son travail comptera et ne sera pas ignoré comme c'est possible dans l'organigramme en ligne de soutien. Mais ce genre de structure n'est efficace qu'en insistant sur le travail d'équipe et la communication entre groupes. La première fois qu'on implante cette structure, il faut présenter les objectifs pour donner à chaque groupe une bonne compréhension des objectifs finals.

L'ORGANIGRAMME FONCTIONNEL

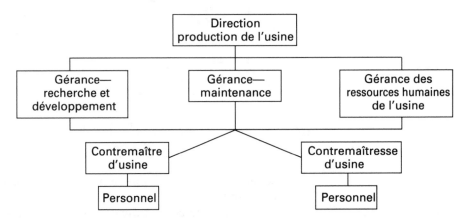

QUESTIONS DE RÉVISION ET DE DISCUSSION

1. Pourquoi est-il important d'avoir une structure organisationnelle et que doit-elle inclure?
2. Quelle différence y a-t-il entre une compagnie privée, un organisme charitable et un organisme à fonds publics? À qui chacun doit-il répondre?
3. Quelles sont les caractéristiques d'un organigramme en ligne et en ligne de soutien?
4. Quelle différence y a-t-il entre un organigramme fonctionnel et celui en ligne de soutien?

L'ERGONOMIE AU TRAVAIL

Dans sa recherche d'une plus grande efficacité et productivité de ses employés, l'entreprise regarde au-delà de la structure organisationnelle et met plus de confiance dans la technologie. La croissance de l'automation amène plusieurs aspects positifs. Par exemple, l'utilisation des micro-ordinateurs peut faire gagner du temps et dégager les employés des tâches répétitives de taper et reproduire plusieurs fois des documents avant la copie finale. Maintenant, un document peut être édité en le visionnant à l'écran. Les micro-ordinateurs donnent aussi accès instantanément à l'information indispensable aux décisions. La vitesse d'obtention de l'information peut donner à une entreprise une longueur d'avance sur la compétition dans la commercialisation d'un produit.

Toutefois, même avec une bonne structure organisationnelle, la productivité n'arrive pas par magie avec la venue de la technologie. Les gérants de service deviennent de plus en plus conscients du besoin d'organiser leur personnel et d'améliorer l'environnement de bureau pour donner plus d'efficacité au travail. Cette prise de conscience a ouvert un champ d'étude appelé «**l'ergonomie**».

L'ergonomie est la science qui étudie l'interaction des gens avec leurs outils et leur environnement de travail. Un gérant qui utilise des concepts ergonomiques dans l'organisation du bureau s'efforce de créer les conditions physiques susceptibles d'obtenir l'efficacité maximale de ses employés. À cause de l'augmentation des plaintes physiques et psychologiques des employés travaillant devant des **terminaux à écran cathodique**, une plus grande emphase a été mise sur les aspects ergonomiques de l'environnement de l'entreprise. Le syndicat canadien de la fonction publique a classé les plaintes en quatre catégories: visuelles, physiques, psychologiques et soucis de radiation.

Visuelles

Les problèmes visuels sont la fatigue oculaire, les yeux rougis et la vision embrouillée dus à l'éclat direct et indirect de l'écran et à la qualité de l'image. L'éclat provient d'intensités différentes de lumière venant de sources variées.

La position du poste de travail en fonction des plafonniers et des fenêtres

L'environnement du bureau peut influencer sur la productivité de l'employé. *Gracieuseté de Xerox Canada Inc.*

de même que le choix des couvre-fenêtres peuvent réduire l'éclat direct. Idéalement, le mobilier et les accessoires de bureau ne devraient pas avoir de verre ni de chrome. Le meilleur agencement de couleurs pour le fond de l'écran et le texte est jaune sur fond ambre. La qualité de l'image devrait être claire et précise. Chaque caractère à l'écran est fait de points. Plus il y a de points, plus l'image est claire et précise. Les moniteurs à haute définition sont recommandés parce qu'ils ont le plus grand nombre de points.

Physiques Les problème physiques proviennent de fatigue musculaire de la région lombaire, du cou, des bras et des poignets. On peut éliminer ces problèmes par une bonne tenue, un mobilier adéquat et des pauses bien espacées.

Pour rester confortable pendant de longues périodes, un opérateur de clavier devrait s'asseoir droit, les pieds bien à terre et les doigts sur la rangée principale du clavier. Les coudes devraient être à angle droit avec le corps. La chaise et le bureau devraient être ajustés pour permettre à l'utilisateur d'avoir une posture idéale. De plus, la chaise devrait avoir un appui lombaire. Des claviers amovibles et des écrans pivotants peuvent aider à trouver la meilleure posture.

De courtes pauses fréquentes ou un changement d'activité peuvent libérer la tension musculaire et diminuer la fatigue oculaire.

Le mobilier devrait être conçu de façon ergonomique pour diminuer l'inconfort physique.
Gracieuseté de Steelcase Canada Inc.

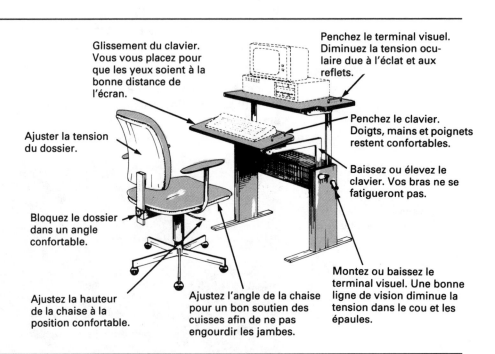

Glissement du clavier. Vous vous placez pour que les yeux soient à la bonne distance de l'écran.

Penchez le terminal visuel. Diminuez la tension oculaire due à l'éclat et aux reflets.

Ajuster la tension du dossier.

Penchez le clavier. Doigts, mains et poignets restent confortables.

Baissez ou élevez le clavier. Vos bras ne se fatigueront pas.

Bloquez le dossier dans un angle confortable.

Montez ou baissez le terminal visuel. Une bonne ligne de vision diminue la tension dans le cou et les épaules.

Ajustez la hauteur de la chaise à la position confortable.

Ajustez l'angle de la chaise pour un bon soutien des cuisses afin de ne pas engourdir les jambes.

Psychologiques

Les inquiétudes psychologiques viennent du stress et s'expriment par des sentiments de lassitude; elles peuvent causer l'absentéisme. Le **stress** est dû à plusieurs facteurs dont la crainte du changement causé par la perte d'emploi, l'augmentation de la formation spécialisée et l'exigence d'acquérir des habiletés reliées à l'automation; les facteurs environnementaux comme les niveaux de bruit et de chaleur; et les moyens de contrôle de l'équipement électronique.

Les activités mécaniques de contrôle peuvent inclure le comptage des appels ou les ventes de billet, l'enregistrement de conversations et la compilation du nombre de minutes quotidiennes pendant lesquelles un terminal n'est pas utilisé. Ces moyens de contrôle sont accessibles aux employeurs pour suivre et évaluer les niveaux de productivité des employés. Quand des employeurs investissent dans l'équipement, ils s'attendent à une augmentation de productivité. Même quand ces moyens de contrôle électroniques ne sont pas utilisés, certains employeurs demandent aux opérateurs de tenir un journal des tâches précises exécutées et leur durée.

Radiation

Les rapports sur les effets de la radiation émise par les écrans cathodiques sont contradictoires. On n'a pas trouvé de preuves concluantes établissant un lien entre les émissions et les déformations génétiques ou les problèmes oculaires. Mais les études se poursuivent.

Conditions de travail

Lors des négociations de conventions collectives, plusieurs syndicats cherchent à protéger les employés par l'établissement de directives sur l'usage des écrans cathodiques. Des ententes contractuelles normales incluent des pauses aux deux heures, l'évaluation des émissions radioactives des écrans, des examens de la vue et l'affectation des femmes enceintes à d'autres secteurs sans baisse de salaire.

Avant la livraison d'un nouvel équipement, il faut faire une préparation minutieuse. Cette préparation, connue sous le nom de plan d'implantation, est un facteur-clé pour atteindre une plus grande efficacité et un meilleur rendement grâce à l'automation.

L'implantation d'un nouveau système devrait inclure une consultation et une planification.
Gracieuseté de l'Institut d'assurance du Canada.

Le recyclage permet aux employés de se familiariser avec le nouvel équipement.

Les employés doivent être consultés sur toute les questions qui les affectent. Tous doivent être conscients des achats, de leur utilisation et de ce qu'ils en tireront. On doit faire des ententes pour assurer le recyclage qui permet aux employés de se familiariser avec l'utilisation de l'équipement. On doit tenir compte des facteurs ergonomiques et les adapter au besoin.

Aménagement du bureau

Un aménagement de bureau qui tient compte de l'ergonomie pour réduire les problèmes visuels, physiques et psychologiques contribue au bon fonctionnement du milieu de travail. Le choix et la disposition du mobilier, de l'équipement et des accessoires comme des plantes, des illustrations et des cloisons insonorisantes, peuvent être utiles et attrayants tout en favorisant le sentiment de bien-être des employés. On devrait regrouper le personnel d'après leur besoin d'échanger de l'information. Un **concept** de bureau **ouvert** ou **fermé** peut être acceptable. Le choix d'un aménagement particulier dépend du degré d'intimité et de concentration désiré.

Concept d'aménagement ouvert C'est un concept d'aménagement souple qui utilise des cloisons mobiles de 4,6 m à 5,5 m de hauteur, et sépare les postes de travail par des classeurs, des meubles de rangement et des plantes. Les cloisons peuvent se déplacer et être disposés de façon attrayante pour laisser au besoin, peu ou beaucoup d'intimité.

Le concept ouvert favorise la communication entre les employés. Les cloisons mobiles laissent la place à la créativité dans l'aménagement ce qui peut augmenter l'attrait du bureau. Toutefois, ce concept n'élimine pas le bruit causé par beaucoup de gens et de machines travaillant au même endroit. Le tapis et les tuiles acoustiques au plafond, sur les murs et dans les cloisons, peuvent réduire le bruit.

Bien qu'un concept ouvert soit attrayant et serve à plusieurs choses, il ne fournit pas tout l'espace privé ou la sécurité demandées par plusieurs tâches de bureau.

Le concept de bureau ouvert encourage la communication entre les employés. *Gracieuseté de IBM Canada Ltée.*

Concept de l'aménagement fermé Les bureaux fermés sont entièrement entourés de murs et de portes permanentes du plafond au plancher. Ils sont surtout utilisés par les cadres qui ont besoin d'un espace privé pour garder et discuter de sujets confidentiels et pour créer de nouveaux plans ou concepts.

Un bureau fermé devrait être assez spacieux pour recevoir un invité, rencontrer un employé ou interviewer un candidat.

Le bureau fermé est entièrement entouré pour être le plus privé possible. *Gracieuseté de Xerox Canada Inc.*

On peut atténuer le sentiment d'isolement d'un bureau fermé par l'utilisation de plantes, d'illustrations et par l'accès à des fenêtres.

Le poste de travail

Un aménagement de bureau doit porter une attention spéciale à chaque **poste de travail** vu que c'est l'endroit où l'employé fait son travail. Le poste de travail, incluant le bureau et la chaise, doit être confortable, doté d'une surface de travail assez grande et capable de contenir les appareils et fournitures nécessaires à un travail qui va d'une tâche à l'autre. Il faut un poste de travail bien conçu pour favoriser la productivité et l'efficacité de l'employé.

Vu que la plupart des activités graviteront autour du processeur de texte, le moniteur et le clavier devraient occuper la place centrale sur la surface de travail. Un employé devrait être confortable pour entrer des données et avoir un accès facile aux autres surfaces de travail. On devrait dégager une grande surface de travail près du moniteur, de la place à droite pour un téléphone, une unité de transcription et l'endroit pour mettre la feuille à taper. Des supports expressément conçus pour tenir des feuilles et qui s'attachent au bureau tout en pivotant pour un meilleur angle de vision sont très utiles. On recommande ceux qui sont équipés de guides lumineux parce qu'ils réduisent la tension oculaire grâce à une activité visuelle réduite. Si on centralise l'impression, chaque poste de travail n'aura peut-être pas d'imprimante. Toutefois, lorsqu'il en faut une, elle est habituellement placée à gauche du moniteur. D'autres aspects de l'organisation du poste de travail individuel seront abordés au chapitre 8.

Un poste de travail doit être en mesure de recevoir l'équipement nécessaire et de permettre aux employés de travailler confortablement.
Gracieuseté de Xerox Canada Inc.

QUESTIONS DE RÉVISION ET DE DISCUSSION

1. Que comprend l'étude de l'ergonomie?
2. De quels facteurs humains devons-nous tenir compte dans un bureau automatisé? Parlez brièvement de chacun.

3. Expliquez la façon de surmonter les problèmes physiques et psychologiques associés à l'automation.

4. De quels facteurs doit-on tenir compte dans l'aménagement d'un bureau?

5. Quelles sont les principales caractéristiques d'un bureau ouvert ou fermé?

6. Expliquez les principaux facteurs influençant l'aménagement d'un poste de travail.

UTILISATIONS

1. Vous voulez lancer une campagne de publicité sur les services de votre division de la compagnie. Après une cueillette de suggestions, vous constatez que personne de votre division est entièrement au courant des différents médias disponibles, de leurs coûts de couverture et de leur efficacité. Vous vous rendez compte qu'une division utilise les médias écrits comme les magazines ou les journaux d'affaires alors qu'une autre annonce à la télévision. Pour vous aider à choisir, vous demandez aux collègues de ces divisions leur façon d'évaluer les résultats de la couverture des médias. Après comparaison des renseignements, vous vous apercevez qu'ils sont aussi confus que vous sur la question et qu'ils ne peuvent pas vous aider. Après deux jours de discussion, vous ne pouvez pas trouver quelqu'un qui peut vous donner des conseils fiables. Comment pourrait-on réorganiser la compagnie pour éviter ce genre de problèmes? Voici l'organigramme de la structure actuelle.

STRUCTURE ACTUELLE

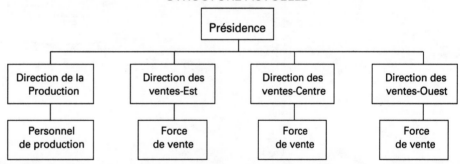

2. Marie a toujours été une employée consciencieuse aimant son travail; toutefois, maintenant qu'elle travaille dans un pool de traitement de texte, ça la rend malade de venir au travail. Elle sait qu'après deux heures d'ouvrage ses yeux seront embrouillés et ses muscles dorsaux et cervicaux seront endoloris. Elle a ouï-dire que d'autres membres de son équipe ont les mêmes problèmes. Vu que chaque personne doit taper un certain nombre de textes par jour, Marie et les autres se sentent de plus en plus nerveux à l'idée de se montrer incapables de maintenir la quantité de travail exigée. Elle est tendue à l'idée d'en parler à son supérieur. Quelle serait la source du problème et comment pourrait-il être réglé?

Que feriez-vous à la place de Marie?

3. Dernièrement, pour le traitement de texte, une compagnie a installé des micro-ordinateurs dernier cri. Après l'achat de ces appareils, il manquait de fonds pour acheter du nouveau mobilier de bureau. Mais ces considérations étaient de bien peu d'importance pour les cadres supérieurs.

   Ce nouvel équipement a été acheté pour améliorer la productivité et l'efficacité des employés. Cela ne s'est pas produit. Étudiez l'aménagement dans le schéma suivant. Quelles suggestions feriez-vous à cette compagnie? Soyez prêt à justifier vos recommandations.

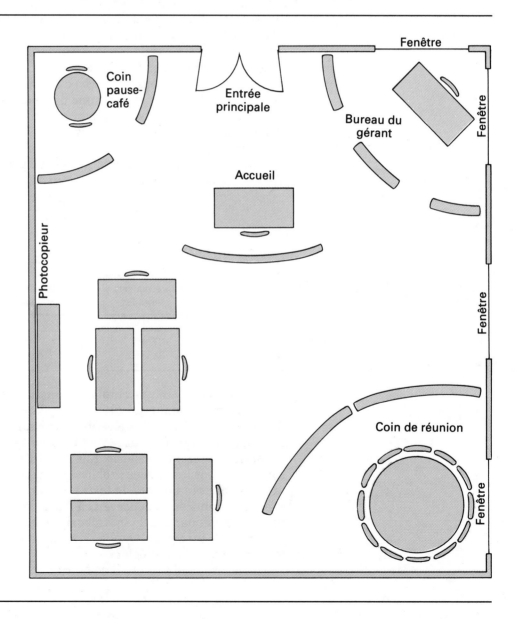

4. Étudiez l'organigramme de Ventes de Jouets Anscombe Ltée ci-après.
Répondez aux questions suivantes:

a) Quelle genre de structure organisationnelle représente cet organigramme?

b) Combien de gens sont sous les ordres de D. Ferguson? Combien de
gens sont sous les ordres de K. Hammersmith?

c) Nommez deux personnes ayant un poste équivalent à celui de P.
Arundel.

d) S. Pahtek est-il sous les ordres de J. Deverell ou de K. Hammersmith?

e) Y a-t-il des gens qui semblent faire des tâches de soutien? Si oui,
lesquels?

f) Est-ce que le gérant des ventes pour l'Ouest détient un poste
supérieur à celui du coordonnateur du développement de soutien?

ORGANIGRAMME

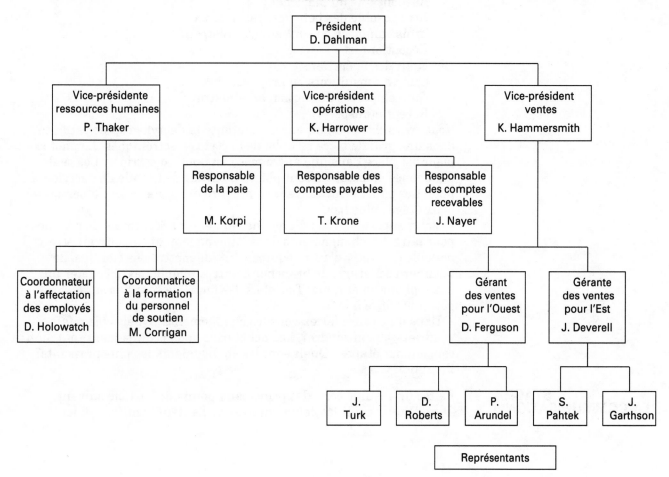

5. Voici la liste des postes des employés d'une organisation. Faites un organigramme montrant deux formes d'organisation du personnel.
Président
Vice-président
Vérificateur
    Responsable des comptes payables et recevables
    Responsable des achats
    Responsable de la paie
    Cinq employés de soutien administratif
    Réceptionniste
Directeur de la commercialisation
    Responsable de la publicité
    Cinq vendeurs
    Deux employés de soutien administratif
    Réceptionniste
Directeur des ressources humaines
    Responsable du placement
    Responsable des bénéfices marginaux
    Trois employés de soutien administratif
    Réceptionniste
Directeur des opérations
    Quatre consultants en projets
    Cinq employés de soutien administratif
    Réceptionniste

6. Vous travaillez dans un bureau où toute la dactylographie est faite dans une grande pièce remplie de dactylos électroniques. Le photocopieur est placé dans une autre pièce au bout du corridor. Les seuls téléphones disponibles sont placés à l'avant de la salle de dactylographie. Les pauses café doivent se prendre dans une salle du personnel deux étages plus bas.

Votre supérieur vous dit que des fonds sont désormais disponibles pour faire des changements dans l'aménagement. Il pourrait être possible d'acheter d'autre équipement, de mettre des cloisons, de modifier l'éclairage, de brancher d'autres téléphones, d'acheter un autre photocopieur, etc. Toutefois, les fonds ne sont pas suffisants pour tout faire à la fois.

Dans quel ordre feriez-vous les changements? Quels objectifs voudriez-vous atteindre?, i.e., achèteriez-vous l'équipement tout d'un coup ou par étapes? Quels sont les changements les plus pressants? Pourquoi?

STAGE EN COMMUNICATION

1. Faites un résumé écrit des principaux points de l'article suivant. Jusqu'à quel point les commentaires de l'auteur sont-ils valides?

Regarder l'écran

Dans plusieurs cas où des problèmes d'inconfort ont été soulignés, comme des yeux fatigués, des maux de têtes et une douleur au cou, le terminal est injustement blâmé comme en étant la cause. Dans la plupart des fonctions au travail, comme l'entrée de données ou le traitement de texte à partir de documents sources, la majeure partie du contact visuel est avec le matériel à traiter et non le terminal. Bien que l'employé regarde souvent l'écran, la proportion du temps de contact est très limitée. Comment donc le terminal lui-même peut-il être la cause de la fatigue visuelle?

Assurément, cela est dû à la mauvaise position du clavier, de l'écran et des données sources, placés isolément et en contact l'un avec l'autre. Toutefois, les exigences fonctionnelles et physiques de chaque opérateur d'ordinateur peuvent grandement varier.

On peut aider la plupart des opérateurs d'ordinateur expérimentés fonctionnant avec des supports à document ajustables à travailler plus confortablement sur une table qui permet d'ajuster l'écran à une hauteur à laquelle les yeux peuvent lire dans un angle de 10 à 15 degrés plus bas que l'horizontal.

Le support à document devrait être placé le plus près possible de l'écran pour raccourcir le mouvement des yeux entre le document et l'écran. En fait, lorsque possible et applicable, le support à document devrait être placé directement devant l'opérateur et l'écran juste à côté. Cela permettrait aux opérateurs de travailler en se tenant droit, limitant ainsi les malaises physiques potentiels.

Bien qu'il semble être sensé de placer le support à document juste à côté de l'écran ou en-dessous pour réduire le mouvement de haut en bas et de gauche à droite des yeux et de la tête, il y a très peu de logique à placer le document et l'écran à la même distance.

La plupart des écrans affichent des caractères environ trois fois plus gros que ceux du document à lire. L'imprimé ne devrait-il donc pas être plus près que l'écran? Encore mieux, déterminez la distance normale de lecture d'un individu et habituez-le à bien placer le document.

Reproduit avec la permission du Bureau d'environnement DDP Ltée.

2. En tapant un rapport, la fonction de vérification orthographique de votre progiciel de traitement de texte indique que la liste des mots suivants est introuvable. Prenez un dictionnaire, de préférence un qui fait partie d'un progiciel, pour vérifier l'orthographe et pour déterminer le meilleur endroit pour couper le mot.

deriver	surveilance
sucès	implentation
répetitive	condutive
acomoder	accesoires
authaurité	erganomique
confidencielle	aléger

8

VOTRE RÔLE DANS L'ÉQUIPE DE BUREAU

Après la lecture de ce chapitre, vous serez en mesure de :

- Saisir l'importance d'une attitude positive en affaires.
- Voir comment devenir un membre efficace de l'équipe de bureau.
- Utiliser des techniques de prise de décision efficaces.
- Utiliser les techniques aptes à augmenter votre productivité.
- Comprendre la façon de fixer les priorités.

Alors que plusieurs rêvent d'une carrière prestigieuse et excitante, en fait, chaque emploi demande un dur labeur et peut comporter des activités frustrantes et répétitives. Quel que soit le travail, un emploi est ce que vous en faites.

Une attitude positive est un élément essentiel pour être un employé heureux et bien adapté. Rendez-vous compte que 40 à 50 pour cent de votre vie adulte sera passé au travail. C'est pourquoi, il est mieux d'aborder le travail de la façon qui vous donnera le plus de plaisir. Si vous êtes fier de votre travail et voyez que chaque emploi peut être l'occasion d'apprentissage et le point de départ d'un autre poste ou promotion, vous serez en mesure de tirer le meilleur parti de n'importe quelle situation. Par exemple, si vous voulez être acheteur pour une boutique de mode mais que vous ne pouvez trouver qu'un travail de commis vendeur pour une chaîne de magasins de vêtements au détail, vous pouvez aborder cet emploi comme une occasion d'apprendre les bases de la vente et de la commercialisation. Vous aurez ainsi la satisfaction personnelle de vous savoir en meilleure position pour gravir les échelons vers votre objectif.

Ce même principe s'applique au bureau. Si vous croyez que vous devriez être le gérant du bureau, mais que votre travail consiste à prendre les appels et à trier le courrier, vous devriez voir là l'occasion d'acquérir une précieuse formation.

L'IMPORTANCE DU TRAVAIL D'ÉQUIPE

Généralement, on associe l'idée d'équipe au sport. Tous les joueurs unissent leurs efforts pour atteindre le même objectif — gagner la partie. Il est essentiel de comprendre que pour réussir, l'équipe doit travailler en collaboration ou de concert.

Façon de distinguer un gagnant d'un perdant

Un perdant dit: «Je ne sais pas».
Un gagnant dit: «Trouvons-le».
Un perdant voit un problème dans chaque réponse.
Un gagnant voit une réponse dans chaque problème.

Lorsqu'un perdant se trompe, il dit: «Ce n'est pas de ma faute.»
Lorsqu'un gagnant se trompe, il dit: «Je me suis trompé.»

Un perdant tergiverse.
Un gagnant fonce sans hésiter.

Un perdant dit: «Ça ne fait pas partie de mon travail.»
Un gagnant voit ce qu'il y a à faire et le fait.

Un perdant fait des promesses.
Un gagnant prend des engagements.

Un perdant évite les questions.
Un gagnant est capable de prendre des décisions.

Un perdant dit: «Je ne suis pas aussi mauvais que bien d'autres.»
Un gagnant dit: «Je suis bon, mais je peux m'améliorer.»

Un perdant dit: «Cela s'est toujours fait de cette façon.»
Un gagnant dit: «Il doit y avoir une meilleure façon.»

Un perdant dit: «C'est peut-être possible, mais trop difficile.»
Un gagnant dit: «C'est peut-être difficile, mais possible.»

Tiré de *Stay Ahead With A Good Attitude*, publié par la section des Services de carrière de la main-d'œuvre de l'Alberta et produit en collaboration avec le Comité de la semaine de la carrière du Canada, 1984. Reproduit avec permission.

Le monde du sport n'est pas différent de celui du travail. Le travail d'équipe vu comme «un travail de collaboration par une équipe agissant de concert», est essentiel pour assurer une bonne circulation de l'information, une compréhension claire des attentes et un climat amical.

La responsabilité du succès du fonctionnement d'un bureau d'affaires ne repose pas seulement sur les épaules d'une seule personne. Le président de la compagnie compte sur ses directeurs pour superviser les différents services dont ils sont responsables. À leur tour, les directeurs misent sur leurs superviseurs et eux, sur leur personnel de bureau. Le personnel de bureau est interdépendant pour échanger l'information et pour accomplir précisément les tâches dans les délais prévus.

Ainsi, les employés à tous les niveaux de responsabilité doivent travailler de concert pour atteindre les objectifs de la compagnie. Si un membre laisse tomber l'équipe dans l'atteinte de certains objectifs ou délais, la communication et l'esprit d'entraide s'effritent et les buts ne sont pas atteints.

Être membre d'une équipe efficace vous permet d'échanger vos idées. On peut discuter des nouvelles méthodes de gestion des problèmes, des politiques et de toutes autres affaires de la compagnie et prendre des décisions favorables et viables pour tous les employés concernés.

Un bureau efficace repose sur un bon travail d'équipe.

Personne est expert en tout, mais l'approche collective permet au groupe de profiter de l'expertise de chacun. Dans un groupe, vous pouvez apprendre des erreurs individuelles ou collectives et les corriger avec l'accord et le soutien des collègues.

Alors que les rôles de soutien administratif et de direction sont de moins en moins définis, la technologie accentue le besoin du travail d'équipe. Les directeurs qui tenaient le travail de dactylographie comme une tâche de secrétariat, se voient utiliser les micro-ordinateurs pour l'envoi de notes de service à travers le réseau de la compagnie ou taper des brouillons à être édités ou complétés par un secrétaire. Débarrassés des tâches répétitives de taper et retaper les documents, les secrétaires sont plus disponibles pour participer à la démarche de prise de décision. Il en résulte que le rôle de secrétaire se transforme en adjoint administratif.

Comme individu, vous pouvez prendre les mesures suivantes pour développer et améliorer vos qualités d'équipier.

Utiliser les règles de l'étiquette

L'étiquette est «un code de conduite et de comportement conventionnel». Voici un ensemble de règles non écrites qu'un employé devrait respecter pour assurer son adaptation au climat du bureau.
- Un comportement amical et collaborateur
- Une acceptation des tâches avec empressement
- Le commérage à éviter
- La création de cliques à éviter
- Une attitude assurée sans condescendance

- Une volonté d'écouter et d'apprendre des autres
- Une réaction de maturité aux critiques

Connaissez-vous vous-même

Il est difficile d'admettre ses faiblesses, mais à moins d'être conscient des points à améliorer, vous ne serez pas réceptif au changement. Par exemple, si vous avez mal pris un message au téléphone, c'est peut-être signe que vous vous laissez distraire. Si la situation se répète, alors il serait bon de trouver des moyens d'améliorer vos habiletés d'écoute. Ce n'est qu'après avoir admis que certains points ont besoin de travail que vous pourrez les améliorer et transformer des faiblesses en de nouvelles compétences.

Comprendre votre travail

Étudiez les manuels du bureau pour acquérir des connaissances utiles sur la compagnie. *Gracieuseté de Datafile Wright Line Ltée.*

Soyez attentif en tout temps et comprenez que les détails sont aussi importants que les grandes tâches à faire. Avant de commencer une tâche,

évaluez-en l'ensemble pour être certain de tout bien comprendre. Sinon, demandez d'autres explications. Rappelez-vous que vous faites partie d'une équipe. Donnez de l'aide et du soutien si demandés; mais aussi important, demandez-en au besoin.

Il est impossible d'être un employé totalement efficace sans compréhension globale des objectifs et de la philosophie de la compagnie et ceux de votre secteur de travail.

Étudiez votre compagnie pour vous familiariser avec sa politique de promotion et d'information rendue publique. Étudiez ses manuels de procédure pour connaître les règles de conduite et la présentation de documents recommandée. Étudiez son organigramme. Apprenez les noms non seulement de vos collègues, mais de tous les membres de la direction. Étudiez la hiérarchie et la responsabilité de chaque niveau. Sans être fouinard, posez des questions pour agrandir votre connaissance de la compagnie.

QUESTIONS DE RÉVISION ET DE DISCUSSION

1. Comment une attitude positive peut-elle augmenter la satisfaction au travail?
2. «Il n'y a pas de sot travail.» Commentez brièvement cette affirmation.
3. Que peut donner le travail d'équipe dans un bureau?
4. Quelles mesures pouvez-vous prendre pour être un membre positif de l'équipe?
5. Comment votre connaissance de soi améliore-t-elle votre rendement?
6. Pourquoi est-il important d'avoir une connaissance globale de la compagnie? Comment pourriez-vous familiariser avec la compagnie et ses politiques?

PRISE DE DÉCISION

Prendre des décisions d'affaires demande de faire des choix et d'étudier les options pour déterminer le meilleur chemin à suivre selon la situation. Il est essentiel de planifier à long terme et de fixer des objectifs. Le choix d'un chemin à suivre sera ainsi conforme aux objectifs généraux de l'organisation.

Ces décisions ne sont pas l'œuvre du hasard, mais découlent d'une recherche minutieuse, d'une étude des options et d'une discussion d'équipe. Des groupes se rencontrent souvent pour échanger des idées et participer à la prise de décision. Les réunions peuvent se faire en personne; toutefois, les appels conférence et les téléconférences visuelles gagnent en popularité. (L'idée d'utiliser la technologie des télécommunications pour tenir des réunions sera étudiée plus longuement au chapitre 18.)

Avocats, fiscalistes, directeurs de commercialisation et comptables, par exemple, peuvent se réunir pour faire des recommandations à la direction avant de prendre les décisions corporatives. On peut également faire une recherche électronique avant une décision importante. Cueillir de l'information est facilité par l'accès aux bases de données commerciales comme Info Globe et Dow Jones News Retrieval Service qui donnent de l'information sur n'importe quel sujet couvert par leur réseau de nouvelles. Par la recherche, les compagnies peuvent améliorer leurs chances de faire le meilleur choix.

Les projets-pilotes sont des versions réduites d'une idée ou produit testé dans une région donnée. Les résultats de la réaction publique au produit ou idées sont compilés et utilisés dans la démarche de prise de décision. Par exemple, une réaction négative peut provoquer le retrait du produit alors qu'une réaction positive peut inciter la compagnie à augmenter la production et à offrir le produit dans d'autres régions.

Souvent, il faut prendre une décision sur le champ. Que vous soyez le seul concerné par la question ou que l'entreprise le soit de façon globale, plus vous êtes conscients des politiques générales de la compagnie et savez où trouver l'information, il vous sera plus facile de décider.

Les décisions sont souvent l'aboutissement d'un travail d'équipe.
Gracieuseté de Clarkson Gordon

La situation hypothétique suivante peut illustrer une séquence normale de la démarche de prise de décision.

Le responsable de la paie a proposé de déposer les chèques de paie directement dans le compte de banque de chaque employé au lieu d'émettre des chèques et les envoyer par courrier interne.

Pour juger si la proposition est souhaitable, vous suiveriez les étapes suivantes:

Identification du problème   La première étape consiste en une analyse pour déterminer la nature exacte du problème à régler. Dans ce cas, c'est de savoir si ce nouveau traitement de la paie sera un changement efficace et économique de la politique actuelle.

Déterminer les options   Cette étape demande recherche, sondages et cueillette de données pour vous aider à évaluer les options. Avant de faire un choix pour appuyer la nouvelle proposition de distribution de la paie,

Recueillez l'information et pesez les options avant de décider.

comparez les facteurs coût et temps requis par chaque méthode de paie. Aussi, évaluez les sentiments de vos employés.

Analyse des conséquences possibles de chaque option   Dès que vous avez recueilli et analysé tous les faits, vous pouvez prendre une décision éclairée. Ne sautez pas aux conclusions avant d'avoir étudié toutes les données. La prise de décision par essai et erreur peut être désastreuse.

Implantation de la décision finale   La décision prise, informez les personnes touchées du moment et de la façon que la décision prendra effet et qui sera impliqué dans l'implantation du nouveau traitement de la paie.

Tester les conséquences d'une décision   Pour chaque décision il y a l'espoir d'atteindre certains objectifs ou résultats. Pour faire le suivi il faut comparer les résultats obtenus avec l'objectif désiré. S'il y a écart

Les employés doivent se rencontrer souvent pour évaluer le succès des objectifs. Comment les projets futurs peuvent-ils profiter d'une telle rencontre?

entre les deux, vous devrez peut-être faire des modifications.

Dans le cas de la question de la paie, une décision est éventuellement prise favorable à la proposition du dépôt direct. Pour faire le suivi, il faudra faire une analyse des coûts réels et un sondage pour vérifier la satisfaction du personnel avec le déroulement de ce programme.

QUESTIONS DE RÉVISION ET DE DISCUSSION

1. Parlez brièvement de l'affirmation suivante «La prise de décision par la méthode essai et erreur peut être désastreuse.»
2. Comment peut s'y prendre une compagnie pour adopter une démarche de prise de décision; tout en s'assurant que la prise de décision est bonne.
3. Décrivez en détail les cinq phrases de la démarche de prise de décision.

PRODUCTIVITÉ INDIVIDUELLE

La productivité réfère à la quantité de travail accomplie pendant une heure de travail. Plus un employé est productif, plus il fera de travail dans un temps donné. Le niveau de productivité des employés est un des facteurs importants de la réussite d'une compagnie rentable.

En présumant de l'existence de conditions de travail adéquates au bureau, on ne peut atteindre les plus hauts niveaux de productivité qu'avec des employés démontrant les qualités indispensables pour être un bon membre d'équipe et abordant leur travail de façon méthodique. Les deux composantes d'une organisation individuelle efficace sont la façon de tenir son coin de travail et l'habilité à fixer des priorités.

Organisation du coin de travail

Une organisation efficace commence par la façon de tenir son coin de travail. Si votre matériel de bureau indispensable est placé pour être accessible dans votre aire de travail, que vous avez l'habitude de mettre les choses à leur place et que vous faites le plein de matériel avant d'en manquer, vous êtes prêt à affronter avec aise la plupart des tâches.

Bien que des tâches précises demandent un matériel particulier pour les accomplir, la commodité et la facilité d'accès dictent l'aménagement des

Le coin de travail devrait être conçu pour permettre aux employés de travailler de façon efficace.
Gracieuseté de Steelcase Canada Inc.

articles dans le coin de travail. Le matériel d'usage courant devrait idéalement être à portée de la main et le reste accessible sans toutefois être aussi proche.

Le moniteur de votre bureau peut être branché directement à l'unité centrale de traitement; sinon, il aura son lecteur de disquette et ses disquettes qui demandent une boîte de rangement spéciale. Rangées ou en usage, elles devraient être gardées dans un endroit libre d'articles en métal comme des trombones ou d'aimants. Le contact avec ces objets pourrait effacer l'information qui y est conservée. On pourrait également centraliser les moyens d'impression. S'il y a une imprimante dans votre coin de travail, gardez une bonne quantité de papier à lettre, de feuilles blanches, de blocs-notes, d'enveloppes de différentes grandeurs, de rubans à imprimante et de cartouches.

Les disquettes demandent un soin particulier pour diminuer le risque de dommages et la perte d'information en mémoire.

À FAIRE ET À NE PAS FAIRE AVEC DES DISQUETTES

Adéquat

Inadéquat

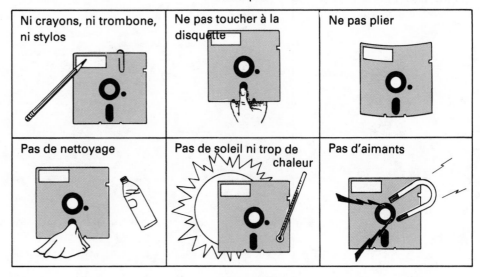

On peut utiliser un agenda
ou un calendrier pour
organiser ses activités
quotidiennes.
*Gracieuseté de Essette
Pendaflex Canada Inc.*

Les capacités technologiques de l'équipement de chaque coin de travail peuvent diminuer les besoins en calendriers de bureau et en agendas, en plateaux d'entrée et de sortie et en espace de rangement des dossiers de rappel et des réserves de papeterie. Vous pouvez programmer directement à l'ordinateur activités quotidiennes, rendez-vous et messages qui restent disponibles pour tout rappel ou impression au cours de la journée. Blocs-notes et tablettes, livre d'adresses ou fichier, ensemble de plume et crayon et manuels de consultation nécessaires comme un dictionnaire et un dictionnaire de synonymes peuvent compléter le matériel de bureau.

Les rendez-vous peuvent
être mis à l'horaire électroniquement.

```
Mess: Nouvelles:   0   07 févr. 1986 02 h 38 Document : PLANS DE COMMERCIALISATION
         CALENDRIER de Marc Bibeau                        Date : lundi 10 févr. 1986

   Cas         Temps          Genre         Endroit         Dossier rem   Sujet

    1     9 h    à 10 h 30   réunion      salle de conf. 1               réun. du personnel
    2    10 h 30 à 11 h 30   réunion      bureau de Jean                 budget
    3    14 h    à 16 h      rendez-vous  bureaux de Soligaz             nouv. campagne de
                                                                         pub.




   Choisir un : 1. autre date; 2. changer l'affichage; 3. visionner ou changer;
                4. insérer; 5. effacer; 6. confirmer ou refuser; 7. imprimer;
                8. mettre à l'horaire.
   Choisir un : 1. suivant; 2. précédent; 3. particulier.
```

Rangez le matériel usuel comme ciseaux, ruban gommé, trombones, agrafes, stylos couleur et crayons dans le bureau, habituellement dans un tiroir peu profond. Vous pouvez ranger les chemises dans un tiroir à divisions plus profond qui permet de mieux suivre le déroulement des tâches. On peut nommer ces chemises d'organisation du temps: «à faire aujourd'hui», «travail en cours», «sous considération», «à classer». Lorsque vous allez dîner ou à la fin de la journée, vous pouvez ranger les tâches non terminées dans les bonnes chemises.

Votre coin de travail est votre prolongement. L'état de votre poste de travail en dit long sur vous et votre apparence personnelle. Un espace propre et ordonné projette une image de compétence et de professionalisme.

Fixer des priorités

Une organisation personnelle efficace demande de fixer des priorités — classer les tâches en ordre d'importance. Pour classer vos tâches, il vous faut une connaissance générale des objectifs d'affaires, de même qu'une bonne compréhension de vos responsabilités et de leur rôle dans l'organisation globale.

Ainsi muni, prenez quotidiennement le temps de faire une liste et d'organiser votre horaire de travail. Vérifiez le calendrier pour les dates de remise et les réunions et, ensuite, regardez ce qui a été mis sur votre «plateau d'entrée», qui peut être votre micro-ordinateur ou un vrai plateau. De plus, vous devez tenir compte du travail déjà classé dans la chemise «travail en cours».

Pour chaque article, tenez compte du travail à faire, de l'information supplémentaire requise pour le terminer, la date de remise, des autres personnes impliquées et de son influence sur le déroulement du travail des autres. Par exemple, l'édition d'un rapport ne demande pas tant de temps et de recherche que la préparation d'un original. Répartissez chaque tâche en groupe A: urgent, à faire immédiatement; groupe B: important, à faire ensuite; groupe C: moins important; à faire dans les temps morts. Si vous divisez votre journée en périodes comme avant la pause du matin, avant dîner, avant la pause de l'après-midi et avant de partir, il devient plus facile de fixer des échéances pour finir les tâches.

Tentez d'évaluer le temps requis pour terminer un travail. Vous pouvez garder les tâches de courte durée pour les temps morts entre une tâche importante et le dîner ou une pause.

Les gros travaux qui peuvent sembler difficiles à cause de leur taille, seront plus faciles à gérer si vous les découpez en parties que vous faites une par une. Par exemple, si on vous demande de faire une étude sur les différentes compagnies de la région offrant un service de traiteur, vous pouvez commencer par déterminer ce qui vous faut comme information, faire une liste des compagnies de votre région et ensuite les contacter une à une.

Des tâches qui demandent un même matériel, qui tirent l'information de la même source et qui peuvent être complétées au même endroit peuvent être regroupées par économie de temps. Lisez les directives attentivement.

Conseils pour un bon emploi du temps

1. **Fixez des priorités.** Si vous êtes incertain, demandez à votre supérieur d'indiquer les tâches urgentes et les plus importantes.
2. **Planifiez.** Faites des listes quotidiennes des choses «à faire» et commencez par les organiser en ordre d'importance et d'urgence. Regroupez les tâches semblables comme les appels, les visites d'affaires ou les livraisons dans certains secteurs et faites-les en même temps.
3. **Identifiez vos temps forts.** Placez vos tâches les plus complexes au moment de la journée où vous êtes le plus alerte.
4. **Soyez souple.** Tenez compte des imprévus.
5. **Organisez votre coin de travail avant de commencer.** Placez tout le matériel et l'équipement nécessaires à portée de la main. Quand vous avez fini un travail, remettez les choses à leur place. Ranger votre place de travail à la fin de la journée vous permet de recommencer à neuf le lendemain.
6. **Faites une chose à la fois.** Vaquer à plusieurs choses à la fois peut vous faire perdre le temps qu'il vous faut pour retrouver vos idées et/ou le matériel nécessaire.
7. **Fixez des échéances et respectez-les.** Évitez la «phobie des échéances». Ne reportez pas les tâches paraissant écrasantes ou désagréables. Travaillez-y des périodes de 10 à 15 minutes à la fois. Une fois commencé, vous vous donnez des raisons de continuer. Vous trouverez peut-être des raccourcis ou que le projet n'est pas aussi épouvantable que votre temporisation vous le laissait croire.
8. **Évitez de perdre du temps au téléphone.** Si possible, faites prendre le message lorsque votre travail ne doit pas être interrompu. Ainsi, vous pourrez réserver du temps chaque jour pour rendre vos appels.
9. **Profitez des moments de silence.** Faites du travail demandant beaucoup de concentration, reprenez le temps perdu à des tâches régulières remises ou prenez de l'avance dans votre travail.
10. **Cessez de vous tracasser du travail qui vous reste à faire.** L'inquiétude est inutile; elle vous rend tendu et vous ralentit.

Tiré de *Stay Ahead With A Good Attitude*, publié par la section des Services de carrière de la main-d'œuvre de l'Alberta et produit en collaboration avec le Comité de la semaine de la carrière du Canada, 1984. Reproduit avec permission.

S'il y a quelque chose que vous ne comprenez pas entièrement, vous gagnerez en demandant des clarifications avant de commencer. En travaillant, concentrez-vous sur une tâche à la fois et terminez-la avant d'en commencer une autre. Si vous vérifiez votre liste pendant la journée et y rayez les tâches terminées, vous aurez un sentiment de réalisation et vous serez encouragé à continuer.

Tout le monde connaît des moments où leur horaire est moins chargé. Profitez des accalmies pour terminer ces choses «agréables à faire si le temps le permet», réduisez les dossiers inutiles ou planifier les tâches récurrentes. Par exemple, vous savez peut-être que pour la conférence des directeurs du mois prochain, vous devrez confirmer les préparatifs de cinq conférenciers. Chacun doit recevoir la même lettre et, bien que les temps

et les numéros de chambres ne sont pas fixés pour chacun, vous pourriez utiliser un temps mort pour rédiger une circulaire, la conserver et y insérer l'information manquante aussitôt que reçue.

Mais même les meilleurs plans ne se déroulent pas exactement comme prévus. Soyez prêt à vous arrêter et changer votre horaire pour vous occuper d'une demande imprévue ou pour terminer un travail urgent. Bien que vous pouvez demander de l'aide de collègues, vous êtes le mieux placé pour faire face aux situations de crise et probablement les prévenir si vous commencez chaque journée de façon ordonnée.

Si vous voyez que votre plan ne fonctionne pas et que vous avez constamment une sensation de stress à votre travail parce que vous êtes incapable de faire toutes vos tâches, réexaminez vos responsabilités et révisez vos habitudes de travail. Vous passez peut-être trop de temps sur des choses secondaires ou qui pourraient être déléguées, ou vous étirez un peu trop les pauses ou le dîner, ou vous parlez trop au téléphone ou de vos affaires personnelles, ou peut-être encore que vous pourriez mieux organiser votre coin de travail ce qui vous permettrait de terminer votre travail à temps sans avoir la sensation d'être bousculé ou débordé. Si après examen de vos tâches et de votre façon de les aborder vous ne pouvez pas améliorer vos conditions de travail, vous devriez en parler à votre supérieur.

À faire aujourd'hui

1. *Étude du marché*
2. *Préparation de la réunion*
3. *Lettre à M. Pelletier*
4. *Ordre du jour du conseil*
5. *Appel à T. Asselin*
6. *Inventaire du matériel*

QUESTIONS DE RÉVISION ET DE DISCUSSION

1. Définissez la productivité. Montrez comment vous pourriez augmenter votre productivité.
2. Comment votre poste de travail est-il un reflet de vous? Montrez les principes généraux à suivre dans l'organisation d'un poste de travail.
3. Assurez-vous de terminer toutes les tâches à temps. Montrez les mesures à prendre si vous voyez que votre horaire de travail ne fonctionne pas.

UTILISATIONS

1. Choisissez trois personnes à succès que vous jugez de bons modèles. Pour chacun, faites une liste des qualités que vous admirez le plus. À côté de chacune, indiquez si c'est un don (une qualité innée), une habileté (un champ d'expertise acquis) ou une attitude (une façon de penser ou de se comporter). D'après vos réponses, quelle qualité revient le plus souvent?
2. Vous avez été engagé avec deux autres comme consultants par une entreprise soucieuse du niveau de productivité et d'efficacité du bureau. Les commentaires suivants sont représentatifs de ce qui a été écrit par les employés sur les questionnaires ou lors des entrevues faites dans le cadre de la démarche de consultation.
   a) «C'est un travail si ennuyant. Je suis incapable d'être excité à l'idée de venir travailler. C'est peut-être la raison qui me fait prendre parfois un jour de congé. Maintenant, si j'avais un travail comme celui de Suzanne, ce serait différent. Je travaillerais très fort.»
   b) «Ici les gens sont si déraisonnables. Hier, par exemple, mon patron m'a donné deux tâches urgentes à faire dans la demi-heure. C'était presqu'impossible. Il m'a jeté tout un regard lorsque je lui ai demandé, «Je ne crois pas que vous soyez capable de penser

à autre chose à me donner à faire, n'est-ce pas?» C'est vrai que je n'avais pas travaillé très fort le jour précédent, mais il restait des choses à faire avant de quitter.»

c) «Il me semble que la même personne prend toutes les décisions sans avoir à faire vraiment le travail.»

Étudiez ces commentaires et faites un rapport aux directeurs de l'entreprise. Votre rapport devrait montrer tous les problèmes que vous pensez avoir comme impact négatif sur le niveau de productivité de ces trois personnes. Comment conseilleriez-vous les employés qui ont fait ces commentaires sur leur attitude au travail?

3. Mario, un nouveau diplômé collégial, travaille depuis deux mois comme assistant de bureau au service des opérations d'une grande compagnie. Il est très désireux d'impressionner ses supérieurs par ses connaissances et idées. Certaines de ses suggestions sur les moyens de travailler plus efficacement sont excellentes, mais les autres employés le trouvent arrogant. Ils ignorent ses suggestions et l'appellent secrètement «Monsieur sait tout».

Mario est frustré parce qu'il a l'impression de ne pas s'intégrer à la compagnie aussi bien qu'il l'espérait.

Le travail d'équipe et la collaboration ont toujours été importants pour la compagnie. Comment cette situation a-t-elle pu se créer et comment peut-on la corriger?

4. Comme adjoint administratif au directeur des ressources humaines, vous êtes impliqué dans la préparation d'un rapport sur la réorganisation des services. Déjà quatre membres du personnel de soutien sont engagés alors qu'il n'en faut que trois. Dans leur définition de tâche, les trois qui restent devront savoir comment utiliser un système de gestion de base de données. La quatrième personne aura le choix de transférer à une autre unité où elle devra peut-être accepter un travail ayant moins de responsabilités. Bien qu'aucun nom ait été mentionné dans le rapport, vous savez que Julie, une des quatre candidats, n'a jamais travaillé avec une base de données auparavant. Quelques employés posent des questions sur la recommandation, mais il a été décidé de ne pas rendre immédiatement l'information publique.

Comment allez-vous gérer les questions des employés? Vu que vous mangez parfois avec Julie, que lui dites-vous des conséquences possibles sur son poste?

5. Christine travaille au centre de traitement de texte où une partie de ses responsabilités est de taper des documents issus de plusieurs services de l'organisation. Elle déplore que les employés jettent des choses sur son bureau, habituellement avec une note disant que le travail doit être fait le plus tôt possible. En conséquence, elle est incapable de garder son poste de travail en ordre. Le matériel qu'elle utilise est perdu ou déplacé. Christine trouve que les gens sont parfois fâchés avec elle parce que le travail n'est pas assez vite fait. À la fin de la journée, elle se sent harcelée et bousculée. Elle fait de son mieux. Elle commence la journée en travaillant à partir du dessus de la pile et essaie de terminer toutes les demandes.

Quels problèmes peuvent découler de la situation? Comment Christine pourrait-elle changer la situation afin de faire son travail plus efficacement?

6. Votre employeur a une politique générale qui ne permet pas à plus de deux employés d'un même service de prendre des vacances en même temps. En plus, le directeur des ressources humaines et le vérificateur sont d'accord qu'entre la période de pointe du 1er décembre au 15 janvier au moment des états financiers de fin d'année, des rapports annuels et des réunions spéciales du conseil d'administration pour le prochain budget, il serait mieux qu'il n'y ait qu'une seule personne du service de comptabilité en vacances.

Voici les demandes de vacances reçues au 1er octobre:

- Paul, directeur de la comptabilité générale, demande les trois dernières semaines de décembre. Il croit qu'on devrait lui donner cette période puisque sa femme a obtenu un bon prix sur un forfait de vacances et qu'elle a déjà dit à l'agent de voyage de faire les réservations d'avion. Il possède 12 ans de service et a droit à cinq semaines de vacances.

- Pamela, commis supérieur aux comptes payables, est mordue du ski et a demandé les deux dernières semaines de décembre pour aller skier avec une amie qui va à l'université et qui ne pourrait pas prendre de vacances d'hiver à d'autres moments. Pamela a quatre ans de service et a récemment été promue avant d'autres qui sont avec la compagnie depuis plus longtemps.

- Angèle, avec la compagnie depuis six ans, vient de changer de service et a déjà fait des plans pour des vacances durant les deuxième et troisième semaines de décembre.

Deux autres personnes du même service n'ont pas fait de plans pour cette période mais trouvent qu'ils sont coincés au milieu d'une situation tendue.

- Marie est une amie d'Angèle. Habituellement, elles dînent ensemble et sont membres du même club de conditionnement physique. Quoique sympathique à Angèle, elle travaille en étroite collaboration avec Paul comme adjointe administrative. Marie trouve qu'il est délicat de travailler avec Paul et ne veut pas le contrarier.

- Stéphane qui est à la compagnie depuis sept ans ne veut pas prendre parti ouvertement. Toutefois, il trouve que Paul a déjà pris ses vacances à cette période-là à quelques reprises et il entretient un peu de ressentiment envers Angèle. Pamela et lui avaient postulé l'emploi de commis supérieur aux comptes payables et Pamela avait obtenu le poste même si elle avait moins d'ancienneté.

Le vérificateur a accepté de rencontrer tout le personnel pour trouver une solution. Travaillez en groupes de six pour régler le problème. Chacun devrait jouer le rôle d'une des personnes qui sera à la réunion — le vérificateur et les cinq employés.

7. Retournez à la question 6 et analysez comment votre groupe a pris sa décision. Voici quelques questions à considérer.

   a) Tous les membres du groupe ont-ils participé à la décision?

   b) Une personne a-t-elle influencé le résultat plus que les autres?

   c) Si quelqu'un n'a pas participé à la décision, pourquoi? Comment aurait-on pu éviter cela?

   d) Aurait-il été plus facile de travailler seul pour en arriver à une recommandation? Pourquoi?

8. Lundi matin, Jean, un assistant de bureau au service des ventes, scrute le calendrier électronique sur son moniteur pour connaître les événements futurs avant d'organiser les activités de la journée. Il remarque qu'il y a un séminaire de perfectionnement sur la gestion du stress aujourd'hui à 15 h, une réunion du conseil mardi à 9 h, une réunion de comité mardi à 13 h 30 et une réunion des gérants de vente mercredi à 10 h. Jean se rappelle également qu'il doit lire la documentation du séminaire de perfectionnement d'aujourd'hui et qu'il a pris rendez-vous pour dîner demain à 11 h 45.

   Il feuillette les nouvelles choses qui viennent d'arriver sur son bureau. Il vérifie aussi le dossier «Travail en cours». Voici une liste des choses demandées:

   a) Le dernier horaire de production pour la réunion du conseil. Il devrait être sur un fichier de disquette.

   b) Vingt copies de la documentation pour le séminaire de perfectionnement de l'après-midi qui sera donné par son supérieur.

   c) Édition de la copie finale du procès-verbal de la dernière réunion du conseil.

   d) Confirmation des rafraîchissements pour la réunion de l'après-midi.

   e) Un rapport enregistré de la nouvelle politique d'avancement à transcrire et à préparer pour étude à la réunion de comité mardi. L'enregistrement dure environ dix minutes.

   f) L'ordre du jour de la réunion du conseil.

   g) Recueillir des données sur les chiffres de vente de l'année dernière pour préparer une analyse mensuelle comparant avec la même période de l'année précédente. Cette information est demandée pour mercredi matin.

   h) Préparer une réunion pour jeudi, contacter cinq personnes et réserver une salle de conférence.

   i) Rédiger un document de trois pages examinant les heures de travail d'été flexibles pour la réunion du comité de mardi après-midi, ce qui demande une entrée originale.

   j) Éditer un rapport sur les politiques d'achat actuelles dont le supérieur de Jean a tapé le brouillon.

k) Vérifier une source de référence pour le séminaire de l'après-midi et l'ajouter à la trousse de matériel.

Jean se demande par où commencer. Donnez l'ordre à suivre de réalisation des tâches. Devrait-il toutes les faire seul ou demander de l'aide? Quel conseil donneriez-vous à Jean pour organiser ses activités?

STAGE DE COMMUNICATION

1. Améliorez le contenu et la sonorité des phrases suivantes en utilisant votre connaissance des bonnes techniques de communication.

«Ne pensez pas que vous pouvez prendre toutes les décisions ici.»

«Les rénovations au bureau sont hors de ce monde. Ce nouveau poste de travail a rendu l'organisation de mon travail plus facile.»

«Vous devriez vraiment essayer de trouver ce qu'est le problème avant d'imaginer une conclusion.»

«Nous n'avons pas d'information à jour nécessaire pour répondre à votre demande antérieure de la semaine dernière pour un nouveau manuel de bureau.»

«C'est un fouillis. Ne pouvez-vous pas faire mieux?»

2. Refaites le paragraphe suivant. Faites les corrections d'orthographe et de grammaire si nécessaire.

«Les attitudes négatives au bureau sont improductives. Quant vous critiquez continuellement les autres, vous perdez la reconnaissance de vos collègues et le respect qui vient avec eux. Tout le monde doivent poursuivre leurs tâches avec un sourire. Le travail d'équipe est important pour le développement de la collaboration entre les employés. Le résultat final est que dans le cas d'une crise tout le monde se donne la main pour aider et soutenir où que ce soit qu'il y a un besoin de le faire.»

CHAPITRE

9

SE DÉBROUILLER DANS LE MONDE DU TRAVAIL

Après la lecture de ce chapitre vous serez en mesure de:

- Comprendre l'influence de la législation sur le monde du travail.
- Comprendre le rôle des syndicats dans la société canadienne.
- Reconnaître l'importance de l'éducation permanente.

LA LOI ET LE MONDE DU TRAVAIL

Les conditions actuelles de travail sont très différentes de celles du siècle dernier. Durant la seconde moitié du XIXᵉ siècle, plusieurs employés travaillaient de longues heures à petit salaire dans des conditions insécuritaires. La semaine de soixante heures était courante pour hommes, femmes et enfants, et on appelait souvent les usines «ateliers de misère».

Aujourd'hui, la qualité de vie au travail est encadré par des lois fédérales, provinciales et municipales. Ces lois fixent des normes minimales pour différentes choses comme les salaires, les heures de travail, les vacances, les congés spéciaux, la santé et la sécurité. En plus,

Au XIXᵉ siècle, hommes, femmes et enfants travaillaient de longues heures pour un petit salaire. Ces enfants «mules» âgés de neuf ans et plus travaillaient dans les mines. *Gracieuseté des Archives publiques du Canada/ C56705*

les lois protègent les droits humains fondamentaux en prohibant le harcèlement sexuel et les différentes formes de discrimination.

Les conditions de travail sont également influencées par les **syndicats** qui regroupent des employés travaillant ensemble et qui sont membres d'un organisme sanctionné pour négocier une entente avec l'employeur.

Législation fédérale

On ne présentera ici que la législation fédérale du Code du travail du Canada et de la Charte canadienne des droits de l'homme. Chaque province a son code du travail dont le contenu et l'esprit sont semblables à celui du fédéral. Certaines industries sont de juridiction fédérale et ne sont pas soumises aux lois du travail des provinces. Ces industries sont présentées dans la première partie du code du travail du Canada.

Ce code du travail fixe les normes et les conditions de travail minimales qui protègent les travailleurs à temps plein ou partiel des industries sous sa juridiction. En voici les parties:

1ʳᵉ partie

Les industries sous juridiction fédérale comprennent: les employés du transport international et provincial comme les travailleurs du rail et des lignes aériennes et les opérateurs de traversiers; les opérateurs de grain, incluant ceux qui travaillent dans les élévateurs à grain et les moulins à farine et à céréales; les employés des banques; les employés de la diffusion et des communications comme la radio et la télévision; les corporations de la couronne comme Postes Canada. (La 2ᵉ partie a été abrogée et n'est plus en vigueur.)

3ᵉ partie

Cette partie traite du salaire minimum, du temps supplémentaire, des vacances et des congés fériés, des congés de maternité et de soins aux enfants, de cessation d'emploi, d'indemnité, de licenciement et des cas de harcèlement sexuel.

Heures de travail   Sauf exception, le code établit la semaine de travail à 40 heures (huit par jour), avec un maximum de 48. Le temps supplémentaire doit être payé temps et demi pour toutes les heures excédant 40.

Vacances et jours fériés   Selon la loi fédérale, un employé a droit à neuf jours de congé fériés payés par année (Jour de l'An, Vendredi saint, Fête de la reine, Fête du Canada, Fête du travail, l'Action de grâce, Jour du souvenir, Noël et le lendemain de Noël) et au moins deux semaines de vacances annuelles. Il est possible que les employés n'étant pas sous juridiction fédérale n'aient que sept congés fériés par année — le Jour du souvenir et le lendemain de Noël étant éliminés.

Congé pour soins aux enfants.   Un congé pour soins aux enfants de 17 semaines pour employées enceintes ou pour parents adoptifs est disponible à tous ceux qui ont au moins six mois de service chez un même employeur. (Pour ceux qui ne sont pas sous juridiction fédérale, cette période de service peut atteindre 12 mois.) Même si ces congés ne sont pas payés,

Pas de temps pour les vacances
L'épaule à la roue pour les travailleurs japonais

D'après le *Asahi Evening News*, les vacances annuelles d'été des employés des grandes entreprises japonaises ne durent que 5,1 jours. Et même s'ils prennent autant de jours de congé, ce sont souvent le dimanche ou les fêtes nationales. Cela baisse à 2,3 le nombre de jours pris seulement en vacances. Mené par un institut japonais de recherche sur le travail, le sondage a découvert que 52,2 % des salariés des deux sexes des 371 compagnies questionnées prenaient vraiment toutes les vacances payées qui leur étaient dues. Les femmes étaient moins loyales envers leurs employeurs — 63,6 % prenaient toutes leurs vacances payées contre 46,3 % pour les hommes.

Heures-année
Les Britanniques commencent à vérifier le temps travaillé annuellement

Sans faire de bruit, quelques compagnies britanniques éliminent le temps supplémentaire comme remaniement radical du temps de travail connu comme «heures-année». Cette approche heures-année signifie que le temps de travail est fixé pour l'année — par exemple 2 250 heures — plutôt qu'à la semaine. Habituellement, le nombre d'heures de travail exigées d'un employé se divise en deux: une grande partie travaillée selon un horaire fixe et une plus petite laissée à la discrétion de la direction pour les tâches traditionnellement faites au temps supplémentaire. La plupart des compagnies n'ont introduit les heures-année que pour les travailleurs manuels.

Tiré de *Successful Executive*, juillet/août 1986. Reproduit avec permission.

l'employé conserve son ancienneté dans l'entreprise et continue d'accumuler les bénéfices de pension, de santé et d'invalidité. À son retour, il a droit au même poste ou à un autre équivalent.

Si admissibles, les employées en congé de maternité peuvent recevoir de l'assurance-chômage pour une période de 15 semaines à un montant pouvant atteindre 60 pour cent du salaire.

Autres congés   Après trois mois, les employés sous juridiction fédérale ont droit à douze semaines de congés de maladie sans perte d'ancienneté ni de bénéfices. Aussi, il n'y aura pas de perte de salaire en autant que l'employé paye la contribution normale des bénéfices demandés.

Cessation d'emploi   Lors de cessation d'emploi, les employés doivent recevoir un avis écrit de deux semaines. Au lieu d'un avis, on peut payer à l'employé les deux semaines au salaire qu'il aurait normalement gagné sans temps supplémentaire. Pour ceux qui ne sont pas sous juridiction fédérale, la période d'avis peut varier d'une semaine pour ceux qui ont moins de deux ans de service à huit semaines pour ceux qui en ont dix ou plus. Il faut verser une paye de cessation d'emploi si l'employé a travaillé pour la compagnie pendant une période de douze mois continus.

Ces conditions ne s'appliquent pas à l'employé qui a été renvoyé pour une raison justifiée comme voler la compagnie.

4e partie Avec la collaboration des employeurs et des employés, la section sur la santé et la sécurité au travail est conçue pour promouvoir la prévention des accidents et éliminer les risques au travail.

Les employeurs doivent aviser les employés des risques du travail et des mesures à prendre pour protéger leur santé. Ils ont le droit de participer à la démarche d'identification et de solution des problèmes de santé et de sécurité. Ils ont aussi le droit de refuser de travailler là où il y a possibilité raisonnable de danger.

Les employés blessés au travail ont droit de recevoir jusqu'à 75 pour cent de leur salaire de la Commission des accidents du travail. Vu que cette loi est de juridiction provinciale, il peut y avoir des polices différentes d'une province à l'autre.

5e partie La Commission des relations de travail applique la loi contenue dans le code du travail du Canada. Elle travaille également avec les employeurs et les employés pour leur aider à comprendre et respecter les exigences des règlements. Ses représentants visitent les lieux de travail pour s'assurer que les normes sont respectées d'une façon constante à travers le Canada.

La Commission du code du travail a la responsabilité d'enquêter sur les plaintes explicites soumises et de régler les désaccords employeur-employés. Par exemple, si un employé qui travaille dans une industrie sous juridiction fédérale croit qu'il n'a pas reçu les bénéfices prévus par la loi, il peut demander l'aide de la Commission du code du travail. Si les faits recueillis à l'enquête valident la plainte, la commission négocie avec l'employeur les changements nécessaires pour améliorer la situation. On peut poursuivre l'employeur si les négociations n'aboutissent pas à une amélioration de la situation.

QUESTIONS DE RÉVISION ET DE DISCUSSION

1. Quels groupes d'employés sont couverts par le code du travail du Canada?
2. Quelles sont les normes minimales fixées par le code du travail du Canada pour chacune des situations suivantes:
   - heures de travail
   - vacances
   - congés pour soins aux enfants
3. De quelle façon la section de la santé et de la sécurité au travail du code du travail du Canada s'y prend-elle pour promouvoir la prévention des accidents?
4. Quel est le rôle de la commission des relations de travail?

LA CHARTE DES DROITS ET LIBERTÉS DU CANADA

La Charte des droits et libertés du Canada est une loi fédérale adoptée en 1979. Elle s'applique aux industries couvertes par le code du travail du Canada.

La philosophie d'une «chance égale à tous» pour poursuivre ses objectifs dans la société est à la base de la Charte des droits et libertés du Canada. Chacun devrait avoir une chance égale de travailler sans harcèlement à cause de la race, la religion, la couleur, le lieu de naissance, le sexe, le statut civil ou familial, l'âge ou n'importe quelle incapacité mentale ou physique. Des amendes sont prévues pour menace, inti-

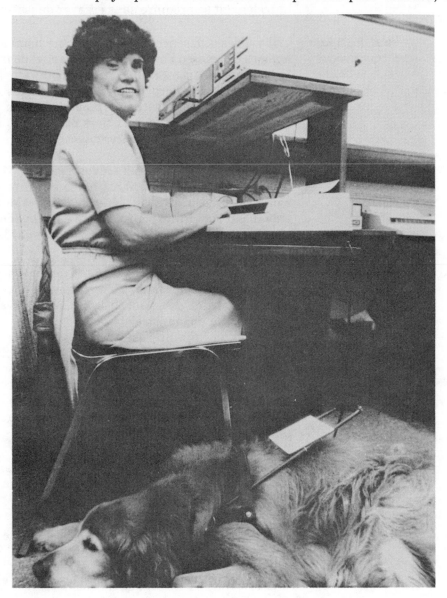

La législation des droits humains garantit que les décisions d'emploi sont basées sur la performance au travail et le mérite. Sue Pinder, une employée handicapée visuelle, surveille les stations de radio pour Ad-Scan Inc.
Gracieuseté de Keith Beaty:
Toronto Star.

midation ou discrimination à l'endroit d'une personne qui a logé une plainte ou qui a aidé une enquête de la commission.

La Charte des droits se concentre principalement sur le harcèlement au travail et l'égalité de salaire.

Harcèlement au travail

Cela comprend les paroles ou actions qui insultent ou humilient. Une telle action est non seulement désagréable pour l'employé, mais illégale pour les employeurs ou collègues qui s'y prêtent. Les gens en autorité peuvent être tenus responsables s'ils laissent sciemment des activités de harcèlement se produire sans essayer de les empêcher.

Salaire égal à travail égal

Il y a des différences de salaire entre hommes et femmes. Traditionnellement, on a perçu l'homme comme le chef de famille ou le gagne-pain avec le potentiel de gagner plus. Aujourd'hui, plusieurs femmes sont chefs de famille. Des comparaisons récentes sur les gains des hommes et des femmes travaillant à temps plein montrent que le salaire moyen des femmes est environ les deux tiers de celui des hommes. On peut attribuer cette différence à la vision stéréotypée qu'a la société des rôles des hommes et des femmes au travail.

Le concept salaire égal à travail égal s'est développé pour contrer cette forme de discrimination. La Charte des droits légifère qu'il doit y avoir salaire égal pour travail égal ou l'équivalent. On évalue la valeur du travail par son utilité pour l'employeur. On définit travail égal par talents, conditions, responsabilité et effort requis par le travail.

Procédures de plainte

La Commission des droits enquête sur les plaintes de discrimination. Après recherche des faits, les membres de la commission révisent la cause et prennent une décision. Si la plainte est valide, on rend un jugement équitable. Sinon, on la rejette.

Lorsqu'une plainte est valide, sans en arriver à un règlement, la Commission peut nommer un conciliateur. Celui-ci travaille avec les deux parties pour en arriver à un règlement. Si c'est l'impasse, la cause est portée devant un tribunal indépendant qui écoute les faits à nouveau et prend une décision. Le tribunal est habilité à choisir un plan d'action. En cas de désobéissance à ses ordres, la cour fédérale peut donner des amendes ou des emprisonnements.

Mesures anti-discriminatoires

Inscrits dans la loi fédérale d'égalité d'emploi, les programmes de mesures **antidiscriminatoires** cherchent à assurer l'égalité d'emploi pour les femmes, les autochtones, les handicapés et les minorités visibles. L'objectif est d'avoir une répartition à tous les niveaux d'emploi qui sera proportionnelle à la distribution générale de la population. Cela se fait par l'étude de toutes les politiques d'emploi d'une compagnie, l'élimination de celles qui posent des obstacles aux groupes concernés et la création de nouvelles politiques qui encouragent les chances égales à l'emploi.

Les programmes de mesures anti-discriminatoires cherchent à établir des programmes d'égalité.

Acheteur de produits informatiques

Nous recherchons un acheteur pour s'occuper des réquisitions de produits et services de traitement de données. Le candidat idéal a une bonne expérience de l'achat d'ordinateurs et de périphériques et une connaissance des produits et de l'industrie.

Ce poste à Toronto offre un salaire compétitif et un bon programme de bénéfices marginaux.

S.v.p., envoyez votre curriculum vitæ en indiquant le numéro de dossier 5-TS-278 à:

Atelier de fabrication
Service des ressources humaines
Toronto, Ontario
M5G 1X6

Nous souscrivons au programme d'égalité d'emploi.

Grâce aux programmes de mesures antidiscriminatoires, tous les employés peuvent contribuer à améliorer leurs chances de carrière réussie.

Bénéfices additionnels aux employés

La loi fixe les normes minimales du travail. Toutefois, plusieurs compagnies donnent aux employés des bénéfices additionnels, ou bénéfices marginaux qui peuvent inclure de l'assurance-santé complémentaire, de l'assurance dentaire, de l'assurance-vie, des plans de pension, des remboursements de frais d'études ou des programmes d'achat d'actions. Ces bénéfices qui dépassent les normes minimales se trouvent souvent dans les conventions collectives résultant des négociations entre le syndicat et l'employeur.

QUESTION DE RÉVISION ET DE DISCUSSION

1. Comment la Charte des droits essaie-t-elle d'empêcher la discrimination au travail?
2. Que veut-on dire par l'énoncé «salaire égal à travail égal?»
3. Comment pouvons-nous comparer deux emplois différents?

LES SYNDICATS DANS LA SOCIÉTÉ CANADIENNE

Des groupes de personnes qui travaillent ensemble à un but commun ont plus de chances d'atteindre des objectifs recherchés que des personnes seules. Au travail, les employés peuvent travailler ensemble sur des questions d'intérêt général en se regroupant dans un syndicat reconnu qui aidera à normaliser les salaires, à obtenir des bénéfices et à assurer des conditions de travail sécuritaires et équitables.

Les employés élisent les délégués syndicaux parmi leurs membres pour représenter leurs intérêts dans les discussions avec l'employeur. Le syndicat fonctionne démocratiquement afin de donner la chance aux membres de participer et de fixer les objectifs de l'ensemble du groupe. Les recommandations sont acceptées ou rejetées par vote majoritaire.

Organisation syndicale

Dans une organisation, on appelle **section locale** plusieurs groupes d'employés qui forment une unité d'un plus grand syndicat national ou international comme le **Syndicat de la fonction publique du Canada** (SFPC) ou les **Travailleurs unis de l'acier de l'Amérique**. La plus grande organisation agit comme groupe père, donnant des conseils et de l'aide aux unités locales lors des négociations avec l'employeur. À l'intérieur d'organisations centrales comme le **Congrès du travail du Canada** (CTC) et la **Confédération des syndicats nationaux** (CSN), les syndicats ayant des intérêts et objectifs communs peuvent se regrouper. Chaque syndicat élit des délégués pour présenter ses opinions aux organisations syndicales centrales. Ensuite, ces dernières peuvent être la voix des travailleurs pour réagir devant de telles choses comme la législation sur l'habitation, la santé et le bien-être de même que les problèmes de consommation. Les organisations centrales font connaître leurs positions sur les problèmes par des déclarations publiques, des articles dans des journaux et revues, et des contacts avec des hauts fonctionnaires.

Avantages

Plusieurs changements dans les conditions de travail existant à la fin du XIXe siècle sont survenus grâce aux efforts des syndicats. Par la négociation collective, les employés d'une unité locale peuvent améliorer leurs conditions de travail et leurs bénéfices. Le mouvement syndical travaille également à s'assurer que les gouvernements et les grandes entreprises tiennent compte du point de vue des travailleurs sur plusieurs problèmes sociaux et économiques.

Les syndicats représentent les employés dans les négociations contractuelles avec l'employeur.
Gracieuseté du Syndicat de la fonction publique du Canada

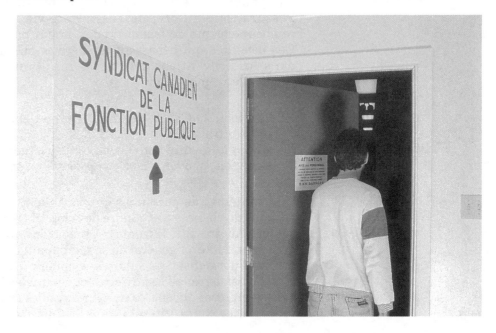

Inconvénients

Les conséquences de l'action syndicale ne sont pas toujours positives. Les grèves peuvent créer des tensions et du mauvais sang parmi les employés et entre employés et employeur. Ce mauvais sang peut persister et avoir un impact négatif sur les relations de travail longtemps après la fin de la grève. Dans ce cas, il est difficile de développer un travail d'équipe qui soit propice à un rendement efficace.

Les échelles de salaire et les politiques d'avancement dans un milieu de travail syndiqué deviennent restrictives. Dans un système où il est stipulé que les échelles de salaire et les augmentations sont basées sur le service, tout le monde reçoit la même augmentation indépendamment du niveau d'habileté individuelle. Deux personnes peuvent faire le même travail; une est extraordinaire, l'autre passable. Toutefois, les augmentations de salaire ne tiendraient compte que des années de service. Les promotions sont souvent basées sur l'ancienneté. Par exemple, une personne avec dix ans d'expérience et une évaluation acceptable ou moyenne pourra être promue avant une autre qui a trois ans d'expérience et une évaluation excellente. Certains peuvent trouver que ces restrictions ne motivent pas à faire plus que le minimum pour conserver son emploi, sentiment qui peut éventuellement avoir une influence négative sur les autres. Toutefois, ces mêmes conditions peuvent également régner dans des milieux non syndiqués.

QUESTIONS DE RÉVISION ET DE DISCUSSION

1. Quel est le rôle du syndicat au travail?
2. Montrez la relation entre le syndicat local et la fédération nationale comme SFPC. Comment la fédération nationale travaille-t-elle au nom des employés des syndicats locaux?
3. Pourquoi les employés verraient-ils l'adhésion à un syndicat comme un inconvénient? comme un avantage?

COMMENT SE FORME UN SYNDICAT

Avant qu'un syndicat puisse agir au nom des employés d'une entreprise, il doit rencontrer quelques exigences légales. Quelques groupes de travailleurs sont régis par la législation fédérale, mais la majorité relève de lois provinciales. Même si elles varient d'une province à l'autre, les lois principales de reconnaissance officielle sont semblables.

La première étape consiste à identifier le groupe cible qui serait représenté par un syndicat. Par exemple, dans une entreprise, un groupe cible pourrait être les employés de bureau ou le personnel d'entrepôt. Chaque membre du groupe qui veut se syndiquer doit être invité à adhérer. Cette démarche de reconnaissance syndicale s'appelle la **certification**. Ceux qui veulent adhérer doivent remplir une carte de membre, payer la cotisation et recevoir un reçu. Les cartes de membres doivent être enregistrées à la Commission des relations de travail dans les sept à dix jours suivant la demande de certification. La date précise de réception des cartes de membre s'appelle la date terminale et est fixée par la Commission des relations de travail.

Si moins de 45 pour cent du nombre total de membres du groupe cible signe des cartes de membre, la demande de certification est rejetée par la Commission des relations de travail.

La certification doit d'abord être approuvée par la Commission des relations du travail de l'Ontario. *Gracieuseté de la Commission des relations du travail de l'Ontario.*

Formulaire 1

LOI DES RELATIONS DE TRAVAIL

DEMANDE DE CERTIFICATION

DEVANT LA COMMISSION DES RELATIONS DU TRAVAIL DE L'ONTARIO

Entre :

demandeur,

— et —

employeur.

Le demandeur demande à la Commission des relations de travail de l'Ontario sa certification comme agent négociateur pour les employés de l'employeur, réunis dans une unité qu'il juge apte à la négociation collective.

Le demandeur déclare :

1. *a)* son adresse et numéro de téléphone :

   b) son adresse de service :

   c) l'adresse et le numéro de téléphone de l'employeur :

*omettre au besoin *2. *(Si le demandeur est une centrale syndicale.)* Le nom et l'adresse de chaque syndicat ou centrale syndicale qui est le demandeur.

3. Description détaillée du groupe d'employés de l'employeur que le demandeur juge apte à négocier collectivement en incluant la ville ou toute autre localité touchée :

4. Le nombre approximatif d'employés dans l'unité décrite au paragraphe 3 :

5. Le nom et l'adresse de tout syndicat ou centrale syndicale que le demandeur sait vouloir être l'agent négociateur ou prétend être le représentant d'employés touchés par cette demande :

6. Le demandeur **veut, *ne veut pas,* qu'un vote représentatif préliminaire soit tenu chez les employés dans des regroupements déterminés par la commission.

   N.B. *Cette demande sera traitée sans vote représentatif préliminaire à moins que le demandeur indique clairement qu'il le veut en rayant les mots «ne veut pas» du paragraphe 6.*

7. Toute autre information pertinente (**ajouter des pages au besoin**) :

Daté à   ce   jour de   , 19

....
signature du demandeur

NOTE

Si une demande de certification est faite selon la section 8 de la loi ou si la section 8 est mentionnée pendant le traitement de la demande de certification, les données sur lesquelles s'appuie le demandeur doivent être fournies en conformité avec la section 72 des règles de fonctionnement de la commission.

1007 LR2 (7/81)

Reg. 546, R.R.O. 1980

Extrait d'une convention collective. Comment est protégé l'employé?
Gracieuseté de la Centrale de l'enseignement du Québec.

- 17 -

CHAPITRE 5-0,00   CONDITIONS D'EMPLOI ET AVANTAGES SOCIAUX

5-1,00   ENGAGEMENT

    SECTION 1   ENGAGEMENT (SOUS RÉSERVE DE LA SÉCURITÉ D'EMPLOI, DES PRIORITÉS D'EMPLOI ET DE L'ACQUISITION DE LA PERMANENCE)

5-1,01   Cette matière est l'objet de stipulations négociées et agréées à l'échelle locale ou régionale conformément à la Loi sur le régime de négociation des conventions collectives dans les secteurs public et parapublic (L.R.Q., c. R-8,2).

    SECTION 2   CONTRATS D'ENGAGEMENT

5-1,02   L'engagement est du ressort de la commission.

5-1,03   Pour l'engagement de toute enseignante ou tout enseignant, la commission respecte les dispositions du présent article.

5-1,04   L'engagement d'une enseignante ou d'un enseignant à temps plein, à temps partiel ou à la leçon se fait par contrat et selon le contrat approprié apparaissant à l'annexe III.

5-1,05   Lorsque la commission doit procéder à l'engagement d'une enseignante ou d'un enseignant à temps plein, elle respecte les dispositions prévues à l'article 5-3,00.

5-1,06   Sous réserve de l'application des sous-paragraphes 1), 2) et 3) du paragraphe A) de la clause 5-3,20, la commission peut nommer dans un poste vacant d'enseignante ou d'enseignant une personne déjà à son emploi.

5-1,07   Sauf pour le remplacement, la personne que la commission engage, entre le 1er juillet et le 1er décembre, pour accomplir une tâche d'enseignante ou d'enseignant à temps plein et ce, jusqu'à la fin de l'année scolaire, a droit à un contrat à temps plein effectif à la date prévue de son entrée en service.

5-1,08   Sous réserve de l'article 5-8,00, le contrat d'engagement d'une enseignante ou d'un enseignant, qui est employé en tant qu'enseignante ou enseignant à temps plein, est un contrat d'engagement annuel renouvelable tacitement.

5-1,09   Le contrat d'engagement d'une enseignante ou d'un enseignant non légalement qualifié qui est employé pour enseigner à temps plein pour une année scolaire se termine automatiquement et sans avis le 30 juin de l'année scolaire en cours.

Avec des cartes de 45 à 55 pour cent des membres potentiels, la commission des relations de travail doit demander la tenue d'un vote représentatif pour déterminer s'il y a une majorité nette en faveur de la certification. Habituellement, si plus de 55 pour cent des gens signent des cartes de membre, la commission certifiera le syndicat sans vote représentatif. Ce vote peut quand même avoir lieu si la commission le juge à propos.

    Quand il obtient la reconnaissance officielle, un syndicat est certifié. Cela lui permet de représenter tous les employés d'un groupe déterminé dans les négociations avec l'employeur. Les discussions peuvent inclure des négociations pour de meilleurs salaires et conditions de travail, ou s'attaquer aux **plaintes** déposées par un ou plusieurs employés contre un employeur.

La convention collective et la négociation

    La **convention collective** est un document écrit qui fixe les conditions de travail d'un groupe particulier d'employés syndiqués pour une durée précise. Habituellement, elle couvre les salaires, les périodes de paie, le temps supplémentaire, les politiques d'avancement, les vacances, les congés de maladie, les heures et les conditions de travail. On y arrive par une série de rencontres entre les représentants syndicaux et patronaux. On fait des propositions et des contre-propositions jusqu'à ce que les deux parties en arrivent à un accord sur les conditions de travail. Aussitôt que les deux parties se sont entendues, les conditions sont rédigées en convention collective. On appelle cette démarche la **négociation collective**.

La convention collective est un contrat entre travailleurs et employeur. Elle donne également à l'employé et à l'employeur une idée claire du fonctionnement de l'entreprise dans toutes les questions concernant les employés. Elle définit également la procédure à suivre lors de plaintes des employés, appelées griefs, contre l'employeur. Des exemples de griefs sont l'omission d'afficher une ouverture de poste dans l'entreprise à tous les employés qualifiés ou des conditions de travail inadéquates.

QUESTIONS DE RÉVISION ET DE DISCUSSION

1. Montrez la façon de former un syndicat certifié. Pourquoi la certification est-elle nécessaire?
2. Montrez le rôle de la commission des relations de travail dans l'établissement d'un syndicat.
3. Qu'est-ce qu'une convention collective? Montrez les étapes qui peuvent être franchies pour en arriver à une convention collective.
4. Définissez le mot grief.

QU'ARRIVE-T-IL S'IL N'Y A PAS ENTENTE?

Parfois, les deux parties ne s'entendent pas sur un contenu de convention collective. Dans ce cas, l'aide du gouvernement peut être disponible pour en arriver à une entente qui sert de base à la convention collective. On peut demander de l'aide des gouvernements fédéral ou provincial selon la catégorie d'emplois dont ils ont la responsabilité. La législation du travail peut varier d'une province à l'autre; toutefois, la procédure d'intervention gouvernementale est semblable.

Conciliation

Le syndicat ou l'employeur peut demander au ministre du travail de nommer un **conciliateur**. Son travail consiste à étudier les demandes de chaque groupe et de constater les différends qui persistent. Toutefois, sans pouvoir imposer une entente, il ne peut que faire des suggestions pour rapprocher les deux parties.

En cas d'échec, le ministre du travail peut former une commission de conciliation de trois personnes comprenant un représentant syndical, un patronat et une tierce personne qui agit habituellement comme président et est acceptée par les deux autres parties.

Cela est rare. Le ministre fait plutôt un rapport des faits présentés par le conciliateur et conclut qu'une commission conciliatoire est contre-indiquée. C'est ce qu'on appelle habituellement un «rapport sans commission».

Médiation

En tout temps après l'émission de ce rapport, le syndicat ou l'employeur peut demander au ministre du travail la nomination d'un **médiateur**. Celui-ci travaille avec les deux groupes pour trouver des moyens d'arriver à une entente. Comme le conciliateur, il n'a pas le pouvoir d'imposer une entente.

Arbitrage

Après épuisement des procédures de conciliation et de médiation sans trouver d'entente, n'importe quelle partie peut demander au ministre du travail de nommer un arbitre. Sa décision est finale et lie les deux parties. Si son rapport n'est pas respecté, on peut le déposer à la cour suprême qui le met en vigueur comme une de ses décisions.

Grèves et lock-outs

Le syndicat et l'employeur peuvent utiliser des moyens de pression pour forcer l'autre partie à accepter les conditions proposées en négociation. Ces tactiques prennent la forme de **grèves** pour les employés et de **lock-outs** pour les employeurs. Le Congrès du travail du Canada définit la grève comme une cessation, un refus de travailler ou de continuer à travailler pour obliger un employeur à accepter les conditions de travail. Il y a lock-out quand l'employeur prend l'initiative d'empêcher les employés d'entrer au travail.

Les deux tactiques sont légales en autant qu'on respecte certaines conditions. Une grève ou un lock-out est légal le dix-septième jour après le dépôt du rapport sans commission du ministre du travail. La convention collective doit également être échue.

Des représentants patronaux et syndicaux négocient pour en arriver à une convention collective.

Grève générale à Winni-
peg. L'Association des
vétérans de la grande
guerre protestent devant
le Parlement, le 4 juin 1919.
*Gracieuseté des Archives
publiques du Canada/C48334*

Sortes de grèves

Il y a différentes sortes de grèves : **de zèle** — un refus de faire du temps supplémentaire ou d'exécuter des tâches autres que celles spécifiées à la convention existante ; **rotative** — lorsque certains employés travaillent et d'autres pas ; **de sympathie** — quand des travailleurs non concernés par le conflit, font la grève pour montrer leur appui aux travailleurs impliqués et pour mettre de la pression sur la compagnie afin qu'elle en arrive à une entente ; **sauvage** — lorsqu'elle éclate spontanément, impliquant une partie ou tous les employés, et non sanctionnée par le syndicat.

***Grèves et
lock-outs illégaux***

Une grève est illégale si elle se produit avant la certification du syndicat, pendant les négociations mais avant la fin de la conciliation ou n'importe quand pendant la durée de la convention collective. Un lock-out ou la menace d'un lock-out est illégal en tout temps excepté à la fin de la procédure de conciliation.

Jours de travail perdus
Les grèves font perdre plusieurs jours de travail

Selon une étude de la Société pour le développement de l'économie suisse, le Canada se classe au troisième rang des pays industrialisés pour les jours perdus à cause des conflits de travail. Entre 1975 et 1984, l'Italie a perdu une moyenne de 1 219 jours de travail par 1 000 employés, suivie de l'Espagne avec 1 082 et du Canada avec 788.

Extrait de *Successful Executive*, reproduit avec permission.

L'employeur en grève ou les employés en lock-out peuvent approcher la Commission des relations de travail pour faire déclarer la situation illégale. On peut obliger les grévistes à retourner au travail et un employeur à rouvrir l'entreprise pour permettre aux employés d'entrer. Cette décision peut être imposée par la cour.

PROGRAMMES DE QUALITÉ DE VIE AU TRAVAIL

Ces programmes sont conçus pour améliorer le milieu du travail grâce à la collaboration entre la direction, les employés et les syndicats. Des représentants de ces groupes siègent en comité pour discuter de sujets comme la rotation de tâches et les heures de travail flexibles. Par cette démarche, les employés peuvent jouer un plus grand rôle dans les décisions qui influencent leurs conditions de travail. Le sentiment d'être capable de contrôler les événements amène une plus grande satisfaction au travail.

QUESTIONS DE RÉVISION ET DE DISCUSSION

1. Quelles différences y a-t-il entre les procédures de conciliation, de médiation et d'arbitrage?
2. Décrivez les trois sortes de grèves. Quand les grèves et lock-outs sont-ils illégaux?
3. Que peut-on faire si on pense qu'une grève ou lock-out est illégal?

ÉDUCATION PERMANENTE

La participation aux activités syndicales et aux programmes de mesures antidiscriminatoires et de qualité de vie au travail a augmenté l'implication des travailleurs dans l'établissement du climat de leur environnement de bureau. Cette implication dans la prise de décision amène plusieurs occasions et défis nouveaux.

La technologie a fait du bureau actuel l'endroit de plusieurs changements. Il a fallu à la bureautique cent ans, de 1860 à 1960, pour passer du dactylo manuel à l'invention du dactylo Selectric à bande magnétique d'IBM, permettant l'édition du texte électronique. En comparaison, dans

---

Prendre le temps d'apprendre

Si on m'avait dit l'année dernière que dans l'espace d'un an j'utiliserais non seulement un processeur de texte, mais aussi un micro-ordinateur, je ne l'aurais jamais cru.

Mais maintenant que j'ai reçu le baptême des unités centrales de traitement et des écrans cathodiques, je dois admettre qu'elles simplifient mon travail et le rendent moins ennuyeux. Cela me donne le temps de faire un meilleur travail et d'étendre mes tâches à des domaines que je n'arrivais pas à ajouter à mon horaire l'année dernière.

Le temps est essentiellement ce dont je veux parler — le temps, le programme de traitement de texte, le micro-ordinateur et son apprentissage.

Si vous apprenez au travail, il y a quelques obstacles à surmonter:

- apprendre à utiliser l'ordinateur;
- appliquer ces connaissances à votre travail et;
- accepter que cet apprentissage prenne du temps et soit improductif. Au début, votre capacité de travail va diminuer.

J'ai commencé mon apprentissage de l'informatique en suivant des cours de système d'exploitation (DOS) et de traitement de texte SAMNA. Bien entendu, j'ai dû recommencer à zéro à mon retour au bureau. Mais quel était ce point zéro?

Tiré de *Printout*, par Kathleen McAnish. Reproduit avec la permission du ministère de la Citoyenneté et de la Culture de l'Ontario.

les années qui ont suivi l'introduction du premier processeur de texte en 1964, les changements ont été beaucoup plus rapides et spectaculaires.

Il faut des connaissances pour gérer le changement et augmenter les occasions de prise de décision. Que ce soit pour absorber les changements dans votre travail ou pour postuler les promotions éventuelles, vous devrez augmenter vos connaissances.

Une fois votre objectif de carrière et vos plans à court et moyen termes établis, vous pouvez choisir entre plusieurs options de formation.

Il est possible de participer à certaines ou toutes les activités suivantes :

Lecture personnelle Plusieurs revues d'affaires comme *Commerce*, *Les Affaires*, *Informatique et Bureautique* informent sur tous les aspects du monde des affaires. Vous pouvez vous abonner ou les trouver à la bibliothèque.

Les revues d'affaires sont une source valable d'information.

Séminaires et ateliers De courtes sessions de recyclage durant une heure ou un à deux jours sont offertes par certains employeurs, syndicats et associations de formation professionnelle comme l'Association canadienne de l'informatique et la Société pour la promotion de la science et de la technologie. Ces stages présentent la toute dernière technologie et donnent des occasions d'aborder des sujets comme la gestion du temps, la maîtrise du stress et l'amélioration des habilités en communication.

Études à temps partiel Des cours du soir ou du samedi sont offerts par plusieurs commissions scolaires locales, collèges d'arts appliqués et de technologie, universités et associations professionnelles comme l'Institut canadien des banquiers et l'Institut d'assurance du Canada.

On peut suivre ces cours par intérêt personnel ou pour obtenir un certificat ou un diplôme. Si vous décidez d'obtenir un certificat ou un diplôme pour parfaire vos qualifications, vous devez suivre certains cours obligatoires précisés par l'institution.

Cours et séminaires donnent la formation nécessaire à la maîtrise du changement technologique. *Gracieuseté de l'Université York.*

Certains employeurs défraient les coûts d'inscription en tout ou en partie. Dans certains cas, le cours doit être directement relié à l'emploi pour que l'inscription soit payée.

QUESTIONS DE RÉVISION ET DE DISCUSSION

1. «Dans la société actuelle on ne cesse jamais d'être un étudiant.» Commentez cette affirmation.
2. Quelles sont les options disponibles pour qui veut acquérir plus d'information pour améliorer ses chances d'emploi?

UTILISATIONS

1. Préparez un rapport comparatif des normes du travail dans votre province avec celles qui s'appliquent aux employés sous juridiction fédérale pour chacun des points suivants:

- salaire minimum
- paie de vacances
- congé de maternité
- temps supplémentaire
- cessation d'emploi
- salaire égal pour travail égal

2. Faites un rapport sur les bénéfices disponibles dans la Loi des accidents du travail pour les employés blessés au travail.

3. Expliquez le sens de ce symbole. Faites un sondage dans les entreprises de votre région pour déterminer les mesures prises pour aider les travailleurs handicapés.

Symbole international d'accès, créé par Réhabilitation internationale en 1969

4. Hier au dîner, Carl, Louise et Anne discutaient du problème de trouver une bonne garderie pour leurs enfants. D'après Anne, un employeur devrait assumer une partie de la responsabilité de fournir une garderie adéquate aux enfants des employés. Après une longue discussion, ils ont décidé de préparer une proposition officielle pour le directeur des ressources humaines, demandant la création d'une garderie au travail.

   Sur réception de la proposition, le directeur des ressources humaines l'achemina au comité sur la qualité de vie au travail.

   Comme membre du comité, on vous demande d'aborder les sujets suivants :

   a) Pourquoi devrions-nous tenir compte de cette proposition?

   b) Quels seraient les avantages aux employés et à l'employeur d'avoir une garderie au travail?

   c) Y a-t-il des inconvénients?

5. Après étude de la proposition de garderie, la compagnie aménage une petite installation qui peut accueillir quelques enfants. Vous êtes membre d'un comité de cinq personnes responsables de faire des recommandations sur le fonctionnement de la garderie. Examinez les questions suivantes :
   a) Quelles devraient être les critères d'éligibilité?
   b) Les frais devraient-ils être proportionnels au salaire des parents ou fixes pour tout le monde? Rédigez une réponse à l'attention du directeur des ressources humaines. Justifiez vos réponses.

6. Faites une liste des institutions scolaires de votre région qui offrent des cours commerciaux à temps partiel. Choisissez un cours à votre goût. Décrivez-en le contenu, les exigences d'entrée, le coût et le temps exigé pour le terminer. Qu'est-ce qui ferait choisir ce cours?

7. Feuilletez un journal national ou régional pour trouver un article qui parle d'une grève. Suivez l'évolution du conflit pendant une semaine. Faites un court compte-rendu des principaux litiges. Le compte-rendu devrait comprendre votre évaluation de l'impact de la grève sur les employés, l'employeur et la collectivité.

8. En groupes de cinq, chacun doit tenir le rôle d'un employé de la compagnie décrite plus bas. Répondez aux questions comme cette personne.

   La compagnie compte 325 employés dont 250 sont syndiqués. Jusqu'aux deux dernières années, les ventes de la compagnie étaient le double de son plus proche compétiteur. Depuis, elle a fait face à une compétition croissante. La direction tente d'implanter un fonctionnement plus efficace et productif en automatisant tous les aspects du bureau et de l'entrepôt.

   Une bonne partie des profits de l'année a été mise de côté pour la recherche et le développement de produits. La direction juge essentielle le développement de produits pour maintenir une avance sur la concurrence. La compagnie prévoit des mises à pied éventuelles et des fermetures possibles si le développement n'est pas activement poursuivi.

   Présentement, le prix du produit est légèrement inférieur à celui d'un compétiteur, mais supérieur à celui de deux autres. La direction craint qu'une augmentation des prix rendra le produit plus difficile à vendre.

   Au cours des trois dernières années, l'enveloppe salariale a augmenté de 11 pour cent contre 15 pour cent pour le coût de la vie. Bien qu'habituellement très compétitifs, les salaires actuels sont comparables aux autres entreprises locales. Les bénéfices marginaux incluent un remboursement total des frais médicaux. Les heures de travail sont de 9 h à 17 h avec une heure de dîner et deux pauses de 15 minutes.

Cette année, le coût de la vie a augmenté de 5 pour cent et le syndicat demande une augmentation de 10 pour cent. Les autres demandes comprennent un programme dentaire complet, une semaine de vacances additionnelle pour tous, une sécurité d'emploi pour tous les postes en surnombre et un octroi quotidien de 2 $ à la cafétéria.

Les dernières offres de la compagnie comprennent une augmentation de 3 pour cent, des heures de travail flexibles qui permettraient aux employés de commencer à n'importe quelle heure entre 7 h 30 et 9 h 30 pour une journée de travail de huit heures et le remboursement des cours de recyclage et des séminaires.

Aucune des parties est prête à faire des concessions et on a demandé un vote pour déclencher une grève dans une semaine.

Les travailleurs syndiqués suivants sont impliqués dans les discussions préliminaires au vote de grève. Ils essaient de décider d'accepter les offres de la direction ou de voter pour la grève.

Keith Wong, technicien à l'installation, est un nouveau diplômé d'un collège communautaire et partage un logement avec deux amis. Il magazine pour une nouvelle automobile sport.

Émilie Marcotte, commis au contrôle de la qualité, a deux enfants dont un qui nécessite des soins médicaux intensifs continus suite à un accident. Les comptes sont couverts par le plan médical de la compagnie. Elle a souvent travaillé à l'heure du dîner afin de quitter plus tôt pour amener son enfant à un rendez-vous médical.

Hervé Lacoste, technicien en installation, et sa famille ont emménagé dans leur maison de rêve il y a trois mois. Ils avaient épargné pendant quatre ans pour l'accompte initial. La situation est toujours serrée, mais avec son salaire et celui de sa femme, ils arrivent à joindre les deux bouts.

Serge Beaumont, opérateur de machine, est avec la compagnie depuis 12 ans. Il se rappelle d'une grève de quatre mois où les employés avaient obtenu de la compagnie des concessions salariales importantes de même qu'en bénéfices marginaux. Ses vacances doivent commencer dans deux semaines; sa femme et lui ont réservé des places pour une croisière aller retour le long de la côte de Vancouver à l'Alaska. Serge a un fils et une fille qui étudient tous deux à l'université.

Thérèse Souci, commis au contrôle de l'inventaire, habite chez ses parents, mais prévoit déménager dans son condominium le plus tôt possible. Son père était président du syndicat local jusqu'à sa retraite il y a deux ans.

Mettez-vous à la place d'une de ces personnes et suivez les directives suivantes. Nommez un porte-parole.

a) En groupe, faites la liste des bonnes et des mauvaises offres patronales.

b) Après discussion des offres, tenez un vote pour décider si votre groupe va faire la grève ou non.

c) Présentez et justifiez votre décision en classe.

STAGE EN COMMUNICATION

1. Utilisez votre connaissance des principes de la communication écrite pour corriger les phrases suivantes.
   a) «À ce point dans le temps, on peut seulement présumer que chaque et tous les groupes impliqués dans le projet de qualité de vie au travail vont participer.»
   b) «Vu qu'un règlement ne pouvait pas être obtenu la cause a été donnée à un tribunal indépendant.»
   c) «Chacun de nous a une responsabilité de rapporter les accidents qui se produisent au travail.»
   d) «Les membres du syndicat ont décidé d'accepter les dernières offres de la direction.»
   e) «N'importe qui qui pense avoir été harcelé a le droit de se plaindre.»

2. Écrivez au pluriel :

invalidité	population
procédure	compensation
permission pour absence	

3. Définissez chacun des mots suivants et utilisez-les dans une phrase qui donne leur sens.

ancienneté	défendre
séminaire	conflit
stéréotype	

L'INDUSTRIE BANCAIRE

Les banques aident à gérer l'argent en vendant des services financiers dont le traitement des dépôts et des retraits d'argent, l'offre de coffrets de sûreté et de prêts personnels et commerciaux.

Étant donné que chaque succursale vend les mêmes services, elle se fie aux employés à tous les niveaux pour attirer les clients en offrant un service plus efficace que celui de la concurrence.

La croissance des services bancaires électroniques, comme les guichets automatiques et autres systèmes de paiement électroniques, a diminué la demande en personnel de bureau. Quoique des postes ont été coupés ou réduits à du temps partiel, on y retrouve encore une foule d'occasions d'emploi.

Les banques offrent des postes responsables ou de soutien. Les postes responsables (les dirigeants de la banque) ont le pouvoir d'engager légalement la banque dans des transactions comme des investissements et des prêts.

Au début de sa carrière dans une banque, un individu ne commencera pas comme dirigeant à moins d'avoir l'expérience et l'éducation nécessaires. Même là, la direction de la banque voudra qu'il se familiarise avec la philosophie et les services de son institution et pourra demander qu'il fasse un stage à différents postes. L'exigence minimale est un diplôme d'école secondaire. Toutefois, on préfère un diplôme collégial et/ou une expérience des affaires. Les banquiers doivent être capables d'effectuer rapidement et précisément les calculs de différentes transactions financières. Puisque toutes les transactions bancaires sont traitées électroniquement, une connaissance informatique est à conseiller.

L'Institut canadien des banquiers offre un programme complet de formation pour compléter l'entraînement au travail. Les employés des banques intéressés par les promotions sont encouragés à suivre ces cours. Pour gravir les échelons, vous devez avoir de plus grandes connaissances du travail bancaire de même que des habiletés personnelles incluant des talents en organisation et en communication.

Les gens de la base qui ont de l'avancement se trouvent généralement un champ de spécialisation comme les relations publiques, la comptabilité, les investissements ou le traitement de données.

REPRÉSENTANT AU SERVICE À LA CLIENTÈLE

C'est un poste d'entrée qui demande habituellement un diplôme d'école secondaire. Les habilités interpersonnelles exigées pour ce poste sont les mêmes que pour n'importe quel poste en autorité. La précision, une

* Note: Toutes les carrières présentées dans cette concentration sont également offertes aux hommes et aux femmes.

présentation accueillante et l'habileté à travailler sous pression confirment que vous êtes compétent pour la banque.

Les représentants du service à la clientèle sont habituellement les premiers employés de la banque à rencontrer le public. Ils ont la responsabilité de faire des dépôts et des retraits, de vendre des chèques de voyage, de certifier les chèques, de percevoir les paiements de factures des services publics et d'ouvrir des comptes. Ces représentants doivent connaître tous les produits et services de la banque et doivent pouvoir répondre aux questions d'une façon assurée et serviable. Pour la sécurité et la confidentialité des clients, les procédures de traitement des dépôts et des retraits sont scrupuleusement surveillées. C'est également la responsabilité du représentant du service à la clientèle de trier les retraits et dépôts quotidiens et de les équilibrer.

OFFICIER EN PRÊTS PERSONNELS

Il a la tâche d'accepter ou de refuser les demandes de prêt des clients. Il doit évaluer la solvabilité du client et du profit que fera la banque. L'officier en prêts doit examiner toutes les réponses du questionnaire de demande de prêt d'une façon confidentielle, concernée et compétente.

DÉVELOPPER VOTRE SENS DES AFFAIRES

1. Définissez les mots suivants et utilisez-les dans une phrase qui a trait aux opérations bancaires.

solde	prêt sur demande
traite bancaire	endossement
certification	découvert
nantissement	sécurité
contresigner	titres

2. Résumez l'influence de la technologie sur les méthodes bancaires. (On peut trouver l'information chez les employés de banque, dans la banque de documentation et à l'Association canadienne des banquiers.)

4

PROCÉDURES DE LA GESTION DE L'INFORMATION

CHAPITRE

10

L'ENVOI ET LA RÉCEPTION DE DOCUMENTS ÉCRITS

Après lecture de ce chapitre, vous serez en mesure de:

- Décrire les services actuels de livraison de lettres et de colis.
- Préparer la distribution du courrier.
- Comprendre les procédures pour traiter le courrier reçu.

Chaque jour de travail, une entreprise reçoit et distribue l'information sous forme de lettres de clients, de bons de commande, de relevés bancaires, de chèques, de revues et d'annonces de produits et de services. Pour la bonne marche de l'entreprise, ces articles doivent atteindre la bonne personne aussi rapidement et efficacement que possible.

On doit aborder la tâche du traitement du courrier de façon consciencieuse. Des erreurs dans le déroulement de la distribution peuvent entraîner des retards et même des ventes manquées. Par exemple, les paiements en retard peuvent ajouter des intérêts à la somme totale;

Postes Canada offrent plusieurs services pour aider les entreprises dans la distribution de lettres et colis. *Gracieuseté de la Société canadienne des postes.*

une demande de passeport retardée peut reporter des plans de voyage.

La transmission électronique de messages gagne en popularité et en accessibilité. Toutefois, les moyens traditionnels de livraison de messages vont continuer à desservir les bureaux non automatisés et équipés de matériel incompatible. De plus, envoyer des revues ou des colis électroniquement est un non-sens.

Selon la taille de l'entreprise, le courrier peut être traité par un seul commis de bureau ou par un service organisé à cette fin. Dans une grande entreprise, tous les articles sont livrés à une salle de courrier centrale où le personnel les trie et les distribue aux différents services.

Dans chaque cas, un bureau devrait savoir que Postes Canada offrent le moyen le plus pratique et le plus connu de distribution manuelle de messages et de petits colis.

PRÉPARATION DU COURRIER

Dans la plupart des bureaux, l'employé qui prépare une lettre doit s'assurer qu'elle est signée et accompagné des pièces jointes et que tous les articles sont insérés dans une enveloppe.

L'enveloppe la plus en usage est la n° 10 qui peut contenir cinq pages. Pour de plus gros documents, prenez une plus grande enveloppe.

Après avoir choisi l'enveloppe, tapez l'adresse selon les directives de préparation d'enveloppes de l'annexe 3. Ces directives ont été conçues pour permettre aux trieuses automatiques de séparer le courrier en lisant les adresses. Les enveloppes adressées différemment de cette façon doivent être triées à la main ce qui peut en retarder la livraison.

Les enveloppes doivent être adressées adéquatement pour s'assurer qu'elles se rendent au bon endroit.

```
Madame A. Zélé
175, avenue Hilda
North York, Ontario
M2R 2G5




                              Monsieur J. Brillant
                              142, allée Alex Doner
                              Newmarket, Ontario
                              L3Y 6T9
```

Avant de mettre la lettre dans l'enveloppe, demandez-vous :
- les pages sont-elles propres?
- y a-t-il des écorchures et déchirures?
- la lettre est-elle signée?
- avez-vous conservé une copie?

Si vous êtes certain que la lettre est prête à être postée, pliez-la et mettez-la dans une enveloppe. Les illustrations suivantes montrent la bonne façon de plier une lettre pour qu'elle entre bien dans une petite ou grande enveloppe.

COMMENT PLIER UNE LETTRE

PLIER UNE LETTRE POUR UNE PETITE ENVELOPPE

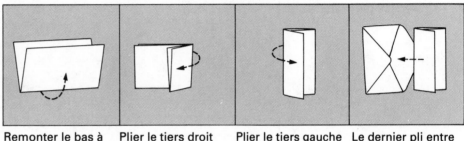

| Remonter le bas à 1 cm de haut. | Plier le tiers droit à gauche. | Plier le tiers gauche vers la droite. | Le dernier pli entre en premier dans l'enveloppe. |

PLIER UNE LETTRE POUR UNE GRANDE ENVELOPPE

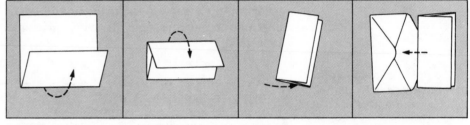

| Plier le tiers inférieur vers le haut. | Plier le tiers supérieur vers le bas. | Tourner le papier pour avoir le dernier pli à gauche. | Le dernier pli entre en premier dans l'enveloppe. |

QUESTIONS DE RÉVISION ET DE DISCUSSION

1. Pourquoi est-ce vital pour une compagnie de bien faire le traitement du courrier?
2. Décrivez les activités à faire pour poster une lettre.
3. Pourquoi Postes Canada ont-ils formulé des directives particulières pour l'adressage d'enveloppe?

COURRIER EN PARTANCE

Il y a plusieurs façons d'envoyer lettres et colis. Votre choix sera déterminé par le contenu de la lettre ou du colis, sa destination, la date où ce doit être reçu et le coût d'envoi.

Service de livraison de lettres

Le courrier première classe comprend le service régulier pour les lettres, les comptes et les chèques. Tout courrier de première classe devrait être scellé.

Les articles de première classe sont envoyés par avion. Postes Canada évaluent le temps de livraison de un à trois jours selon la distance et le fuseau horaire.

Le *courrier express* accélère la livraison. Les articles sont apportés au bureau de postes, traités et livrés à destination par messager. Des frais de service s'ajoutent au prix de première classe.

Un messager livre les articles express pour un service plus rapide.

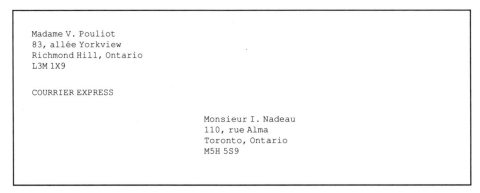

Le service *Poste prioritaire* livre le lendemain dans la plupart des villes canadiennes. Il est semblable aux services de courrier étudiés plus loin et disponible dans les bureaux de postes qui affichent le symbole Poste prioritaire. Ce service inclut la cueillette à votre bureau et sa livraison à destination par messager. Le coût varie selon la destination et le poids de la lettre.

La Poste prioritaire offre un service le lendemain pour lettres et colis. *Gracieuseté de la Société canadienne des postes.*

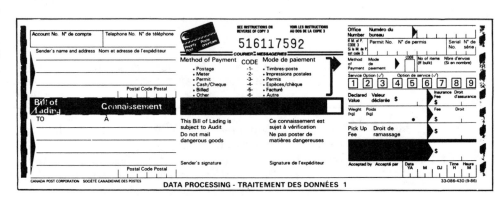

Le *courrier recommandé* donne un reçu comme preuve d'envoi d'une lettre et doit être utilisé avec le courrier première classe. Il y a des frais de service en sus de ceux du timbre de première classe. Quoique les frais assurent pour une certaine valeur, on peut augmenter la couverture au besoin. À la réception, quelqu'un doit signer attestant que l'article a été reçu. On conserve la signature pendant 18 mois et elle est disponible sur demande.

Le courrier recommandé confirme qu'un article a été envoyé.   *Gracieuseté de la Société canadienne des postes.*

```
▼▼▼▼▼▼▼▼▼▼▼▼▼▼▼▼▼▼▼▼▼▼▼▼▼

  ■◆  Canada    Postes
      Post      Canada
                            No.  Nº

  Registration   Récépissé de
  Receipt        recommandation

  To    Name    Nom
  À

        Post    Bureau                        Postal Code postal
        Office  de poste
```

Postal regulations provide that indemnity will not be paid for damage to articles of a fragile or perishable nature. This receipt is necessary if enquiry is desired.		Le règlement des Postes prévoit que l'indemnité ne sera pas payée pour l'avarie d'un objet fragile ou périssable. À produire en cas de réclamation.	
Destination	Fee Paid Droit payé	Init.	Date Stamp / Timbre date
Canada			
United States, its Territories and Possessions États-Unis, leurs territoires et leurs possessions			
Other Countries Les autres pays *(Fixed indemnity of 30 Dollars) *(Indemnité fixée à 30 dollars)			

40-076-426 (10-81)

```
▲▲▲▲▲▲▲▲▲▲▲▲▲▲▲▲▲▲▲▲▲▲▲▲
```

Le *courrier certifié* donne une preuve de livraison. La signature du récipiendaire est automatiquement retournée à l'envoyeur avec copie gardée en dossier au bureau de postes. Il y a des frais de service qui s'ajoutent au coût de première classe.

Les options de livraison de colis

Le choix de service de livraison de colis est soumis aux mêmes facteurs que les lettres. Toutefois, les options sont légèrement différentes.

Le *service de messageries*, aussi connu comme courrier de quatrième classe, est le plus économique et le plus courant moyen de livraison de colis. Des services additionnels comme une preuve de livraison, une assurance et le paiement par le récipiendaire sont disponibles au service de messageries à un coût additionnel.

La livraison prend de un à cinq jours entre les grands centres et jusqu'à dix jours pour les petits centres ou pour le service d'un océan à l'autre.

Il faut un affranchissement de première classe pour un *service de colis première classe* et le poids doit être inférieur à 30 kg. On utilise le moyen le plus rapide de livraison, l'avion ou le camion. Postes Canada prévoient un temps de livraison de un à trois jours entre les grands centres, mais de sept à dix jours pour les petits centres ou pour le service d'un océan à l'autre.

Les colis envoyés
première classe assurent
une livraison rapide.

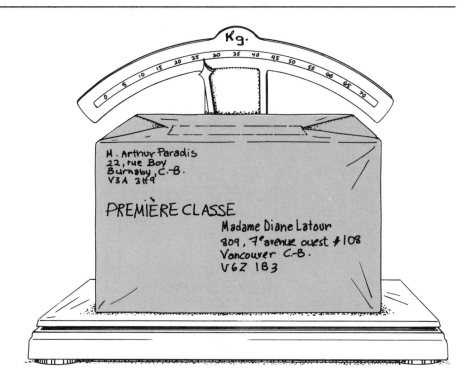

À destination, la *livraison du service express des colis* pesant moins de 30 kg est faite quotidiennement douze heures par jour.

Voici les services additionnels : preuve d'envoi et de réception, assurance et paiement par le récipiendaire.

La livraison prend un à deux jours entre les grands centres, ailleurs de trois à quatre jours.

Poste prioritaire est disponible pour les paquets pesant moins de 20 kg et donne un service le lendemain à presque toutes les villes canadiennes. Les services comprennent : cueillette à l'adresse de l'expéditeur et livraison à destination par messager ; preuve d'envoi et de réception ; assurance.

Services de courrier

Si le temps est un facteur primordial et le coût d'importance secondaire, vous pouvez utiliser un service de courrier privé. Les messageries se spécialisent dans la livraison de porte à porte de lettres et de colis au Canada et à l'étranger. Le coût dépend de la distance et du poids. Habituellement, ce genre de service est plus dispendieux que celui de Postes Canada.

Sur appel à la messagerie, votre lettre ou colis sera cueilli et livré par un camion averti par radio. C'est comme envoyer son courrier en taxi. Quand vous appelez, vous donnez l'information suivante au répartiteur :
- votre nom, compagnie et adresse
- le numéro de téléphone de la compagnie

- la destination
- le contenu
- le poids et la taille
- le nombre de lettres et/ou de colis envoyés
- l'heure où l'article sera prêt pour être cueilli
- l'heure de fermeture du bureau ce jour-là

Les messagers cueillent et livrent lettres et colis.
Gracieuseté de Gelco Express Limitée

RMRS prend d'assaut les salles de courrier

Ernie Stover avait l'habitude de conduire [3,2 km] pour faire remonter sa machine à affranchir.

Aujourd'hui il parcourt [3 218 km] — de La Ronge, Saskatchewan (environ [241 km] au nord de Prince Albert) à Toronto — pour aller chercher ses timbres. Mais maintenant, il le fait plus rapidement, plus efficacement et plus économiquement.

Comment Ernie Stover s'y prend-il? C'est simple. Il prend le téléphone, appelle le centre informatique de Pitney Bowes de Toronto, suit quelques directives «à sûreté intégrée» et attend la voix simulée qui lui donnera un numéro de remise exclusif pour remplir de nouveau son compteur, le tout en 90 secondes. Il tape son numéro avec un stylet spécial en plastique qui accompagne le système de remise à distance du compteur, et sa machine à affranchir RMRS est prête à agir.

Stover est un des 26 directeurs de succursale dans la zone du centre du Canada pour Gaz liquide ICG Ltée, division de la Corporation de Gaz Inter-cité, dont les machines à affranchir ont récemment été converties au système de remise à distance du compteur de Pitney Bowes. Et c'est un pas qui fait faire un bond de géant aux salles de courrier à travers le pays.

Reproduit de *Canadian Office*, mars 1984, avec la permission de Whitsed Publishers.

**QUESTIONS
DE RÉVISION
ET DE DISCUSSION**

1. Quels facteurs influencent le choix des moyens de livraison des lettres et des colis?
2. Expliquez la différence entre livraison express, courrier recommandé et Poste prioritaire avec le service première classe.
3. Pour l'envoi des colis, quelle différence y a-t-il entre livraison express et Poste prioritaire?
4. Quelle information doit-on donner quand on demande une livraison à une messagerie privée?

**MACHINES À
AFFRANCHIR**

Le coût postal dépend du poids de l'article, la distance et le genre de service postal utilisé. Une entreprise à faible volume de courrier peut acheter ses timbres directement du bureau de poste. Toutefois, la plupart des entreprises utilisent une **machine à affranchir**. On peut en louer une de compagnies comme Pitney Bowes qui se spécialise dans la distribution d'équipement de courrier.

Les machines à affranchir sont utilisées pour affranchir et sceller automatiquement les enveloppes en enregistrant le coût d'affranchissement.
Gracieuseté de Pitney Bowes du Canada Ltée.

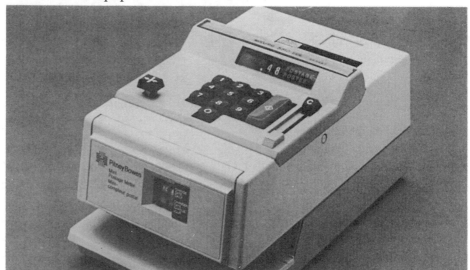

Les entreprises à gros volume de courrier peuvent choisir une machine à affranchir avec des caractéristiques automatiques étendues.
Gracieuseté de Pitney Bowes du Canada Ltée.

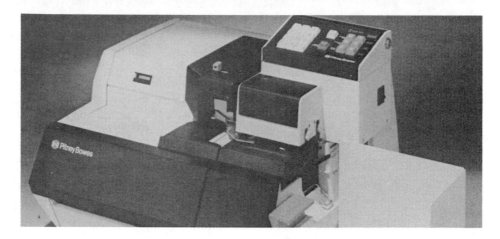

Les systèmes à distance de remise de compteur (RMRS) permettent à l'entreprise d'acheter ses timbres par téléphone.

Lorsque vous envoyez une lettre, réglez l'appareil pour qu'il imprime l'affranchissement exact. Pendant que chaque enveloppe passe au compteur, l'affranchissement et le cachet de la poste y sont imprimés et l'enveloppe est ensuite scellée.

À mesure que les lettres passent dans la machine, l'affranchissement est soustrait du montant total acheté. Celle-ci se verrouille lorsque le montant acheté est atteint. Elle est remise en marche par l'achat d'affranchissement additionnel.

Pour acheter des timbres, un employé doit apporter la machine à affranchir au bureau de poste et le compteur est réglé pour le montant acheté. Quelques machines à affranchir peuvent être remises en marche par **RMRS** (Système de remise en marche à distance du compteur). Pour cela, il faut appeler un numéro central et donner une information particu-

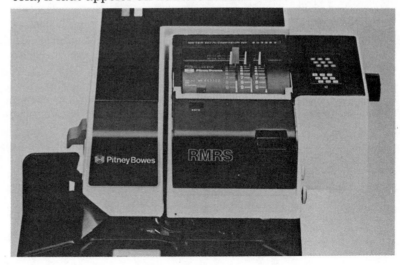

On peut augmenter à distance le montant d'affranchissement de certaines machines à affranchir. *Gracieuseté de Pitney Bowes du Canada Ltée.*

lière. Lorsque c'est fait, la machine est remise en opération. Le coût d'affranchissement est ensuite facturé mensuellement à l'entreprise. L'acquittement d'un paiement et le temps d'un employé épargné rendent le RMRS préférable.

QUESTIONS DE RÉVISION ET DE DISCUSSION

1. Comment l'utilisation de machines à affranchir peut-elle augmenter l'efficacité de l'envoi du courrier?
2. Décrivez deux méthodes d'achat de timbres.

Réception du courrier

La procédure de réception du courrier comprend trier, ouvrir, vérifier le contenu, inscrire la date et distribuer les articles reçus.

Trier le courrier

On devrait vérifier le courrier pour s'assurer que chaque article atteigne sa destination. Il faut envoyer au bon endroit les articles qui ont été mal livrés.

Certains articles sont prioritaires à d'autres et devraient être réglés en premier. Par exemple, un article livré par courrier express est plus urgent qu'une revue ou qu'une brochure de conférence livrées par courrier régulier.

Ouverture du courrier

S'il y a mention «personnel» ou «confidentiel», on n'ouvre pas. Souvent des lettres adressées à une entreprise n'ont pas de nom de destinataire. Ouvrez-les et vérifiez le contenu pour l'acheminer à la personne désignée.

On peut ouvrir les enveloppes à la main ou à la machine automatique.

Ouvre-lettres automatiques Ces machines ont des capacités diverses. Certaines ne peuvent ouvrir qu'un format d'enveloppes insérées individuellement. D'autres acceptent différentes tailles, les introduisent automatiquement, les ouvrent, les empilent et les comptent.

On devrait dater tous les articles sur réception.

ÉQUIPEMENT D'ARTISTE BIENBEAU
28ᵉ RUE OUEST, SASKATOON, SASK. S7L 0L7

19__ 02 22

REÇU,
25 février 1988

Productions graphiques Ltée
1303, avenue Jackson
Saskatoon, SASK.
S7H 2M9

Messieurs ou Mesdames,

Nous vous remercions de l'intérêt pour nos brochures sur notre nouvelle ligne de produits en arts graphiques.

Vous trouverez, ci-joint, une liste de nos produits. Pour aider nos clients à prendre des décisions éclairées, une feuille d'information a été rédigée pour chaque article nommé. Indiquez celles que vous voulez recevoir et retournez la liste dans l'enveloppe fournie. Les feuillets qui vous intéressent vous seront envoyés immédiatement.

Si vous avez des questions sur nos produits, prière de me contacter et j'enverrai un représentant vous rencontrer. Il me fera plaisir de faire affaires avec vous.

Veuillez accepter mes meilleures salutations,

K. De Grandpré

K. De Grandpré
Vice-présidente
Vente et commercialisation

/mb

p.j.

Les ouvre-lettres automatiques peuvent également couper l'enveloppe pour permettre d'enlever le contenu. Un lecteur optique lit l'enveloppe pour vérifier si elle est vide avant de la jeter.

On peut varier la vitesse d'un système automatique pour l'ajuster à la vitesse de l'opérateur.

Lorsque vous devez montrer une lettre, vous devriez utiliser une note de circulation.

GRAPHIQUES COMMERCIAUX LIMITÉE

269, 10e Rue nord-ouest
Calgary, ALB.
T3C 0A9

19__ 07 03

Madame P. Mongrain
32003, route Canmore nord-ouest
Calgary, ALB.
T2M 4J8

Madame Mongrain

Vous trouverez, ci-joint, la facture du travail d'illustration de vos deux dernières publications.

lettre reçue 19_06 15

Comme vous savez, l'épreuve originale a été modifiée après soumission. Dès qu'un article est en phase de production, les modifications de toutes sortes rallongent cette phase. Dans le cas présent, les modifications de l'auteure ont majoré le coût total de notre estimé de vingt pour cent.

L'estimation originale était de 2 109,34 $

Au besoin, je vous fournirai une liste détaillée des modifications demandées.

Veuillez accepter mes meilleures salutations.

A. Hardy

A. Hardy
Président

/vh

p.j.

CIRCULATION — DEMANDE

S.v.p.
- ☒ LIRE
- ☐ RÉGLER
- ☐ APPROUVER

ET
- ☒ FAIRE SUIVRE
- ☐ RETOURNER
- ☐ GARDER OU JETER
- ☐ REVOIR AVEC MOI

Date *14 sept.*

À *P. David*
J. Masson

Vérifiez les articles demandés et rendez-les moi après la dernière personne.

De *K. Marcotte*

Vérification du contenu

Après ouverture de l'enveloppe, vérifiez le contenu. Assurez-vous que les pièces jointes y sont et fixez-les derrière la lettre. On devrait aussi y noter les articles manquants.

Dater

Apposez la date du jour sur le courrier reçu et, dans certains cas, l'heure d'arrivée. La date de réception peut être importante et peut conditionner, par exemple, l'acceptation de demandes pour certains genres d'emploi, de

L'information principale peut être soulignée pour aider le destinataire à traiter le courrier du jour.

MOULURES SUD OUEST

73, rue King ouest
Mississauga, Ontario
L5B 1H5

19__ 05 22

Spécialistes de bureau
380, rue Wellington
London, Ontario
N6A 5B5

Messieurs ou Mesdames,

Nous sommes une moyenne entreprise de fabrication désirant déménager à l'automne dans de nouveaux locaux. Les annonces que nous avons vues montrent que votre organisation peut nous aider dans l'aménagement d'un bureau ergonomique pour nos employés.

Nous évaluons présentement les coûts et procédons à des demandes d'estimés de deux autres compagnies. Pourriez-vous nous envoyer votre estimé pour l'aménagement d'une surface approximative de 1 300 mètres carrés et une liste de prix de tous vos services?

Veuillez accepter mes meilleures salutations.

Luc Leblanc
Luc Leblanc
Président

/mib

---

soumissions rivales en contrats de biens et services, et des paiements de compte.

Distribution du courrier

Si vous travaillez dans une salle de courrier, vous devrez livrer les articles à un service. Il peut y avoir une personne responsable pour ouvrir et distribuer les articles à l'intérieur du service.

Certains articles sont à l'attention d'une personne précise. Ils devraient être livrés à son poste de travail ou à son adjoint. D'autres articles ont de l'information destinée à deux ou plusieurs personnes. Fixez une note de circulation à ce genre de correspondance. Le nom des personnes qui doivent recevoir cet article y sont inscrits avec la mention que l'article doit être lu et remis au suivant.

Présentation du courrier Les membres du personnel aident souvent leurs supérieurs en annotant le courrier avant de le remettre. Pour ce faire, l'employé doit lire la correspondance en soulignant les points importants. Des notes sur des articles connexes peuvent être écrites dans la marge. On peut rechercher des lettres antérieures et les joindre pour consultation. Tout article demandant un suivi devrait être inscrit dans votre fichier de rappel.

Avant de présenter le courrier, placez-le en ordre de priorité. Mettez les articles inscrits «personnel» ou «confidentiel» au-dessus, suivis des articles demandant d'agir rapidement. Les articles de moindre importance devraient être en dessous.

Dès que le courrier est classé en ordre de priorité, on doit le mettre dans une chemise sur le bureau du supérieur à moins qu'il demande de le conserver jusqu'à ce qu'il le demande.

Selon la quantité de courrier reçu, préparez trois chemises titrées «Attention immédiate», «Correspondance courante», et «Information».

On peut garder des dossiers de correspondance pour consultation ultérieure. Le courrier qui n'est pas reçu par livraison ordinaire mais par service spécial de courrier comme une messagerie devrait être inscrit dans un registre de courrier spécial. Par exemple, si IBM a envoyé un colis par les Messageries Purolator Limitée à R. Jourdain aux opérations, l'information serait notée de la façon suivante.

On peut utiliser un registre de courrier spécial livré par messageries.

REGISTRE DE COURRIER SPÉCIAL

Date	Article	Expéditeur	Destinataire
11 Juin 1988	papier	Purolator	R. Jonestone

**QUESTIONS
DE RÉVISION
ET DE DISCUSSION**

1. Pourquoi faut-il fixer des priorités dans le tri du courrier?
2. Comment peut-on utiliser efficacement les ouvre-lettres automatiques? Quelles précautions doit-on prendre?
3. Pourquoi est-il important de vérifier le contenu et d'apposer la date de réception? Dans quels cas doit-on ajouter une note de circulation au courrier ouvert?
4. Décrivez la procédure d'annotation du courrier. Pourquoi est-ce une tâche de bureau importante?
5. Pourquoi est-il important d'arranger le courrier avant de le présenter à un supérieur? Quelles procédures doit-on utiliser?

**TRANSPORT DES
MARCHANDISES**

Dès que des biens sont vendus, ils doivent être livrés à l'acheteur. On peut envoyer les petits colis par la poste ou par messagerie tel que décrit plus tôt dans le chapitre. Les grandes entreprises ont habituellement un service de livraison; toutefois, vous aurez peut-être à vous charger de l'envoi d'articles plus gros.

Voici les moyens de transport: le train, le camion, l'autobus, l'avion et le bateau. Le moyen de transport est choisi selon le produit, le temps de livraison, la commodité, la distance et le coût.

La plupart des moyens de transport ont deux classes de service — régime ordinaire ou livraison express.

**Livraison par
régime ordinaire**

Les articles lourds ou volumineux sont habituellement envoyés de cette façon. C'est le moyen le moins dispendieux et il est disponible par avion, camion, train ou bateau.

Plusieurs marchandises
sont amenées au marché
par train.
*Gracieuseté de Canadian
National*

Le service par régime ordinaire est le moyen de transport le moins dispendieux.
Gracieuseté de Canadian National

Service express

Ce moyen donne un service plus rapide et plus direct quoique plus dispendieux que le régime ordinaire. Il est disponible en avion, en autobus, en camion et en train. Les marchandises express devraient être emballées et adressées de la même manière que les articles postés.

Le choix entre régime ordinaire et express dépend de la situation. Par exemple, un gros ordinateur serait probablement livré par régime ordinaire. Les pièces et les fournitures de l'ordinateur seraient probablement envoyées express. La livraison par régime ordinaire peut en valoir le coût si le travail est arrêté pour quelques jours.

Cargo aérien

C'est le moyen de livraison le plus rapide. En Amérique du Nord, la marchandise arrive à destination le lendemain. La plupart des lignes aériennes qui offrent le cargo aérien disposent d'un service de cueillette et de livraison entre les entreprises et l'aéroport. Ce service est habituellement inclus dans le coût de transport.

Le cargo aérien est rapide et efficace.
Gracieuseté de Air Canada Cargo

Les marchandises se conformant aux restrictions de taille et de poids peuvent être acceptées sur les vols réguliers de passagers. Il n'y a pas de service de cueillette et de livraison pour ces articles.

Rail express

Les petits colis peuvent être envoyés par rail entre les villes desservies. Le service de cueillette et de livraison est disponible. Les envois peuvent être port payés ou payés sur réception.

Camion express

Le transport par camion offre l'avantage de la livraison porte à porte. Ce service est particulièrement utile dans les régions où il n'y a pas de chemin de fer. Plusieurs compagnies de camionnage offrent le service d'entreposage si la livraison ne peut pas se faire immédiatement.

La conteneurisation est un moyen économique d'envoyer des marchandises sur une longue distance.
Gracieuseté de Canadian National

Les prix sont basés sur la taille, le poids des marchandises et la distance. Il y a surcharge pour le service «d'urgence».

Conteneurisation

C'est une méthode d'envoi de marchandises qui utilise des gros conteneurs d'entreposage réutilisables ayant la taille d'une remorque de camion. Ils sont transportés par camion au quai de chargement où on les place sur un bateau, un train ou un avion. Rendu à destination, le conteneur peut être mis sur une remorque de camion pour livraison locale.

La conteneurisation élimine quelques étapes de chargement et de déchargement, diminue les occasions de bris et/ou de vol, et livre efficacement les marchandises aux marchés voulus.

QUESTIONS DE RÉVISION ET DE DISCUSSION

1. De quels facteurs doit-on tenir compte lorsqu'on livre des marchandises au marché?
2. Quelle différence y a-t-il entre le service «express» et celui «de régime ordinaire?»
3. Que veut dire «conteneurisation»?
4. Comment la conteneurisation améliore-t-elle l'efficacité de la livraison de marchandises au marché?

UTILISATIONS

1. Jean Soucy est le nouvel employé de la salle de courrier. Son supérieur ne lui a pas donné beaucoup de directives sur l'organisation de la procédure de distribution du courrier au bureau, mais a insisté sur l'importance de bien la faire. Sur réception du courrier, Jean a tout empilé et a livré chaque article de courrier en commençant par le haut jusqu'en bas. Parce qu'il causait des problèmes dans les services, certains directeurs se plaignaient de cette méthode ce qui contraria Jean qui avait pris la peine de livrer chaque article au bon endroit.

   Quels sont les problèmes créés par cette méthode de distribution? Qu'aurait-on pu faire pour prévenir la situation? Développez un meilleur système de distribution interne du courrier du jour.

2. Étant juré la semaine dernière, le supérieur de Stéphanie était absent du bureau. Pendant son absence, Stéphanie ouvra tout le courrier reçu et répondit aux lettres usuelles tel que convenu. Par erreur, elle ouvrit une lettre marquée «personnel et confidentiel» et la recacheta. Au retour de son supérieur, Stéphanie raconta que la lettre lui était parvenue de la salle du courrier dans cet état sans qu'elle en sache la cause. Son supérieur écrivit une note au directeur de la salle du courrier exprimant son inquiétude pour la négligence de leurs procédures. Stéphanie songea à la possibilité de préparer une note mais ne la posta pas au directeur de la salle du courrier.

   Quelles ont été les erreurs de Stéphanie? Quelles seraient les conséquences de ne pas poster la note? Qu'auriez-vous fait pour mieux contrôler la situation?

3. Lundi le 10 mai, Joanne Didier, directrice de la publicité, est partie pour Halifax afin de faire une conférence à la Fédération canadienne des entreprises indépendantes. Après son départ, on trouva de l'information importante pour sa conférence qu'elle doit être faite le 12 mai à 9 h. Discutez des solutions possibles et justifiez vos réponses.

4. Montrez quelle lettre de la colonne de droite définit le mieux le (les) mot(s) de gauche.

notes de circulation	**a)** affranchissement au destinataire
annoter	**b)** donne une preuve de livraison
personnel	**c)** service donné par les messageries
courrier certifié	privées
courrier recommandé	**d)** souligne les points importants de la
poste prioritaire	lettre
porte à porte	**e)** l'expéditeur paie l'affranchissement
compteur à distance	**f)** donne un récépissé d'envoi
télé-chargement	**g)** exemple de note d'envoi
conteneurisation	**h)** utilisé pour distribution ordinaire dans
cargo aérien	les services
	i) livraison rapide de colis
	j) offre la livraison le lendemain dans la
	plupart des villes canadiennes
	k) façon d'acheter des timbres
	l) peut seulement être posté au bureau de
	poste
	m) élimine des étapes de chargement et de
	déchargement

5. Choisissez le meilleur moyen de livraison pour chacune des situations suivantes. Justifiez votre choix. Conservez vos réponses pour la question 9.

   a) Une copie de votre extrait de naissance exigée pour compléter une demande de passeport. Vous en avez besoin dans six semaines. Un chèque de 10 $ est inclus.

   b) Une lettre de confirmation de réservation d'hôtel à être utilisée dans trois semaines.

   c) Une lettre au bureau de Calgary décrivant les nouvelles politiques de bénéfices marginaux de la compagnie.

   d) Un chèque et une inscription complétée à une conférence nationale qui peut accueillir un maximum de 75 personnes.

   e) Un paiement de services publics qui doit arriver au centre ville pour 9 h demain.

   f) Un réabonnement au magazine Commerce.

   g) Un deuxième avis de paiement à un client pour un compte en souffrance.

   h) Une réponse à une lettre de demande d'une brochure décrivant les services de la compagnie.

i) Des brochures publicitaires sur les services de la compagnie devant être au bureau d'Halifax la semaine prochaine; le poids total est de 10 kg.

j) Plans d'un nouveau centre de traitement de texte pour une compagnie à Red Deer, Alberta. Poids estimé de 3 kg. Le client veut les étudier lors d'une réunion de direction fixée le surlendemain.

k) Matériel d'étalage pour la foire des entreprises canadiennes tenue à Vancouver dans quatre jours. Poids estimé de 31 kg.

l) Envoyer aux gérants régionaux de Winnipeg, Ottawa et Fredericton une copie de la convention collective entrant en vigueur immédiatement.

6. Votre poste dans la salle centrale de courrier consiste à l'ouvrir, le trier et le distribuer aux services. Le courrier d'aujourd'hui contient différents articles adressés à l'entreprise sans nommer une personne ou un service.

Regardez chaque article énuméré plus bas et indiquez le nom du gérant de service à qui vous l'enverriez.

Articles à distribuer
- brochure d'une conférence sur la formation du personnel
- facture demandant le paiement de fournitures achetées
- lettre de plainte sur le mauvais service
- lettre de demande de renseignements sur les nouveaux produits
- chèque de paiement de services
- une revue appelée «PME»
- une brochure de promotion d'un nouveau service publicitaire
- une lettre présentant un nouveau ruban couleur d'imprimante
- les plans d'un nouvel édifice à bureaux pour la compagnie
- des manuels sur les salaires et bénéfices marginaux des employés
- sondage de l'Association canadienne d'emballage demandant des renseignements sur les méthodes d'emballage des produits et les genres de services de livraison utilisés pour expédier les marchandises

Le nom des gérants de services sont énumérés ci-dessous:

Gérants de services
Joanne Beaulieu, ventes
Henry Lebrun, ressources humaines
Pierre Coutu, entrepôt
Marie Leroux, comptabilité
Raymond Caron, bureaux de direction
Suzanne Mathieu, achats
Andrée Comeau, relations publiques

7. Vous avez reçu aujourd'hui ces articles adressés à votre surveillant. Préparez-les pour les présenter selon les catégories suivantes: a) attention immédiate, b) courrier ordinaire et c) information.

Articles reçus

a) document demandant l'autorisation d'achat d'un nouveau photocopieur pour le service

b) une brochure offrant une formation sur les utilisations des logiciels

c) une note sur les nouvelles heures de bureau

d) un sondage sur les tendances actuelles des salaires

e) une demande d'emploi non sollicitée

f) un bulletin hebdomadaire de la compagnie

g) la copie d'une lettre d'un candidat refusé accusant la compagnie de discrimination. L'original a été envoyé à la Commission des droits de la personne.

h) une lettre du ministre du travail demandant des commentaires sur les changements possibles au Code du travail du Canada

i) un renouvellement d'abonnement à une revue

j) l'ordre du jour et les rapports d'une réunion tenue dans trois jours

8. Préparez une liste des coûts actuels des différents services de lettres et colis de Postes Canada. Comparez-les avec ceux d'une messagerie privée. Allez chercher au bureau de poste local une brochure de leurs services et coûts.

9. Avec la brochure de la question 8, trouvez le coût d'affranchissement des articles de la question 5 selon le moyen de livraison que vous jugez le plus adéquat.

STAGE EN COMMUNICATION

Avec un progiciel intégré capable d'activités de fusion du courrier, faites une lettre avertissant les chefs de service de préparer les prévisions budgétaires. Ils doivent justifier chaque demande d'achat de nouvel équipement et d'embauche de personnel. Le coût de chaque demande doit être vérifié. Bien que les prix des fournisseurs peuvent monter, les projections de coûts devraient être aussi exactes que possible. Les prévisions budgétaires finales doivent être soumises pour le 30 novembre.

Les chefs de service sont:

Aimée Béliveau, 78, cour Clearview, New Westminster, C.-B., V3L 2K2

Jacques Parent, 35, rue Sparks, Ottawa, Ont., K2P 7N9

Marie Lapierre, 400, avenue Enniskillen, Winnipeg. Man. R2V 0H1

Henry Gauvreau, 1600, rue Larch, Halifax, N.-É., B3L 4P7

11

LE TÉLÉPHONE : UN OUTIL DE COMMUNICATION

Après la lecture de ce chapitre, vous serez en mesure de :

- Reconnaître et utiliser efficacement les techniques du téléphone.
- Profiter des ressources téléphoniques disponibles.
- Comprendre la façon d'utiliser l'interurbain.
- Vous familiariser avec des services comme INWATS, OUTWATS et ZENITH
- Vous familiariser avec une foule de systèmes téléphoniques et leurs caractéristiques.

Chaque appel reçu par une entreprise est une occasion de faire des affaires. Le demandeur ne veut peut-être qu'un renseignement ou qu'un rendez-vous, mais il peut aussi devenir un client s'il a eu une bonne impression de la compagnie.

Lorsque vous rencontrez un visiteur, l'image que vous projetez dépend,

Chaque jour, le téléphone est témoin de plusieurs transactions d'affaires.
Gracieuseté de Drake International Inc.

entre autres, de votre apparence et de votre langage. Imaginez que le demandeur au téléphone est un visiteur qui se fiera à ce qu'il entend pour se faire une idée de votre entreprise. Ainsi, vous devez répondre rapidement, faire preuve d'habileté verbale et d'écoute active. Par le contrôle du ton et du débit de la voix ainsi que par le choix des mots, vous devez communiquer au demandeur un sentiment de compétence, de cordialité et de sincérité.

Quelques secondes suffisent pour établir ou détruire une relation au client qui soit déterminante. Lors d'un appel, vous avez très peu de temps pour corriger un malentendu qui peut donner une fausse impression. C'est pourquoi neuf clients insatisfaits sur dix vont cesser de transiger avec une compagnie au lieu de se plaindre du mauvais service téléphonique. Un client insatisfait peut, de bouche à oreille, en éloigner plusieurs autres.

BIEN RÉPONDRE AU TÉLÉPHONE

La plupart de nous commençons à répondre au téléphone dès le jeune âge; devenu adulte, c'est presqu'une seconde nature. Les Canadiens ne sont certainement pas étrangers au téléphone. La firme conseil Clarkson Gordon/Woods Gordon rapportait dans l'édition 1986 de *Tomorrow's Customers* que le nombre d'appels faits annuellement au Canada se chiffre à mille par personne, incluant hommes, femmes et enfants. Toutefois, plusieurs figent, bafouillent et cherchent leurs mots lorsqu'ils répondent au téléphone pour la première fois au bureau.

Bien qu'important, répondre au téléphone n'est pas difficile. Voici quelques suggestions pour vous aider à donner une bonne impression de vous et de votre entreprise.

Soyez prêt

Ne pouvant pas prévoir la demande de l'appelant, ayez toujours à la main papier et crayon pour prendre des notes ou des messages. La plupart des entreprises se servent de formulaires pour noter les messages et les commandes.

Répondez rapidement

On fait souvent un lien entre la promptitude et l'efficacité. Répondre à la première ou deuxième sonnerie montre au demandeur que vous vous occuperez efficacement de sa demande. Si vous êtes absent de votre poste de travail, demandez qu'on prenne vos appels ou faites-les transférer à l'endroit où vous travaillez. Soyez prêt à rendre la pareille.

Bien tenir le combiné

On recommande de tenir le microphone à 2,5 cm (un pouce) directement devant la bouche. Cela permet à l'autre de bien comprendre vos paroles sans être distrait par les bruits de fond.

Présentez-vous

Commencez la conversation en nommant le bureau. Cela indique au demandeur s'il a rejoint le bon bureau ou non.

Chaque entreprise peut établir sa propre façon de répondre au téléphone; sinon, voici quelques réponses possibles dans des situations particulières:

Un tableau de standard peut servir à recevoir les appels et les acheminer au service approprié.
Gracieuseté de Northern Telecom Canada Limitée

Le standard central   Si vous prenez les appels d'un standard central, vous pourriez répondre en nommant la compagnie. Identifiez la nature de la demande et transférez l'appel à la personne demandée ou au service le plus apte à répondre à une demande générale.

Le téléphone du service ou du directeur   Si vous prenez les appels d'une personne ou d'un service particulier, vérifiez avec le directeur ses préférences de salutation. Voici quelques possibilités : «Service de la comptabilité, Vincent Barbeau à l'appareil», ou «Bureau de Mme Charette, Jeanne Varin à l'appareil».

Le réceptionniste ayant déjà identifié la compagnie, il n'est pas nécessaire d'en répéter le nom. En vous nommant et en identifiant votre service ou votre bureau, vous rendez la conversation plus personnelle.

Votre téléphone de bureau   Vous ne donnez que votre nom et non celui de l'entreprise ou du service. Par exemple :

«Bonjour, Louise Cantin à l'appareil.»

«Mme Joncas à l'appareil, puis-je vous aider?»

«Éric Chauveau à l'appareil.»

Complétez l'appel

Après vous être nommé, trouvez la raison de l'appel. Vous pourrez régler certains appels; vous pouvez en transférer à quelqu'autre employé ou à un autre service. Vous devriez régler les appels qui relèvent de votre compétence. Sinon, transférez-les à la personne ou au service le mieux qualifié.

Le téléphone à écran est celui en usage par le groupe professionnel de gestion de Northern Telecom à cause de son grand éventail de possibilités. *Gracieuseté de Northern Telecom Canada Limitée*

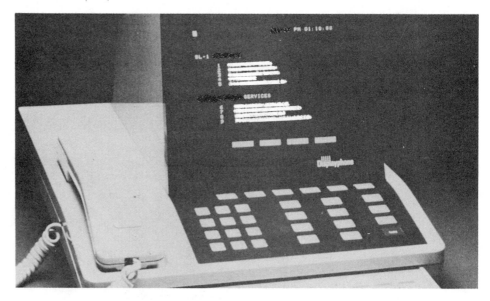

Puisque vous devrez mettre des appels en attente pendant que vous cherchez l'information ou que vous acheminez l'appel, assurez-vous de suivre la bonne procédure en vérifiant le manuel d'utilisation du système téléphonique.

Écoutez attentivement les détails avant de répondre à la question. Si vous n'avez pas de réponse, offrez de retourner l'appel. *Gracieuseté de Dictaphone Canada Ltée. Dictaphone est une marque de commerce de Corporation Dictaphone.*

Soyez attentif afin de bien comprendre la question avant de tenter d'y répondre. Si vous devez quitter votre poste de travail pour obtenir la réponse, dites-le et mettez l'appel en attente. Si vous pensez que ce peut être long, offrez de rappeler. Revenez dès que possible et rétablissez le contact avec le demandeur avant de donner ladite information. Si elle n'est pas aussi facile à trouver que prévu, dites au demandeur que vous le rappellerez aussitôt que vous l'aurez. Ne manquez pas de vous excuser si vous laissez l'appel en attente plus longtemps que prévu. Dès que vous êtes certain d'avoir répondu à toutes les questions, terminez le message avec courtoisie. Laissez au demandeur la chance de raccrocher le premier.

QUESTIONS DE RÉVISION ET DE DISCUSSION

1. Expliquez le sens de l'énoncé «Quand vous discutez avec un client au téléphone, vous ne parlez pas en votre nom.»
2. Quelle est la contribution des bonnes manières au téléphone dans une entreprise?
3. Faites une liste de «conseils pour l'étiquette au téléphone».

GÉRER LES APPELS QUI NE PEUVENT PAS ÊTRE COMPLÉTÉS

Certaines personnes voudront parler à des individus précis. Demandez gentiment le nom du demandeur, placez l'appel en attente, rejoignez la personne demandée et donnez-lui le nom de la personne en attente.

Parfois, il est impossible de placer l'appel immédiatement parce que la personne demandée est déjà au téléphone ou n'est pas disponible. Dites-le au demandeur et donnez-lui le choix de rester en attente, de rappeler ou de faire retourner son appel.

Suivre les appels en attente   Être mis en attente peut être frustrant pour un demandeur car une minute d'attente semble une éternité. Certaines entreprises ont des limites de temps précises qui ne permettent pas de laisser un demandeur en attente plus de 30 secondes à une minute sans rétablir la communication. Rétablissez le contact pour dire que vous acheminez encore l'appel et demandez-lui s'il veut garder la ligne. Cela montre que vous vous occupez de lui.

Prendre des messages   Si l'appelant demande une personne non disponible, offrez-lui de prendre son message. Soyez attentif durant la conversation.

La plupart des entreprises ont des formulaires pour aider à bien recueillir l'information. Bien qu'il faille remplir chaque case, les renseignements les plus importants sont le nom, le numéro de téléphone et l'heure de l'appel. Prenez votre temps. En cas de doute, demandez des précisions. Par exemple, si vous êtes incertain de l'orthographe d'un nom, demandez de l'épeler et répétez le numéro de téléphone s'il y a lieu.

La précision est importante. Un message ou un numéro de téléphone erroné ou illisible est déplaisant et peut faire perdre d'importantes transactions.

N'oubliez pas de demander l'information poliment. Choisissez consciemment vos mots. Assurez-vous que vos demandes d'information ne sont pas des exigences. Des questions comme «Quel est votre nom?» ou «Comment vous écrivez cela?» peuvent paraître brusques ou mécaniques. «Pourrais-je avoir votre nom, s.v.p.?» ou «Pourriez-vous m'épeler cela, s.v.p.?» sont des questions plus agréables.

Si on doit retourner un appel, remplissez bien la formule et vérifiez le nom, le numéro de téléphone et toute autre information pertinente.

Gracieuseté de Hilroy

MESSAGE

Date *9 juin* Heure *11:45*

À *M. Thibodeau*

LORS DE VOTRE ABSENCE

Louis Girard

De *Plastifeel inc.*

TÉLÉPHONE *773-4501*

A téléphoné	✓	Veuillez rappeler	✓
A appelé pour vous voir		Rappellera	
Désire vous voir		Vous a rappelé	

MESSAGE *Votre commande est prête.*

Standardiste *Julie* URGENT ☐

46-524

Transfert d'appels Vous allez certainement recevoir des appels qui sont destinés à quelqu'un d'autre. Vous ne pouvez pas le savoir sans avoir bien écouté la demande de l'appelant. Après quelques transferts de son appel, le demandeur peut se vexer et penser que personne de l'entreprise ne peut l'aider. Vous pouvez satisfaire à sa demande en prenant le message. Si vous devez transférer l'appel, excusez-vous et expliquez-en la cause.

**RÉPONDRE
AUX APPELS
COMPLIQUÉS**

Souvent, vous prendrez des appels qui demandent une bonne dose de patience et de confidentialité. Vous rencontrerez ces situations lorsque la personne demandée est absente du bureau ou ne veut pas prendre l'appel, lorsque vous recevez deux appels en même temps, ou lorsqu'un demandeur en colère se plaint.

Expliquer une absence   Plusieurs raisons expliquent pourquoi les gens d'affaires ne sont pas disponibles pour prendre leurs appels. Ils peuvent être en réunion, en train de visiter un client, assister à une conférence, parler d'affaires avec des collègues ou préparer un rapport compliqué.

Certains demandeurs pensent que les gens ne sont pas disponibles pour des raisons d'évitement ou parce qu'ils ne sont pas en train de travailler. Donnez votre explication de l'absence en évitant de créer une fausse impression.

Par exemple, si la personne s'est absentée de son poste de travail, vous pouvez dire, «Il n'est pas à son bureau présentement. Puis-je avoir votre nom et numéro de téléphone pour qu'il puisse vous rappeler?» Si vous savez que la personne est en réunion ou donne des entrevues, et est prise pour la matinée, l'après-midi ou la journée, dites au demandeur que son appel ne pourra pas être retourné avant la fin de cette période. Des commentaires comme «J'ignore où il est, pouvez-vous rappeler?», «Elle est présentement à sa pause-café», «Il a quitté à trois heures et ne reviendra pas», ou «Il ne veut parler à personne pour le moment» ne sont pas des réponses adéquates.

Si la personne demandée
n'est pas disponible, il se
peut que quelqu'un
d'autre puisse donner la
réponse.

Si vous savez que l'appel sera remis immédiatement, vous pourriez trouver une personne pour s'occuper de la situation. Une question du genre «Quelqu'un peut probablement vous aider?» permet au demandeur de discuter de la situation avec quelqu'un d'autre. S'il le veut et si cela est sous votre responsabilité, vous pourriez régler la question sinon, transférez l'appel à la personne appropriée. Cette approche donne au demandeur une réponse immédiate qui projette une image d'efficacité sur la compagnie et évite de surcharger un autre employé d'appels à remettre.

Répondre à deux appels à la fois   Si vous parlez sur une ligne et qu'une autre se met à sonner, vous devez vous occuper de deux demandeurs sans les offusquer. Le mieux est de rester calme. Si vous vous énervez, vous risquez de fausser l'information et de donner l'impression à un des demandeurs qu'il est moins important. Expliquez la situation au premier demandeur, excusez-vous poliment, placez-le en attente et répondez au deuxième appel. Si le deuxième appel ne demande qu'une courte réponse, réglez-le sur le champ. Sinon, mettez-le en attente après avoir avisé que vous aviez déjà un autre appel à régler ou prenez le message ce qui vous permettra de remettre l'appel dès que possible. Revenez au premier appel. Assurez-vous de les remercier de leur patience et de leur compréhension. La plupart des gens vont accepter d'attendre s'ils savent pourquoi.

Conseils pour avoir un meilleur contact au téléphone

1. Répondez en donnant votre nom et celui de la compagnie.

2. Parlez distinctement et avec assurance.

3. Soyez poli et adoptez un ton aimable même si c'est une mauvaise journée.

4. Dites «Puis-je savoir qui appelle, s.v.p.?» si vous prenez le message. Vérifiez attentivement l'orthographe du nom.

5. Avant de les mettre en attente, vérifiez ce que veulent les demandeurs. Cela ne prend que quelques secondes et est fortement apprécié. Si vous mettez des gens en attente, assurez-vous qu'ils ne peuvent pas vous entendre parler avec les autres.

6. Cherchez à aider le demandeur. Donnez toute l'information possible: numéros de téléphone, courtes explications ou clarifications de procédures. Si vous l'ignorez, offrez de rappeler.

7. Répondez au téléphone dès qu'il sonne. Ceux qui entrent dans votre bureau vous voient travailler; toutefois, ceux qui appellent ne le savent que si vous leur dites. Avertissez-les que vous remettrez l'appel dès que possible et faites-le.

8. Écrivez ce que vous voulez dire avant d'appeler. Au cours d'une conversation, on peut facilement oublier des questions importantes.

Cité de *Stay Ahead With A Good Attitude*, publié par la section des Services de carrière de la main-d'œuvre de l'Alberta et produit en collaboration avec le Comité de la semaine des carrières du Canada, 1984. Reproduit avec permission.

Un appelant en colère C'est celui qui exprime sa frustration devant une présumée injustice. Si vous vous rappelez que ce n'est pas vous qu'il critique, cela vous aidera à contrôler la situation en évitant de répondre de la même façon. Vous pouvez aider la situation en restant calme et en écoutant sans interrompre ou contredire. Faites-lui comprendre que vous êtes intéressé et prêt à trouver une solution. Si l'erreur vient de la compagnie, admettez-le et remerciez l'appelant de vous l'avoir souligné. Faites-lui voir que vous vous occuperez de la situation immédiatement.

QUESTIONS DE RÉVISION ET DE DISCUSSION

1. Que répondez-vous à un appelant qui demande une personne non disponible qui est:
   - à sa pause-café?
   - à une réunion pour la journée?
   - sur une autre ligne?
2. La personne en attente trouve chaque minute interminable. Comment prévenir ce sentiment?
3. Pourquoi se rappeler de l'expression suivante «Il faut deux personnes pour faire une dispute» quand vous parlez à un client?

FAIRE UN APPEL D'AFFAIRES

Les impressions suscitées peuvent abonder dans les deux sens. De même qu'une image se forme par la façon de répondre aux questions, la personne qui reçoit l'appel se fait une impression de l'autre personne qui appelle. Si vous vous expliquez de façon claire et précise, vous projetez l'image d'une personne efficace et professionnelle. Votre appel donnera un meilleur résultat.

Il y a trois étapes à suivre pour faire un appel efficace: a) la planification, b) l'appel lui-même et c) la conclusion. Que l'appel soit local ou interurbain, la procédure est la même quoique les interurbains peuvent être plus compliqués. Ils seront abordés plus loin dans le chapitre.

Planification Fixez le but de l'appel. Écrivez les questions que vous voulez demander et l'information que vous désirez donner à la personne qui appelle.

Vérifiez le numéro que vous voulez appeler. Il se trouve peut-être parmi les numéros fréquemment composés. Sinon, vérifiez l'annuaire et notez le numéro pour usage ultérieur.

Un appel bien planifié vous fait gagner du temps de même qu'au demandeur.

Faire l'appel Signalez soigneusement. Dès qu'on répond et qu'on nomme l'endroit rejoint, nommez-vous et votre compagnie, et demandez ensuite la personne ou le service désiré.

Dans un appel d'affaires, nommez-vous ainsi que votre compagnie en parlant distinctement.

Si vous appelez une petite entreprise sans standard central, vous pourriez dire:

«Bonjour, je m'appelle Simon Lebeau de Location Loubec. Puis-je parler à Catherine Lefebvre?»

Lorsque vous appelez une grande entreprise, vous passerez par un standard central et vous pouvez dire:

«Bonjour, puis-je parler à Catherine Lefebvre?» Ensuite, dès que vous êtes en ligne avec le bon bureau, nommez-vous et votre compagnie et demandez à parler à Catherine Lefebvre.

Il se peut qu'elle réponde et dans ce cas, vous donnez votre nom et celui de la compagnie. Par exemple:

«Bonjour Madame Lefebvre. Je m'appelle Simon Lebeau de Location Loubec.»

Si vous avez déjà eu des transactions avec elle, vous pouvez omettre le nom de la compagnie. Par exemple:

«Bonjour Madame Lefebvre, ici Simon Lebeau.»

Articulez. Une courte pause entre les phrases aide à comprendre ce que vous dites.

Soyez aussi bref que possible, respectez votre liste faite en planification et cochez les articles couverts. La conversation sera ainsi structurée et concise.

La conclusion Dès que les objectifs sont atteints, terminez l'appel en résumant les points importants s'il y avait des renseignements plus complexes. Remerciez en fonction des besoins de l'appel, dites au revoir et raccrochez doucement. Par exemple, «Je vous remercie de ces renseignements. Au revoir.» ou «J'attends de vos nouvelles. Au revoir.»

Lorsqu'il faut laisser un message, assurez-vous de bien articuler vos mots pour aider à communiquer l'information. Pour en être certain, vous pouvez répéter l'information ou demander qu'on vous relise le message.

RESSOURCES TÉLÉPHONIQUES

L'annuaire téléphonique est une précieuse source d'information des affaires et se divise en quatre sections pour faciliter la consultation.

Utiliser l'annuaire téléphonique

Les pages d'introduction donnent les renseignements sur les services de base de la compagnie, les genres d'appels locaux et interurbains, des exemples de tarifs interurbains, les indicatifs régionaux et les numéros téléphoniques d'urgence.

Les pages blanches donnent la liste alphabétique de tous les numéros commerciaux et personnels des circonscriptions locales. Vous trouvez au haut de chaque page le premier et le dernier nom inscrit ce qui aide à trouver celui que vous recherchez. Même si l'adresse n'est pas complète, l'annuaire reste une bonne source de consultation des noms et des adresses.

On donne le renvoi des noms de commerces inscrits à plus d'un endroit. (Cela veut dire qu'on donne un autre endroit où le numéro peut être trouvé dans l'annuaire.) Les commerces sont souvent inscrits en **caractère gras** pour les rendre plus faciles à trouver.

On n'y trouve pas les numéros si le service a été branché après la publication de l'annuaire ou si le numéro est confidentiel. Si vous ne trouvez pas un numéro, appelez l'assistance annuaire.

Les pages jaunes ont une section publicitaire classée des commerces. Ces inscriptions sont regroupées sous des rubriques placées au haut des pages qui décrivent les genres de commerces. Un index de renvoi aide l'utilisateur à identifier la catégorie où se trouve une inscription. Par exemple, l'inscription pour Papier à Lettres montre qu'on peut trouver cet article sous Fournitures de bureau ou Papier à lettres — détaillants.

L'inscription d'un commerce sur une ligne est gratuite à l'achat du service téléphonique. Il y a des frais pour le caractère gras, l'impression en couleurs ou une photographie.

Les pages bleues se situent à la fin de l'annuaire et donnent les inscriptions des gouvernements fédéral, provincial, municipaux et des agences locales.

L'annuaire téléphonique est une précieuse source d'information commerciale.

Utiliser l'assistance annuaire

En signalant 411 pour l'**assistance annuaire**, vous rejoignez ce service de la compagnie téléphonique où un téléphoniste vous trouve un numéro à moins qu'il soit confidentiel. Ce service est payant si le numéro est déjà inscrit. Évitez les frais inutiles en consultant l'annuaire et en gardant une liste des numéros fréquemment composés.

Les appels de téléphones publics ou un appel nécessitant l'assistance d'un téléphoniste échappent à cette politique. Les handicapés et les personnes âgées peuvent également être exemptés de ces frais.

QUESTIONS DE RÉVISION ET DE DISCUSSION

1. Quelles sont les trois étapes d'un appel efficace?
2. Vous faites un sondage sur les échelles de salaire des postes de votre compagnie. Vous appelez Janine Gareau, une de vos connaissances des Industries Colin. Écrivez ce que vous direz si votre appel est pris par:

- le réceptionniste du service de la paie
- un téléphoniste du standard central
- Janine Gareau

3. Décrivez les quatre sections de l'annuaire téléphonique.

4. Quel service est donné par l'assistance annuaire? Dans quels cas les frais sont-ils éliminés?

5. Faites une liste des numéros d'urgence. Servez-vous de l'annuaire. Gardez cette liste pour usage ultérieur.

COMMUNICATIONS INTERURBAINES

Il y a communication interurbaine lorsque vous faites un appel à une région extérieure à la vôtre. Avant de signaler, tenez compte de l'heure de l'endroit où vous appelez.

Le monde est divisé en 24 fuseaux horaires. L'heure de votre zone reste toujours constante. Étant donné que le soleil se lève à l'est, un fuseau horaire à l'est de vous sera une ou plusieurs heures plus tard que votre fuseau horaire alors qu'à l'ouest, ce sera évidemment plus tôt.

Le Canada compte quelques fuseaux horaire. Chaque zone a une heure de différence excepté Terre-Neuve qui a une demi-heure. Dans le tableau qui suit, vous verrez que lorsqu'il est 16 h à Halifax, il est 15 h à Ottawa, Hamilton et Québec et 12 h à Vancouver, Victoria et Kamloops.

Avant de faire un appel interurbain, tenez compte de l'heure et de l'endroit où vous appelez.
Gracieuseté de Bell Canada

CANADA — É.-U.
CARTE DES INDICATIFS RÉGIONAUX

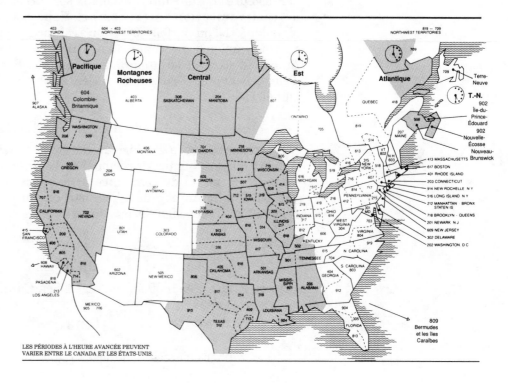

Fuseau horaire	Ville	Heure
Terre-Neuve	St-John's	16 h 30
	Cornerbrook	
Atlantique	Halifax	16 h 00
	Fredericton	
Est	Ottawa	15 h 00
	Hamilton	
	Québec	
Centre	Winnipeg	14 h 00
Montagnes Rocheuses	Edmonton	13 h 00
	Lethbridge	
	Regina	
Pacifique	Vancouver	12 h 00
	Victoria	
	Kamloops	

Le réseau international des systèmes téléphoniques a été divisé en régions géographiques avec attribution de numéros désignés appelés indicatifs régionaux qui servent à faire les appels interurbains.

Plusieurs endroits internationaux sont accessibles par voie automatique de communication interurbaine. Vous commencez un tel appel en signalant «1», ou parfois «0», pour avoir accès à une ligne interurbaine.

Si vous appelez au même indicatif régional, vous ne signalez que le numéro d'accès et le numéro de téléphone. Par exemple, si vous habitez Truro, Nouvelle-Écosse et voulez appeler 884-2956 à Halifax, vous signaleriez :

1-884-2956
numéro de code d'accès

Si vous appelez à l'extérieur de votre indicatif régional, signalez le numéro d'accès, l'indicatif régional de l'endroit et le numéro de téléphone de la personne ou du commerce à rejoindre. Par exemple, pour appeler 772-6435 à Winnipeg de n'importe où au Canada hors de l'indicatif régional 204, vous signaleriez :

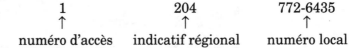

Pour rejoindre 536-1860 à Los Angeles en Californie, à partir du Canada, vous signaleriez :

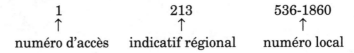

La tarification des appels interurbains tient compte de la distance, de la durée, de l'heure au point d'appel et du genre de service utilisé. L'introduction de l'annuaire fournit les renseignements nécessaires aux communications interurbaines.

Voici la procédure à suivre pour trouver un numéro interurbain:

Si le numéro a le même indicatif régional, composez 411.

Si le numéro a un autre indicatif régional, composez 1 (le numéro d'accès), l'indicatif régional de l'endroit appelé et 555-1212.

Pour un appel outre-mer, composez 0 (zéro).

QUESTIONS DE RÉVISION ET DE DISCUSSION

1. Quelle est l'influence des fuseaux horaire sur les appels interurbains?
2. Qu'est-ce qu'un appel interurbain?
3. Qu'est-ce qui influence le coût d'un interurbain?

GENRE D'APPELS INTERURBAINS

Plusieurs sortes d'appels interurbains nécessitent l'aide d'un téléphoniste. Si vous faites un tel appel, assurez-vous d'avoir l'information nécessaire à portée de la main.

Numéro à numéro: vous composez le numéro et ces appels sont les moins dispendieux. Les frais sont facturés lorsqu'on répond à l'appel, que vous ayez rejoint la personne désirée ou non. Un même appel avec l'aide d'un téléphoniste est plus dispendieux.

De personne à personne: C'est le genre d'appel à faire pour ne parler qu'à une personne précise. Donnez le nom et le numéro de la personne à rejoindre au téléphoniste. Dès que la personne désirée est en ligne, le contact est établi et le calcul des frais commence.

Frais virés: C'est un appel assisté par téléphoniste où la personne qui le reçoit accepte d'en défrayer le coût. Le téléphoniste fait l'appel et demande si les frais sont acceptés. Si la réponse est oui, la communication est établie.

Carte d'appel: Une carte de crédit d'une compagnie de téléphone permet de faire un appel de numéro à numéro ou de personne à personne et de le mettre sur son compte. Composez zéro suivi du numéro que vous appelez. Lorsque le téléphoniste répond, donnez le numéro de votre carte de crédit et la communication sera établie. Les téléphones publics équipés du dispositif de lecture de codes magnétiques pour les cartes de crédit permettent d'établir la communication sans assistance de téléphoniste. Les cartes d'appel servent surtout aux voyageurs qui doivent rester en contact par téléphone.

Troisième numéro: Vous pouvez faire un appel numéro à numéro ou personne à personne et transférer les frais à un troisième numéro. Ce genre d'appel demande l'assistance du téléphoniste. Il faut également qu'une personne au troisième numéro accepte les frais.

La durée et les frais: Si vous voulez connaître le coût d'un appel interurbain, demandez-le au téléphoniste avant de composer le numéro. On note la durée et les frais quand il faut rembourser quelqu'un ou facturer un client.

D'autres services téléphoniques

Au Canada, les compagnies de téléphone offrent plusieurs services d'interurbain qui facilitent les communications d'affaires. On y trouve le service spécial à frais virés, le service hors circonscription et le service interurbain planifié de départ et d'arrivée.

Le service spécial à frais virés, aussi appelé service Zenith, donne la liste des numéros commerciaux des annuaires extérieurs. Voici un exemple de liste **Zenith**:
Industries Mathieu
À partir de téléphones à:
      Bolton
      Palgrave
      Caledon Est
Aucun frais à celui qui appelle
Demandez à l'opérateur le ZENITH 79000

Pour établir la communication, les clients qui veulent utiliser un numéro Zenith doivent passer par un téléphoniste. Il n'y a pas de frais d'appel pour le demandeur. L'entreprise paie des frais pour chaque appel reçu par numéro Zenith.

Le service hors circonscription ressemble au service Zenith. Le numéro de l'entreprise est inscrit dans l'annuaire d'une autre ville et les clients signalent le numéro comme s'il était local sans aide du téléphoniste. Toutefois, l'appel est pris au bureau central qui peut être très éloigné de la provenance de l'appel. C'est comme si l'entreprise avait un prolongement à l'extérieur du bureau central. Les frais incombent à l'entreprise et non au client.

Le service interurbain planifié de départ et d'arrivée (OUTWATS) et (INWATS) agrandit la région locale d'appel. Le service de départ permet de faire des appels extérieurs à un coût modique dans un rayon donné. Le service d'arrivée permet aux clients de l'extérieur d'appeler sans frais les entreprises qui utilisent le service. Les coûts sont facturés aux entreprises abonnées. Ces numéros sont faciles à reconnaître parce qu'ils commencent par 800.

Par exemple, une inscription dans l'annuaire téléphonique de Bolton pour le Collège Seneca (Campus King) d'arts appliqués et de technologie se lit «Signalez sans frais 1-800-263-2060.»

**QUESTIONS
DE RÉVISION
ET DE DISCUSSION**

1. Donnez la différence entre chacune des sortes d'appels suivants:
   • numéro à numéro et personne à personne
   • frais virés et facturer à un troisième numéro
2. Expliquez votre façon de procéder pour faire un appel de numéro à numéro et de personne à personne à (212) 273-6298.
3. Expliquez votre façon de procéder pour faire un appel à frais virés et un autre facturé à un troisième numéro à (419) 778-5034.
4. Montrez trois services interurbains utilisables par une entreprise pour faciliter la communication avec la clientèle.

**ÉQUIPEMENT
ET SYSTÈMES
TÉLÉPHONIQUES**

L'appareil normal est celui à cadran circulaire ou à bouton-poussoir. Bien que suffisant pour exécuter certaines communications d'affaires, même les petites entreprises ont généralement besoin d'un appareil à six boutons qui donnent accès à plus d'une ligne.

Il y a d'abord le bouton de garde. Si vous parlez sur une ligne et devez répondre à une autre ou transférer un appel, avisez l'appelant et pressez la touche de garde. Une autre touche sert à l'intercom. L'**intercom**

Une petite entreprise qui a peu d'appels peut utiliser un appareil à six boutons.

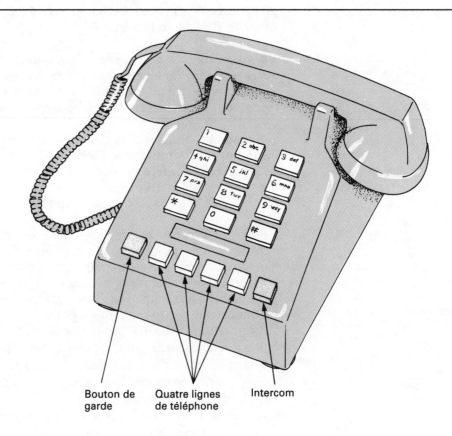

Bouton de garde   Quatre lignes de téléphone   Intercom

permet de communiquer à l'intérieur d'un bureau. On peut s'en servir pour avertir d'un appel en attente.

Si vous voulez appeler, choisissez une ligne disponible en regardant les boutons. Si un bouton est allumé, c'est qu'il y a quelqu'un sur la ligne; s'il scintille, une personne est alors en attente.

L'entreprise n'a qu'un seul numéro à inscrire dans l'annuaire même s'il y a plusieurs lignes. À mesure que les appels arrivent, ils sont transférés sur une ligne disponible. Il y a un signal engagé quand toutes les lignes sont occupées.

Installation d'abonné avec postes supplémentaires

Les petites et grandes entreprises ont un standard central ou une console appelé **installation d'abonné** avec postes supplémentaires ou système PBX pour répartir les appels faits et reçus. Une personne précise reçoit les appels et les dirige au bon service. On peut avoir au besoin une ligne extérieure à partir de la console.

Une **autocommutation privée reliée au réseau public** (PABX) allie à un service de répondeur centralisé (PBX) d'autres caractéristiques comme la **sélection directe à l'arrivée** (SDA) et/ou la **sélection directe au départ** (SDD). La sélection directe à l'arrivée est plus répandue que la sélection directe au départ.

Sélection directe à l'arrivée Cela permet de rejoindre directement une autre personne de la compagnie sans passer par la console. On attribue à chacun un poste à quatre chiffres qui permet de rejoindre une personne en composant l'indicatif central de la compagnie suivi des quatre chiffres du poste.

Supposons que vous voulez rejoindre Pauline Savard des Industries Mathieu dont le numéro est 890-2200 poste 2259. Si vous composez 890-2200, le téléphoniste répondra et vous mettra en communication avec Pauline. Vous pouvez également composer 890-2259 et lui parler directement sans passer par le standard.

Sélection directe au départ Cela permet de composer un numéro extérieur sans passer par le standard en voulant utiliser un numéro d'accès. Vous n'avez qu'à composer le numéro d'accès (habituellement le «9»), attendre le timbre et composer le numéro désiré. Le système PABX permet aussi aux employés d'une entreprise de communiquer entre eux en ne composant que le numéro du poste.

Le système PABX n'élimine pas le besoin d'un téléphoniste central qui demeure nécessaire pour répondre aux appels de ceux qui ignorent le numéro direct ou du demandeur qui veut une information générale ou qui ignore à qui s'adresser. Toutefois, la capacité de faire et de recevoir des appels directement diminue le nombre à traiter centralement. Pour augmenter l'efficacité du système, plusieurs compagnies incitent leurs employés à recevoir et faire leurs appels.

Options sur mesure

Pour faciliter la gestion des appels, les systèmes téléphoniques informatisés ont augmenté le nombre d'options particulières. Ces options sont choisies en fonction du genre d'entreprise et de la quantité d'affaires conclues au téléphone.

Habituellement, on active ces options en tapant une série de codes à l'appareil du poste de travail. Voici les options les plus fréquentes.

Renvoi automatique Si vous n'êtes pas à votre poste de travail ou dans votre bureau et que vous voulez prendre vos appels, on peut les transférer à l'endroit où vous travaillez.

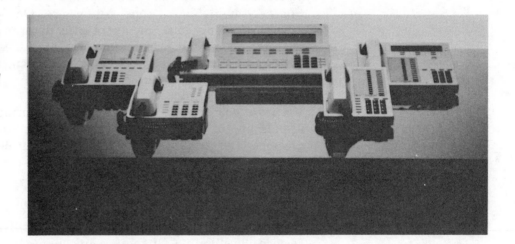

L'ensemble DIGITAL SX-206 offre une grande variété d'options.
Gracieuseté de la Corporation Mitel

Mise en attente Cette option vous donne une deuxième ligne sur le même numéro. Lors d'une conversation, une tonalité que vous êtes seul à entendre vous avertit qu'une autre personne veut vous rejoindre. Cette dernière n'entend que le timbre habituel et attend que vous répondiez. Cela vous permet de compléter le premier appel ou de le mettre en garde ce qui laisse sonner normalement le second appel.

Mémorisateur Si vous composez un numéro engagé, vous pouvez utiliser le mémorisateur qui reste sur la ligne jusqu'à ce qu'elle se libère. Une tonalité avertit la personne que vous appelez qu'un appel est en attente. Quand la ligne se libère, votre appel est acheminé.

Rappel automatique Si vous rejoignez un numéro engagé, vous pouvez composer un code qui permettra de compléter votre appel aussitôt que la ligne se libère. À ce moment-là, le système fait sonner les appareils à chaque bout. Légèrement différente, cette tonalité vous avertit que votre appel a été acheminé. Cette option permet de faire autre chose en attendant l'établissement du contact.

Composition rapide Une mémoire informatique enregistre les numéros locaux et interurbains souvent composés. Cette option fait gagner beaucoup de temps. On peut composer automatiquement ces numéros en mémoire en tapant de une à trois touches au lieu de sept à onze. Vous pouvez aussi conserver le dernier numéro composé dans le cas de ligne engagée.

Appels conférence Cette option permet de réunir quelques personnes dans une même conversation. Dès que la conférence est commencée, d'autres personnes tant à l'intérieur qu'à l'extérieur de la compagnie peuvent s'y joindre sans passer par le téléphoniste. Un *appel consultation* est semblable à l'appel conférence. On peut mettre un appel en attente pour en faire un autre afin de trouver de l'information et, ensuite, revenir au premier appel. Grâce à ces options, l'information nécessaire aux décisions arrive plus rapidement tout en diminuant le nombre de rappels.

Contrôle des appels C'est l'option qui permet de savoir qui fait des appels et qui restreint la composition d'interurbains de certains groupes. Les employés des zones restreintes doivent passer par le téléphoniste pour faire des interurbains réduisant ainsi le nombre d'appels personnels.

Appel chronométré Cela vous permet de chronométrer chaque appel. Experts-conseils, comptables et avocats utilisent cette option dans le service à la clientèle. On facture aux clients le temps passé au téléphone à des activités relevant de leurs dossiers.

Entrée en tiers En cas d'urgence, cela permet d'interrompre un appel en cours.

Confidentialité des données Pour envoyer des données par l'entremise d'un réseau local, on devrait activer cette option avant de les envoyer ou de les recevoir lorsque c'est par accès à une base de données externe ou par utilisation d'un modem. Cette confidentialité met les données à l'abri des signaux comme le mémorisateur ou l'entrée en tiers qui pourrait nuire à leur réception ou à leur envoi.

Options particulières Il y a des appareils pour les handicapés comme l'amplification du volume, l'affichage qui traduit le message en mots pour les mal-entendants et le clavier agrandi pour les handicapés visuels.

Un coupleur acoustique portatif permet aux clients qui utilisent des appareils acoustiques d'utiliser le téléphone à l'extérieur de la maison et du bureau.
Gracieuseté de Bell Canada

Une personne peut appuyer ce larynx artificiel contre sa gorge et produire des mots avec la bouche.
Gracieuseté de Bell Canada

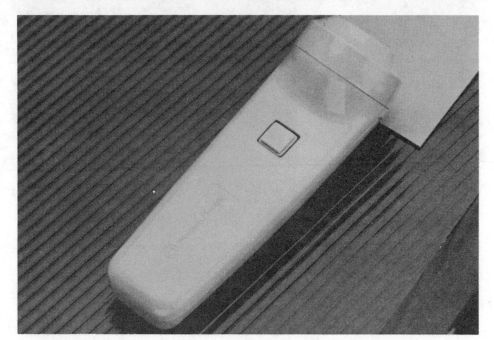

QUESTIONS DE RÉVISION ET DE DISCUSSION

1. Quelle est l'utilité du bouton de garde et de l'intercom sur un téléphone?

2. Quel avantage retire une entreprise d'un autocommutateur privé relié au réseau public (PABX)?

3. On a conçu plusieurs options pour aider à répondre et à faire des appels. Quels devraient être les critères de sélection?

4. Décrivez deux options du téléphone conçues pour faciliter la composition, la réception et le contrôle des appels.

Un clavier agrandi aide les handicapés moteurs et visuels.
Gracieuseté de Bell Canada

Ce téléphone particulier aide les handicapés moteurs incapables de composer et/ou tenir un combiné.
Gracieuseté de Bell Canada

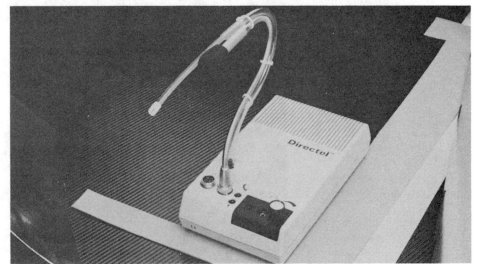

UTILISATIONS
1. Imaginez que vous avez appelé différents bureaux et que vous avez reçu les réponses suivantes. Examinez chaque réponse pour les améliorer au besoin. Justifiez vos modifications.
    a) «Service des ventes, Construction Coiteux, Jean Beaulieu à l'appareil.»
    b) «Gardez la ligne un moment, s.v.p.»
    c) «Bonjour. Qui appelle?»
    d) «Quel est votre nom? Je vais lui dire que vous avez appelé.»

    e) «Il est au dîner. Pouvez-vous rappeler plus tard?»

    f) «Elle passe la journée chez Fabrication Meilleur.»

    g) «Ce n'est pas mon domaine, alors je suis incapable de vous aider.»

    h) «Elle est sur une autre ligne. Je vais vous mettre en attente.»

2. Étudiez la conversation téléphonique suivante. Que suggéreriez-vous à Claude pour améliorer sa technique? Donnez vos commentaires sur l'effet qu'auront ses manières au téléphone sur les relations avec la cliente. À partir de l'information laissée par la cliente, complétez un formulaire de message téléphonique.

CLAUDE   «Bonjour. Service de la comptabilité. Claude Daviault à l'appareil.»

CLIENTE   «Je suis Anne Caron des Intérieurs Superbes. Je veux faire une plainte au sujet de la dernière facture. Je crois avoir été facturée pour des articles que j'ai retournés. Quand allez-vous créditer mon compte?»

CLAUDE   «Zut, je ne fais que remplacer une personne en réunion pour la journée. Je ne sais pas grand-chose des comptes-clients.»

CLIENTE   «Bien, je vais laisser un message et vous pourrez probablement demander à quelqu'un de se pencher sur la question.»

CLAUDE   «Très bien. Votre nom est Anne Côté. Et votre numéro?»

CLIENTE   «Non, c'est Anne Caron.»

CLAUDE   «Ah oui, bien, excusez-moi. Et votre numéro?»

CLIENTE   «895-5528»

CLAUDE   «Je l'ai. Au revoir.»

3. Trouvez les numéros suivants dans un annuaire téléphonique. Notez le nom, le numéro et la section de l'annuaire. Si l'inscription est dans les pages jaunes, notez le nom de la rubrique. Conservez ce travail pour un devoir dans un prochain chapitre.

    a) aide de bureau temporaire

    b) livraison de colis, le plus vite possible

    c) renouvellement du permis de conduire pour les fourgonnettes de livraison de la compagnie

    d) un député local

    e) un service de traiteur

    f) location de machine à affranchissement

    g) une firme privée de personnel pour étudier les candidatures à un nouveau poste

    h) le service de santé

    i) une compagnie de location d'équipement audio-visuel

    j) une firme de comptables agréés

    k) la commission des droits de la personne

     l) un service de courrier

     m) la commission de l'assurance-chômage

4. Cherchez dans votre annuaire un exemple d'inscription pour chacun des genres suivants. Notez le nom, le numéro et la page.

     a) un numéro de ligne 800

     b) une inscription avec renvoi

     c) un numéro Zenith

     d) une grosse compagnie dont les services sont inscrits individuellement

5. Faites une base de données comprenant l'information de la question 3 et les numéros d'urgence des questions de révision et de discussion de la page 245.

6. À partir de l'annuaire, faites une liste des indicatifs régionaux et des fuseaux horaires des villes suivantes :

Sudbury, ONT.	Portage La Prairie, MAN.
Lethbridge, ALB.	Kenora, ONT.
Penticton. C.-B.	Trois-Rivières, QC
Sydney, N.-É.	Corner Brook, T.-N.
Edmunston, N.-B.	Prince Albert, SASK.

7. Vos heures de bureau sont de 8 h 30 à 16 h 30. Quelle est la meilleure heure pour rejoindre les entreprises des villes suivantes?

Medecine Hat, ALB.	Halifax, N.-É.
Cranbrook, C.-B.	Boston, MA.
Swift Current, SASK.	Los Angeles, CA.
Huntsville, ONT.	Dallas, TX
Magog, QC	St-John's, T.-N.
Moncton, N.-B.	

8. En groupes de trois, faites une analyse des entreprises de votre région pour connaître les options téléphoniques, comme le renvoi automatique, qu'elles utilisent ou utiliseront. Laquelle est considérée la plus utile par ces entreprises?

9. Recevant plusieurs appels, souvent de clients mécontents, le service à la clientèle est très occupé. Les quatre employés qui y travaillent reçoivent des demandes de service à l'équipement et doivent traiter les demandes de renseignements sur les dates de livraison de l'équipement et les retours. Le reçu de l'équipement retourné est confirmé par formulaire rempli par un représentant du service à la clientèle.

    Les périodes de 10 h à 12 h et de 14 h à 16 h sont les plus achalandées. Entre les appels, les employés établissent les horaires de service des techniciens à la réparation, remplissent les documents de retour de marchandise et mettent à jour l'horaire de livraison du nouvel équipement.

    Un employé reçoit tous les appels et les répartit à un des trois représentants du service à la clientèle. On a mis sur pied un système équitable de répartition des appels à tour de rôle. Si un représentant est déjà au téléphone ou à l'extérieur du bureau, soit en pause ou pour vérifier une date de livraison, le réceptionniste transfère le prochain appel au représentant suivant de la liste. Il y a deux pauses-café de quinze minutes, une le matin et l'autre l'après midi.

Le système téléphonique comprend une ligne principale et un appareil par employé. On peut mettre un appel en attente, mais les options les plus modernes ne sont pas disponibles. Jusqu'à présent, le système a répondu à la demande et on n'a pas envisagé de le modifier.

Dernièrement, le président a informé le directeur de section d'une plainte de service de leur plus gros client alors qu'il faisait une demande de réparations. Après enquête auprès d'autres clients, le directeur a décelé une même insatisfaction à partir de plaintes sur la difficulté à rejoindre au téléphone le service et la durée d'attente au téléphone. Il a également remarqué une augmentation des appels personnels. Il a donc convoqué une réunion du personnel du service pour trouver une solution à ces problèmes.

En groupe de cinq, nommez une personne pour jouer le rôle du directeur, les quatre autres étant les employés. Pour jouer votre rôle, vous personnifiez les employés décrits plus loin. Élaborez un plan pour améliorer l'efficacité de la division du service à la clientèle. Celui qui joue le rôle du directeur devra présenter et justifier les recommandations en classe.

LE PERSONNEL

Ces employés travaillent dans la division du service à la clientèle: Angèle Dubois, Denis Cloutier, Henri Lachance et Carole Petit.

Angèle Dubois, représentante du service à la clientèle, a occupé différents postes avec la compagnie au cours des six dernières années. Très consciencieuse, elle a été complimentée pour sa façon polie de répondre au téléphone. Elle préfère prendre trois ou quatre demandes de dates de livraison avant de faire des recherches pour les bons de livraison. Elle trouve plus facile et plus rapide de chercher quelques dates de livraison plutôt qu'une seule date à la fois. Cela diminue le temps utilisé pour le déplacement. Elle trouve qu'Henri perd du temps en étirant les appels par des remarques personnelles. À son avis, c'est une façon de se défiler devant le travail. Quand il reste en ligne avec un client, il n'a pas à régler une autre plainte.

Denis Cloutier, représentant au service à la clientèle, est là depuis 21 ans après quatre ans comme technicien de service. Il trouve le rythme du service très affolant. Il étire souvent ses pauses de quelques minutes — ce qu'il juge essentiel pour faire face au stress de l'emploi. Il travaille fort et croit que la compagnie lui est redevable après 25 ans. Quand les autres auront fait le même temps, ils auront aussi droit à quelques privilèges. Il croit qu'Angèle veut sauter son tour normal au téléphone en passant de longues périodes à chercher des dates de livraison. Il trouve aussi que Carole, la réceptionniste, ne respecte pas la liste de répartition. Si elle ne parlait pas si longtemps à son ami, elle pourrait savoir où elle en est. Il a déjà chronométré un de ses appels qui a duré 20 minutes.

Henri Lachance, représentant au service à la clientèle avec cinq ans d'ancienneté, est un père monoparental qui laisse son fils de trois ans aux soins d'une gardienne. Parfois, des problèmes avec son fils le mettent en retard, mais il considère qu'il compense en travaillant pendant l'heure de dîner. Vu la qualité de son travail, le directeur ne tient pas compte de ses retards. Henri est très minutieux dans le traitement des demandes des clients ce qui lui a valu un excellent rapport avec eux. Il croit que ces derniers sont plus heureux si on apprend à les connaître; c'est pourquoi il prolonge un peu ses appels téléphoniques pour parler de sujets sociaux. Il abhorre la paperasse et préfère prendre une minute de plus au téléphone pour confirmer les dispositions au lieu de remplir des formulaires de demande de service et de les envoyer au client. Il prend ses pauses à son bureau et s'en sert pour communiquer avec la gardienne pour prendre des nouvelles de son fils. Il trouve que Denis prend des pauses trop longues.

Carole Petit est réceptionniste depuis quatre ans. Elle répond à tous les appels et les transmet aux représentants du service à la clientèle. Elle s'est fait une liste témoin pour s'assurer de bien répartir les appels. Entre les appels, elle aide avec la paperasse. Son ami est sur l'équipe de l'après-midi depuis deux mois sans savoir pour combien de temps. Pendant la semaine, la seule façon de parler à Carole est de l'appeler au bureau, ce qu'il fait tous les après-midi avant le travail. Pendant qu'ils parlent, si une autre ligne sonne, Carole met son ami en attente pour répondre. Elle trouve que Denis est désorganisé. Il cherche toujours son crayon ou du papier pour prendre un message ou retourner un appel. Il emprunte souvent son crayon et oublie de le lui remettre. Elle ne croit pas qu'Henri soit obligé d'appeler la gardienne deux fois par jour. Habituellement, ses conversations sont inutiles surtout avec son fils. Après tout, ce n'est que du langage de bébé ce qu'il peut faire tous les soirs.

SESSION EN COMMUNICATION

1. En groupes de quatre, concentrez-vous sur l'utilisation de l'écoute active et des habiletés de langage pour répondre et placer les appels suivants. Enregistrez les conversations et utilisez ces enregistrements pour la seconde session en communication.

   Un de vous agira comme adjoint de bureau dans la division du service à la clientèle des Moteurs Martin et prendra les appels. Un autre sera un client qui fait des appels pour demander le coût de remplacement des pièces d'automobile et où on en est dans les réparations d'une automobile qui leur a été laissée. Les deux autres prennent des notes sur la façon dont les appels ont été faits et répondus. Ces notes vont servir de point de départ pour des suggestions d'amélioration de la technique téléphonique des autres membres du groupe. (On devrait placer les étudiants qui font ou reçoivent les appels de sorte qu'ils soient incapables de voir les expressions faciales.)

Aide à l'information

Les clients appellent votre service pour connaître le coût des pièces d'automobile et pour savoir si le travail est terminé sur les automobiles laissées pour réparation. Vous avez en main une copie à jour de l'inventaire qui donne le coût et la disponibilité des pièces de même qu'un dossier de service comprenant toutes les réparations terminées.

MOTEURS MARTIN
INVENTAIRE

Marchandises en magasin

Numéro	Description	En magasin	Coût
0089	Ampoule-intérieur 5 W	12	1,79
0091	Ampoule-phare 10 W	5	26,29
0093	Ampoule-phare 20 W	10	32,97
0094	Ampoule-phare 30 W	8	39,50
0097	Courroie de radiateur 38,10 cm	2	12,98
0099	Courroie de radiateur 45,72 cm	1	16,99
0102	Courroie de radiateur 60,96 cm	3	19,25
0109	Fusible n° 116	13	3,19
0110	Fusible n° 119	16	2,75
0114	Fusible n° 124	9	4,19
0126	Essuie-glace — avant	15	17,99
0129	Essuie-glace — arrière	12	12,38

MOTEURS MARTIN
LISTE D'INVENTAIRE DE L'HORAIRE DE SERVICE
NOVEMBRE 20, 19__

Heure d'entrée	Client	Réparation	Heure de sortie	Coût
8 h	R. Danis (Nissan Pulsar)	freins silencieux mise au point	11 h	259,32 $
8 h 30	H. Pilote (Honda Prelude)	changement d'huile nouveaux essuie-glace	10 h	43 $
9 h	L. Couture (Dodge Caravelle)	phare avant	9 h 45	49,98 $
9 h	T. Savard (Mercury Cougar)	mise au point amortisseurs	12 h	119,12 $
10 h 15	J. Arnaud (Toyota Celica)	fuite du toit ouvrant	12 h 30	78,61 $
10 h 30	T. Saulnier (Pontiac 6000)	rotation des pneus remplacement du démarreur	11 h 15	189,65 $

Le système informatique du service à la clientèle met l'inventaire à jour dès qu'une réparation est terminée. Donc, vous pouvez présumer qu'un travail n'est pas terminé si vous ne trouvez pas le nom.

Il est 13 h et vous revenez de dîner. Votre surveillante, Mlle Louise Meunier, est en réunion à l'extérieur et ne reviendra pas avant demain. Quant au directeur du service, il n'est pas disponible avant 16 h. Toutes les voitures arrivent entre 13 h et 14 h.

Prenez l'identité de chacun des clients suivants qui viennent chez Moteurs Martin. L'information donnée se répartit en deux catégories :

Donnez cette information
Vous donnez cette information normalement en faisant l'appel.

Ne donnez cette information que sur demande
L'information de cette catégorie ne devrait être donnée que lorsque la personne qui prend l'appel pose une question qui demande une réponse concernant les faits suivants :

Nom du demandeur	*Fournissez l'information*	*Seulement sur demande*
L. Couture	«Ma Dodge Caravelle est-elle prête?» Demandez ensuite : «Combien ça coûte?»	votre nom
R. Cantin	«Quel est le coût d'un nouveau phare?»	20 W

	Demandez ensuite: «En avez-vous en magasin?»	
T. Saulnier	Donnez votre nom et demandez le coût. (Vous n'avez permis qu'une limite de 125 $; autrement, le travail ne devait pas être fait.)	Pontiac 6000
W. Picard	«Ma Honda Prelude est-elle prête?» (Vous l'avez laissée à 8 h 30 et elle devait être prête à 12 h.)	votre nom
J. Neveu	Vous avez besoin d'une nouvelle courroie de radiateur.	incertain de la grandeur

2. En groupe, faites une grille d'évaluation des appels faits et reçus.
   Les catégories pour les appels *faits* sont les suivantes:
   a) explication claire de la raison de l'appel
   b) bon usage du langage et de la grammaire
   c) façon de terminer l'appel quand l'objectif est atteint
   d) autres points jugés importants
   Les points retenus pour *répondre* aux appels sont ceux-ci:
   a) façon de se présenter
   b) utilisation du nom de l'interlocuteur
   c) façon de prendre les messages
   d) écoute attentive
   e) utilisation d'un ton de voix poli et courtois
   f) doigté
   g) autres points jugés importants

Demandez à votre professeur d'approuver votre grille. Écoutez attentivement l'enregistrement fait dans le devoir précédent. Évaluez chaque conversation et indiquez si un point a bien été fait ou a besoin d'amélioration.

12

EXPÉDIER ET RECEVOIR DES COMMUNICATIONS ÉLECTRONIQUES

Après la lecture de ce chapitre, vous serez en mesure:

- De décrire l'équipement et les services actuels de télécommunication.
- D'identifier les meilleures méthodes d'expédition électronique de messages.
- D'expliquer l'augmentation de la productivité grâce à l'utilisation des systèmes de courrier électronique.
- De faire une lettre avec les techniques de courrier électronique.

Pour attirer de nouveaux clients et augmenter les profits, des entreprises de toutes tailles ont pris d'assaut les marchés internationaux. Afin de toujours avoir un pas d'avance sur la concurrence, les entreprises dépendent d'une information fiable et récente pour prendre les décisions.

On peut transmettre sur lignes téléphoniques des tableaux, des données, du texte et les sons de la voix grâce aux systèmes de télécommunications.

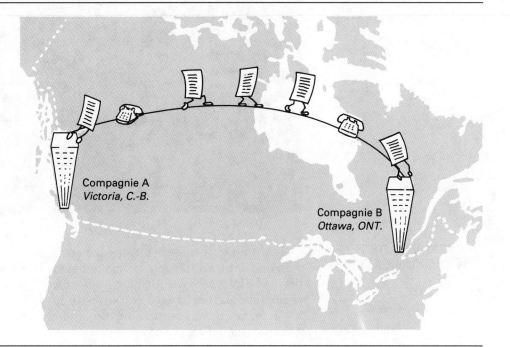

Compagnie A
Victoria, C.-B.

Compagnie B
Ottawa, ONT.

Toutefois, à cause de la grande distance entre une entreprise et ses clients, les services traditionnels de courrier et de téléphone sont incapables de transmettre l'information assez rapidement pour permettre à la direction de profiter des occasions d'affaires potentielles.

Ce désir de communiquer plus rapidement et plus efficacement a accru l'utilisation de la technologie électronique dans la transmission de l'information qu'on appelle «**Télécommunications**» lorsqu'elle est faite sur de longues distances. Les nouveaux systèmes peuvent transmettre les tableaux, la voix, les données et le texte.

Voici quelques compagnies qui offrent ces services de télécommunications: Télécommunications du Canadien National et du Canadien Pacifique (CNCP) et les compagnies téléphoniques comme Bell Canada, Compagnie téléphonique de la Colombie-Britannique, Téléphone du gouvernement de l'Alberta et la Compagnie téléphonique du Nouveau-Brunswick.

Les satellites de communication servent à transmettre des signaux sur de grandes distances. *Gracieuseté du Service des communications, Canada*

SYSTÈMES DE TÉLÉ-COMMUNICATIONS

Il est important de savoir que les documents écrits ne sont pas transmis d'un endroit à l'autre sur les systèmes de télécommunications. L'information est envoyée sous forme d'ondes électriques, sonores, lumineuses ou radiophoniques pour être retranscrite sous forme utilisable.

La forme de transmission dépend du moyen utilisé qu'on appelle médium (média au pluriel).

Les moyens de transmission

Pour envoyer des messages, les systèmes de télécommunication empruntent plusieurs moyens dont les lignes téléphoniques et télégraphiques et les satellites de communication. Ces moyens s'appellent conducteurs parce qu'ils transportent ou conduisent le message. Le genre de données et la distance à parcourir pour arriver à destination influencent le choix du moyen de transmission.

QUESTIONS DE RÉVISION ET DE DISCUSSION

1. Pourquoi une entreprise chercherait-elle des alternatives aux systèmes de courrier et de téléphone?
2. Définissez le mot télécommunications.
3. Décrivez les capacités d'un système de télécommunications.

LE RÉSEAU TÉLÉPHONIQUE

Le téléphone demeure le plus simple et le plus populaire moyen de communiquer un message. L'ajout d'un microprocesseur a rendu cet appareil de communication polyvalent. La technologie informatique permet la transmission de la voix, de données et de tableaux sur les lignes téléphoniques. On peut envoyer et recevoir des messages écrits et oraux de même qu'on peut transmettre l'information d'un processeur de texte à un micro-ordinateur.

Les données sont transposées en signal électrique ou en onde lumineuse transmis par cables téléphoniques. Le réseau téléphonique utilise différents moyens de transmettre les messages dont les cables, les micro-ondes et les satellites.

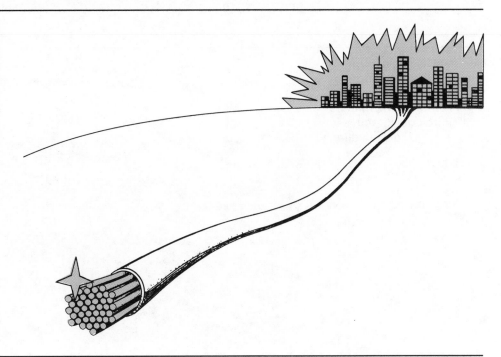

La technologie des cables à fibre optique de la grosseur d'un cheveu permettent une communication claire de la voix, des données précises, en plus de fournir du texte et des illustrations.

Les messages transmis par signaux électriques sont exposés à l'interférence du crépitement ou des voix perçues comme du bruit sur la ligne. Cela peut même faire perdre des données envoyées sur des lignes téléphoniques.

Pour la transmission de données, on préfère les **cables à fibres optiques** qui envoient les messages sous forme d'ondes lumineuses. Étant donné que les ordinateurs envoient et reçoivent l'information sous forme d'impulsions électriques, il faut la traduire en onde lumineuse avant de l'envoyer. Ce sont les lasers qui font le passage de l'impulsion électrique à l'onde lumineuse et vice-versa.

Une transmission **micro-ondes** utilise des ondes radio de haute fréquence qui voyagent dans l'espace d'une station à l'autre jusqu'à ce que les messages oraux ou de données arrivent à destination.

Ce moyen de transmission ne peut servir que sur de courtes distances car les relais ne peuvent pas être à plus de 48 km. Ce moyen est utilisé par les banques qui ont plusieurs succursales dans un rayon restreint.

Orbitant à 37 000 km au-dessus de la terre, les **satellites de communication** servent de postes de relais pour les transmissions à longue distance. Les stations terrestres transmettent la voix, les données et le matériel visuel aux satellites qui les relaient à un autre satellite près du point d'arrivée. Puisque le message voyage au-dessus de l'atmosphère, il n'est pas incommodé par l'interférence électrique qui peut perturber d'autres moyens de transmission.

Les satellites de communication relaient l'information d'une station terrestre à l'autre à proximité de l'endroit où se trouve le destinataire.

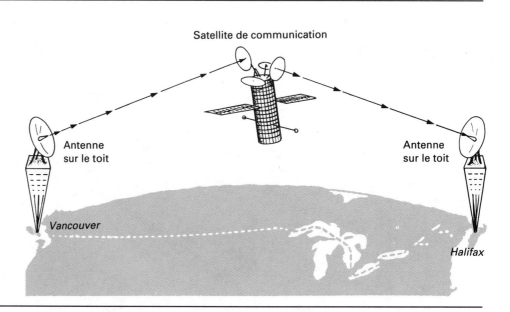

**QUESTIONS
DE RÉVISION
ET DE DISCUSSION**

1. Décrivez les différents moyens de transmission utilisés par le réseau téléphonique.
2. Pourquoi préfère-t-on les cables à fibre optique pour transmettre les données informatisées?

**COURRIER
ÉLECTRONIQUE**

On appelle courrier électronique la transmission électronique de messages par un réseau régional ou par un système de télécommunication. Cette aptitude à communiquer électroniquement à l'intérieur aussi bien qu'à l'extérieur sans envoi de papier rend inévitable la croissance des systèmes de courrier électroniques. L'impact sur les affaires continuera à être spectaculaire. L'attrait d'un tel système s'explique par des coûts réduits d'affranchissement et de travail alliés à une vitesse et à une fiabilité accrues sans compter une productivité et une efficacité améliorées.

Les messages électroniques éliminent le temps perdu par les méthodes traditionnelles en livraison.
Gracieuseté de Télécom Canada

Baisse des coûts Comme il n'y a pas d'envoi de papier, il y a diminution de temps et de travail. Il n'y a aucun besoin de faire des copies, de plier et d'insérer des feuilles dans des enveloppes et de les préparer à l'envoi.

Les coûts d'envoi par courrier électronique sont relativement bas si on les compare aux frais d'appels interurbains et/ou de messageries.

Le numéro de mars 1986 de *Access, Management's Guide to Business and Information Technology* rapporte qu'il n'en coûte que 0,53 ¢ pour envoyer une lettre d'une page de Toronto à Vancouver. Un interurbain de numéro à numéro de trois minutes pendant les heures d'affaires coûte 3,30 $ et 10,35 $ pour un service de courrier prioritaire.

On peut diminuer le coût de transmission des messages non urgents en les envoyant en dehors des heures d'affaires.

Rapidité et fiabilité plus grande Une enquête de 1986 révèle que 75 pour cent de ce qui est tapé est livré dans un rayon d'un demi-mille. Le courrier ordinaire prendrait un à trois jours pour livrer un document alors que l'électronique le fait en quelques secondes. En réduisant le temps de livraison, on accélère la prise de décision.

La confirmation de la réception du message assure qu'il a bien été reçu. Vu que le message paraît à l'écran, il ne peut être incompris comme ce peut être le cas avec les messages téléphoniques laissés sur un bloc-notes.

Les caractéristiques du système de sécurité sont conçues pour empêcher la lecture des messages aux personnes non autorisées. La plupart des systèmes de courrier électronique bloquent après trois essais ratés du code d'accès au courrier.

Productivité et efficacité Un système de courrier électronique élimine la frustration et la perte de temps causées par le jeu du chat et de la souris au téléphone. Une étude pilote de la Compagnie téléphonique de la Colombie-Britannique (BC Tel) a noté une hausse de productivité de l'ordre de 15 pour cent grâce au courrier électronique.

On peut envoyer des messages à toute heure du jour ou de la nuit sans se préoccuper des fuseaux horaires. En autant que vous ayez le bon équipement, vous pouvez activer le système n'importe quand et n'importe où.

Comment fonctionne-t-il?

Un document conservé sur disquette reçoit un nom de fichier pour le récupérer. C'est la même chose pour le courrier électronique où les messages sont conservés dans un ordinateur central pour récupération. Chaque personne utilisant le système se voit attribuer un numéro qui identifie son fichier de messages. Le numéro du destinataire doit être inscrit sur tout message qui lui est envoyé. Les messages sont conservés d'après un numéro de fichier du destinataire.

Les systèmes de courrier électronique appellent **adresse** le numéro assigné à une personne et **casier postal électronique** le fichier des messages. Pour faciliter la communication entre les usagers du système, on publie un bottin d'adresses.

Les messages sont reçus et conservés dans la mémoire du réseau informatique jusqu'à ce qu'ils soient récupérés par le destinataire. La plupart des systèmes de courrier électronique envoient à l'expéditeur une confirmation automatique du message reçu.

De plus, les messages d'intérêt général publiés dans les bulletins de bureau et qui sont affichés au babillard peuvent être conservés au **babillard électronique** du système informatique central de la compagnie. N'importe qui du réseau peut consulter ces messages.

Puisqu'on peut recevoir les messages pendant qu'un terminal fait autre chose, un système de courrier électronique ne perturbe pas le travail courant du bureau.

Le menu principal d'un système de courrier électronique offre plusieurs choix.
Gracieuseté de IBM Canada Ltée

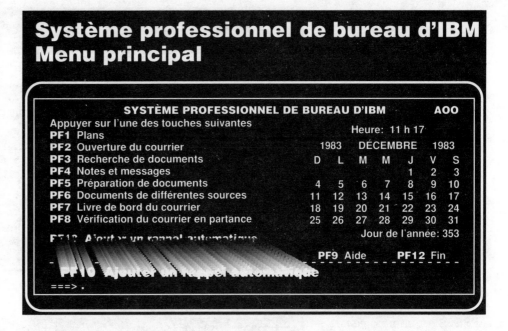

Ce moyen utilise un cadre simple avec les rubriques suivantes à l'écran : la date, le sujet, le nom et l'adresse du destinataire. L'expéditeur complète l'information demandée et entre le message sous les rubriques.

En préparant l'envoi du courrier, l'expéditeur a le choix de l'envoyer à mesure ou de le conserver pour plus tard. On peut aussi envoyer des copies de courtoisie et des circulaires. Les messages prioritaires sont signalés à l'attention immédiate du destinataire.

Réception du courrier électronique

On accède au courrier en prenant contact avec le système tout en donnant le bon mot de passe et l'adresse. Cela permet à un employé d'accéder au répertoire de messages dans le système.

Il ne faut pas être dans un endroit précis pour recevoir un message. Un voyageur en région éloignée peut utiliser un terminal portatif et un modem pour accéder au système.

La première chose qui apparaît à l'écran est le répertoire des messages. Il donne la liste des expéditeurs et des sujets afin de connaître le contenu d'un fichier sans l'ouvrir. On peut choisir ses messages pour vérifier et traiter les plus importants en premier, quitte à détruire ou conserver les autres pour usage ultérieur. On peut aussi en tirer une copie. On peut donner sur-le-champ à l'expéditeur les réponses courtes ou les approbations.

On devrait effacer les messages répondus ou périmés sinon le répertoire deviendra encombré et l'utilisateur pourra manquer un article important.

Envoi de courrier électronique était la rubrique précédant le premier paragraphe du corps de texte.

PROFS facilite l'accès aux documents requis.
Gracieuseté de IBM Canada Ltée.

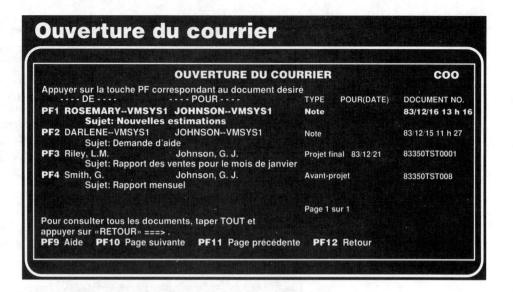

Ouverture du courrier

	OUVERTURE DU COURRIER				COO
Appuyer sur la touche PF correspondant au document désiré					
- - - - DE - - - -	- - - - POUR - - - -		TYPE	POUR(DATE)	DOCUMENT NO.
PF1 ROSEMARY--VMSYS1	JOHNSON--VMSYS1		**Note**		**83/12/16 13 h 16**
Sujet: Nouvelles estimations					
PF2 DARLENE--VMSYS1	JOHNSON--VMSYS1		Note		83/12/15 11 h 27
Sujet: Demande d'aide					
PF3 Riley, L.M.	Johnson, G. J.		Projet final 83/12/21		83350TST0001
Sujet: Rapport des ventes pour le mois de janvier					
PF4 Smith, G.	Johnson, G. J.		Avant-projet		83350TST008
Sujet: Rapport mensuel					

Page 1 sur 1

Pour consulter tous les documents, taper TOUT et appuyer sur «RETOUR» ===> .

PF9 Aide   **PF10** Page suivante   **PF11** Page précédente   **PF12** Retour

PROFS est un progiciel de messages qui peut s'adapter aux besoins de l'entreprise.
Gracieuseté de IBM Canada Ltée.

```
08 août 87      15:48:56     EXPÉDITEUR   LIEN    TERME   ^
Page 1 sur 1
Tableau des avis   ENTRAINEUR BÉNÉFICES NETS

Catégories
 1 INTRODUCTION
 2 ORIGINE
 3 GUIDE
 4 NOUVELLES
 5 RÉPERTOIRE DE PASSAGE
 6 RÉPERTOIRE PERSONNEL
 7 TABLEAU DES AVIS
 8 PROFIL
 9 MESSAGES
10 ESPACE DE TRAVAIL
11 ÉDITEURS
12 FORMES
13 DONNÉES SUR LES RÉUNIONS
14 FOURNISSEURS DE SERVICES

Liste (sujet)    - Rechercher Tableau des avis   Affichage   - répertoire de l'index
Accès (service)  - connexion du service          Origine     - menu principal
Avis 13
```

Systèmes de courrier électronique

Après avoir décidé d'introduire un système de courrier électronique dans sa stratégie de communication, une entreprise doit décider de la façon de l'organiser. On a le choix de monter son propre système interne ou d'acheter le service d'une firme spécialisée dans les services publics de courrier électronique. Le choix judicieux dépend de la taille de l'entreprise et de la quantité de messages à envoyer.

Systèmes adaptés

Pour qu'un système adapté serve une entreprise, il lui faut une unité centrale ou un puissant mini-ordinateur ou micro-ordinateur capable de traiter, de répartir et de conserver les messages. Il faut également un système de réseau local pour y joindre tous les terminaux.

Un progiciel, probablement dispendieux à l'achat, est essentiel au fonctionnement d'un tel système adapté de courrier électronique. On achète souvent des progiciels commerciaux adaptés aux besoins particuliers de communication d'une entreprise. Le Système professionnel de bureau, le **PROFS**, est un de ces logiciels de IBM qui permettent de produire des données et des tableaux.

Ces systèmes donnent un service de communication privé à l'intérieur de l'entreprise. Ils sont utiles pour les compagnies ayant un potentiel informatique et pouvant s'offrir le logiciel indispensable au fonctionnement du système. Habituellement, seules les grandes entreprises possèdent l'équipement et ont un volume assez élevé de messages pour justifier la dépense occasionnée par l'installation d'un tel système de courrier électronique.

Services publics

On peut acheter les services de courrier électroniques des sociétés publiques qui fournissent la capacité informatique et le logiciel nécessaires pour créer, envoyer, recevoir et conserver les messages. Les abonnés sont facturés mensuellement pour l'usage de ce service.

Il y a trois principaux services publics de courrier électronique au Canada. Ils sont a) **Envoy 100** de Télécom Canada, b) Services électroniques de bureau (EOS) de Télécommunications CNCP et c) Courrier électronique Immedia de Immedia Telematics. Le plus gros de ces services est Envoy 100 qui comptait 32 000 abonnés en janvier 1986 avec une croissance de 15 pour cent par mois. Dès qu'ils seront intégrés en un seul réseau disponible aux abonnés quel que soit le système, il y aura une croissance spectaculaire des services de courrier électronique.

Un service public de courrier électronique est pratique et ne demande pas aux abonnés d'investir de grosses sommes d'argent pour être capable d'envoyer ou recevoir du courrier électronique. L'expéditeur n'est pas obligé d'avoir un équipement compatible avec celui du destinataire en autant qu'ils soient reliés par un modem.

Même ceux qui ont leur propre système interne peuvent s'abonner aux services publics de courrier électronique pour pouvoir communiquer avec le monde extérieur. International Business Machines (IBM) utilise un service public de courrier électronique pour envoyer l'information à son réseau de concessionnaires. Non seulement y a-t-il économie en temps et en coût de livraison, mais en plus, tous les concessionnaires reçoivent l'information en même temps. Les systèmes publics se limitent à transmettre les données alors que les systèmes internationaux traitent les données et les tableaux.

Les services publics de courrier électronique sont accessibles aux abonnés qui ont un modem et un terminal.
Gracieuseté de Télécom Canada

QUESTIONS DE RÉVISION ET DE DISCUSSION

1. Quelle différence y a-t-il entre un service de courrier électronique et un service traditionnel de courrier?
2. Quels avantages une entreprise peut-elle tirer de l'utilisation d'un système de courrier électronique?
3. Décrivez le fonctionnement d'un système de courrier électronique.
4. Quelle différence y a-t-il entre un système adapté et un service public de courrier électronique?

AUTRES MOYENS DE TRANSMISSION

Le courrier électronique donne au destinataire le message sur logiciel. D'autres formes de messagerie électronique fournissent un message écrit ou verbal. Ce sont les télécopieurs, les **télex** ou **télétex** à impression et les **messageries vocales** avec message oral.

Télécopieurs

Certains types d'entreprises doivent partager des documents écrits tout en ayant besoin d'une distribution très rapide de l'information. Les télécopieurs (FAX) sont des appareils qui peuvent prendre l'information

À partir des données reçues électroniquement, un télécopieur peut produire une copie conforme.
Gracieuseté de Pitney Bowes du Canada Ltée.

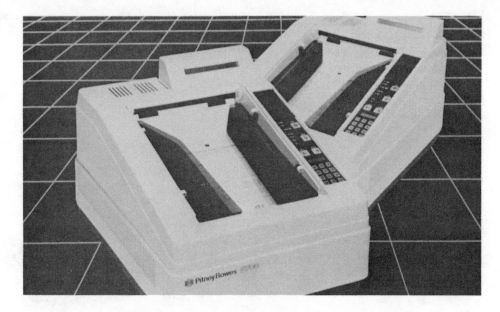

écrite d'un document et la transmettre à destination où sera reproduite une copie conforme. Un fac-similé de télécopieur est la reproduction ou la copie conforme de quelque chose. Les services de police font un grand usage des télécopieurs pour envoyer des copies de photographies et d'empreintes digitales. Également, les firmes d'ingénieurs et d'architectes s'en servent pour envoyer des dessins compliqués de même que les grandes entreprises pour communiquer avec leurs succursales.

Par exemple, General Motors Acceptance Corporation (GMAC) transmet par télécopieur l'information de demande de crédit entre le siège social et les concessionnaires. Le télécopieur reproduit la demande du client accompagnée de son histoire de crédit et de la signature autorisant immédiatement l'enquête de crédit.

GMAC évalue à dix minutes le temps requis par deux personnes pour remplir au téléphone une demande de crédit. En utilisant le télécopieur, on peut en traiter le double dans le même temps. L'économie en salaire a défrayé le coût des appareils pour une durée couvrant 18 à 24 mois.

De plus, la précision de l'information est d'un niveau supérieur à celui obtenu au téléphone en remplissant le formulaire manuellement.

La Corporation de recherche Evans de Toronto juge qu'en janvier 1986, il y avait 32 000 télécopieurs en usage au Canada.

Comment fonctionne un télécopieur? Son fonctionnement ressemble à celui d'un duplicateur. On met le document sur un plateau d'entrée qui est ensuite lu par un faisceau lumineux. La réflexion du document est projetée dans un appareil qui transforme la lumière en signal électrique. Lorsqu'on

Un document est lu par faisceau lumineux et changé en signal numérique pour être ensuite transmis.

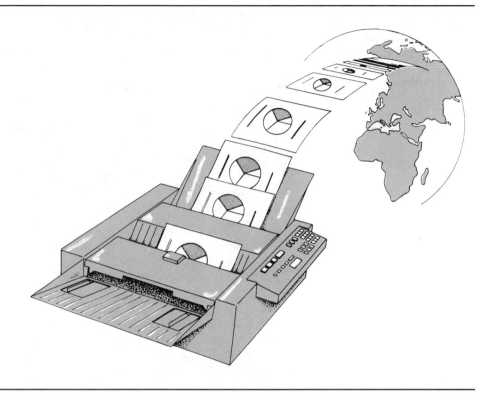

compose le numéro de téléphone à sept chiffres du destinataire, le signal électrique se rend par le système de télécommunication. Un télécopieur reçoit le signal électrique et produit une copie conforme. Selon l'équipement utilisé, le temps de transmission varie de quinze secondes à six minutes.

Un répertoire de télécopieurs incorporé produit semestriellement un annuaire des numéros de téléphones des télécopieurs. Cela facilite aux usagers la communication en donnant accès à un réseau mondial comptant plus d'un million d'appareils.

Caractéristiques du télécopieur Quoiqu'il y ait différents fabricants, les télécopieurs ont des caractéristiques semblables :

- Une capacité de transmettre du texte et des tableaux.
- Des dossiers d'activité imprimés pour identifier l'expéditeur, l'heure et la durée de l'appel.
- Un appareil de détection des erreurs qui avertit le destinataire des problèmes ou des erreurs de transmission.
- Des caractéristiques de communication vocale qui permettent tant à l'expéditeur qu'au destinataire d'envoyer un signal afin que l'autre

Le bottin officiel des télé-
copieurs donne accès à un
réseau mondial d'usagers.
*Gracieuseté de FAX Directory
Inc. éditeurs de: The Official
Fax Directory*

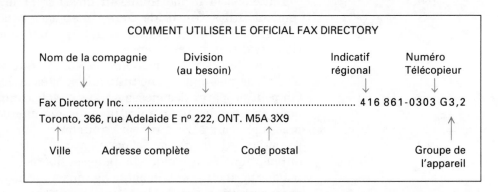

COMMENT UTILISER LE OFFICIAL FAX DIRECTORY

| Nom de la compagnie | Division (au besoin) | Indicatif régional | Numéro Télécopieur |

Fax Directory Inc. .... 416 861-0303 G 3,2
Toronto, 366, rue Adelaide E n° 222, ONT. M5A 3X9

| Ville | Adresse complète | Code postal | | Groupe de l'appareil |

puisse prendre ensuite le combiné. Cela permet de discuter du document et de demander une retransmission.

La technologie permet désormais d'intégrer le télécopieur aux autres appareils de bureau, en plus d'améliorer la qualité de reproduction graphique.

Intégration de la technologie   Certains télécopieurs ont un disque dur intégré capable de conserver six cents pages de texte. On peut transmettre ces données ou les conserver pour usage ultérieur.

On relie souvent un télécopieur à un ordinateur pour recevoir, imprimer et transmettre l'information. Cela a l'avantage, par exemple, de conserver les formulaires d'affaires sur un appareil et les utiliser au besoin. On peut créer de nouveaux formulaires et les envoyer aux succursales par télécopieur. On élimine les étapes intermédiaires de préparation et d'impression sur un autre appareil avant l'envoi par télécopieur.

Il n'est pas toujours obligatoire d'envoyer l'information à un autre télécopieur. On peut l'envoyer directement à un ordinateur qui la conserve pour usage ultérieur.

Meilleure qualité de reproduction   Traditionnellement, les télécopieurs ne produisaient qu'en noir et blanc. Toutefois, on obtient des images de meilleure qualité avec l'option de «teintes de gris» qui en donne 16 nuances. Au lieu de n'utiliser que le noir et blanc, des teintes de gris donnent l'impression d'une variation de couleurs.

Télex   Le télex est la plus ancienne et probablement la plus familière forme de messagerie électronique. Quoique ses limites le rendront finalement désuet, sa popularité s'explique par de nombreux terminaux télex à travers le monde. Sa lenteur de transmission, ses imprimantes bruyantes et l'usage obligatoire de majuscules sont des inconvénients. Le produit fini est un texte continu sans coupure. On peut abréger ou tasser les mots pour réduire la durée de transmission.

De plus, vu que les télex traditionnels ne disposent que d'un clavier et d'une imprimante, il est plus difficile d'éditer une copie avant de la transmettre.

Toutefois, la forme finale du message et le fonctionnement du télex rendent utiles l'envoi de courts messages comme l'information sur les changements de prix, la confirmation d'une commande ou d'une estimation, les directives aux vendeurs.

Les systèmes modernes ont des écrans qui permettent de préparer et d'éditer le message avant transmission, et de le conserver à la réception. On peut préparer des messages, les envoyer immédiatement ou plus tard pour profiter des heures de transmission moins dispendieuses. Le même message peut être envoyé à plusieurs personnes. Si le terminal de réception est en usage, le message peut être mis en attente et envoyé automatiquement lorsque la ligne est libérée.

Pour permettre aux usagers de conserver des numéros et de les utiliser en composition rapide, le télex détient une caractéristique semblable à celle de la composition rapide du téléphone.

Les télex peuvent conserver les messages et les envoyer quand la ligne est libre ou au moment fixé.
Gracieuseté de CNCP

Télétex

Il s'agit ici d'un autre service de courrier électronique qui utilise les processeurs de texte, les dactylos électroniques et les micro-ordinateurs. À cause de sa flexibilité avec le système et l'équipement télex, on l'appelle souvent le «super télex.»

On peut envoyer et recevoir des documents pendant qu'on en formate d'autres à l'écran. On peut envoyer les messages à plusieurs endroits à la fois ou les conserver pour un envoi ultérieur.

Les formats habituels de correspondance peuvent être transmis, y inclus les majuscules et les minuscules.

Messagerie vocale

Plusieurs personnes équipent leur téléphone d'un répondeur. Aussi connu comme courrier vocal, la messagerie vocale est un type sophistiqué de répondeur reliant le service téléphonique à l'informatique.

On laisse un message en composant un code numérique pour rejoindre l'ordinateur. Avant de le laisser, donnez le numéro de téléphone du destinataire, l'heure de livraison et l'ordre de priorité. L'ordinateur change la voix en signal numérique pour le conserver.

Le destinataire compose un code pour rejoindre l'ordinateur et demande s'il y a des messages. S'il y en a, ils sont changés en sons pour être relayés.

Cela ressemble beaucoup à un système de courrier électronique, excepté que les messages sont envoyés et reçus oralement par téléphone au lieu d'être transmis visuellement par un logiciel à écran. Il y a des mots de passe de sécurité pour assurer la confidentialité et on peut envoyer les messages à plusieurs personnes.

Un voyant sur le téléphone du destinataire montre qu'il y a un message en attente. C'est un avantage majeur sur le système de courrier électronique où le destinataire doit vérifier pour savoir s'il a un message.

Plusieurs préfèrent la touche personnelle de la voix. Le système est plus facile d'emploi que n'importe quel système de courrier électronique. On n'a pas besoin de taper le message et on n'a pas à se conformer à des directives à l'écran pour engager le programme. De plus, il élimine la dépense encourue pour un terminal et un clavier; tout se fait à partir du téléphone. On prévoit que la messagerie vocale gagnera en popularité et sera grandement utilisée.

Présentement, le coût de la messagerie vocale est prohibitif pour l'usage qu'on en fait dans les entreprises. La conversion du langage de sa forme analogique normale à un format numérique informatique prend jusqu'à sept fois plus d'espace que le texte. Plus il faut de l'espace, plus dispendieux est le système informatique.

QUESTIONS DE RÉVISION ET DE DISCUSSION

1. Quel genre de service donne un télécopieur? Quel genre d'entreprise en profiterait?
2. Décrivez le fonctionnement d'un télécopieur?
3. Quelles sont les caractéristiques spéciales de la plupart des télécopieurs? Comment peut-on les intégrer à la bureautique?
4. Pourquoi une entreprise préférerait-elle le télétex au télex?
5. Discutez brièvement de l'énoncé «Au cours de la prochaine décennie, la messagerie vocale deviendra la forme la plus courante de transmission électronique.»

SYSTÈMES INTÉGRÉS DE LIVRAISON

L'implantation des systèmes de communication électronique est en évolution. Les entreprises ont admis les avantages de la communication électronique mais n'ont pas toutes le même équipement en quantité égale. Même si une compagnie a un équipement électronique, cela ne veut pas dire que son destinataire en a qui soit compatible. Toutefois, on peut surmonter ce problème en achetant divers services.

Genres de service disponibles

Les services traditionnels de livraison comme Postes Canada, CNCP, Télécom Canada et les différentes messageries offrent des services qui allient méthodes manuelles et électroniques de communication. Dans certains cas, ces organismes travaillent ensemble pour donner un service.

Accès

C'est un service international de communication de CNCP qui permet aux entreprises qui ont différents équipements de s'échanger l'information. Il utilise le réseau mondial télex qui permet au télex, au télétex, aux machines de traitement de texte et aux micro-ordinateurs de communiquer entre eux.

Puisque l'information est tapée par un opérateur de l'entreprise émettrice et transmise à travers le système Accès, les possibilités d'erreur sont réduites. L'information reçue est exactement celle qui est envoyée.

Voici les caractéristiques:

- On peut envoyer les messages en français ou en anglais.
- Les options «conserver» et «envoyer» sont disponibles. On peut envoyer les messages à un moment précis comme la nuit alors que les tarifs sont plus bas. Si la ligne réceptrice est engagée, on peut retenir le message et le renvoyer aussitôt qu'elle se libère.
- Un service de casier postal électronique permet de recevoir les messages et de les conserver pour usage ultérieur.
- La confirmation complète de réception inclue l'heure, la date, le titre du message et donne l'adresse du terminal du destinataire.
- L'adressage collectif permet d'envoyer simultanément des messages à différentes adresses.

Accès est un service international de communication offert par CNCP.
Gracieuseté de CNCP

Avec Accès, des gens qui ont de l'équipement différent peuvent communiquer entre eux.
Gracieuseté de Doug Hall

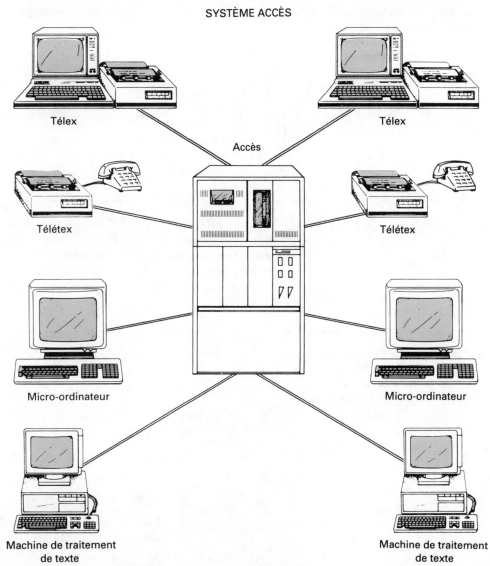

SYSTÈME ACCÈS

Télex

Télex

Accès

Télétex

Télétex

Micro-ordinateur

Micro-ordinateur

Machine de traitement de texte

Machine de traitement de texte

INTELPOST

INTELPOST veut dire Service postal électronique international et est un service public de Postes Canada. Il joint la transmission de documents télécopiés avec n'importe quel de ses services de livraison manuelle. Vous pouvez envoyer autant de pages que vous voulez d'une taille maximale de 21,5 cm par 35,5 cm.

Pour s'en servir, vous n'avez qu'à apporter votre message ou document à un centre INTELPOST de Postes Canada. Le document est

Intelpost est un service de Postes Canada combinant les moyens de livraison manuels et électroniques.

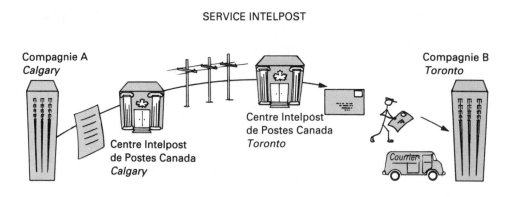

SERVICE INTELPOST

Compagnie A
Calgary

Centre Intelpost de Postes Canada *Calgary*

Centre Intelpost de Postes Canada *Toronto*

Courrier

Compagnie B
Toronto

lu et envoyé au centre INTELPOST le plus près dans la ville d'arrivée. On remet le document original à l'expéditeur.

À l'arrivée, on peut utiliser différentes méthodes de livraison du document: courrier, livraison spéciale ou livraison régulière; ou vous pouvez demander qu'on aille le chercher. Le choix dépend de l'urgence du message.

Pour attirer l'attention du destinataire, les messages Telepost sont livrés dans des enveloppes bleu, blanc, rouge.

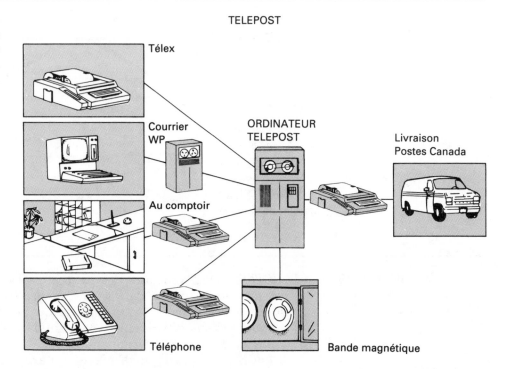

TELEPOST

Télex

Courrier WP

Au comptoir

ORDINATEUR TELEPOST

Livraison Postes Canada

Téléphone

Bande magnétique

Telepost

Telepost est un service public de courrier électronique exploité conjointement par CNCP et Postes Canada. Un centre public du CNCP reçoit les messages livrés, dictés au téléphone ou envoyés électroniquement par télex ou par machine de traitement de texte. Le message est envoyé au bureau de poste le plus près de la destination. Après impression, il est inséré dans une enveloppe bleu, blanc, rouge pour traitement par Postes Canada. Les services de livraison spéciale sont disponibles pour accélérer la procédure.

On peut envoyer des messages Telepost pour livraison simultanée à différentes adresses. De plus, les clients peuvent insérer une enveloppe-réponse préaffranchie pour favoriser une réponse rapide du destinataire.

Les nombreuses façons qu'ont les clients de faire parvenir leurs messages aux centres CNCP pour livraison rendent le service Telepost très pratique, même si le message n'a pas une apparence aussi attirante qu'avec les autres moyens de communication électronique. Cela explique pourquoi on s'en sert pour communiquer avec les succursales plutôt qu'avec les clients.

Purofax

Purofax est un service de transmission par télécopieur offert par les messageries Purolator à un nombre restreint de villes canadiennes: Toronto, Montréal, Ottawa et Calgary.

On peut faire cueillir les documents, les porter chez Purofax ou les transmettre avec un télécopieur compatible. Ils sont ensuite livrés à destination par messager. Le temps requis pour cueillir, transmettre et livrer le document peut être aussi court que trois heures.

EnvoyPost

EnvoyPost permet aux abonnés de Envoy 100 d'envoyer des documents écrits au Canada et aux États-Unis même si le destinataire n'est pas abonné. Le message est envoyé par Envoy 100 à un centre de service de courrier électronique de Postes Canada ou des postes américaines. Il a la qualité d'une lettre, est inséré dans une enveloppe à fenêtre et livré par courrier ordinaire ou par livraison spéciale.

Courrier Envoy

Courrier Envoy donne aux abonnés de Envoy 100 accès au système Purofax de Purolator. Le message est refait et envoyé par télécopieur aux destinations Purofax mentionnées plus haut. La livraison du document écrit est ensuite faite par les messageries Purolator.

**QUESTIONS
DE RÉVISION
ET DE DISCUSSION**

1. Commentez cette affirmation. «Accès est un service qui fait de la communication électronique une réalité pour n'importe quelle entreprise.»

2. Décrivez deux moyens qu'a une entreprise non équipée d'envoyer une télécopie à une autre ville.

3. Quels sont les services de Telepost? Quelles caractéristiques les rendent attrayants?

UTILISATIONS

1. En petit groupe, faites une enquête dans trois entreprises locales et découvrez :
   a) Les différents moyens d'envoyer les messages.
   b) S'il y a plus qu'un moyen, lequel est préféré et pourquoi?
   c) Y a-t-il d'autres moyens à l'étude et pourquoi?
   Faites un résumé à présenter en classe.

2. Faites passer une entrevue à quelqu'un travaillant pour une entreprise qui utilise une forme de messagerie électronique. Faites un compte-rendu de ses opinions sur la contribution de la messagerie électronique aux procédures de communication de l'entreprise. Quel impact a cet équipement sur son travail?

3. Écrivez une ou deux pages de commentaires sur l'affirmation suivante : «Le courrier électronique est le moyen de communication de l'avenir. Il peut changer la façon qu'ont les compagnies canadiennes de traiter les affaires.»

   Tenez compte de l'usage d'une base de données externe, des revues d'affaires ou des articles de journaux pour recueillir l'information qui défend votre point de vue.

4. Examinez les problèmes de communication expérimentés par l'entreprise décrite plus bas. À partir de cette information, quelles seraient vos recommandations pour régler le problème? Comment le présent système est-il tombé en panne? Pour améliorer la situation, quels appareils et procédures recommanderiez-vous?

   Un concessionnaire en pièces automobile a cinq succursales à travers le Canada en plus d'un centre de distribution et d'un siège social centralisé. La politique de la compagnie est d'aviser par téléphone des variations de prix suivi d'une confirmation écrite envoyée par livraison spéciale de Postes Canada. Les prix sont en vigueur dès réception de l'appel. Toutes les factures sont complétées au siège social et les prix sont fixés selon la date de commande du client.

   Le 12 janvier, un message téléphonique a été laissé au gérant l'avisant d'une augmentation de 15 pour cent sur toutes les pièces. Le 13 janvier, le gérant rencontre un nouveau client et reçoit une grosse commande. Vu qu'il n'avait pas reçu le message téléphonique et ignorait le changement de prix, il avait conclu la vente à l'ancien prix. La lettre arrivait par livraison spéciale le 14 janvier confirmant le message du 12.

5. Demandez à un représentant en télécopieurs des renseignements sur les nouvelles caractéristiques disponibles. Faites-en un résumé.

6. Selon l'équipement disponible tant chez les entreprises expéditrices que réceptrices suivantes, comment enverriez-vous ces messages? Justifiez votre réponse.

A. Le groupe de services géologiques au 1778, rue Scarth, Regina, Saskatchewan, a un système de réseau local. Les employés qui quittent le bureau pour de longues périodes, utilisent un ordinateur portatif.

Message 1 : Sur un site à Leduc, Alberta, l'équipe de forage a besoin d'une copie révisée des particularités géologiques. Le travail est suspendu jusqu'à réception du document. L'équipement de messagerie électronique n'est pas disponible sur le site.

Message 2 : On a besoin d'une pièce de 5 kg quelque part à Kamloops, Colombie-Britannique.

Message 3 : La présidente de la compagnie est à Saskatoon, Saskatchewan pour affaires. Elle veut évaluer les offres de la dernière soumission qui seront étudiées à une réunion le lendemain de son retour.

B. Les Consultants en aménagement de bureau, 243, rue Collège, Toronto, Ontario ont un télétex et un système de messagerie vocale.

Message 1 : Une conférence a été déplacée de l'Hôtel Le Quatre Saisons à l'Hôtel Bonaventure. On doit aviser cent cinquante délégués. La conférence a lieu dans quatre jours.

Message 2 : Le graphiste vient de livrer un nouveau logo et vous voulez en envoyer une copie aux membres du conseil d'administration pour étude avant la réunion du début de la semaine prochaine.

Message 3 : On vient de terminer la recherche pour un rapport au gouvernement fédéral sur l'usage des micro-ordinateurs. Il a cent pages et le comité gouvernemental en a besoin dans trois jours.

C. Les Pêcheries de la côte est Inc., 53, rue King, Saint-John, Nouveau-Brunswick ont un télécopieur et un télétex.

Message 1 : On a besoin des dernières statistiques de ventes pour une réunion importante à Ottawa. L'hôtel où elle sera tenue a un micro-ordinateur équipé d'un modem.

Message 2 : Une copie d'un document légal doit être à Halifax pour 15 h. Il est 10 h 30. Le destinataire n'a pas d'équipement électronique.

Message 3 : Vous voulez avisez quatorze succursales dans des villages de pêcheurs à travers les Maritimes de l'entrée en vigueur dans dix jours de l'augmentation de 10 pour cent du coût de tous les services. On doit vous confirmer la réception du message. Aucune succursale a de l'équipement électronique.

STAGE EN COMMUNICATION

1. Avec une forme de lettre simplifiée, préparez une lettre avec l'information suivante pour T. Van der Hagen. Si votre classe est en laboratoire de micro-ordinateurs équipé d'un système réseau, arrangez-vous pour lui envoyer la lettre électroniquement.
   - un séminaire de formation est prévu pour le 29 janvier
   - le sujet est l'implantation du nouveau système informatisé de comptabilité
   - confirmation des présences pour le 20 janvier
   - réunion tenue dans la salle principale de conférence
   - copie à J. Lam

2. Augmentez votre vocabulaire d'affaires. Définissez chacun des mots suivants pris dans le chapitre et utilisez-les dans une phrase qui montre leur utilisation en affaires.

transmission	destinataire
appareil	impulsion
conducteur	haute fréquence
poste relais	adjacent
confirmation	répertoire

13

TENUE DE LIVRE ET MÉTHODES BANCAIRES

Après la lecture de ce chapitre, vous serez en mesure:

- De comprendre les différentes fonctions commerciales reliées à l'achat-vente de biens.
- D'analyser le rôle des états financiers dans l'entreprise.
- D'identifier les responsabilités des différents employés dans les procédures de gestion financière.
- D'analyser les méthodes bancaires actuelles et la tenue de livre.

Pour prendre de bonnes décisions en affaires, une entreprise doit avoir accès à une information financière précise et récente. *Gracieuseté de IBM Canada Ltée.*

Pour acheter et vendre des produits et services, il faut respecter des procédures comptables et de tenue de livre. Toute entreprise a besoin de cette étape pour établir son contrôle financier et pour fournir des renseignements précis qui sont mis à jour. Par exemple, la faillite guette une entreprise qui n'a pas de procédure de collection et d'enregistrement des comptes créditeurs. De plus, les décisions sur les orientations de l'entreprise sont souvent fondées sur des considérations financières. Si les renseignements sont imprécis et dépassés, on peut prendre de mauvaises décisions.

On peut classer les routines de tenue de livre de bureau en routines d'achat et routines de vente.

ROUTINES D'ACHAT

Pour acheter, il faut faire des commandes de biens et services, recevoir les articles, tenir l'inventaire à jour et payer.

Une **réquisition** est une demande d'achat qui contient une description du produit et la quantité désirée pour chacun des produits.

Une réquisition d'achat décrit les articles à acheter. Gracieuseté de Grand and Toy Ltée

	RÉQUISITION (CE N'EST PAS UN BON DE COMMANDE)		39410	
À	Fournitures de bureau	DATE	20 oct. 19—	
ADRESSE	254, route Weston	POUR	K. Lebeau	
LIVRÉ À	Systèmes informatiques Logix	DEMANDÉ POUR	le 26 oct.	

	QUANTITÉ	FOURNIR S.V.P.	PRIX	TOTAL	
1	6 boîtes	chemises rouges	12,00	72	00
2	5 boîtes	crayons HB	6,00	30	00
3	2 boîtes	bâtons de colle	8,00	16	00
4	2 boîtes	stylos à bille (bleus)	4,25	8	50
5					
6					
7					
8					
9					

Nº DE COMMANDE	COMMANDÉ PAR	AUTORISÉ PAR

On prépare un **bon de commande** à partir des renseignements de la réquisition. On envoie l'original au fournisseur, une copie à celui qui a fait la demande, une autre à la réception et une dernière au service de la comptabilité.

Les critères pour choisir un fournisseur sont le prix, la qualité et la disponibilité de la marchandise. On peut trouver ces renseignements dans les dossiers de service qui ont des listes de prix et des catalogues, dans les commandes précédentes, et/ou par contacts personnels avec des représentants du distributeur.

Les bons de commande
sont autorisés et envoyés
au fournisseur.
*Gracieuseté de Grand and
Toy Ltée*

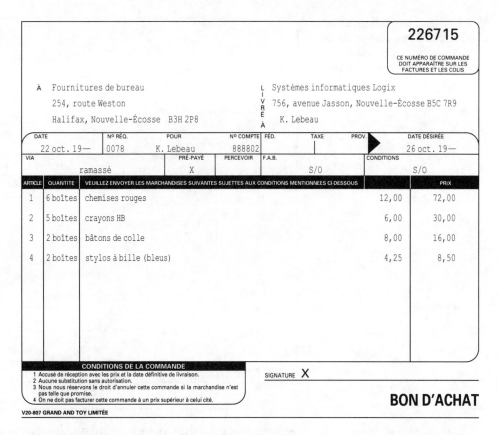

226715

CE NUMÉRO DE COMMANDE
DOIT APPARAÎTRE SUR LES
FACTURES ET LES COLIS

À   Fournitures de bureau

254, route Weston

Halifax, Nouvelle-Écosse   B3H 2P8

LIVRÉ À   Systèmes informatiques Logix

756, avenue Jasson, Nouvelle-Écosse B5C 7R9

K. Lebeau

DATE	Nº RÉQ.	POUR	Nº COMPTE	FÉD.	TAXE	PROV.	DATE DÉSIRÉE
22 oct. 19—	0078	K. Lebeau	888802				26 oct. 19—

VIA		PRÉ-PAYÉ	PERCEVOIR	F.A.B.		CONDITIONS	
	ramassé	X		S/O		S/O	

ARTICLE	QUANTITÉ	VEUILLEZ ENVOYER LES MARCHANDISES SUIVANTES SUJETTES AUX CONDITIONS MENTIONNÉES CI DESSOUS		PRIX
1	6 boîtes	chemises rouges	12,00	72,00
2	5 boîtes	crayons HB	6,00	30,00
3	2 boîtes	bâtons de colle	8,00	16,00
4	2 boîtes	stylos à bille (bleus)	4,25	8,50

CONDITIONS DE LA COMMANDE
1 Accusé de réception avec les prix et la date définitive de livraison.
2 Aucune substitution sans autorisation.
3 Nous nous réservons le droit d'annuler cette commande si la marchandise n'est pas telle que promise.
4 On ne doit pas facturer cette commande à un prix supérieur à celui cité.

SIGNATURE   X

BON D'ACHAT

V20-807 GRAND AND TOY LIMITÉE

Dans une petite entreprise, la même personne peut suivre toute la démarche d'achat. Dans une grande entreprise, la responsabilité des réquisitions et du choix des fournisseurs peut relever de différentes personnes ou de différents services avec autorisation du chef de service.

Réception des marchandises

À la réception, il faut vérifier chaque article avec la commande originale. Le destinataire doit initialer et dater la copie pour montrer que la marchandise a été reçue. Une entreprise ne devrait payer que les articles en bonne condition.

Paiement des marchandises et des services

Le service des achats vérifie la facture du fournisseur. La facturation des marchandises doit correspondre aux articles reçus. Après vérification, le service de la comptabilité émet un chèque. On appelle *comptes payables* les sommes qui sont dues.

QUESTIONS DE RÉVISION ET DE DISCUSSION

1. Quelle est l'importance d'une réquisition d'achat?
2. Comment le bon d'achat sert-il à contrôler les prix?
3. Définissez l'expression comptes payables.

ROUTINES DE VENTE

Une entreprise fixe le prix de chaque article. Ce **prix** est établi à partir des facteurs suivants: le coût de production ou d'achat pour revente,

Sur une facture, on retrouve les détails de la vente. *Gracieuseté de Grand and Toy Ltée*

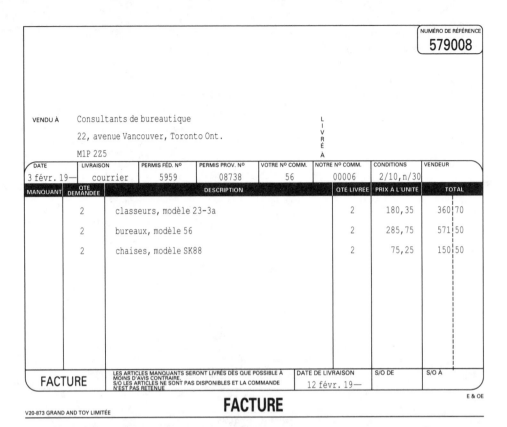

appelé le **coût des biens vendus**; les coûts d'opération, appelés **frais généraux**, y compris l'électricité, le chauffage et les salaires; et le bénéfice des actionnaires.

Réception du paiement La façon de percevoir le paiement pour les marchandises et services varie d'une entreprise à l'autre. Par exemple les commerces au détail acceptent habituellement l'argent, les chèques ou les cartes de crédit. Toutefois, la plupart des transactions entre compagnies sont faites sur compte. Ces montants dus à une compagnie s'appellent *comptes recevables*.

Vente sur compte Les entreprises de vente permettent à l'acheteur de prendre la marchandise à sa pleine valeur et de la payer à une date fixée. C'est ce qu'on appelle **vente sur compte**. Le montant maximum est la marge de crédit et varie selon les acheteurs. Dans chaque entreprise, un administrateur du service de comptabilité évalue l'habilité à payer de l'acheteur et lui attribue une **limite de crédit** ainsi que les conditions de paiement.

Conditions de vente Ce sont les **conditions de vente** dont les plus fréquentes sont décrites dans l'encadré.

Conditions de paiement

Comptant   Le paiement doit être reçu avant livraison.

C.O.D.   Paiement à la livraison. Le paiement est dû au moment de la livraison, sinon la marchandise n'est pas laissée.

Net 30, 60, ou 90
Le montant entier doit être réglé 30, 60 ou 90 jours après la date de facturation.

2/10, n/30   Si payé dans les dix jours, il y aura rabais de 2 pour cent. Le montant entier doit être réglé dans les 30 jours.

Factures   La **facture** indique tous les détails de la vente dont le prix et les conditions. L'original va au client, une copie au service de livraison et une autre au service de comptabilité. Selon ses procédures comptables, une entreprise peut demander des copies additionnelles.

Notes de crédit   Dans certains cas, on peut retourner les marchandises endommagées ou inadéquates. Lorsque cela se produit, le compte du client est habituellement crédité selon la valeur des articles retournés. Il ne reçoit pas d'argent, mais une note de crédit montre un ajustement du compte dont le solde est réduit à une valeur équivalente.

Entreposage   Les marchandises à livrer aux clients et celles reçues des fournisseurs sont conservées dans des entrepôts.

Les employés d'entrepôt sont responsables de contrôler le roulement de la marchandise livrée ou reçue. La précision est essentielle. Les erreurs sont dispendieuses.

Les employés d'entrepôt utilisent la technologie pour contrôler le roulement des marchandises.
Gracieuseté de IBM Canada Ltée.

1. Comment une compagnie fixe-t-elle le prix de vente d'un article?
2. Pourquoi une entreprise doit-elle fixer une limite de crédit pour chacun de ses clients? Résumez les conditions de vente les plus fréquentes.
3. Décrivez la procédure utilisée par les entreprises pour rembourser les marchandises retournées.

**LA PROCÉDURE
COMPTABLE**

On appelle **documents-ressources** tous ceux qui enregistrent des transactions commerciales. Ils comprennent les factures de vente, les réquisitions d'achat, les notes de crédit et les relevés de petite caisse.

Les renseignements des documents-ressources sont notés et utilisés pour produire une information comptable organisée. On transfère systématiquement les données dans le **livre de comptes** et le **grand livre**.

Livre de comptes

C'est un dossier chronologique des transactions comptables de l'entreprise. Chaque transaction a la date, les noms des comptes, une brève description et le montant d'argent inscrit à la colonne débit (à gauche) ou écrit (à droite). Cette procédure s'appelle *tenir les écritures*.

Il existe différents livres de comptes. Le plus simple a deux colonnes pour noter toutes les transactions. D'autres notent les achats, ventes, comptes créditeurs et comptes fournisseurs. On les appelle livres spéciaux vu que chacun ne contient que les renseignements des transactions répétitives qui lui sont particulières.

Tableau de comptes

Avant de pouvoir transférer les renseignements du livre, il faut les regrouper en comptes qui contiennent des renseignements semblables. Pour simplifier cette procédure, on a élaboré un code à trois chiffres. La liste des titres comptables et les codes numériques qu'ils représentent s'appelle le **tableau de comptes**. (Voir page 292.) Ce système numérique facilite l'identification d'un compte à l'actif et au passif, l'avoir des actionnaires, les revenus ou les dépenses. Ces expressions seront examinées plus loin.

Grand livre

Le tableau de comptes établi, il est très simple de transférer des écritures du livre de comptes au grand livre organisé selon les titres de compte et un numéro. Chaque compte du grand journal comprend l'information de débit et de crédit pour chaque transaction, de même que le solde et le total courant. (Voir page 292.)

On appelle **tenue de livre** l'action de transférer du livre de comptes au grand livre.

Un livre de comptes enregistre chronologique-ment les transactions.
Gracieuseté de Henry J. Kaluza et Murray B. Howard

	DATE 19-1	TITRE DU COMPTE ET EXPLICATION	RÉF. POST.	DÉBIT	CRÉDIT
	30 sept.	Comptant	101	60 000	
		Automobile	110	15 000	
		Mobilier	112	3 000	
		Équipement de bureau	114	2 000	
		Remise sur emprunt bancaire	201		20 000
		Compte pay. / Meubles LeBlanc	202		3 000
		Compte pay. / Équipement Nault	204		2 000
		Compte pay. / Moteurs Landry	205		5 000
		J. Émond, Capital	301		50 000
		Transcrire le bilan dans les			
		comptes individuels			
	1 oct.	Mobilier		10 000	
		Comptant			10 000
		Chèque no 1 à Meubles LeBlanc			
		pour meubles additionnels			
	31 oct.	Dépenses publicitaires	505	600	
		Compte pay. / Le Droit	203		600
		Compte en publicité aux			
		conditions : net 30 jours			

LIVRE DE COMPTES

Page

On voit sur le tableau tous les comptes utilisés par une entreprise.
Gracieuseté de Henry J. Kaluza et Murray B. Howard

Agent immobilier J. Émond
Tableau des comptes

ACTIF

101 Comptant
103 Compte rece./Luc Roger
104 Compte rece./R. Scully
105 Compte rece./Belleau
110 Automobile
112 Mobilier
114 Équipement de bureau

PASSIF

201 Emprunt bancaire
202 Comp. pay./Meub. Leblanc
203 Comp. pay./Le Droit
204 Comp. pay./Radisson

205 Comp. pay./Landry auto.

AVOIR DES ACTIONNAIRES

301 J. Émond, capital
302 J. Émond, retrait

REVENUS

401 Commissions

DÉPENSES

501 Loyer
502 Téléphone
503 Services publics
504 Salaires
505 Publicité

On transfère les renseignements du livre de comptes au grand livre.
Gracieuseté de Henry J. Kaluza et Murray B. Howard

Grand livre

Comptant — Compte n° 101

DATE 19-1	EXPLICATION	RÉF. POST.	DÉBIT	CRÉDIT	SOLDE
30 sept.	Entrée d'ouverture G.J.	1	6 000 00		60 000 00
1 oct.	G.J.	1		100 000	59 000 00
5	G.J.	1		500 000	54 000 00
11	G.J.	1		4 000	53 960 00
12	G.J.	2		60 000	53 360 00
15	G.J.	2		400 000	49 360 00
16	G.J.	2	300 000		52 360 00
18	G.J.	2		95 00	52 265 00
20	G.J.	2	340 000		55 665 00
30	G.J.	2		200 000	53 665 00
31	G.J.	2	340 000		57 065 00
31	G.J.	3		450 000	52 565 00

Compte rec. / Pat. Roger — Compte n° 103

DATE 19-1	EXPLICATION	RÉF. POST.	DÉBIT	CRÉDIT	SOLDE
31 oct.	Facture 00007	G.J. 3	200 000		200 000

Compte rec. R. Sculley — Compte n° 104

DATE 19-1	EXPLICATION	RÉF. POST.	DÉBIT	CRÉDIT	SOLDE
31 oct.	Facture 00008	G.J.	120 000		120 000

Emprunt bancaire — Compte n° 201

DATE 19-1	EXPLICATION	RÉF. POST.	DÉBIT	CRÉDIT	SOLDE
30 sept.	Entrée d'ouverture	G.J. 1		2 000 000	2 000 000
15 oct.		G.J. 2	400 000		1 600 000

ÉTATS FINANCIERS

Les **états financiers** déterminent l'état de santé d'une compagnie. Ils rassemblent les données essentielles qui permettent à la direction de prendre des décisions, qui satisfont aux règles gouvernementales sur la conduite des affaires et qui informent les actionnaires et les institutions financières sur la situation financière de la compagnie.

Les états financiers peuvent être officiels ou non. Ils ne le sont pas lorsqu'ils servent aux directeurs de documents permettant des prises de décision. Ils peuvent contenir les rapports de vente de fin de mois ou les comptes impayés pour les trois derniers mois. Les états officiels sont destinés aux actionnaires et aux dossiers gouvernementaux. Le **bilan** et l'**état des revenus** en sont des exemples.

Bilan

Un bilan, c'est un état financier qui montre l'**actif** et l'**avoir des actionnaires** de la compagnie à un moment donné.

On appelle «actif» les avoirs de la compagnie et «passif» les dettes aux entreprises ou aux particuliers. De plus, une compagnie doit respecter les droits financiers des actionnaires sur son actif. C'est ce qu'on appelle «l'avoir des actionnaires» qui représente la différence entre l'actif et le passif de la compagnie.

Un bilan n'a de valeur que pour une durée précise et toute transaction ultérieure en modifie le contenu. C'est ce qui explique qu'on le fait trimestriellement pour les actionnaires et les vérificateurs.

Exemples d'actif
Argent y compris les chèques,
  les mandats et les soldes bancaires
Comptes recevables
Immeubles et terrains
Équipement
Mobilier de bureau
Inventaire

Exemples de passif
Hypothèque
Emprunts bancaires
Comptes payables
Effets de commerce

Le titre de trois lignes du bilan donne le nom de la compagnie, l'identification du bilan et la date de préparation.

Le bilan montre l'équation comptable suivante

$$\text{ACTIF} = \text{PASSIF} + \text{AVOIR DES ACTIONNAIRES}$$

On y retrouve chaque élément de l'équation comptable. On trouve l'actif à gauche, le passif et l'avoir des actionnaires à droite. Parfois, ils sont placés verticalement avec l'actif en premier, suivi du passif et de l'avoir des actionnaires.

Relevé des revenus   Aussi appelé relevé des profits et pertes, il montre le revenu, les dépenses et le profit ou perte de l'entreprise sur une période donnée.

Le bilan montre l'actif, le passif et l'avoir des actionnaires.

CENTRE COPIE RAPIDE
Bilan
au 31 décembre 19—

Actif		
En caisse	17 200 $	
Comptes recevables	2 500	
Inventaire	6 040	
Assurance prépayée	660	
Fournitures de bureau	3 450	
Équipement de bureau	20 500	
Actif total		50 350 $
Passif		
Comptes payables	9 050 $	
Emprunt bancaire	12 300 $	
Passif total		21 350 $
Avoir des actionnaires		
K. Mathieu, capital		29 000 $
Total de l'actif et de l'avoir des actionnaires		50 350 $

Les revenus proviennent de la vente de produits ou services. Quant aux dépenses, elles sont, entre autres, le coût de la publicité, le loyer, les fournitures de bureau, les intérêts d'emprunts et les salaires. La différence entre les deux donne les profits ou les pertes. Si les revenus sont supérieurs aux dépenses, le propriétaire aura un profit, sinon il subira une perte.

Le titre en trois lignes de l'état des revenus donne le nom de la compagnie, le nom «État des revenus» et la date du relevé.

Un état des revenus montre les profits et pertes d'une compagnie sur une période donnée.

CENTRE COPIE RAPIDE
État des revenus
au 31 décembre 19—

Revenus		
Ventes	80 900 $	
Ventes nettes		80 900 $
Dépenses		
Salaires	15 500 $	
Loyer	6 000	
Services publics	3 000	
Fournitures	8 550	
Téléphone	490	
Assurance	1 500	
Publicité	7 000	
Divers	350	
Dépenses totales		42 390 $
Revenu net		38 510 $

QUESTIONS DE RÉVISION ET DE DISCUSSION

1. Expliquez le rôle du livre de comptes et du grand livre dans les procédures comptables.
2. Définissez actif, passif et avoir des actionnaires. Nommez trois éléments à l'actif et au passif qu'une compagnie peut avoir.
3. Quelle est l'équation du bilan?
4. Quelle est la définition de l'état des revenus? Nommez trois sortes de dépenses qu'on peut y retrouver.

BUDGET

Ce sont des plans financiers qui aident à contrôler le roulement de l'argent. Le budget comporte une évaluation ou prévision des revenus et dépenses pour une période précise.

Préparation du budget

La première étape est d'étudier les totaux réels des revenus et dépenses de l'année précédente. Habituellement, les données des deux années précédentes aident à déceler des tendances. De plus, on tient compte des tendances du marché, de la compétition et des conditions économiques générales.

L'entreprise a un budget global comprenant les prévisions de chaque service qui évalue, entre autres, les coûts spécifiques des salaires, du mobilier, de la photocopie et des voyages.

La deuxième étape est la prévision des revenus suivie de celle des dépenses.

On peut avoir accès au budget de service et le mettre à jour en utilisant un progiciel informatisé de tableaux. *Gracieuseté de Lotus Development Corporation*

```
C12:@somme (C5 à C10)                                        Prêt

          A        B        C        D        E        F        G        H
========================= BUDGET DÉPARTEMENTAL =========================
1
2
3                          Janv.-87 Févr.-87 Mars-87  Avr.-87  Mai-87   Juin-87
4  DÉPENSES DE BUREAU
5  Dépreciation             6 200    6 216    6 249    5 880    7 333    6 292
6  Téléphone-Télec.        15 150   14 880   18 630   19 290   20 160   21 120
7  Crédits budgétaires      5 250    5 520    4 980    6 750    7 050    8 010
8  Photocopies              4 320    4 320    4 320    4 320    4 320    4 320
9  Souscriptions            2 250    2 250    2 250    2 250    2 250    2 250
10 Postes                   1 740    1 740    1 650    1 920    2 010    2 010
11                         ------   ------   ------   ------   ------   ------
12    TOTAL                34 910   34 926   38 079   40 410   43 123   44 002
13                         ======   ======   ======   ======   ======   ======
14
15 FRAIS PROFESSIONNELS
16 Comptabilite            23 940   21 920   23 860   20 160   26 660   24 020
17 Autres                   3 840    4 160    4 520    4 240    3 880    8 800
18                         ------   ------   ------   ------   ------   ------
19    TOTAL                27 780   26 080   28 380   24 400   30 540   32 820
20                         ======   ======   ======   ======   ======   ======

 23-02-87   13:30
```

Projection des revenus

Les données précédentes montrent une augmentation annuelle des ventes de l'ordre de 12 pour cent. La projection des revenus de l'année en cours dépassera de 12 pour cent l'année précédente. Si les ventes de l'année passée s'élevaient à 100 000 $, la prévision des revenus serait de 112 000 $. Toutefois, si la demande du produit est en croissance et que l'économie est forte, cette prévision pourrait être de 15 ou 20 pour cent. De même, un ralentissement de l'économie pourrait la faire baisser en bas de 12 pour cent.

Un budget fixe les objectifs financiers d'une entreprise. On insère les données à l'aide d'un stylo lumineux.
Gracieuseté de IBM Canada Ltée.

Prévision des dépenses

Les dépenses représentent le coût des affaires. Elles sont fixes ou variables.

Les **dépenses fixes** sont constantes et récurrentes, donc facilement prévisibles. Elles sont le résultat d'un engagement planifié à long terme. On y retrouve le loyer, les versements sur les emprunts et hypothèques, l'électricité et le chauffage.

Les **dépenses variables** fluctuent selon les activités de l'entreprise. Ce sont des dépenses à intervalles irréguliers dont les montants varient.

Une entreprise contrôle ses dépenses par des pratiques d'achat prudentes en éliminant le superflu. Par exemple, lors d'achat de fournitures de bureau en grande quantité, on choisirait le fournisseur offrant le meilleur prix.

Au cours de l'année financière, les dépenses et revenus réels sont comparés aux prévisions budgétaires. On prépare généralement des rapports mensuels ou trimestriels qui permettent aux chefs de service de comparer les dépenses réelles aux prévisions.

Selon les conclusions de l'évaluation, on pourrait modifier les politiques de service. Par exemple, s'il y a baisse dans les ventes, le montant prévu pour l'achat de matières premières et la livraison baisserait proportionnellement. Ou à la mi-année financière, les dépenses réelles devraient représenter 50 pour cent du montant prévu. Supposons que les dépenses réelles de photocopie excèdent de beaucoup 50 pour cent. Le directeur avait peut-être prévu plus de dépenses pour la première moitié de l'année. Sinon, il devrait enquêter. Une nouvelle politique restreignant la photocopie pourrait s'avérer nécessaire.

QUESTIONS DE RÉVISION ET DE DISCUSSION

1. Qu'est-ce qu'un budget? Décrivez les procédures à suivre pour le préparer.
2. Quelle différence y a-t-il entre une dépense fixe et une dépense variable? Donnez deux exemples pour chacune.
3. Comment le budget aide-t-il à contrôler le roulement de l'argent de l'entreprise?

SERVICES BANCAIRES

Banques, fiducies, caisses d'économie et caisses populaires donnent des services qui aident les entreprises dans leurs procédures de comptabilité et de tenue de livre. Parmi leurs services, on retrouve les coffrets de sûreté pour les titres, le financement des opérations et des investissements de l'entreprise et le transfert de fonds entre les particuliers et les entreprises.

Comptes bancaires commerciaux

La plupart des transactions commerciales sont faites par chèque ou par transfert électronique de fonds. Pour les dépôts et paiements de l'entreprise, on utilise des **comptes courants** faits spécialement pour les compagnies qui peuvent en avoir plusieurs. Chaque compte a un but précis comme les chèques de paie ou les paiements aux fournisseurs.

Les retraits se font par chèque ou par notes spéciales qui servent à enregistrer les transactions amorcées par la banque. Par exemple, la banque pourrait utiliser une **note de débit** pour percevoir directement du compte les frais d'intérêts sur un prêt.

Les dépôts peuvent être faits par la compagnie ou par la banque en son nom. Les **notes de crédit** servent à noter les dépôts amorcés par la banque dont les transferts d'un autre compte.

À tous les mois, la banque fait un relevé de compte complet fournissant un dossier de tous les dépôts et retraits. Ce relevé est posté à la compagnie avec tous les chèques encaissés et toutes les notes de débit et de crédit. L'entreprise s'en sert pour faire le suivi des chèques encaissés et de ceux qui ne le sont pas.

La banque perçoit des frais de service calculés sur le nombre de transactions durant le mois. Même s'il n'y en a pas eu, il y a des frais minimum.

Pour un employé, la responsabilité de suivre les effets bancaires dépend de la taille de l'entreprise. Chacune élabore un ensemble de procédures bancaires. Elles sont conçues pour assurer la sécurité de l'argent et pour contrôler son roulement.

Un relevé de compte procure un dossier des transactions bancaires.
Gracieuseté de la Banque Royale du Canada

			DÉCOUVERT
		SOLDE PRÉDÉCENT ▶	165,23

DESCRIPTION - DÉBITS/CHÈQUES		DÉPÔTS/CRÉDITS	DATE M JR	NOUVEAU SOLDE
CHÈQUE 118 —	10000		709	65,23
LSR—DÉPÔT —MR070624 —		57800	711	645,23
LSR—RETR —MR070625 —	5000		711	593,23
CHÈQUE 115 —	3000		712	563,23
VERSEMENT SUR PRÊT —	15350		716	
CHÈQUE 120 —	8450		716	325,23
CHÈQUE 129 —	12220		717	203,03
CHÈQUE 121 —	28340		718	80,37-
VIREMENT CRÉDITEUR —		9000	719	
FRAIS DE TRAITEMENT —	500		719	4,63
LRS—DÉPÔT —MJ073757 —		28000	723	284,63
DÉPÔT —		1 10000	723	
LSR—RETR —MR075202 —	5000		723	1 334,63
CHÈQUE 104 —	4900		725	1 285,63
LSR—DÉPÔT —MR076349 —		57800	726	1 863,63
LSR—RETR —MR076350 —	7500		726	1 788,63
LSR—DÉPÔT —MJ077638 —		18619	801	1 974,82
DÉPÔT —		89559	801	
LSR—RETR —MJ077593 —	5000		801	
ASSURANCE				
CARTE CAPITALE —	21700		801	2 603,41
INTÉRÊTS SUR DÉPÔTS —		424	801	2 607,65
LSR—DÉPÔT —MJ077926 —		16500	802	2 772,65
DÉBIT INTERNE —	88085		802	
LSR—RETR —MJ077927 —	5000		802	1 841,80
LSR—RETR —MR079612 —	5000		803	1 791,80
LSR—RETR —MJ079374 —	20000		806	
FRAIS TENUE COMPTE —	100		806	
FRAIS D'ADMINISTRATION —	540		806	1 585,40

NBRE DE DÉBITS	MONTANT TOTAL DES DÉBITS	NBRE DE CRÉDITS	MONTANT TOTAL DES CRÉDITS	DÉCOUVERT
19	2 456,85	9	3 877,02	relevant 06 juil. 90

VEUILLEZ VÉRIFIER CE RELEVÉ SANS DÉLAI
LA BANQUE DOIT ÊTRE AVISÉE PAR ÉCRIT DE TOUTE ERREUR DANS LES 45 JOURS SUIVANT LA DATE DU RELEVÉ

LES DÉPÔTS

Pour faire un dépôt, il faut utiliser un **bordereau de dépôt** fait en duplicata indiquant le montant d'argent et des chèques. On y inscrit le nom de l'entreprise, la date et le numéro de compte. Le dépôt doit également être divisé en coupures, en monnaie et en chèques. Un employé de la banque vérifie l'exactitude du dépôt et le confirme en estampillant le duplicata qui sert de pièce au dossier.

Les bordereaux de dépôts divisent la monnaie, les coupures et les chèques.

Gracieuseté de la Banque Laurentienne du Canada.

CHÈQUES	$	¢
Entreprises Masson	100	00
TOTAL		

BANQUE LAURENTIENNE DU CANADA	DATE 1 10 09

SUCC. | NUMÉRO DE COMPTE | SUFF.

Nom du client: *Raymond Électrique*

ESPÈCES

		$	¢
1	X 1	1	—
1	X 2	2	—
	X 5		
	X 10		
2	X 20	40	—
	X 50		
2	X 100	200	—
	X		79
MONNAIE		243	79

COUPONS

▶ TOTAL DES CHÈQUES	100	00
CODE	DÉPÔT TOTAL ▶	943	79

SIGNATURE DU DÉPOSANT

F2079-2 (03-89) D.8   Anglais au verso

Divisez l'argent de papier et la monnaie en coupures de même valeur. Roulez les grosses quantités de monnaie dans du papier ou dans les récipients fournis par la banque. Mettez toutes les coupures dans le même sens face en haut. Comptez le nombre de chaque montant de coupure et marquez-le sur le bordereau à l'endroit indiqué. Multipliez le nombre de chaque montant de coupure par sa valeur et inscrivez le total à l'endroit indiqué. Additionnez la monnaie et les coupures et écrivez le total à la section argent.

En déposant des chèques, vérifiez l'exactitude de l'information. Ils doivent être endossés au verso par le déposant. Toutes ces étapes sont données dans l'encadré suivant.

PROCÉDURES POUR DÉPOSER DES CHÈQUES

Vérifier l'exactitude.   Examinez chaque chèque pour vous assurer qu'il est bien rempli. Les chèques incomplets déposés ne sont pas encaissés et reviennent avec des frais de service. Chaque chèque doit avoir une date valide, le montant en chiffres et écrit doit correspondre, le nom du bénéficiaire, la personne ou l'entreprise qui reçoit l'argent doit être écrit correctement, et le chèque signé.

Endosser un chèque.   L'**endossement** est la signature au verso de la personne ou de la compagnie qui reçoit le chèque. Cela autorise la banque à l'encaisser et à le déposer à votre compte. Cela permet aussi de vérifier qu'il est encaissé par les bonnes personnes.

La plupart des entreprises endossent les chèques avec un tampon en caoutchouc qui porte le nom de l'entreprise. On rencontre trois sortes d'endossement: **en blanc**, qui a le nom du bénéficiaire signé au verso. N'importe qui peut encaisser ce chèque, donc par mesure de sécurité, il devrait être déposé immédiatement, préférablement par le bénéficiaire. Un **endossement restrictif** a le nom du bénéficiaire avec des limites comme «Pour dépôt seulement.» Le chèque ne peut aller que dans un compte précis. L'**endossement intégral** transfère le chèque d'un bénéficiaire à un autre. Le premier bénéficiaire qui est inscrit sur le chèque autorise un autre bénéficiaire à en recevoir le montant. Cette forme d'endossement a le nom du premier bénéficiaire avec la mention «Payez à l'ordre de», et le nom du second bénéficiaire.

Enregistrer le nom du déposant.   Il y a un espace sur le bordereau de dépôt pour inscrire le nom du déposant et le montant de chaque chèque. Tous les noms doivent être lisibles. En cas de litige, votre copie du bordereau est une preuve de paiement.

Compléter le dépôt.   On y indique la valeur totale des chèques ajoutée au total de l'argent pour obtenir le montant du dépôt.

Endossement restrictif.

Endossement en blanc.

Endossement intégral.

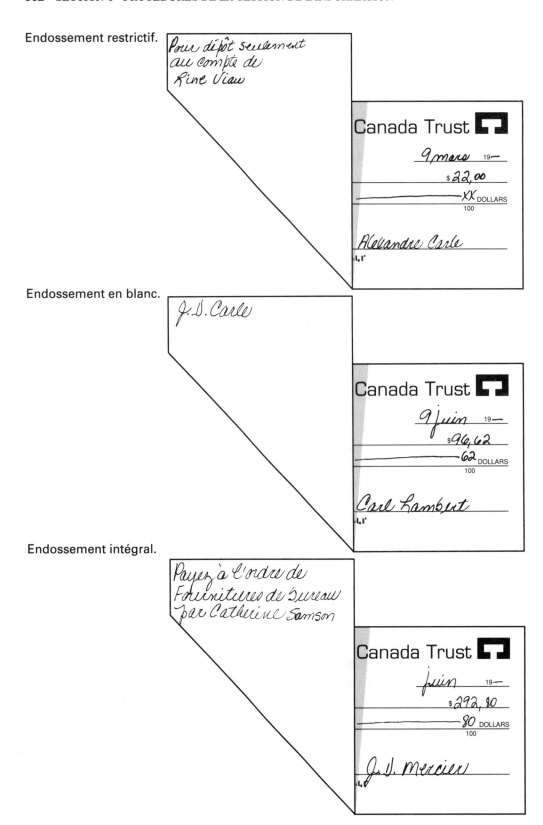

Faire les dépôts

On peut faire les dépôts en personne, par dépôt de nuit, par la poste ou par **guichet automatique**.

Dépôts en personne   Il est préférable de déposer en personne les coupures, la monnaie et les chèques endossés en blanc. Un caissier vérifie le dépôt, estampille le livret de dépôt et le remet au déposant.

Dépôts de nuit   Les commerces ouverts après les heures de banque qui reçoivent de grosses sommes d'argent utilisent le service de nuit au lieu de garder l'argent à leur lieu d'affaires.

Moyennant des frais, la banque fournit des sacs avec serrure pour mettre les dépôts. On y place l'argent et le livret, on le barre et on le jette dans une boîte spéciale construite à même un mur extérieur de la banque. À la reprise des activités, les caissiers vérifient le dépôt et estampillent votre bordereau. Un employé peut ensuite ramasser le sac et le livret pour un prochain dépôt.

On peut faire un dépôt de nuit dans une boîte à cet effet.

Dépôts par la poste   Ces dépôts ne devraient contenir que des chèques avec l'endossement restrictif. On ne devrait pas envoyer d'argent par la poste. Ces précautions sont nécessaires par mesure de sécurité.

La plupart des banques ont des bordereaux et des enveloppes spéciales pour les dépôts par la poste. Après chaque dépôt, la banque retourne une copie estampillée du bordereau comme reçu et fournit d'autres bordereaux.

Guichets automatiques   Ce sont des terminaux informatiques reliés au système bancaire. Ce système permet de faire des transactions à n'importe quelle heure, en provenance de n'importe quel endroit. Il faut une carte d'accès avec un **numéro d'identification personnel** (NIP). Il est recommandé de ne pas y

On peut faire plusieurs transactions bancaires électroniquement.
Gracieuseté de la Banque Laurentienne du Canada

déposer d'argent et les chèques devraient avoir un endossement restrictif.

La banque ne fournit qu'un reçu de la somme déposée. Vous devez garder un dossier personnel de chaque chèque déposé. S'il y a écart entre la somme déposée et le reçu, il faut en avertir la banque immédiatement.

On doit également rapporter la perte d'une carte d'accès. Le commerce peut être tenu responsable de toute utilisation non autorisée de la carte s'il n'a pas rapporté sa perte ou son vol.

QUESTIONS DE RÉVISION ET DE DISCUSSION

1. Comment les comptes courants aident-ils à contrôler le roulement de l'argent?
2. Il existe trois sortes d'endossement de chèque. Décrivez-les.
3. Un guichet automatique est-il un avantage ou un inconvénient à la routine bancaire? Quelle est votre opinion?

Émettre des chèques

Les chèques sont des documents légaux servant à transférer l'argent d'un compte personnel ou commercial (le tireur) à une autre personne ou entreprise (le bénéficiaire). Un chèque en règle doit contenir certaines informations essentielles : le nom du bénéficiaire, le nom de la banque, la signature du tireur, la date et le montant du chèque écrit en chiffres et en lettres.

La façon de préparer un chèque est différente selon la taille de l'entreprise. Les petites entreprises qui en font peu les remplissent habituellement à la main. Les grandes entreprises les préfèrent informatisés. Étant donné que les chèques sont une forme de paiement, il faut prendre soin d'inscrire l'information précisément et lisiblement quelle que soit la méthode de préparation.

Les banques impriment des carnets de chèques avec un talon qui sert à inscrire le numéro du chèque, le nom du bénéficiaire, le montant du chèque et le solde bancaire avant et après l'émission du chèque.

Directives pour les chèques écrits à la main

- Utilisez un stylo ou inscrivez l'information de façon à éviter les modifications non autorisées.
- Chaque chèque doit avoir le nom complet du bénéficiaire. Les titres M. ou Mme ne sont pas nécessaires.
- Remplissez le talon en premier pour être certain d'avoir un rapport de la transaction.
- Remplissez les espaces vides et écrivez lisiblement pour éviter que le chèque soit modifié ou mal interprété. Par exemple, le montant en chiffres devrait être le plus près possible du signe de dollar. Aussi, faites une ligne pour éliminer les espaces vides de chaque côté du montant écrit.
- La signature du chèque se fait en dernier.
- N'effacez pas les erreurs. Si vous pouvez écrire la correction proprement, rayez l'erreur, faites le changement au-dessus et mettez vos initiales. La politique de la compagnie voudra peut-être que vous éliminiez le chèque au lieu de le corriger. Dans ce cas, tracez une diagonale à travers le chèque et son talon et écrivez NUL sur chaque partie. Cette procédure est nécessaire vu qu'il faut noter chaque numéro de chèque.

Un chèque complet avec son talon. Gracieuseté de la Banque Laurentienne du Canada.

Émettre des chèques par ordinateur

Dans ces cas, l'employé complète une réquisition de chèque qui possède tous les renseignements essentiels qu'on retrouverait sur un chèque.

Les chèques informatisés ont des signatures préimprimées. À cause de la quantité de chèques tirés, il est peu pratique de les signer à la main. C'est pourquoi une personne autorisée doit signer la réquisition avant que les chèques soient tirés.

Un opérateur d'ordinateur entre l'information de la réquisition pour produire le chèque. Après vérification, les chèques sont postés. La réquisition est conservée pour les dossiers comptables de l'entreprise.

Conciliation du compte bancaire

On vérifie le compte bancaire en comparant le relevé bancaire avec les dossiers de la compagnie. Pour avoir un contrôle comptable, la conciliation du compte bancaire devrait être faite par un employé qui n'autorise pas les paiements et qui ne fait pas les dépôts.

Les dossiers de la compagnie sont le carnet de chèques et les bordereaux de dépôt. Le dossier de la banque est le **relevé mensuel** qui note toutes les transactions dont les dépôts, les retraits et les frais de service. Tous les chèques encaissés reçus par la banque accompagnent le relevé mensuel.

Souvent les deux dossiers ne concordent pas. C'est surtout le cas lorsque des chèques émis n'ont pas encore été encaissés. De plus, les frais de service sont calculés et déduits automatiquement par la banque. L'entreprise en ignore le montant tant qu'elle n'a pas reçu le relevé. On considère les comptes vérifiés lorsqu'on peut justifier la différence entre les deux.

Si vous êtes équipé d'un ordinateur et disposez du bon logiciel, vous pouvez vérifier électroniquement le solde bancaire. Qu'elle soit manuelle ou électronique, la procédure reste la même, quoique la deuxième façon permet d'éviter les possibilités d'erreur de calculs.

Préparation du relevé bancaire de conciliation

1. Placez les chèques en ordre numérique.

2. Comparez les chèques, les bordereaux et les notes de crédit et de débit aux montants inscrits sur le relevé bancaire. Cochez chaque élément à mesure que vous le trouvez. Ceux qui ne sont pas cochés sont en circulation.

3. Utilisez la même procédure pour comparer ces effets à vos propres dossiers comptables de dépôts et de retraits.

4. Après identification des effets en circulation, préparez un relevé de vérification bancaire. Certaines banques laissent au verso l'espace nécessaire pour le faire. Vous devrez peut-être faire un relevé plus officiel.

5. Commencez par le dernier solde du relevé. Ajoutez tous les dépôts et soustrayez les chèques en circulation du relevé comptable de l'entreprise. Le résultat est le solde réel.

6. Notez le solde final dans le livre de comptes. Ajoutez les items en circulation qui ont peut-être été collectés et déposés par la banque puis soustrayez les items en circulation comme les chèques retournés, les frais de service et l'intérêt sur les emprunts. Le résultat est le solde réel.

7. Les deux soldes devraient être identiques après les ajustements. Sinon, vérifiez vos calculs. Les erreurs bancaires devraient être immédiatement signalées à un officier de la banque.

Un relevé de conciliation compare les dossiers bancaires avec ceux de l'entreprise.
Gracieuseté de la Banque Royale du Canada

COMMENT FAIRE CONCORDER CE RELEVÉ AVEC VOTRE REGISTRE

1. COCHEZ SUR VOTRE REGISTRE TOUTES LES ÉCRITURES FIGURANT SUR LE RELEVÉ
   (NE PAS OUBLIER D'INSCRIRE TOUS LES FRAIS BANCAIRES OU LES CRÉDITS DANS VOTRE REGISTRE)

2. REMPLISSEZ LA SECTION CONCILIATION CI-DESSOUS

3. N'HÉSITEZ PAS À COMMUNIQUER AVEC NOUS SI VOUS ÉPROUVEZ DES DIFFICULTÉS

CONCILIATION

SOLDE INDIQUÉ SUR LE RELEVÉ DE LA BANQUE	4129,86 ▸	3975,00
AJOUTEZ DÉPÔTS/CRÉDITS FIGURANT DANS VOS REGISTRES, MAIS NON INSCRITS SUR LE RELEVÉ DE LA BANQUE	253,75 435,00 250,10 198,59 107,70	
TOTAL DES CRÉDITS	▸5375,00 ▸	_____
	TOTAL PARTIEL ▸	_____
DÉDUISEZ TOUS LES CHÈQUES ENCORE EN CIRCULATION FIGURANT DANS VOS REGISTRES	_____ 1400 –	
TOTAL DES DÉBITS	▸1400 – ▸	_____
CE MONTANT DEVRAIT CONCORDER AVEC LE SOLDE DE VOTRE COMPTE	▸5375,00	

EXPLICATION DES SYMBOLES APPARAISSANT DANS LA COLONNE «DESCRIPTION»
- ISD - INTÉRÊT SUR DÉPÔT
- ID - INTÉRÊT SUR DÉCOUVERT
- FA - FRAIS D'ADMINISTRATION/FRAIS DE RELEVÉ PROVISOIRE/FRAIS DE COPIE DE RELEVÉ/ FRAIS D'EXPÉDITION DE RELEVÉ/FRAIS DE DÉCOUVERT/FRAIS DE TENUE DE COMPTE

POUR LES COMPTES-CHÈQUES À INTÉRÊT QUOTIDIEN ET LES COMPTES D'ÉPARGNE À INTÉRÊT QUOTIDIEN EN SUS, LA BANQUE PEUT, SANS AVIS PRÉALABLE, EXIGER UN PRÉAVIS DE QUINZE «15» JOURS EN CAS DE RETRAITS TOTAL OU PARTIEL DES FONDS
LES DÉPÔTS À DES COMPTES DE DÉPÔT EN DEVISES NE CONSTITUENT PAS DES DÉPÔTS ASSURÉS AU SENS DE LA LOI SUR LA SOCIÉTÉ D'ASSURANCE-DÉPÔTS DU CANADA.

La petite caisse

La plupart des entreprises paient par chèque. Toutefois, cela devient dispendieux et encombrant pour payer des frais de livraison ou des fournitures de bureau dont on a besoin immédiatement. La **petite caisse** est un montant que l'on garde à la main pour de telles occasions.

Établir le fonds

Chaque entreprise fixe un montant limite pour ce fonds, ce qui représente l'argent nécessaire pour fonctionner pendant un mois.

Une pièce justificative est un reçu signé pour la petite caisse. *Gracieuseté de Grand and Toy Ltée*

Reçu de petite caisse

Nº _3_

10 mai 19—

Montant _10, 25 $_

Pour _Surligneurs_

_____

Débit _fournitures de bureau_

Montant donné par _J. Théoret_

À _R. Picard_
Signature

NO. L11-C101   GRAND AND TOY Ltée

On émet un chèque pour la petite caisse couvrant le montant mensuel maximum puis on le change en coupures et en monnaie.

Un employé de bureau devrait en être responsable. La pièce justificative qui est le reçu, doit être signée pour tout montant perçu. On devrait garder cet argent sous clé. Le reçu donne la date, le montant et la raison de la dépense.

Notez dans un carnet appelé registre de petite caisse chaque dépense qui devrait être accompagnée d'un reçu.

Renflouer le fonds

Une entreprise fixe également un montant minimum pour la petite caisse et lorsque ce montant est atteint, il est temps de demander d'autre argent.

Tout d'abord, vous devez montrer l'exactitude de vos calculs — procédure de vérification du compte — ce qui est généralement facile à faire. La somme de l'argent qui reste et des reçus devrait être égale au maximum du fonds.

Une fois vérifié, vous pouvez demander un chèque d'un montant égal à ce qu'il manque pour ramener le fonds à son niveau maximum. C'est ce qu'on appelle renflouer le fonds.

QUESTIONS DE RÉVISION ET DE DISCUSSION

1. Pourquoi est-il nécessaire d'assurer la sécurité des chèques informatisés?
2. Si la banque fournit un relevé de toutes les transactions du mois, pourquoi faut-il vérifier le compte?
3. Comment est-ce possible qu'il y ait une différence entre le solde bancaire et celui de votre compte interne?
4. À quoi sert la petite caisse? Quelles sont les procédures de contrôle de ce fonds?

UTILISATIONS

1. Lorraine, chef de service, est préoccupée par le coût et la disponibilité des fournitures de bureau. La procédure d'achat est simple. Quand il en manque, un assistant de bureau appelle la papeterie et fait livrer les articles. Lorsqu'ils arrivent, on les met dans une armoire et le service de la comptabilité émet un chèque pour les payer.

   Récemment, Lorraine a reçu des plaintes sur le manque de réserves et on doit faire une sortie spéciale pour acheter ce qui manque. Elle a aussi remarqué que l'argent dépensé au cours des trois derniers mois excède de beaucoup le montant budgété.

   En groupe de trois, répondez aux questions suivantes :

   a) Quels sont les problèmes d'une telle procédure d'achat?
   b) Quelles recommandations feriez-vous pour améliorer le contrôle des achats?
   c) Montrez comment elles vont améliorer le système.

2. Préparez un état des revenus pour les Services conseils Roland. Choisissez l'information pertinente dans les chiffres du service de comptabilité pour l'année terminant le 30 juin 19—. Utilisez le progiciel de tableaux de l'école.

   Salaires 379 834 $, Dépenses de voyage 10 976 $, Cotisations aux associations professionnelles 875 $, Honoraires professionnels gagnés 784 997 $, Dépenses de fournitures de bureau 8 092 $, Emprunt bancaire 67 087 $, Frais bancaires 364 $, Comptes payables 8 632 $, Divers 4 276 $.

3. Avec le progiciel de tableau de l'école, inscrivez les dépenses suivantes de petite caisse qui avait un chèque de 100 $, le 2 avril. Préparez un relevé pour renflouer le fonds lorsque son solde atteint la limite minimale de 15 $. Conservez le tableau pour un autre devoir.

Parmi les reçus, on retrouve:

Taxi 6,50 $

Ruban pour appareil à lettre 10,19 $

Muffins et café pour réunion 12,65 $

Avance pour dîner d'un client 10 $

Frais de paiement à la livraison 8,29 $

Boîte de blocs-notes de messages téléphoniques 8,79 $

Taxi 7,25 $

Muffins et café 9,30 $

Paquet d'étiquettes de dossier 2,59 $

Frais de paiement à la livraison 10,23 $

4. On conserve la petite caisse d'un maximum de 200 $ et d'un minimum de 15 $ dans le tiroir du haut du bureau de la réception. Jeanne en est responsable, mais André qui partage la tâche de réceptionniste peut aussi donner de l'argent de la petite caisse. Voyant qu'il ne reste que 17,23 $ dans la caisse, Jeanne prépare un relevé pour renflouer le fonds, mais la somme des reçus ne monte qu'à 113 $. En fouillant le tiroir, elle trouve un autre reçu de 15,97 $ sans pourvoir justifier la différence. André se rappelle avoir donné 16 $ alors qu'il parlait au téléphone et a oublié s'il avait eu un reçu.

   Étudiez la situation en groupes de trois. Commentez les procédures de gestion de la petite caisse. Quels changements feriez-vous? Justifiez-les.

5. Présumez que le relevé bancaire du 30 juin indiquait un solde de 1 098,23 $ pour la compagnie de biscuits Gâteaux superbes alors que celui du compte de chèque est de 1 606,08 $.

   En comparant les articles du relevé bancaire avec les dossiers, on trouve les écarts suivants:

   a) chèque en circulation n° 38, 29,82 $; n° 43, 59,80 $; n° 45, 209,81 $

   b) dépôt en transit 762,53 $

   c) frais de services bancaires 9,75 $

   d) note de débit bancaire pour la location annuelle d'un coffret de sûreté 35 $

   À partir de ces renseignements, préparez un relevé bancaire de vérification.

6. Faites un tableau pour le budget de votre service qui vous permettra de contrôler les dépenses. La colonne du «montant du budget» est le montant qu'on prévoit dépenser. La colonne «à jour» indique les dépenses de l'année. Le «montant disponible» est la différence entre le montant prévu et le montant «à jour».

   Entrez les totaux du premier trimestre: transport 7 500 $;

MICROPUCE ÉLECTRONIQUE
SERVICE DES VENTES

Article	Montant projeté	Premier trimestre	Deuxième trimestre	Troisième trimestre	Quatrième trimestre	À jour	Montant disponible
Transport	18 500 $						
Téléphone	1 800 $						
Photocopie	8 250 $						
Divers	2 875 $						
Divertissement	7 700 $						

téléphone 410 $; photocopie 2 783 $; divers 500 $; divertissement 2 192 $.

Après avoir entré ces chiffres du premier trimestre, évaluez les résultats. Devriez-vous porter certains articles à l'attention de votre directeur? Pourquoi?

STAGE EN COMMUNICATION

1. Préparez une note demandant un chèque pour renflouer la petite caisse. Ajoutez-y le relevé préparé à la question 3 et envoyez-le à Mme J. Lareau, directrice des services financiers. Le tout sera signé par votre directeur, M.P. Bonenfant.

2. Avec un logiciel de l'école, faites une lettre standard pour un premier rappel aux clients qui ont des comptes en souffrance. Elle devrait mentionner les marchandises achetées, les numéros de factures, le montant en souffrance et les dates où les versements étaient dus.

    En utilisant le formulaire comme document constant et l'information ci-après comme variable, envoyez des lettres à chaque endroit suivant : (datez les lettres 19— 11 29)

    M. Taillefer Inc., 146 Meridian Way, Kamloops, C.-B. V3R 5G7, a acheté 5 000 m de fil de cuivre, facture n°A4938, 941,08 $ en souffrance, payable le 19— 09 28.

    Construction Germain & Frères, 22, route Sheldon, Grand Falls, Terre-Neuve, A2B 3C4, a acheté 59 coupe-circuit, facture n° 4433, 689,45 $ en souffrance, payable le 19— 09 12.

L'INDUSTRIE DE L'ASSURANCE

Feux, accidents, inondations et vols sont quelques-uns des nombreux événements imprévisibles et financièrement désastreux qui peuvent arriver à tous les jours. Les gens achètent de l'assurance pour se protéger de tels accidents ou de telles calamités. Pour un montant qu'on appelle une prime, l'assurance permet d'éviter une grosse perte causée par un de ces événements. Sans assurance, le propriétaire d'une entreprise pourra payer tous les frais d'un accident.

L'assurance est une partie vitale du monde moderne et les occasions de carrière dans ce domaine sont très bonnes. Les différents aspects de l'assurance sont la vente, l'évaluation du risque, fixer et collecter les primes, et rembourser aux clients leurs réclamations pour pertes encourrues.

Les employés de l'industrie de l'assurance doivent avoir beaucoup de connaissances spécialisées apprises principalement au travail. La technologie a simplifié le travail. Au lieu de calculer les primes en examinant les chiffres des tables et en les additionnant, les employés peuvent informatiser les statistiques pour les calculer. L'avis de nouvelle prime au client est préparé automatiquement remplaçant plusieurs heures de calculs manuels et de préparation.

Au niveau de la direction, on accepte de plus en plus les diplômés de collèges ou d'universités quoiqu'il demeure possible pour un diplômé d'école secondaire de gravir les échelons s'il est consciencieux et désireux d'apprendre. L'Institut d'assurance du Canada et ses succursales provinciales offrent des cours sur tous les aspects de la théorie de l'assurance qui mène à un certificat reconnu par l'industrie.

Les postes décrits plus loin exigent une grande expérience de l'assurance. Un néophyte ne commencerait pas comme assureur ou comme expert en sinistres. Un poste d'entrée serait plutôt d'aider comme adjoint à l'évaluation et au traitement des propositions et/ou des réclamations. Avec l'expérience, il pourra être promu au poste d'assureur ou d'expert en sinistre.

ASSUREUR

L'assureur évalue les propositions d'assurance et décide si la compagnie devrait accepter le risque ou non. Il doit être en mesure d'interpréter toute l'information écrite, de demander les bonnes questions si l'information est incomplète et de prendre une décision. Si la proposition est acceptée, l'assureur doit déterminer le niveau de risque impliqué et fixer une prime selon les taux de la compagnie.

On mesure l'habileté de l'assureur par le nombre de réclamations des clients. Plus il y en a, plus c'est coûteux pour la compagnie. Un assureur travaille sous pression pour accepter les bons risques ou les clients moins sujets à un sinistre. Des talents en communication et en prise de décision sont d'importance

---

* Note: Toutes les carrières présentées dans cette concentration sont également offertes aux hommes et aux femmes.

vitale pour aider l'assureur à évaluer chaque client et à prendre la décision finale.

EXPERT EN SINISTRES

En cas de sinistre, l'expert s'occupe des réclamations d'assurance pour évaluer leur validité et pour recommander le remboursement s'il y a lieu. Cela demande comme talents un esprit analytique pour interpréter les aspects légaux du contenu de la police et l'habileté d'appliquer ce contenu à une situation particulière. De plus, l'expert doit être capable de fonctionner avec une foule de gens dans des situations de stress où il y a eu de lourdes pertes.

On peut régler plusieurs cas au téléphone. Toutefois, l'expert doit être prêt à se rendre au besoin chez les gens ou sur le lieu du sinistre. Souvent, ces rencontres ont lieu en dehors des heures normales de travail.

DÉVELOPPER VOTRE SENSIBILISATION AUX AFFAIRES

1. Définissez les termes suivants et utilisez-les dans une phrase qui se rapporte à l'industrie de l'assurance.

police	prime
franchise	réclamation
responsabilité d'un tiers	péril
annulation	tous risques
couverture	risque

2. Préparez une entrevue avec un employé de l'industrie de l'assurance. Faites un rapport sur l'influence de la technologie sur ses responsabilités quotidiennes. Si possible, ajoutez à votre rapport toutes les formules informatisées qu'il utilise. Assurez-vous d'expliquer le but de chacune d'elles.

PROCÉDURES SUPPLÉMENTAIRES DE GESTION DE L'INFORMATION

14

GESTION DES DOSSIERS — LA PROCÉDURE

Après la lecture de ce chapitre, vous serez en mesure:

- De comprendre la nécessité d'élaborer un système de gestion de l'information.
- De classer les documents en leur assignant le bon horaire de conservation.
- De conserver des documents écrits à l'aide de différents systèmes de classement.

La gestion des dossiers est le contrôle systématique de l'information à travers son cycle complet de traitement. Un tel système doit établir des procédures simples et constantes qui facilitent l'accès à l'information et qui assurent la sécurité des documents pour usage ultérieur. La mise en place d'une méthode efficace pour conserver et récupérer l'information en facilite l'accès dans la prise de décision. Aussi bien se débarrasser des dossiers si on ne peut pas facilement les consulter. Souvent, la recherche d'un document ressemble à une chasse au trésor. Si l'information est écrite, cette recherche pourrait passer par les dessus de bureaux et les tiroirs, les paniers d'entrée et de sortie aussi bien que les classeurs. L'in-

J'ai mon propre système. Donnez-moi seulement un moment pour le trouver.

formation électronique peut être aussi difficile à trouver si elle a mal été conservée. Elle peut demander de vérifier plusieurs répertoires ou plusieurs fichiers un à un. Ces recherches sont dispendieuses. Le temps utilisé est improductif pour la compagnie et frustrant pour l'employé impliqué.

Les étapes à suivre pour classer un dossier et le récupérer devraient être écrites dans un cahier de sorte que tous les employés du bureau soient en mesure de comprendre et suivre les procédures. Celles-ci ne devraient pas reposer sur la mémoire d'une personne ou être affectées par les mouvements de personnel.

QUE VEUT DIRE CLASSER?

Classer, c'est placer des documents dans un endroit précis. Un système de classement suit un ensemble de règles pour aménager, conserver et récupérer les documents de façon systématique et ordonnée. Ces règles s'appliquent autant pour des documents écrits qu'électroniques et permettent de placer les dossiers pour les retrouver rapidement et facilement. On devrait remettre au même endroit les documents pris en filière. Quand l'information est conservée électroniquement, il faut prendre soin d'assigner un nom de dossier également noté sur un répertoire de disquette. Dans un système électronique, on ne peut pas voir l'information, c'est pourquoi il faut donner des noms de dossier significatifs qui donnent une idée du contenu.

Votre employeur demande un dossier. Comment le retrouver si vous avez trois classeurs et au moins douze disquettes dans la boîte avec toutes sortes de rapports et de documents?

Vous devez rencontrer un associé d'affaires important au Café Campus. N'ayant pas l'adresse, vous prenez l'annuaire téléphonique. Sur quelle page est-elle?

Un système de classement devrait organiser les documents pour un accès rapide et facile.

Que la demande de dossier soit personnelle ou d'affaires, la connaissance des systèmes de classification facilitera votre tâche.

À la maison, il est facile de trouver un nom et adresse sans feuilleter tout un livre. Une compréhension des règles de classification alphabétique vous permettra de trouver en quelques secondes le numéro téléphonique d'un restaurant.

Toutes les entreprises ont des systèmes de classement qui répondent à leurs besoins. Puisque chaque bureau possède différentes sortes de dossiers, la tâche de les organiser d'une façon efficace est d'une grande importance. Il est essentiel que l'employé qui gère le système le comprenne à fond.

QUESTIONS DE RÉVISION ET DE DISCUSSION

1. Définissez l'expression gestion de dossiers. Pourquoi faut-il établir des procédures de gestion de dossiers? Donnez un exemple de ce qu'il arriverait s'il n'y avait pas de procédures?
2. Qu'est-ce qu'un système de classement? Montrez son importance.

SYSTÈMES DE CLASSEMENT

Les systèmes les plus courants sont: **alphabétique, par sujet, numérique, géographique** et **chronologique.**

Dossiers alphabétiques

Tout le monde connaissant l'alphabet, c'est le système le plus facile à organiser et à maintenir. Par souci d'uniformité, il existe quelques règles acceptées pour l'ordre alphabétique. Les noms sont tout simplement placés dans cet ordre à partir du mot-clé du dossier.

Ce mode de classement se fait en trois étapes. Dans l'exemple suivant, il faut classer ces noms: Jasmin L. Simon; Jacqueline Simon; J. Simon; Jasmin B. Simon.

1ʳᵉ étape. Placer les noms dans le bon ordre de classement.
Simon, Jasmin L.
Simon, Jacqueline
Simon, J.
Simon, Jasmin B.

Ces dossiers ont été mis en ordre pour classement

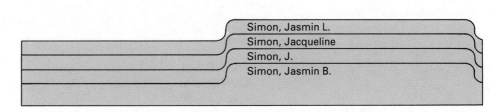

Simon, Jasmin L.
Simon, Jacqueline
Simon, J.
Simon, Jasmin B.

Remarquez la virgule après Simon. Cela montre que le mot a été mis en ordre de classement. Cela est très important quand il est difficile de distinguer entre le nom et le prénom. Par exemple, prenez le nom

Albert Jean. Dans ce cas, Jean est le nom mais pourrait être le prénom.

2ᵉ étape. Divisez en unités de classement — chaque mot ou initiale en étant une; on compare chaque lettre d'une unité jusqu'à ce qu'il y ait une différence.

1ʳᵉ unité	*2ᵉ unité*	*3ᵉ unité*
Simon,	Jasmin	L.
Simon,	Jacqueline	
Simon,	J.	
Simon,	Jasmin	B.

3ᵉ étape. Placez les dossiers en ordre alphabétique. Organisez-les en comparant les lettres de la première unité de deux noms à classer. S'ils sont identiques, passez à la deuxième unité et ainsi de suite jusqu'à ce qu'il y ait une différence.

Simon, J.
Simon, Jacqueline
Simon, Jasmin B.
Simon, Jasmin L.

Ces dossiers ont été classés et mis en ordre alphabétique.

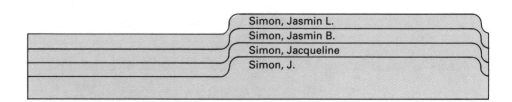

Simon, Jasmin L.
Simon, Jasmin B.
Simon, Jacqueline
Simon, J.

Règles de classement

Règle 1 : Noms
On classe tous les noms de la façon suivante :
Nom, prénom ou initiale. Chaque nom entre dans une unité de classement.

	unité 1	*unité 2*
Karine Robert	Robert,	Karine
Jérôme Roche	Roche,	Jérôme
Jeanne Rochon	Rochon,	Jeanne
Julien Rochon	Rochon,	Julien

Règle 2 : Une unité vide passe avant une pleine
Un nom que rien ne suit précède celui qui est suivi de quelque chose.

unité 1	unité 2	unité 3	unité 4
Jacob,			
Jacob,	Jacques		
Jacob,	Jacques	Lionel	
Jacob,	Jacques	Lionel	Guillaume

Règle 3 : Noms avec préfixes

Lorsqu'un nom a un préfixe, il s'y intègre et est considéré comme une seule unité. Même si le préfixe est en majuscules, cela ne change pas la règle. Voici des exemples de préfixes : d', de, de la, du, Mac, Mc, O', St, Van.

	unité 1	unité 2
Marie McDonald	McDonald,	Marie
Simone O'Malley	O'Malley,	Simone
Charles Saint-Laurent	Saint-Laurent,	Charles
Raymond Van Abelee	Van Abelee,	Raymond

Règle 4 : Les noms avec trait d'union

Dans ce cas, tout le nom est considéré comme une seule unité.

unité 1	unité 2
Beaugrand-Champagne	Raymond
Demers-Pelletier	Julie
Drolet-Comeau	Luc
Lévi-Beaulieu	Michel

Règle 5 : Les noms étrangers

Si vous ignorez la façon d'écrire un nom étranger ou lequel est le prénom, classez-le comme il est écrit.

unité 1	unité 2
Alvares,	Contadore
Bharati,	Nathwani
Quach,	Bhin
Subra,	Sur

Règle 6 : Les noms identiques

Dans ces cas-là, regardez l'adresse pour les classer. Il faut peut-être la considérer au complet, i.e., ville, rue et numéro pour différencier des noms identiques.

unité 1	unité 2	unité 3	unité 4
Martin,	Roger	Brandon	Manitoba
Martin,	Roger	Lethbridge	Alberta
Martin,	Roger	Regina	Saskatchewan

Règle 7 : Noms avec titres ou diplômes

Ils ne font pas partie d'une unité spéciale mais peuvent être ajoutés entre parenthèses à la fin de la dernière unité. Des notes qui indiquent le rang font partie de la dernière unité.

unité 1	unité 2	unité 3
Alain	Claude	I (Major)
Alain	Claude	II (Major)
Archambault	Roger (dr.)	
Chung	Lorraine (Mme)	
Chung	Lorraine (Ph.D.)	

Règle 8 : Les noms de compagnie

On les classe de la même façon qu'ils sont écrits. Ceux qui ont un trait d'union sont considérés comme un seul nom.

unité 1	unité 2	unité 3
Dussault	Autobus	Location
Guérin	Éditeur	
Joseph	Marine	Fournisseurs
Samson	Bélair	Comptables

Règle 9 : Noms avec abréviations

On les considère comme si le nom était écrit au complet. Une lettre seule ou une initiale deviennent une unité.

unité 1	unité 2	unité 3	unité 4
A	B	C	Textiles
Félix	Norton		
S(Société)	R(Radio)	C(Canada)	
Tremblay	Tremblay	Ltée(Limitée)	

Règle 10 : Classer les noms de compagnie qui ont un nom de personne.
Dans ce cas, interchangez le nom et le prénom.

unité 1	unité 2	unité 3
Bolduc,	Marie	Fleuriste
Dusseault,	Jean	Construction
Lepage,	Réjean	Immeuble
Viau,	Maurice	Voyages

Règle 11 : Articles, conjonctions, prépositions
Les articles (le, la, les), les conjonctions (et, ou) et les prépositions (de, à, pour, avec) ne sont pas des unités. On les met entre parenthèses.

unité 1	unité 2	unité 3
Fin (de l')	Eau	Restaurant
Fou	Furieux	Club (Le)
Jean (et)	Charles (de)	Montréal
Laurentienne	Prêts (et)	Dépôts

Règle 12 : Noms identiques de compagnies
Comme pour les noms de personne, on se réfère à l'adresse.

unité 1	unité 2	unité 3
Formes exprès	Vancouver	rue Allen
Formes exprès	Vancouver	rue Baker
Studio Beauté (Le)	Halifax	
Studio Beauté (Le)	Montréal	

Règle 13 : Noms composés géographiques
Chaque nom est une unité.

unité 1	unité 2	unité 3	unité 4
Baie	Comeau	Aréna	
Côteau	Station	Motel	
Mont	Royal	Garage	
Trois	Rivières	Pâtes (et)	Papier

Règle 14 : L'apostrophe
Ne tenez pas compte de tout ce qui est après l'apostrophe. Placez les lettres qui suivent entre parenthèses.

unité 1	unité 2	unité 3
Baker' (s)	Originale	Pâtisserie
Bakers	Fine	Pâtisserie
Boyson' (s)	Sports	
Boysons'	Garage	Atelier

Règle 15 : Classement des nombres
On les classe comme s'ils étaient écrits en lettres avec le moins de mots possible et ils entrent tous dans la même unité. Par exemple, 5650 devient cinq mille six cent cinquante.

unité 1	unité 2	unité 3
Cinquième	Avenue	Coiffeur
Cinquante-quatrième	Rue	Restaurant
Trente-deuxième	Étage	Belvédère
Vingt-quatre	Heure	Dépanneur

Règle 16 : Noms du gouvernement fédéral et des gouvernements provinciaux
Les services sont d'abord classés selon le niveau gouvernemental, puis par service, section et division régionale.

unité 1	unité 2	unité 3	unité 4	unité 5
Alberta	Province (de)	Éducation (service de)	Programme	Division
Canada	Gouvernement (de)	Emploi (service de)	Immigration	
Vancouver	Ville (de)	Parcs (et)	Récréation	

Règle 17 : Églises, hôpitaux, organismes et écoles
Ils sont classés de la façon qu'ils sont écrits.

unité 1	unité 2	unité 3	unité 4
Armée (du)	Salut		
Papineau	École	Secondaire	Régionale
Saint	Denis	Église	Catholique
Temple	Sinaï		

Règle 18 : Noms de collèges et d'universités
Classez le nom de telle sorte que la partie la plus importante se trouve à l'unité 1.

unité 1	unité 2	unité 3
Montréal	Université (de)	
Québec (à)	Montréal	Université (du)
Rosemont	Cégep (de)	
Saint	Laurent	Cégep

Fichiers par sujets   C'est un système de classement par lequel les dossiers sont groupés en catégories. On l'utilise souvent quand le sujet est plus important que la personne. On classe les documents en ordre alphabétique dans des catégories principales. Les titres des sujets principaux choisis par une compagnie dépendent de la nature de ses affaires. Par exemple, une compagnie de disques pourrait avoir un système de classement basé sur la sorte de musique comme classique, rock ou jazz. On classe ensuite chaque artiste dans la bonne catégorie. Cette forme de classement par sujet serait pratique et efficace pour une librairie. Les auteurs seraient placés alphabétiquement à l'intérieur de groupes comme les autobiographies, les manuels scolaires, les livres de référence ou d'intérêt général.

Dans un système par sujet, chaque fiche a deux étiquettes. La première est le classement par sujet; la seconde est le nom de la fiche. La mise en

place de ce système est très facile, la plus grande difficulté étant le choix des sujets. Un dossier peut appartenir à plus d'un sujet et il faut arrêter son choix de classement. Un tel document est habituellement classé avec renvoi, qui est une technique explorée plus loin dans le chapitre. Souvent dans le classement par sujet, on tient un index séparé avec la liste alphabétique de tous les dossiers. Cela permet de trouver le bon classement d'un dossier afin d'en faciliter l'accès à l'information. De plus, on peut garder une liste de tous les classements par sujet dans le but d'une consultation rapide par les employés.

Le classement par sujet demande une étiquette pour le classement principal et une autre pour chaque dossier.

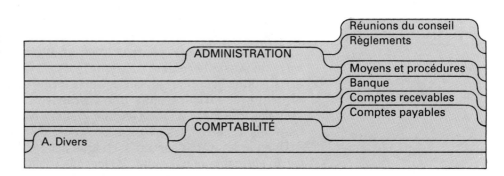

Dossiers numériques

C'est un système qui assigne un numéro à tout ce qui se rapporte à un dossier particulier, qui est ensuite classé numériquement.

Ce système est excellent pour les dossiers déjà numérotés comme les factures et les commandes, les polices d'assurance et les comptes bancaires. Un système numérique est également utile pour des documents confidentiels comme des dossiers de causes légales ou d'employés généralement classés d'après le numéro d'assurance sociale.

Quand on utilise un tel système, il faut tenir un index alphabétique qui sert de répertoire des dossiers numérotés. Lorsque vous cherchez un dossier particulier, vous vérifiez d'abord l'index pour trouver le numéro. Ensuite, le dossier se trouve facilement.

Il y a deux sortes de classement numérique : le système numéroté et celui finissant par un chiffre. Le premier est plus simple parce que les numéros ne font qu'augmenter de un à l'ajout de tout nouveau dossier : par exemple 1, 2, 3, etc. Le deuxième système assigne des numéros séquentiels aux dossiers afin de les regrouper. Les numéros se lisent deux par deux en sens inverse. Si vous cherchez le dossier 14 40 09, vous suivez les étapes suivantes :

Le système numérique de classement utilise souvent des numéros identifiés par la couleur pour plus d'efficacité. *Gracieuseté de Data-file Wright Line Ltée.*

- trouvez le tiroir qui a les nombres finissant par 09
- trouvez le guide numéro 40
- derrière le 40, trouvez le guide pour le dossier numéroté 14

Un grand avantage de ce système est sa capacité d'augmenter sa taille simplement en ajoutant des numéros en ordre différent.

Le principal avantage du système à terminaison numérique est d'éliminer la surcharge de dossiers dans les tiroirs.

L'inconvénient propre aux deux systèmes est la nécessité de décider du bon code pour chaque dossier.

Dossiers géographiques

Ces systèmes tiennent compte de l'endroit. C'est très utile pour les compagnies immobilières ou de publi-postage qui font des campagnes de vente dans des secteurs particuliers.

On fait une première division par province et, ensuite, par ville. On classe alphabétiquement les chemises de chaque correspondant d'une région. À la fin de chaque division principale, on retrouve une chemise marquée «divers» qui contient la correspondance des clients occasionnels. Là encore, les lettres sont classées alphabétiquement. Dès que l'on accumule cinq lettres ou plus pour une entreprise, on l'insère dans une même chemise.

Quand on utilise un système géographique, on devrait conserver une liste alphabétique principale avec les noms et adresses de tous les correspondants. Cela évite les problèmes de recherche d'un dossier lorsque vous possédez le nom sans connaître l'adresse.

Les compagnies immobilières et de publicité par publi-postage utilisent souvent le classement géographique.

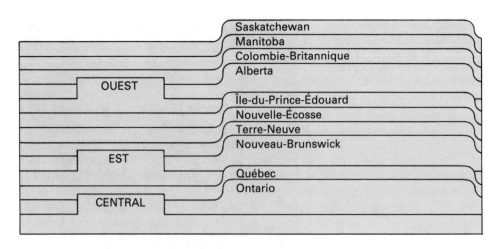

Dossiers chronologiques

Ce système classe l'information d'après la date. Toutes les entreprises ont des articles qui se classent mieux d'après la date. Par exemple, les polices d'assurance peuvent être classées d'après la date d'expiration. Un peu avant la date de renouvellement, on avise le client du coût de prolongement de la police pour une certaine période. Les factures sont classées en fonction de la date à laquelle le paiement est dû. Cela permet de percevoir les comptes de façon ordonnée. On classe aussi de cette façon les réunions, les conférences et les dates limites.

Plusieurs entreprises classent chronologiquement lorsque les dates limites et d'expiration sont importantes.

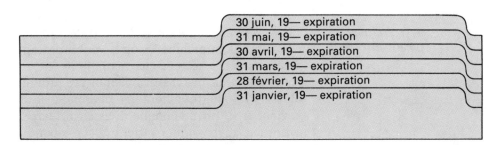

QUESTIONS DE RÉVISION ET DE DISCUSSION

1. Identifiez et décrivez les étapes à suivre dans le système alphabétique de classement.
2. Classez cette liste de noms selon les règles alphabétiques.
   • CKVR Télévision
   • Joseph P. Racicot, Ph.D.

- Université du Québec à Montréal
- Frédéric de La Chevrotière
- Sara J. Kirkland-Casgrain
- Agence de voyages Jacques Rousseau
- Hôtel de la rivière Saint-François
- Restaurant du mail central
- Restaurant de ville
- Service Emploi et Immigration, gouvernement du Canada

3. Décrivez brièvement deux des systèmes de classement suivants:
a) sujet, b) numérique, c) chronologique, d) géographique.

CLASSER DES DOSSIERS

Une entreprise n'a pas à conserver tous les papiers indéfiniment. Toutefois, la décision de garder ou jeter un document ne devrait pas relever d'un employé. Une mauvaise décision pourrait être coûteuse financièrement et légalement, entre autres, pour l'information servant de preuve en cour. Pour éviter de telles situations, il faut établir des directives particulières sur la conservation de l'information selon le genre de dossiers. Chaque entreprise prendra des décisions semblables sur la durée de conservation des dossiers quoiqu'il y ait des lignes de conduite à suivre.

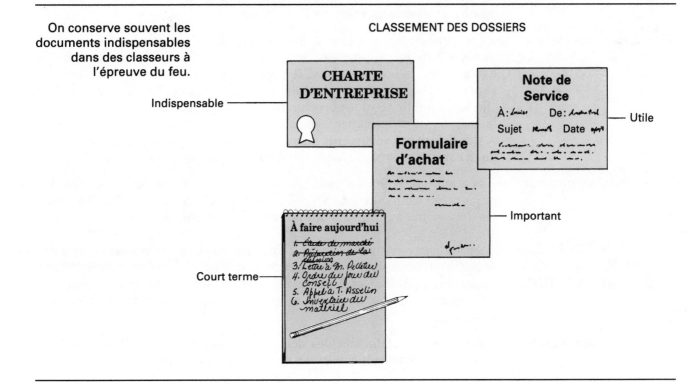

On conserve souvent les documents indispensables dans des classeurs à l'épreuve du feu.

CLASSEMENT DES DOSSIERS

Dossiers indispensables

Les **dossiers indispensables** sont les documents essentiels à la vie de l'entreprise. Si un incendie détruit la compagnie, les dossiers comme la charte d'incorporation, les contrats légaux, les procès-verbaux des réunions du conseil et les états financiers vérifiés seraient essentiels pour repartir à neuf. Ces documents essentiels démontrent également qu'une entreprise s'est conformée aux directives gouvernementales.

Tous ces documents devraient être en permanence dans une chambre forte ou un coffre-fort à l'épreuve du feu et du vol. Par mesure de sécurité, on devrait conserver des copies de ces documents dans un autre endroit.

Dossiers importants

Les **dossiers importants** sont habituellement les transactions financières dont les factures, les bons d'achat, les feuilles de temps des employés et les rapports d'inventaire. Bien que moins importants que les dossiers indispensables, ils peuvent servir de preuves pour une enquête fiscale et devraient donc être conservés pour au moins sept ans.

Dossiers utiles

Les **dossiers utiles** incluent la correspondance générale et les notes qui donnent une information générale sur les opérations quotidiennes. Bien que leur perte puisse être contrariante, l'entreprise pourrait continuer à fonctionner sans problème majeur. On conserve ces dossiers de un à trois ans au choix de l'entreprise.

Dossiers à court terme

Ils n'ont aucune valeur à long terme. On devrait s'en débarrasser après lecture ou dès que l'événement a eu lieu. Voici quelques exemples de ce qu'on ne conserve pas: les copies de travail et les brouillons de rapports, les messages téléphoniques, une copie d'un document déjà classé, la publicité et les brochures de conférences, les notes sociales de la compagnie et les rappels des tâches.

Conserver ces documents risque de surcharger les classeurs et amène de la confusion lorsqu'on conserve ou récupère des dossiers.

Dossiers périmés

N'étant pas utiles, on peut les détruire. On brûle ou on déchiquète les papiers qui sont souvent recyclés pour faire d'autres produits. On efface les documents sur rubans qui peuvent encore servir.

**CONSERVATION
ET DESTRUCTION
DE L'INFORMATION**

Après les avoir classés, on peut faire un **horaire de conservation** des dossiers qui contrôle leur transfert de façon ordonnée selon un statut actif, inactif ou périmé. Cet horaire règle le roulement de l'information en distinguant entre la durée de ce qui doit être conservé et ce qu'on doit **éliminer**.

Dossiers actifs

Les **dossiers actifs** sont des dossiers de travail qu'on utilise régulièrement et qu'on devrait conserver de façon à permettre un accès facile aux

On peut détruire les
dossiers périmés.

usagers. C'est là qu'on retrouve les dossiers indispensables, importants et utiles. Les projets ou rapports en cours et tous les documents d'accompagnement sont des exemples de dossiers actifs. La période active est variable.

Dossiers inactifs

Aussitôt un projet complété et le besoin de consulter l'information terminé, les dossiers deviennent inactifs. Les documents de comptabilité comme les factures, les chèques encaissés, les notes de crédit et les fiches de temps des employés de l'année courante devraient être actifs jusqu'à la publication et la vérification des états financiers annuels.

Un horaire de conservation contrôle la destruction de l'information.

CONSERVATION	
AUTORISATION	ANNÉES
RECOMMANDATION (INDIQUER LA SOURCE) *juillet 1975* *Articles du catalogue*	5
ADMINISTRATIF PAR *John James* DATE *77-2-15*	7
aucune diligence requise CONSEILLER LÉGAL PAR *Robert Sanders* DATE *77-3-10*	X
DIRECTION PAR *R.R. Douglas* DATE *77-3-24*	5

HORAIRE FINAL		
AU BUREAU 2 ans	À L'ENTREPÔT 5 ans	DÉTRUIRE après 7 ans

PAR *William Hastings*   DATE *77-4-5*

INSTRUCTIONS SPÉCIALES: *Superviser les activités d'entrepôt des deux dernières années. Une réduction additionnelle des fichiers entreposés est possible.*

FICHÉ DE CONTRÔLE DE CONSERVATION

Il est inutile de conserver les dossiers inactifs à portée de la main.

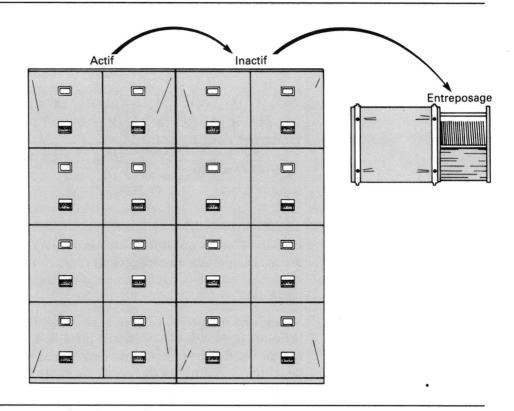

Avec la venue de la nouvelle année, ces dossiers deviennent inactifs.

Lorsqu'un dossier devient inactif, cela ne veut pas dire que l'information qu'il contient est inutile, mais, plutôt, qu'elle n'a pas besoin d'être constamment à portée de la main. On peut garder les **dossiers inactifs** au sous-sol ou à l'entrepôt. C'est ce qu'on appelle les archives.

FICHIERS DE RELANCE

Le **fichier de relance** est un important outil organisationnel de bureau qui sert de rappel pour les événements futurs comme les réunions et les dates d'échéance. Chaque employé a des responsabilités différentes et certains vont trouver qu'une simple note sur un calendrier de bureau est suffisante alors que d'autres ont besoin d'un système de classement.

S'il faut un système, on classe les articles chronologiquement dans un dossier daté de deux à trois jours avant l'événement pour permettre de faire le travail nécessaire. Avant de le classer, on note au coin supérieur les instructions spéciales comme la date de récupération et toute autre information.

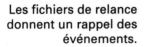

Les fichiers de relance donnent un rappel des événements.

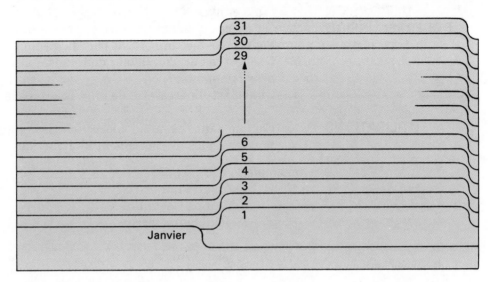

Le fichier compte douze chemises mensuelles et trente et une qui sont quotidiennes. La chemise du mois courant est placée devant les chemises quotidiennes. On sépare les événements qui arriveront durant le mois et on les place dans la chemise réservée à cet effet. Les autres événements futurs sont placés dans la chemise mensuelle. Un peu avant le début de chaque mois, la chemise du nouveau mois se place au-devant tandis que les événements du mois sont placés dans la fiche quotidienne.

Un **fichier de cartes** est une version réduite et s'utilise de la même façon en utilisant des fiches au lieu des documents eux-mêmes. On y écrit les rappels. L'avantage de la taille de ce fichier est de pouvoir se mettre facilement sur un bureau ou dans un tiroir.

Les systèmes électroniques de gestion de calendrier organisent aussi les événements de la même façon. On récupère les articles qui sont affichés à l'écran du poste de travail.

Renvoi   Souvent, un document ou une lettre peut être pertinent à plus d'un projet ou dossier. Pour régler le problème de classement, on utilise la procédure de **renvoi**. Cela demande de faire un certain nombre de copies afin que le même document se retrouve dans divers dossiers. Au lieu de faire des copies, certaines compagnies préfèrent remplir des fiches qui indiquent où se trouve l'original. On met alors cette fiche en dossier pour référence future.

Les systèmes de classement par sujet dépendent beaucoup du renvoi qui permet de trouver plus facilement les documents.

QUESTIONS DE RÉVISION ET DE DISCUSSION

1. Quelle différence y a-t-il entre des dossiers indispensables, importants et utiles?
2. Qu'est-ce qu'un horaire de conservation? Comment l'organise-t-on? Pourquoi est-ce important pour la gestion des dossiers?
3. Quel est le but d'un fichier de relance? Décrivez la procédure à suivre pour l'implanter?
4. Quand est-il nécessaire de faire des renvois de documents?

UTILISATIONS

1. Comme dans l'exemple, placez tous les groupes en ordre en respectant les règles de classement alphabétique.

Exemple:	*Ordre de classement*
1) Albert Hauterive	
2) Jeanne Castellin	1 2 3
3) Jean Senneterre	

a) 1) Claire Adam
2) Serge Adamo
3) Michel Armand _____

b) 1) Jacques Johnson
2) Jacques Johansonn
3) Jacques Johanson _____

c) 1) M. Des Lauriers
2) J. Deslauriers
3) Jean Des Lauriers _____

d) 1) Marie Kirkland-Casgrain
2) Marie Kirkland Casgrain
3) M. Kirklandcasgrain _____

e) 1) Herman Paquet, Kamloops
2) Herman Paquet, Red Deer
3) Herman Paquette, Halifax _____

f) 1) Voyages Canton
2) Jacques Canton
3) Canton, Jacques et Mathieu _____

g) 1) CKFM
2) C.D. Harrison
3) Chas D. Harrison _____

h) 1) Immeubles Raymond Digrosso
2) Assurances Marc DiGrosso
3) Contracteur DiGiovanni _____

i) 1) Café En haut du phare
2) Club En haut du chapeau
3) Tops, équipement électrique d'éclairage _____

j) 1) Marina Port Albert
2) Unités portables de marine
3) Bureau des autorités du port   _____

k) 1) Douzaine de boulanger
2) Boulanger, Daignault et Touche
3) D. G. Boulangé   _____

l) 1) Habillement pour enfant vingt vingt
2) Magasin pour enfants vingt-deuxième avenue
3) Restaurant vingt-quatrième rue   _____

m) 1) Systèmes canadiens d'information
2) Association professionnelle en systèmes
d'information
3) La Fondation canadienne pour le cœur   _____

n) 1) Université Sainte-Marie
2) Collège Seneca d'arts appliqués et de
technologie
3) La fondation Walter Seneca   _____

o) 1) Jean Darrieux et Charles Gold Inc.
2) Ferme d'animaux J. Darrieux
3) Mines d'or Darrieux City   _____

2. Écrivez chaque nom et l'information correspondante sur une fiche
individuelle comme dans l'exemple de la page 336 :

Nom du client	Genre de police	Numéro de police	Date d'expiration
Cartier et Wilson	feu	218670	13 mars
J.D. Simard	vie	623593	20 décembre
Guil. J. Suchard	habitation	985379	21 août
Fiset, Dchwartz Salomon	vol	886214	29 octobre
Mme A. Crevier	vol	923588	3 juillet
Domaine Marseau	feu	258623	19 février
Immeubles Grilli, Edmonton	automobile	632540	10 mai
MacDonald Associés	automobile	987355	6 septembre
J.D. Seigneur	habitation	790001	11 janvier
W.A. Comeau-Drolet	vie	285211	16 mars
Douzaine de boulanger	feu	537384	16 mai
Le groupe du domaine Marseau	vol	783625	14 juillet
Immeubles Grilli, Moncton	automobile	448952	26 septembre
Hélène Chan	habitation	382115	22 mai
Guillaume Berthiaume	vie	198354	5 janvier

Nom	**Numéro de police**
Lareau, J.	98532
Genre de police	**Date d'expiration**
feu	21 novembre 19—

Préparez une liste de clients selon chacune des méthodes suivantes de classement. Notez le temps requis pour partager les données et préparer l'information qui servira à une étude comparative dans le prochain chapitre.

a) alphabétique par le nom

b) numérique en ordre croissant

c) par sujet selon le genre de police

d) chronologiquement par date d'expiration

3. David était très fier de sa façon d'organiser les dossiers du service de la comptabilité d'une grande compagnie manufacturière. Tous les dossiers étaient sur papier et conservés chronologiquement dans un classeur de quatre tiroirs. Celui du haut contenait les plus récents dossiers. Dès qu'un tiroir se remplissait, on transférait des dossiers au tiroir inférieur. Vu qu'il n'y avait pas beaucoup d'espace, aussitôt qu'un dossier arrivait au fond du dernier tiroir, on le considérait périmé et on le jetait. David trouvait que c'était la façon la plus directe et la plus simple de traiter l'information.

    Revenu Canada faisait une vérification de routine des rapports d'impôt de la compagnie et demanda des documents datant de trois ans. On ne pouvait pas les trouver.

    Discutez des faiblesses du système actuel de gestion des dossiers. Quelles sont les implications sur la compagnie de la politique de destruction de l'information? Comment organiseriez-vous le système? Faites des suggestions précises sur les étapes à suivre pour avoir le contrôle du système de gestion des dossiers.

4. Classez chacun des documents suivants dans la bonne catégorie et fixez-leur le temps de conservation.
    - Un rapport sur les détails d'une fusion avec une autre compagnie.
    - Un ordre du jour pour la réunion du conseil d'administration.
    - Le procès-verbal d'une réunion du comité du contrôle de la pollution.
    - Une facture pour une imprimante au laser.
    - Une lettre confirmant les renseignements d'une conférence.
    - Des fiches de contrôle d'inventaire.
    - Une note annonçant le pique-nique de la compagnie.

- Le procès-verbal d'une réunion du conseil d'administration.
- Une brochure publicitaire sur les téléphones cellulaires.
- Un curriculum vitæ d'une personne qui cherche un emploi.
- Des dossiers de salaire des employés.
- Une lettre soulignant l'insatisfaction du fonctionnement d'un nouvel équipement.
- L'évaluation d'un employé.
- Les documents d'incorporation de la compagnie.
- Un état financier vérifié.

5. À partir de la question 4, quels articles mettriez-vous dans un fichier de relance?

STAGE EN COMMUNICATION

Comme responsable du centre de gestion des dossiers, vous en vérifiez quelques-uns pour vous assurer que les bonnes procédures de classement sont respectées. Comparez attentivement cette liste de noms. La colonne A donne le nom du dossier et la colonne B le nom d'un document qu'on retrouve dans un des dossiers de la colonne A. Notez les documents qui ont été mal classés.

A	**B**
a) Nettoyeurs Daoust	Nettoyeurs Daoust
b) Lussier et frères	Lussier et frères
c) Cartier Inc.	Cartier Inc.
d) Baillargeon déménagements	Baillarjon déménagements
e) Construction Denault	Construction Denault
f) Paysagistes Cotrone	Paysagistes Cotrone
g) Saint-Hubert	Saint-Hubert
h) Baillargé	Baillargé
i) Céramiques Ramca	Céramiques Ramaca
j) Produits agglomérés	Produits aglomérés
k) Davis & Davies	Davies & Davis
l) Services Amplitrol	Services Amplitrol
m) Constructeurs Devco	Constructeurs Devco
n) Giovanni, Sergeo & Leone	Giovanni, Sergio & Leone
o) Andruyshen et Polanski	Andruyshen et Polanski

15

GESTION DES DOSSIERS — L'ÉQUIPEMENT

Après la lecture de ce chapitre, vous serez en mesure:

- d'identifier les avantages et inconvénients des différents moyens d'entreposage y compris la technologie magnétique et au laser.
- d'identifier les facteurs à considérer pour concevoir un système de gestion des dossiers.

Même s'il existe plusieurs moyens d'entreposage magnétique, le bureau sans papier n'est pas encore une réalité. Grâce à leur efficacité en temps et en espace, ces moyens magnétiques permettent de défier les systèmes déjà en place basés sur le papier, malgré la préférence de la société pour cette forme de rangement.

Il existe plusieurs moyens d'entreposage de l'information, des tableaux et du son.
Gracieuseté de la Compagnie Hewlett-Packard

L'ENTREPOSAGE MAGNÉTIQUE

C'est par impulsion magnétique que les ordinateurs conservent sur bandes ou disques magnétiques l'information, les tableaux et, en certains cas, le son. Selon le système informatique, la quantité d'information à entreposer et l'usage que vous en ferez, vous choisirez des disquettes ou des rubans.

Disques souples

Les employés qui travaillent sur un micro-ordinateur autonome ou qui font partie d'un petit système réseau utiliseront probablement des disques souples qui mesurent de 9 cm à 20 cm ce qui ressemble à des disques flexibles en plastique dans une pochette.

On enregistre l'information des disques souples sur une série de cercle invisibles appelés pistes, elles-mêmes divisées en secteurs. L'information est conservée électroniquement sur une série de **bits** (contraction des mots anglais «binary digit» ou nombre binaire qui a la valeur 0 ou 1). C'est la plus petite unité d'information comprise par un ordinateur. En groupe de huit, elles forment un **octet** qui représente une lettre, un nombre ou un symbole.

On circule la mémoire d'une disquette par sa densité qui indique la quantité d'octets qu'on peut y conserver sur une section de 2,5 cm de la piste la plus centrale. Le coût et la capacité de mémoire des disquettes augmentent si la densité est simple, double ou quadruple. Toutefois, l'information totale que peut contenir une disquette est déterminée par sa densité et le genre d'unité de disque.

Chaque disquette doit être préparée pour recevoir des données par un procédé de formatage. Une fois préparée, la disquette ne peut être utilisée que sur le genre d'ordinateur pour lequel elle a été formatée. Étant

Une fois formatée, une disquette peut recevoir des données. *Gracieuseté de Essette Pendaflex Canada Inc.*

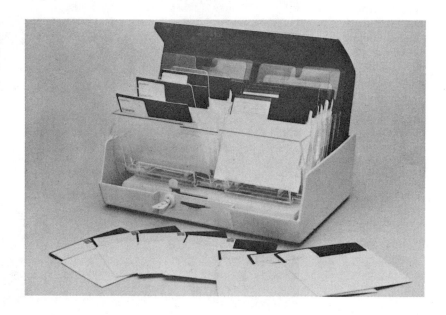

sensibles à la poussière, la fumée, la chaleur et les objets métalliques, les disquettes devraient être gardées dans des boîtes prévues à cet effet.

On devrait étiqueter chaque disquette en usage et le répertoire des fichiers devrait être noté sur la pochette, dans un carnet ou dans un système électronique de fichiers. On devrait écrire avec un crayon feutre sur l'étiquette gommée avant de la coller sur la disquette. On peut facilement perdre l'information mémorisée si on ne place pas un onglet de sauvegarde sur la fenêtre de protection.

Les disquettes emmagasinent l'information sur des «pistes».

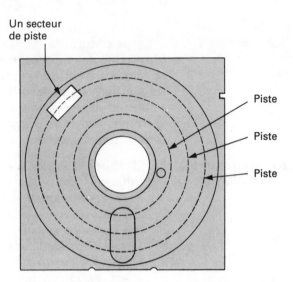

Un secteur de piste

Piste

Piste

Piste

Disques durs   Ils ressemblent à un long jeu et peuvent contenir 10 000 pages de texte. Les grandes bases de données et les systèmes réseaux ayant plusieurs terminaux ont besoin de cette capacité de mémoire.

Scellés en permanence dans l'unité de disquette, les disques durs ne sont pas aussi exposés à la poussière ou à la fumée.

Ruban magnétique   On peut emmagasiner 6 000 caractères par centimètre de ruban magnétique ce qui en fait un moyen économique. Les documents y sont placés successivement. On les retrouve en fouillant une section choisie du ruban jusqu'à ce qu'on trouve le document voulu. Cette façon est plus lente que la **recherche au hasard** qui permet de choisir le document désiré sans fouiller le ruban au complet. C'est pourquoi le ruban sert principalement à entreposer des fichiers de données et des systèmes de fonctionnement.

On utilise souvent le ruban pour des fichiers de sauvegarde.
Gracieuseté de Statistiques Canada

MICROGRAPHIE

La procédure de miniaturisation de documents pour entreposage sur film donne des **microformes**. Bien que les premières micro-images aient été produites en 1839 et visionnées au microscope, le monde des affaires ne les a utilisées que dans les années vingt. Présentement, on s'en sert pour conserver les transactions bancaires et de cartes de crédit, les vieux journaux, les plans d'ingénieurs et les dossiers scolaires et gouvernementaux comme les extraits de naissance et les bulletins scolaires.

Avantages des microformes

1. C'est une méthode d'entreposage très efficace vu qu'on peut réduire la taille des documents de 98 pour cent ce qui baisse les coûts d'entreposage, de reproduction ou d'envoi postal.
2. On peut entreposer toutes sortes de documents comme des tableaux, des textes ou des données numériques.
3. Les dossiers sont conservés sous une forme facile à lire.
4. On peut les utiliser en cour comme document légal si la mention «Ceci est une reproduction conforme d'un document original» est ajoutée au moment de faire le film.
5. La fiabilité est supérieure de 100 pour cent à tout ce qui est sur papier. Il est toujours possible d'égarer un bout de papier; toutefois, avec un film, une section manquante est évidente.
6. Le film est plus résistant et peut être conservé plus longtemps que du papier qui peut se déchirer.
7. On peut facilement les mettre à jour.

Sortes de microformes

Il y a différentes sortes de microformes: **microfilm, microfiche, ultrafiche** et **cartes perforées**. Le choix de format dépend des besoins de la compagnie.

Le *microfilm* est la plus ancienne forme de microforme et vient en bobines de film 16 ou 35 mm. Les petits documents comme la correspondance, les rapports, les factures et les chèques sont habituellement réduits 24 fois et conservés sur film 16 mm. À ce rythme, une bobine de 30 m

Le microfilm est disponible en bobines.

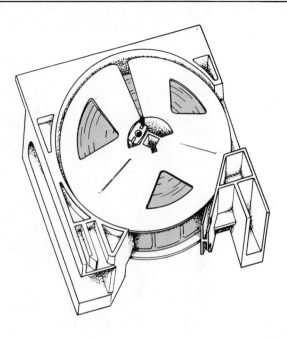

de film 16 mm contiendrait environ 3 000 pages de texte. Les documents plus gros comme les cartes, les plans, les rayons X et les journaux sont réduits 18 fois et conservés sur du film 35 mm.

On retrouve le microfilm en bobines, en cassettes, en cartouches ou en bandes placées dans des supports spéciaux appelés pochettes. Les cassettes et les cartouches sont préférables aux bobines qui doivent être préparées manuellement pour visionnement. Une pochette de microfilm ressemble à une chemise en ce sens qu'elle permet d'organiser et de mettre à jour en un seul endroit l'information sur un client ou un sujet. Ces pochettes ont également un espace pour y apposer une étiquette d'identification.

La **_microfiche_** est un film transparent qui ressemble à une fiche de 100 mm par 150 mm. Bien qu'elle a la taille des pochettes de microfilm, on ne peut pas y ajouter ou supprimer de l'information pour la mettre à jour. La fiche est faite de colonnes et de rangées numérotées comme les quadrants d'une carte afin de trouver facilement un document. Une bande de titres au haut ou sur le côté facilite l'identification du contenu. Il y a aussi des microfiches de couleur pour conserver des documents et des tableaux. Elles peuvent contenir 420 pages de texte chacune au coût d'un demi-cent la page.

Une microfiche peut entreposer plusieurs documents à prix modique.

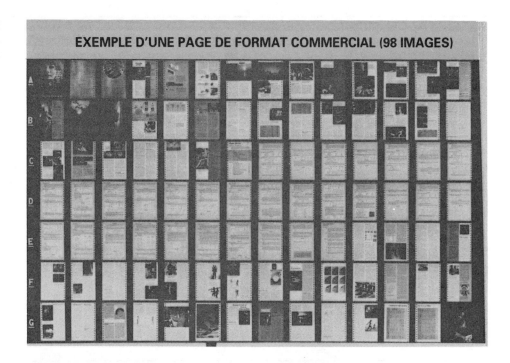

EXEMPLE D'UNE PAGE DE FORMAT COMMERCIAL (98 IMAGES)

Il y a des pochettes spéciales pour conserver les microfiches.
Gracieuseté de Pendaflex

Les **ultrafiches** ont les mêmes caractéristiques de taille et d'organisation que les microfiches; toutefois, elles ont une plus grande capacité d'entreposage. Pouvant réduire les documents de 150 pour cent, elles sont pratiques pour conserver les documents volumineux comme les encyclopédies et les dictionnaires.

Les ***cartes perforées*** ressemblent aux fiches de données utilisées par les perforatrices à clavier. Chaque fiche contient l'espace pour une image de film capable de conserver huit pages de texte ou un grand document comme un plan, le reste de la carte étant disponible pour l'information imprimée ou perforée. C'est la forme qu'on utilise surtout pour les dessins d'ingénieurs ou les dossiers des policiers.

Ces cartes sont pratiques parce qu'on peut les trier et les organiser automatiquement avec un appareil de perforatrice à clavier.

Les cartes perforées ont l'espace pour recevoir l'information venant d'une perforatrice à clavier.

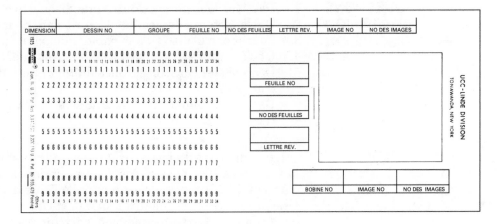

Les microformes et l'informatique

L'application de l'informatique à l'équipement micrographique a simplifié et accéléré la création et la récupération de l'information sur les microformes.

Systèmes de microfilm de sortie informatique

Les systèmes de **microfilm de sortie informatique** sont capables de faire des microfilms directement de l'ordinateur, de disquettes ou de rubans. Ces unités réduisent le besoin d'imprimantes et de tirages tout en étant capables de produire des microformes contenant des documents de 200 à 300 pages. C'est un système beaucoup plus efficace que de faire un tirage avant de le transférer sur microfilm. Plusieurs transactions bancaires et d'assurance ainsi que des dossiers de compagnies avec un gros volume de comptes payables sont faits de cette façon.

Systèmes de récupération assistés de l'ordinateur

Quand les documents sont filmés sur microforme pour entreposage, on numérote chaque image. C'est son adresse que l'on peut noter dans un carnet ou dans un répertoire électronique.

On appelle système de **récupération assistée de l'ordinateur** l'application informatique de l'équipement de récupération micrographique. On commence le visionnement en lisant le répertoire pour trouver un sujet particulier avec son numéro correspondant que l'on tape au terminal d'ordinateur. En 15 secondes, le sujet choisi est à l'écran. On peut dérouler le texte pour un meilleur visionnement. La procédure complète, de la recherche au visionnement, peut prendre moins de deux minutes.

Les entreprises et les organismes comme les bibliothèques, les études légales, les compagnies d'assurance et les hôpitaux, utilisent ce système. Les employés d'hôpitaux peuvent facilement retrouver les rayons X et les dossiers des patients. Les études légales peuvent facilement préparer la défense de leurs clients en établissant le profil de causes semblables et de décisions correspondantes à partir d'une bibliothèque légale utilisant ce système.

QUESTIONS DE RÉVISION ET DE DISCUSSION

1. Décrivez la différence entre une disquette et un disque dur.
2. Quels facteurs déterminent la capacité de mémoire d'une disquette?
3. Pourquoi n'utilise-t-on le ruban que pour faire des doubles?
4. Quels sont les avantages de la microforme?
5. Décrivez les caractéristiques du microfilm, de la microfiche et de l'ultrafiche.
6. Décrivez comment l'informatique a rendu les microformes plus efficaces.

TECHNOLOGIE DU LASER

La technologie du laser a commencé à influencer la procédure de gestion des dossiers avec l'usage des disques optiques fait en plastique recouvert d'argent. L'information y est inscrite à l'aide d'un faisceau lumineux laser. Une fois enregistrée, on dirait que la surface du disque est pleine de trous ou de bulles. Cette technologie part du principe **écrit une fois et lu plusieurs fois**. Cela veut dire que la mémoire est permanente et ne peut pas être changée. Même si leur utilisation n'est pas aussi répandue que les disquettes, c'est-à-dire les disques durs et les moyens magnétiques, les disques optiques ont de plus en plus d'impact sur la façon d'entreposer l'information. Les découvertes qui permettront de faire des modifications facilement sans utiliser un nouveau disque en feront un moyen d'entreposage plus courant.

Il existe trois sortes de disques optiques — vidéo, numérique et compact dont la technologie est la plus avancée. Tout en étant uniques, elles ont des similitudes.

Caractéristiques des disques optiques

Capacité de mémoire Les disques optiques peuvent entreposer beaucoup d'information sur un espace restreint. Ils sont particulièrement utiles pour entreposer les dossiers médicaux, les numéros téléphoniques de grandes régions et le contenu de dictionnaires et d'encyclopédies. La capacité de mémoire dépend de la forme optique utilisée.

Durabilité Les disques optiques durent plus de dix ans en bonne partie parce qu'ils ne sont pas touchés par la poussière ou la fumée comme les autres moyens magnétiques. On utilise un faisceau laser pour produire le disque et lire l'information. Cela élimine l'usure causée par le frottement d'un objet qui en fait l'écriture et la lecture dans l'unité de disque.

Sécurité des documents Puisqu'il est impossible d'effacer ou de modifier le contenu, on ne peut pas perdre les documents qui peuvent avoir une valeur légale.

Facilité d'entreposage des disques N'étant pas affectés par la présence d'objets métalliques qui peuvent effacer l'information des moyens magnétiques, les disques optiques ne nécessitent pas d'entreposage particulier et peuvent être rangés dans des classeurs ordinaires.

Caractéristiques spéciales

Ce système de gestion des dossiers utilise la technologie du disque optique pour entreposer, récupérer et reproduire les documents.
Gracieuseté de la division de la gestion des dossiers et des systèmes d'ingénierie, 3M Canada Inc.

Bien qu'ayant des caractéristiques communes, chaque disque optique a des traits particuliers que nous vous décrivons.

Les **vidéo-disques optiques** sont disponibles en format de 20-30 cm capable de conserver les images et le son. On peut y conserver jusqu'à 54 000 images différentes incluant des photographies, des graphiques, des tableaux informatiques, des films et des diapositives. Ils ont aussi deux pistes audio qui donnent des explications orales.

On peut montrer les images fixes à la télévision pendant que se fait la narration. Les dernières innovations permettent de manipuler les images en les faisant avancer ou reculer ou en isolant un aspect de l'image projetée.

Ils sont de bons outils de promotion d'une entreprise ou d'un nouveau produit et peuvent donner une nouvelle dimension à la formation du personnel.

Les **disques optiques numériques de données** mesurent 30 cm et conservent textes et images grâce à une densité de un milliard de caractères, quantité dix fois supérieure à n'importe quel moyen magnétique. Les disques numériques peuvent entrer et récupérer l'information à haute vitesse. On peut entrer les données en tapant ou en lisant le contenu.

On s'en sert pour les dessins d'ingénierie, les rayons X, les cartes et l'entreposage massif permanent des renseignements trouvés dans les bases de données.

Les **disques compacts** qui ont une mémoire qui ne peut être que lue, possèdent toutes les propriétés des deux autres disques optiques sur un plus petit espace. Un disque de 12 cm peut entreposer 550 méga-octets d'informations représentant l'équivalent de 250 000 pages de texte, 1 500 disques souples ou 28 disques durs de 20 méga-octets. La capacité de chaque disque compact varie selon le contenu entreposé. Les images et le son prennent plus de place que les mots.

On obtient une haute densité d'entreposage en organisant les données sur une piste spirale de 4,8 km, ce qui rend indispensable le répertoire de fichiers. Même si l'information est conservée de façon très compacte, elle reste accessible en une seconde.

Un disque compact peut accéder à l'information en une minute. *Gracieuseté du Centre 3M*

On peut mettre 550 méga-octets d'information sur un disque compact ce qui représente 250 000 pages de texte.

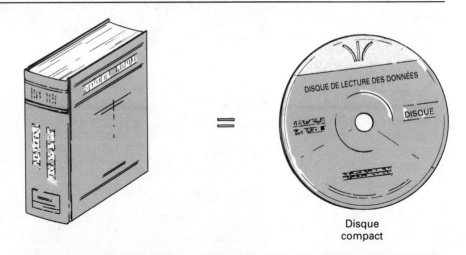

Disque compact

QUESTIONS DE RÉVISION ET DE DISCUSSION

1. Que veut-on dire par le principe «écrire une fois et lire plusieurs fois»? Comment ce principe influencera-t-il la façon de conserver l'information?
2. Quelle information donneriez-vous pour convaincre quelqu'un d'utiliser le disque optique?
3. Décrivez les capacités des trois sortes de disques optiques.

MEUBLES DE RANGEMENT

Qu'il soit centralisé ou non, un système de gestion des dossiers écrits a besoin de meubles ou d'étagères pour le rangement.

Les *classeurs métalliques* sont conçus comme des unités verticales qui ouvrent par devant, ou latérales c'est-à-dire ouvrant de côté. N'importe quelle de ces unités peut avoir de un à six tiroirs de format lettre ou légal.

Les classeurs métalliques viennent généralement dans les couleurs suivantes: noir, beige ou jaune afin de s'harmoniser à la décoration du bureau. Dans certains cas, ils font partie du système de sécurité des documents. Ce qui est confidentiel se trouve habituellement dans des classeurs dont on contrôle l'accès.

Les *fichiers rotatifs* sont un ensemble de pochettes pivotant autour d'un support central. Ils sont disponibles en modèle de bureau ou de plancher fonctionnant manuellement ou électroniquement. On s'en sert habituellement dans les cas où il faut un accès fréquent aux dossiers. Les employés dont la tâche principale est de répondre aux demandes téléphoniques apprécieraient un tel système.

Les *étagères ouvertes* sont placées en rangées séparées pour rendre les dossiers et boîtes accessibles des deux côtés. Elles sont fréquemment utilisées pour les systèmes centraux de gestion des dossiers qui demandent de ranger de nombreux dossiers.

Les codes de couleur permettent au personnel de voir quels dossiers sont à la mauvaise place. C'est pourquoi on les utilise surtout avec le système d'étagères ouvertes par souci d'efficacité d'entreposage et de récupération.

Bien que les classeurs métalliques sont le moyen traditionnel d'entreposer les documents écrits, on peut aussi les concevoir pour autre chose.
Gracieuseté de Steelcase Canada Ltée.

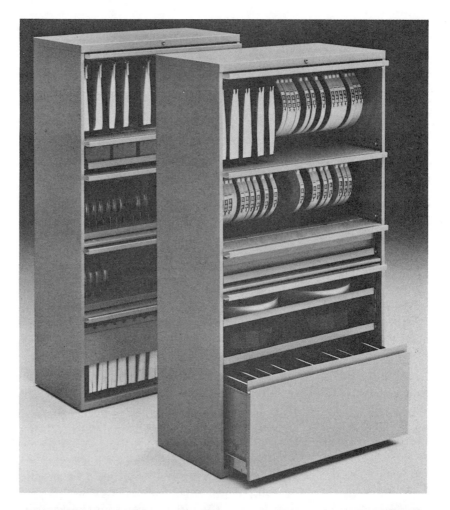

On utilise les fichiers rotatifs pour donner facilement et rapidement accès aux documents écrits.
Gracieuseté de la Banque de Nouvelle-Écosse

On contrôle mieux les
documents encodés
magnétiquement.
Gracieuseté de Essette
Pendaflex Canada Inc.

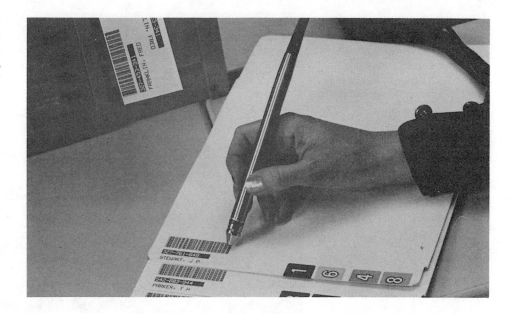

Pour aider à contrôler les sorties et retours des dossiers, les codes de couleur peuvent être magnétiques. De tels dossiers passeraient devant un lecteur qui enregistrerait automatiquement le nom et la date de sortie ou de retour. On peut aussi enregistrer l'identité de la personne.

Des boîtes de carton
servent à entreposer des
dossiers périmés.
Gracieuseté de Essette
Pendaflex Canada Inc.

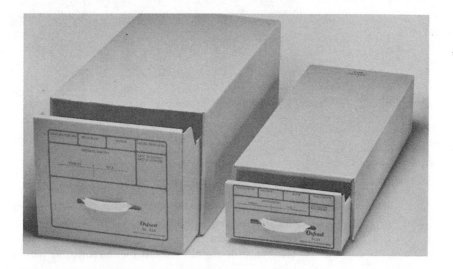

**SYSTÈMES
DE GESTION
DES DOSSIERS**

Que votre système soit écrit ou électronique, vous pouvez garder l'information dans des **classeurs centralisés** ou **décentralisés**. Un système centralisé rassemble tous les classeurs des différents services en un même endroit appelé le **dépôt de préarchivage**. Le classement, la

L'information sur les dossiers encodés magnétiquement est lue et enregistrée électroniquement.
Gracieuseté de Essette Pendaflex Canada Inc.

Une fiche en retrait indique l'endroit où doit être remis un dossier.
Gracieuseté de Essette Pendaflex Canada Inc.

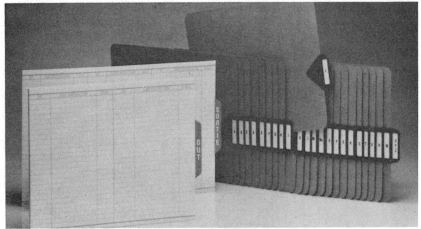

récupération et le suivi des documents quand ils sont sortis et ramenés par le personnel des services se fait par des employés spécialisés. Un système décentralisé entrepose les dossiers dans chacun des services alors que les documents qui sont importants pour plusieurs services sont centralisés. Un système de classement électronique informatisé peut incorporer aussi bien une organisation centralisée que décentralisée. Avec leur terminal, les employés peuvent avoir accès à l'ordinateur central de leur poste de travail alors que les dossiers décentralisés dans les services sont conservés sur disquettes à chaque poste de travail. Ce système alliant les deux caractéristiques a l'avantage des capacités de mémoire d'une unité centrale d'ordinateur qui peut accomplir de grandes tâches multifonctionnelles. Également, plusieurs personnes peuvent utiliser simultanément les données.

LE CHOIX D'UN SYSTÈME

Un système efficace de gestion conserve les dossiers de façon à faciliter l'accès tout en assurant la sécurité.

Chaque sorte de système est différente et la sélection d'une bonne méthode pour conserver les documents est un facteur important au succès d'une entreprise. Plusieurs méthodes sont disponibles et une entreprise pourra opter pour un système qui combine les dossiers écrits, les rubans et/ou les disquettes. Avant de décider, tenez compte des dossiers à conserver, des utilisateurs, des coûts du système et de l'espace, et du niveau de sécurité nécessaire.

Un système de gestion des dossiers devrait convenir aux activités de l'entreprise. *Gracieuseté de Datafile Wright Line Ltée.*

Genres de dossiers Cela peut favoriser une forme d'entreposage sur une autre. Par exemple, il est préférable de réduire les plans et de les conserver sur microfilm plutôt que sur papier. Certains dossiers doivent être fréquemment mis à jour, d'autres pas. Demandez-vous s'ils devront servir de documents légaux ou seulement comme profil historique de l'entreprise; selon les réponses, n'importe quoi peut faire l'affaire, que ce soit le papier au microforme, le disque souple ou le disque optique.

Le personnel On devrait concevoir l'organisation des dossiers de façon à donner au personnel le meilleur accès possible à l'information. Si les dossiers sont centralisés et que les employés doivent passer par des commis en gestion des dossiers spécialisés dans la conservation et la récupération de l'information, le système peut être plus complexe que celui avec accès direct.

Coûts L'investissement initial pour acheter l'équipement nécessaire à l'entreposage est important. Par exemple, ce n'est pas une bonne idée d'acheter de l'équipement d'entreposage à disque optique si le format moins dispendieux de micro-image est suffisant. Il faut aussi tenir compte du coût d'entretien du système surtout s'il est électronique, et de l'espace nécessaire à l'unité d'entreposage. Bien que l'achat d'un lecteur à micro-images et de classeurs spéciaux pour garder les microfiches soit dispendieux au début, louer de l'espace additionnel pour garder les classeurs de documents écrits pourrait l'être encore plus. Également, l'achat d'un système réseau peut sembler prohibitif si on ne tient pas compte des avantages.

La sécurité des documents En choisissant un système de gestion des dossiers, il faut faire attention d'éliminer les facteurs susceptibles de causer la perte, la destruction et le vol de fiches. Les entreprises qui produisent des produits ou services semblables protègent avec soin les nouvelles idées ou produits. Par exemple, si une grande chaîne au détail fait la promotion d'une nouvelle collection automnale de vêtements pour

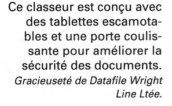

Ce classeur est conçu avec des tablettes escamotables et une porte coulissante pour améliorer la sécurité des documents.
Gracieuseté de Datafile Wright Line Ltée.

femmes, elle demandera à plusieurs agences de publicité de soumettre des idées de promotion. Celle avec les meilleures idées obtiendra le contrat, mais elle serait grandement désavantagée si n'importe quelle de ses idées était connue des autres agences.

Une entreprise peut assurer plus de sécurité en limitant l'accès à certains types de dossiers. Ils peuvent être dans des classeurs ou des chambres fortes dont très peu de personnes ont les clés. Par exemple, pour accéder à un casier de sûreté bancaire, il faut que les clés soient détenues par deux personnes.

Pour avoir accès aux dossiers centralisés et conservés électroniquement, il faut un mot de passe qui est différent selon la personne. Puisque le mot de passe n'apparaît pas à l'écran lorsqu'on le tape, aucun employé ne peut l'apprendre par mégarde. Pour assurer la protection de l'information, les mots de passe sont changés régulièrement à la discrétion de l'entreprise. Certaines entreprises limitent les déplacements des visiteurs et même de leurs employés dans les endroits qui possèdent de l'information vitale.

L'**incryption** est une façon de protéger des documents très importants et est surtout utilisée par les groupes comme les gouvernements et les laboratoires de recherche et développement, où il est primordial d'empêcher le vol de matériel hautement confidentiel.

On utilise un progiciel pour changer l'information en matériel inintelligible en intercalant des groupes de lettres dans le texte selon un plan prédéterminé. Quiconque veut lire le document doit utiliser une série de mots de passe pour décoder le matériel.

En plus de la sécurité du système, l'information est aussi protégée par la loi du **copyright** qui défend la copie de matériel écrit ou électronique sans la permission écrite de l'auteur de l'information. Ceux qui enfreignent ces lois s'exposent à l'amende ou même à la prison.

QUESTIONS DE RÉVISION ET DE DISCUSSION

1. Décrivez trois sortes de classeurs utilisés dans un système de gestion de dossiers en papier.
2. Quel conseil donneriez-vous à quelqu'un qui veut mettre sur pied un système de gestion des dossiers pour une nouvelle entreprise?
3. Comment une entreprise peut-elle augmenter la sécurité de son information?

UTILISATIONS

1. Référez-vous au chapitre 14, article 2, page 328 et complétez le devoir avec un système électronique de classement.
2. Une fois le devoir terminé, comparez votre expérience selon les catégories suivantes:
   • temps requis pour compléter chaque tâche
   • facilité de récupération de l'information
3. Examinez cette liste d'articles et décidez s'ils devraient être classés dans un centre de gestion des dossiers ou dans un service.

a) La dernière évaluation d'un employé.

b) Les politiques de la compagnie pour les voyages d'affaires.

c) Une lettre de plainte sur un article défectueux.

d) Une lettre de demande d'emploi.

e) L'inventaire de tout le matériel en main.

f) Une copie du budget de la compagnie.

g) Une série de formulaires qui peuvent être fusionnés avec des données conservées électroniquement.

h) Un avis de réunion des représentants de vente.

i) Le procès-verbal d'une réunion du conseil d'administration.

j) Une police d'assurance feu et vol couvrant toutes les bâtisses de la compagnie.

4. Visitez deux organisations et remarquez leur façon de conserver les documents. (Suggestion : vous pouvez choisir une entreprise locale, une bibliothèque, une organisation de charité comme une église ou n'importe quel organisme bénévole.) Décrivez brièvement le genre de système et dites pourquoi il a été choisi. Évaluez-le ainsi que les appareils selon les critères suivants :

- l'efficacité du système
- la sécurité des documents
- le classement des documents
- la facilité d'accès aux documents
- le transfert de l'information active à inactive

5. Étudiez les différentes façons d'intégrer un système électronique de gestion des dossiers avec les autres technologies de bureau. Faites un rapport à la classe donnant des exemples des systèmes déjà en usage.

STAGE EN COMMUNICATION

1. Comparez la version finale du paragraphe suivant avec le brouillon édité. Assurez-vous que les corrections sont toutes faites.

SYSTÈMES DE GESTION DES BASES DE DONNÉES

Avant le développement de l'informatique, un système de fichiers était utilisé pour fournir un moyen d'organisation des fiches d'information qui servaient à l'entrepôt au contrôle de l'inventaire. Un système de gestion de bases de données ressemble à un fichier électronique qui permet une mise à jour rapide et facile. Le système récupère ensuite des faits précis dans la base de données qui, une fois trouvés, sont triés et présentés comme information.

2. Insérez les pensées suivantes dans un court rapport sur l'éthique accessible à une base de données confidentielle de gestion des dossiers :
    * ça ne fait rien, personne en souffre
    * punissable si on abuse de l'accès
    * non-violent
    * devient un jeu
    * crime de col blanc
    * certains se vantent de pénétrer n'importe quel programme
    * souvent non décelé

16

LA REPROGRAPHIE — TIRER DES COPIES

Après la lecture de ce chapitre, vous serez en mesure:

- D'identifier les moyens de reproduction des documents.
- De décrire comment l'équipement actuel peut contribuer à la reproduction efficace de documents.
- De préparer du matériel à photocopier.
- De préparer des copies en suivant les directives.

Tant pour informer que pour fournir des données servant à la prise de décision, l'échange régulier d'idées est essentiel à la bonne marche d'une entreprise. Un aspect de la gestion de l'information est l'échange de documents avec les autres. La **reprographie** est la création de documents

Pour prendre des décisions, une entreprise aura besoin de documents en plusieurs copies.
Gracieuseté de la compagnie Hewlett-Packard.

pour distribution manuelle ou électronique et fait partie de l'étape de sortie dans le cycle de traitement de l'information.

Pour trouver le meilleur moyen de reproduction, évaluez le nombre de copies à faire. Le nombre de copies dépend du but du document et du nombre de personnes qui le recevront. L'employé peut choisir la meilleure façon de reproduction selon l'équipement disponible.

Il existe plusieurs appareils pour reproduire des copies et il faut connaître les capacités de chacun.

L'équipement de reprographie comprend le **photocopieur** traditionnel, la **photocomposeuse** et la sortie informatique appelée imprimante.

LES PHOTOCOPIEURS

En ce moment, la reprographie est le moyen de reproduction le plus répandu. Photocopier des documents est plus rapide et plus pratique que de les imprimer surtout si une imprimante est utilisée par plusieurs postes de travail. À moins de les personnaliser ou de ne vouloir que des originaux, la plupart des bureaux préfèrent tirer une copie originale à l'imprimante et photocopier le nombre de copies nécessaires.

Caractéristiques automatiques

Alimentation automatique des documents Placées sur un plateau, les feuilles d'un document entrent automatiquement une à une dans l'appareil. Après un nombre de copies prédéterminé, l'original est empilé sur le plateau de sortie. La machine est plus rapide que si elle était actionnée manuellement.

Les photocopieurs sont des appareils versatiles pouvant assembler, réduire, agrandir et reproduire.
Gracieuseté de Xerox Canada Inc.

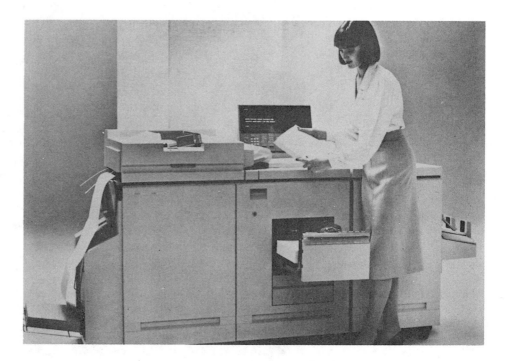

Recto verso   Cela permet d'imprimer des deux côtés de la feuille. Après la première impression, les feuilles restent dans une corbeille jusqu'à ce que le deuxième original soit placé, puis repassent pour être imprimés de l'autre côté. Cette caractéristique économise argent et espace en réduisant le coût d'affranchissement et de papier tout en limitant l'entreposage.

Réduction et agrandissement de documents   On peut faire ces opérations au besoin. On peut réduire les grands listages informatiques et les documents légaux au format d'une lettre; ceci facilite leur inclusion dans l'envoi et le classement de lettres et de rapports. On peut aussi agrandir des graphiques, des tableaux, des sections de plan et des cartes pour en faciliter la lecture, les afficher ou pour en discuter en réunion. Le type d'équipement fixera la marge de manœuvre de ces opérations.

Assembler et agrafer   Assembler veut dire placer les feuilles en ordre. À la main, c'est long; toutefois, certains photocopieurs distribuent les copies dans des casiers séparés afin de les rassembler en documents complets pour ensuite les agrafer.

Pause   En cas d'urgence, on peut interrompre la photocopie d'un document, le placer dans une deuxième corbeille et permettre à quelqu'un

Pour aider l'opérateur, les photocopieurs modernes ont des tableaux de commandes conviviaux.
Gracieuseté de Xerox Canada Inc.

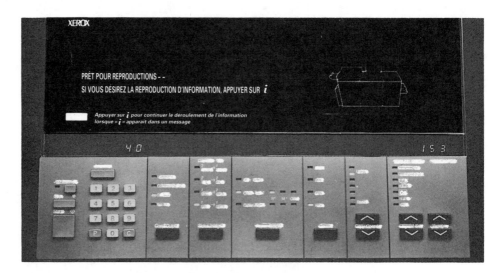

d'autre de faire quelques copies pour ensuite compléter son travail. La reprise du travail enregistre le point d'arrêt et permet de recommencer automatiquement pour terminer le nombre exact de copies.

Contrôles automatiques du système Plusieurs photocopieurs ont un panneau de contrôle équipé de codes indiquant les problèmes de photocopie comme l'endroit où le papier est pris, le besoin de repasser un original, le manque ou le surplus de papier dans la corbeille, etc. L'opérateur peut ainsi régler le problème.

Remise automatique Chaque tâche de photocopie est différente et demande de connaître les directives avant de commencer. Le travail à peine terminé, les appareils équipés de remise automatique annulent les directives afin d'être prêts pour la prochaine tâche. Cela évite l'impression de copies inutiles.

Photocopie en couleur Avec le mélange d'encre de trois couleurs différentes, on peut reproduire en couleur des photographies et des diapositives. Si vous voulez imprimer une diapositive, il faut la placer dans une monture spéciale qui agrandit l'image et la projette dans le photocopieur. Les reproductions en couleur sont très utiles pour faire une présentation ou pour afficher l'information sous forme de graphiques ou de tableaux.

Le nombre de caractéristiques et la vitesse de photocopie dépendent de la taille de l'appareil.

QUESTIONS DE RÉVISION ET DE DISCUSSION

1. Quels facteurs influencent le choix de la meilleure façon de faire des copies? Pourquoi chacun est-il important?
2. Expliquez l'attrait des photocopieurs pour la reproduction.

3. Dans les photocopieurs automatiques, on trouve les caractéristiques suivantes : impression recto verso, assemblage, réduction, vérification et remise automatiques. Décrivez chacune d'elles.

PHOTOCOMPOSITION

Plusieurs entreprises préfèrent utiliser la photocomposition pour produire les rapports annuels, les états financiers, les catalogues, les brochures publicitaires et les bulletins. C'est un moyen de produire des documents prêts pour la caméra dans des styles et des largeurs de colonnes différents. Bien que la plupart des entreprises exécutent ce travail par des compagnies spécialisées, quelques commerces comme les chaînes et les épiceries qui impriment beaucoup, se dotent d'un service de photocomposition.

Avantages

Qualité de reproduction   Ce moyen permet d'obtenir une meilleure qualité d'impression qui reflète l'image de la compagnie. Regardez un livre ou une revue, vous verrez que la marge droite est alignée ou justifiée. Bien que ce soit possible de le faire avec les méthodes conventionnelles de dactylo, on utilise les blancs pour espacer les mots. Que ce soit un «i» ou un «w», chaque lettre de dactylo prend autant de place. Toutefois, la photocomposition utilise l'**espacement automatique** qui ne laisse que l'espace nécessaire pour imprimer la lettre. Tout en variant d'une lettre à l'autre, cet espace n'est pas trop grand entre les mots dans le déroulement du texte.

De plus, on peut rehausser l'apparence générale en utilisant plusieurs jeux de caractère appelés **fontes**. Chacune de ces fontes a des majuscules et des minuscules et peut imprimer en caractères réguliers, en gras ou en italiques.

On utilise différentes fontes pour rehausser la présentation des documents.

léger   LOURD

VISIBLE   Discret

OFFICIEL   familier

lecture facile   lecture difficile

moderne   ancien

La photocomposition vous permet de varier les titres. *Gracieuseté de Hewlett-Packard (Canada) Ltée.*

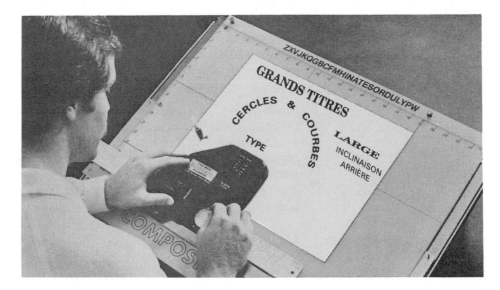

Économie d'espace L'espacement proportionnel permet de mettre plus de texte par page, réduisant la quantité de papier utilisé. La diminution de papier permet de réduire les coûts par rapport à la photocopie.

Procédure de photocomposition

On peut taper le texte directement sur l'appareil ou par mécanisme d'interface qui interprète le matériel déjà tapé.

Entrée directe au clavier L'opérateur tape le texte et les directives de formatage. Les photocomposeuses ont un écran qui permet à l'opérateur de voir et d'éditer le texte avant de le conserver sous sa forme définitive.

Photocomposeuse à entrée directe. *Gracieuseté de Compugraphic Canada Inc.*

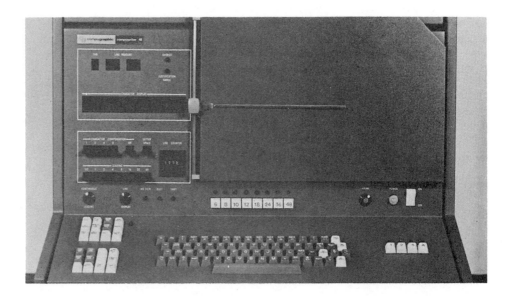

Mécanismes d'interface   On s'en sert pour aller chercher le contenu formaté ailleurs (par exemple, sur un dactylo, un processeur de texte ou un micro-ordinateur), et le traduire en langage intelligible pour une photocomposeuse. Un de ces mécanismes est un appareil à reconnaissance optique des caractères qui peut lire un texte dactylographié et le donner à une photocomposeuse.

De plus, on peut utiliser un microprocesseur de texte ou un micro-ordinateur. Les directives de reproduction et de formatage sont habituellement enregistrées sur le même disque. On le met ensuite dans un appareil qui donne l'information à la photocomposeuse.

On peut vérifier et corriger au préalable un texte entré dans une photocomposeuse de cette façon. Cela lui permet de passer directement de la photocomposition à l'impression sans lecture d'épreuves.

Le texte est ensuite imprimé sur de longues feuilles, coupé, monté et collé sur des cartons pour être filmé. On met le film dans une presse qui en tire des copies.

Imprimantes

On peut tirer plusieurs copies de documents corrigés sur logiciel en utilisant l'option répétitive d'impression de l'ordinateur. Chaque document étant un original, ce moyen de reproduction est le meilleur choix s'il faut peu de copies ou si chacune doit être personnalisée. Une lettre

Les imprimantes peuvent tirer rapidement et facilement des originaux.
Gracieuseté de Hewlett-Packard (Canada) Ltée.

de demande d'emploi et un curriculum vitæ en sont des exemples. Qu'elles soient **avec impact** ou **sans impact**, les imprimantes peuvent produire des documents de qualité.

Imprimantes à impact

Les imprimantes à impact fonctionnent sur le même principe que les dactylos; celles-ci utilisent un mécanisme qui frappe la lettre sur le ruban pour en faire impression sur le papier et sur les copies au carbone. C'est souvent la façon de préparer les factures sur des formulaires à papier continu. Un trouage latéral sur la feuille permet au mécanisme de l'imprimante de la faire avancer. Les copies peuvent se faire en liasse avec papier carbone ou sur du papier NCR qui n'en a pas besoin. Les caractères s'impriment sur toutes les copies.

Les imprimantes à **marguerite**, **matricielles** et les **traceurs** font partie des imprimantes à impact.

Les formulaires à papier continu sont alimentés automatiquement à l'imprimante.

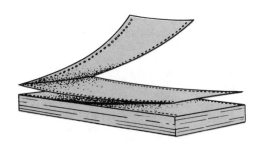

Les imprimantes à marguerite utilisent un disque rotatif métallique ou plastique pour imprimer les caractères sur le papier. Elles ont de 88 à 96 petits bras terminés par un caractère. On peut varier le style, appelé fonte, et la police (le nombre de caractères au centimètre) simplement en changeant la marguerite. On en trouve avec des caractères en langues étrangères ou avec des symboles techniques.

Les imprimantes matricielles sont moins dispendieuses et beaucoup plus rapides. Elles peuvent imprimer 600 caractères à la seconde contre 55 pour les imprimantes à marguerite. Elles peuvent produire des graphiques comme des tableaux dans des rapports aussi bien que des caractères de polices et de fontes différentes sans changer de tête.

L'image tapée sur le papier est produite par l'impression d'une série de points faits par de petites aiguilles placées dans la tête. La qualité du

On peut changer de marguerite pour obtenir des fontes et des polices différentes.

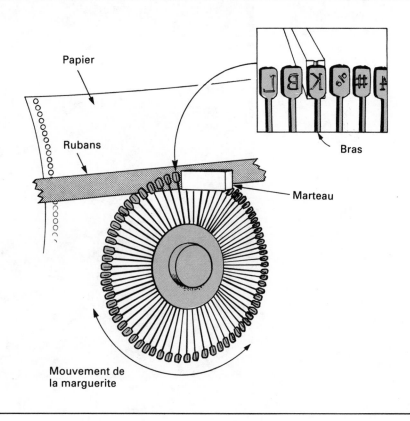

Papier

Rubans

Bras

Marteau

Mouvement de
la marguerite

produit fini dépend de la concentration de points qui peut varier de la qualité brouillon à celle approchant la qualité lettre qui demande une plus grande concentration. Les imprimantes matricielles servent surtout à la correspondance interne et aux brouillons de rapports. Ce qui demande une qualité lettre serait probablement fait avec une marguerite.

Les ingénieurs et les architectes utilisent des ***traceurs*** pour reproduire des schémas comme des plans de construction ou des croquis de pièces mécaniques. Les traceurs ont un bras mobile qui traduit les données informatiques en dessin sur papier. Certaines reproduisent en couleurs.

Imprimantes sans impact
    Les imprimantes sans impact fonctionnent sans mécanisme de frappe ce qui les empêche de faire des copies carbone. Toutefois, pour faire des graphiques, elles incorporent la vitesse des imprimantes matricielles ainsi que la qualité lettre des imprimantes à marguerite pour produire des textes. De plus, elles sont beaucoup plus silencieuses.

Le bras mobile des tra-
ceurs imprime des
images sur
papier. *Gracieuseté de
Hewlett-Packard (Canada)
Ltée.*

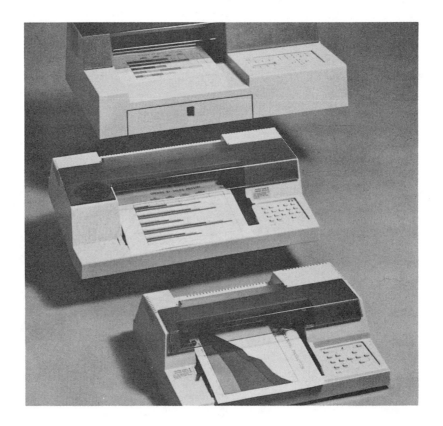

Les imprimantes à **jet d'encre** et au **laser** sont sans impact.

Les imprimantes à jet d'encre ressemblent aux matricielles parce que chaque lettre est formée sur papier par une série de points très concentrés. La seule différence est que ceux-ci sont produits par jet d'encre sur du papier spécial.

Les imprimantes au laser seront probablement celles qui auront la plus grande influence sur le traitement de l'information du bureau actuel.

Les imprimantes au laser de bureau peuvent produire 10 à 20 pages la minute contre une pour les imprimantes à caractères. Elles vont tout probablement remplacer les marguerites et pourront faire les tâches de certains traceurs. Quoique dispendieuses, elles offrent une versatilité attrayante dont l'impression de textes et de graphiques quasi-parfaits et peuvent changer de styles et de polices en imprimant.

Elles fonctionnent selon le principe de l'attraction des contraires. L'image de l'impression originale est transmise par faisceau lumineux sur un tambour photosensible interne. Cela produit une charge négative

Les imprimantes au laser sont rapides et silencieuses tout en produisant des textes et des graphiques de qualité.
Gracieuseté de Hewlett-Packard (Canada) Ltée.

sur les surfaces du tambour touchées par la lumière. Le tambour est enduit d'une poudre noire à charge positive qui adhère aux impressions à charge négative du faisceau lumineux. Alors qu'un papier à charge négative passe sur le tambour, des cylindres chauffants y fixent la poudre noire à charge positive.

On peut relier une imprimante au laser à un micro-ordinateur pour y recevoir des commandes directes qui permettent d'intégrer l'impression aux autres fonctions comme la fusion de l'information à partir de deux sources. Les entreprises peuvent concevoir des formulaires et leur contenu et conserver le tout sur disquette pour impression. Dès qu'on a besoin d'un formulaire, on y a accès par la disquette, on y ajoute l'information pertinente et le document complet est produit. Plutôt que de produire les formulaires et les conserver pour usage ultérieur, il est beaucoup plus pratique de les sauvegarder électroniquement, de faire les changements nécessaires et de tirer les copies au besoin.

Bien qu'on constate son principal impact dans les publications maison, l'imprimante au laser peut servir d'unité autonome pour tirer des copies de haute qualité.

Le rôle futur des imprimantes au laser sera d'imprimer en couleurs et d'envoyer des copies par télécopieur. Ces atouts vont augmenter encore plus sa production et l'efficacité générale du bureau.

L'éditique

La qualité d'impression de l'imprimante au laser en a fait une option qui influence plusieurs entreprises dans la préparation de publications internes. La création de bulletins, de rapports annuels, de matériel publicitaire, de formulaires spécialisés, etc. à l'aide de l'imprimante au laser a diminué l'utilisation de la photocomposition permettant ainsi l'avènement de l'«éditique».

Pour formater un texte et faire la mise en page au micro-ordinateur, on utilise un programme en éditique comme Pagemaker, Ventura ou Ready, Set, Go. Pour mettre de l'emphase, l'opérateur choisit la fonte et la police désirées. De plus, il peut visionner et redisposer le texte à l'écran pour obtenir un produit fini à son goût. On colle le matériel obtenu par imprimante au laser sur des cartons que l'on envoie à la caméra instantanée et à l'impression. En plus d'être économique, l'éditique élimine presque tout le temps pris par les esquisses de la procédure de photocomposition.

L'éditique sert à plusieurs usages dans les affaires.
Gracieuseté de Apple Canada Inc.

**QUESTIONS
DE RÉVISION
ET DE DISCUSSION**

1. Qu'est-ce que la photocomposition? Pourquoi une entreprise choisirait-elle d'utiliser une procédure de photocomposition?
2. Décrivez les méthodes d'entrée utilisées en photocomposition.
3. Quelle différence y a-t-il entre les imprimantes avec et sans impact?
4. Quelle différence y a-t-il entre une imprimante matricielle et une à marguerite?
5. Que veut dire «éditique»? Quel est son fonctionnement? D'où vient sa popularité?

**LES ACCESSOIRES
D'IMPRIMANTE**

Pour gagner du temps aux employés et pour augmenter la vitesse et l'efficacité de la circulation du papier, on peut doter une imprimante de plusieurs accessoires dont les **dispositifs d'entraînement des formulaires** et les **chargeurs automatiques** pour **feuilles** et **enveloppes**.

Dispositifs d'entraînement des formulaires   Le papier continu sépare plusieurs feuilles rattachées par un pointillé. De plus les bordures sont trouées. On le retrouve seul ou en liasse habituellement séparé d'un papier carbone. Deux ergots d'entraînement faisant partie du mécanisme d'impression ont des pignons d'engrenage qui s'enlignent avec les trous du papier. Ces ergots font avancer ou reculer le papier dans l'imprimante. On peut fixer le nombre de copies à tirer par réglage manuel ou en incorporant des directives à la procédure.

On utilise le papier formulaire continu pour faire des chèques, des factures, des reçus et des relevés de comptes. Quelques firmes comptables s'en servent pour faire les déclarations d'impôt de leurs clients.

Le papier formulaire continu gagne du temps et élimine la tâche monotone de mettre les feuilles une à une dans l'imprimante. *Gracieuseté de Hewlett-Packard (Canada) Ltée.*

Chargeurs de feuilles automatiques Ils peuvent contenir 250 feuilles à imprimer qu'ils alimentent et alignent. Ayant habituellement deux corbeilles d'alimentation, une pouvant servir au papier à lettre et l'autre aux feuilles blanches, ils sont très utiles pour imprimer des lettres de plusieurs pages. Une fois imprimées, les pages sont rassemblées en ordre dans un plateau de sortie.

Chargeurs d'enveloppes Ils fonctionnent comme les chargeurs de feuilles et peuvent émettre 1 200 enveloppes adressées à l'heure.

Leurs accessoires sont le **séparateur** et le **déliasseur**. a) Le séparateur partage le long papier formulaire continu et coupe les bordures trouées pour faire une pile de feuilles. b) Le déliasseur sépare les formulaires en piles séparées tout en enlevant le papier carbone.

LES SYSTÈMES DE PHOTOCOPIE

Dans un système décentralisé, les employés peuvent faire des copies sur un petit photocopieur utilisé par un ou deux services. On peut également utiliser un centre de reprographie. Dans ce cas, des employés sont chargés de faire les photocopies de toute l'entreprise.

La photocopie décentralisée

Les petits photocopieurs peuvent fournir 50 copies à la minute. Ils sont placés à des endroits stratégiques du bureau permettant à un employé de faire rapidement cinq ou dix copies pour la distribution ou le classement. Toutefois, ils n'ont pas autant de dispositifs automatiques ce qui les empêche d'accomplir les mêmes tâches. On les recommande là où il faut moins de 5 000 copies par mois. Un plus grand usage pourrait causer des pannes et nécessiter plusieurs appels de service provoquant de l'accumulation de travail et des coûts de réparation inutiles.

Bien que ce soit un système pratique, il diminue le contrôle de la quantité et du type de copies comme les documents personnels.

Les entreprises peuvent utiliser plusieurs façons de contrôler la photocopie. On peut tenir un carnet signé par les usagers qui y indiquent le nombre de copies faites. Même si un directeur vérifie occasionnellement le carnet, il est impossible de savoir s'il a été signé chaque fois qu'il y a eu photocopie. On obtient un meilleur contrôle avec un compteur de copies ou une carte personnelle d'accès que l'on doit insérer dans le tableau de contrôle de l'appareil. Un compteur est une cartouche notant la quantité de copies faites. Les dispositifs de contrôle ainsi activés impriment un rapport mensuel donnant la date, la personne responsable et la quantité de copies produites. On facture chaque service pour lesdites copies d'après la lecture du compteur ou le rapport mensuel de contrôle.

On trouve les photoco-
pieurs pratiques dans les
services.   *Gracieuseté de
Pitney Bowes Canada Ltée.*

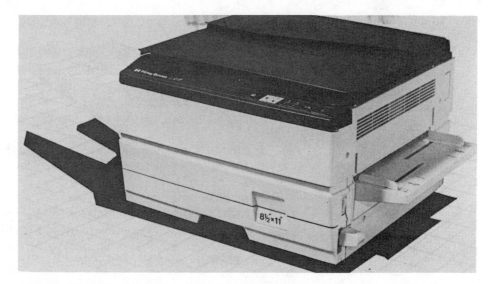

Méthodes manuelles
utilisables pour contrôler
la quantité de copies
faites.

Registre de photocopie			
Nom	Service	Nombre d'originaux	Nombre de copies

Les dispositifs automati-
ques peuvent servir à
contrôler les photocopies.

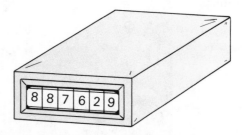

Centre de reprographie

Les grandes entreprises qui produisent d'énormes quantités de copies, souvent plus de 10 000 par mois, centralisent souvent les appareils pouvant accomplir plusieurs fonctions. Ces photocopieurs sont très rapides produisant de 50 à 120 copies à la minute.

Le personnel du centre est généralement spécialisé et connaît habituellement le fonctionnement de chaque appareil. Sa principale fonction est la reproduction de l'information et le contrôle du roulement d'entrée et de sortie des documents.

Ces centres existent en plus des photocopieurs pratiques répartis dans l'édifice. Les procédures établies par chaque entreprise indiquent les sortes de tâches accomplies au centre de reprographie et celles effectuées aux endroits décentralisés. Pour les raisons suivantes, il y a plusieurs situations qui sont mieux réglées dans un centre de reprographie.

L'efficacité : Il est possible d'éviter et de surmonter des problèmes si le travail est fait par un personnel qualifié formé au fonctionnement des appareils.

Plus grande productivité : Puisque les centres peuvent accomplir des tâches multifonctionnelles à haute vitesse, les photocopies sont faites plus rapidement. Les employés ne perdent pas de temps à attendre en ligne.

Économies : Des études comparatives démontrent qu'il est plus dispendieux de faire des copies sur un photocopieur pratique que sur un plus gros appareil.

Contrôle : Étant donné qu'il est improbable qu'il y ait des demandes pour reproduire des documents personnels, les entreprises qui ont un tel centre ont plus de contrôle sur le mauvais usage de l'équipement.

Préparation des documents pour le centre de reprographie

Ces documents doivent porter les bonnes directives permettant à l'opérateur de faire le travail demandé tout en s'assurant du retour intact de l'original et des copies. La plupart des entreprises ont des formulaires imprimés qu'il suffit de remplir avec les directives de reproduction. Parfois, ce formulaire est imprimé sur la grande enveloppe qui contient les

On trouve généralement les centres de reprographie dans les grandes entreprises.
Gracieuseté de Xerox Canada Inc.

originaux. Cela évite d'éparpiller les originaux et les directives tout en les protégeant. Le formulaire devrait accompagner les documents au centre de reprographie.

Vous devriez connaître les limites des appareils afin de ne pas demander l'impossible. Écrites sur un formulaire ou rédigées par l'envoyeur, les directives devraient inclure l'information suivante:

- Le nom et le service de l'envoyeur (un numéro téléphonique ou de poste serait de mise).
- La quantité d'originaux et de copies de chacun d'eux.
- La taille (lettre ou légal), la sorte et la couleur de papier.
- La date d'échéance.
- On devrait noter les directives spéciales pour assembler, agrafer, réduire ou agrandir, ou pour la couleur.

Avant de distribuer le document, vous devriez vérifier la remise de tous les originaux et le respect des directives.

Formulaire de demande de photocopie

FORMULAIRE DE DEMANDE DE PHOTOCOPIE

Nom *K. Samna*

Service *Planification*   N° compte *362*

Poste *54*   Date *9 sept.*

Ramassé ☐   Livré ☐

Quantité demandée *100*

Un côté ☐   Recto verso ☒

Papier: blanc ☒   bleu ☐   beige ☐   jaune ☐

vert ☐   rose ☐   perforé 3 trous ☐

Réductions: 98 % ☐   74 % ☐   65 % ☐

Assemblage: Ensembles ☐   Piles ☐

Agrafé ☒

Autres directives _____

_____

QUESTIONS DE RÉVISION ET DE DISCUSSION

1. Nommez deux accessoires d'imprimante et expliquez comment leur utilisation peut contribuer à l'efficacité du bureau.
2. Dans quels cas utiliseriez-vous un photocopieur pratique?
3. Comment une entreprise peut-elle contrôler le matériel photocopié?
4. Pourquoi une entreprise créerait-elle un centre de reprographie?

APPLICATIONS

1. Choisissez un appareil de reprographie disponible de l'école et montrez à un étudiant comment s'en servir. Quand vous avez fini, préparez un guide d'instructions de fonctionnement détaillé.

2. Avec un programme de graphiques informatiques, préparez une page couverture pour le guide d'instructions que vous avez fait au numéro 1.

3. Préparez un formulaire de demande qui servirait à accompagner les documents au centre de reprographie. Une fois complété, servez-vous en pour demander des copies du guide d'instructions du numéro 1. Demandez à un étudiant d'utiliser un appareil disponible pour faire les copies d'après l'information de votre formulaire de demande. Demandez-lui de noter les difficultés rencontrées pour faire les copies demandées.

4. Faites une lettre au directeur du bureau principal de l'école pour demander de le visiter. Demandez particulièrement de voir le fonctionnement de tous les appareils de reprographie. Demandez de voir comment remplir les plateaux de papier, remplacer l'encre et réparer quelques problèmes de base comme des feuilles coincées.

5. Julie travaille au centre de reprographie d'une grande corporation et utilise une bonne partie de son temps libre comme bénévole dans une résidence pour personnes âgées. Son groupe de bénévoles planifie un lave-auto pour recueillir des fonds afin de soutenir les activités des personnes âgées. Le lave-auto a lieu samedi.

   À 16 h, Louise, une autre bénévole, appelle Julie pour lui annoncer le début d'une conférence en gériatrie dans un congrès et que ce serait l'endroit idéal pour annoncer leur lave-auto. Louise lui demande de faire 1 000 copies annonçant le lave-auto. Julie sait que la compagnie défend de faire des copies personnelles. Cependant, elle sait que le personnel quitte à 17 h et que personne le saurait si elle restait quelques minutes pour les faire. Ça changera quoi? C'est une bonne cause. La compagnie encourage souvent les charités locales et elle peut encaisser le coût plus facilement que son groupe de bénévoles. Elle est certaine que d'autres ont fait des copies pour usage personnel.

   a) Son raisonnement est-il valide?

   b) Que devrait faire la compagnie avec les employés qui sont pris sur le fait?

   c) Quelles mesures pourrait prendre l'entreprise pour éliminer la pratique des copies servant à un usage personnel?

6. En petit groupe, faites une enquête sur le genre d'équipement de reprographie utilisé dans votre milieu. Faites-la par la poste, au téléphone ou par visite d'entreprises. Votre enquête devrait indiquer l'équipement utilisé, ses caractéristiques, le nom du fournisseur, la personne la plus susceptible de s'en servir, si l'entreprise utilise un centre de reprographie et quels sortes de documents sont le plus fréquemment photocopiés.

À votre avis, quels sont les avantages et les inconvénients de chaque appareil? Présentez vos résultats à la classe.

7. En petits groupes, contactez les gros fournisseurs d'équipement reprographique y inclus les photocopieurs et les photocomposeuses. Demandez de la documentation sur le plus récent équipement disponible.

   Faites un résumé des coûts actuels et des capacités de l'équipement. Affichez à un babillard le matériel recueilli et faites une présentation de vos résultats à la classe.

STAGE EN COMMUNICATION

1. Réécrivez le brouillon suivant. Corrigez l'orthographe et améliorez le style et le ton.

   Les chiffres actuelles montrent clairement sans un doute que beaucoup trop de copies sont faites. Ayant regardé toute la situation et après enquête sur tous les faits, je ne peux seulement conclure que trop d'employés font trop de copies de nature personnelle pour leur usage. Cette pratique doit être arrêtée. Elle coûte à la compagnie trop cher.

2. Les questions 5 et 6 de l'exercice précédent vous ont demandé de travailler en groupe. Évaluez votre façon de travailler en groupe en vous posant les questions suivantes. Faites un rapport écrit de une ou deux pages à votre professeur.

   a) Votre groupe avait-il un animateur? Si oui, comment cette personne l'est-elle devenue? Si non, pourquoi pensez-vous qu'il n'y en avait pas?

   b) Tous les membres ont-ils participé au résultat? Si non, comment le groupe a-t-il géré la situation? Quelles sont les autres choix pour traiter avec quelqu'un qui refuse de participer?

   c) Comment le groupe a-t-il réglé les désaccords?

   d) Quelles seraient vos suggestions pour améliorer la façon de travailler de votre équipe?

17

DICTÉE ET TRANSCRIPTION EFFICACES À LA MACHINE

Après la lecture de ce chapitre, vous serez en mesure:

- De comprendre comment la dictée à la machine contribue au cycle de transmission de l'information.
- D'utiliser les habiletés de dictée et de transcription.
- D'identifier les différents genres d'équipement de dictée.
- De résumer comment les diverses caractéristiques de l'équipement de dictée et de transcription actuel peut contribuer à l'efficacité du traitement de l'information.
- D'identifier la façon de surmonter les inconvénients de l'utilisation de l'équipement de dictée et de transcription.

Dicter à la machine est une façon de coder l'information.
Gracieuseté de Philips

Dicter à la machine nécessite deux personnes : celle qui dicte ou l'initiateur qui enregistre le contenu d'un document, et le transcripteur qui écoute le message pour ensuite l'interpréter et le formater.

Dicter à la machine est une des formes d'entrée qui influence la circulation des données dans le cycle du traitement de l'information. Bien que considérée comme matière à être transcrit tel quel, la dictée peut servir d'outil administratif. Dans ce cas, on enregistre de courtes notes schématiques qui servent de base à un document rédigé par quelqu'un d'autre. Bien que le courrier électronique puisse être plus efficace, on peut utiliser la dictée pour donner des directives ou des messages oraux à un

Dicter à la machine est beaucoup plus efficace que l'écriture normale ou la sténographie.

COMPARAISON ENTRE LES TROIS MOYENS DE REPRODUIRE UN TEXTE

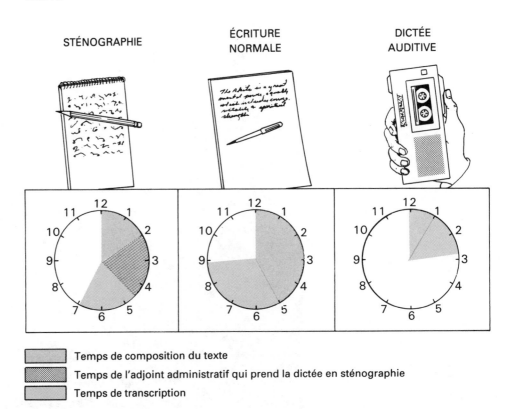

STÉNOGRAPHIE ÉCRITURE NORMALE DICTÉE AUDITIVE

Temps de composition du texte

Temps de l'adjoint administratif qui prend la dictée en sténographie

Temps de transcription

Longueur moyenne de la lettre : 190 mots

Calculs faits par des responsables gouvernementaux indépendants de l'Allemagne, d'après une organisation commerciale indépendante des États-Unis.

adjoint. Il est facile, entre autres, de dicter les horaires de travail et les rendez-vous à l'usage de quelqu'un d'autre.

Même si elle est capable d'augmenter la productivité des employés et l'efficacité générale du bureau, la dictée à la machine selon une étude de l'association des professionnels en systèmes d'information, n'était un moyen utilisé que pour 12 pour cent de la production de documents contre 75 pour cent pour l'écriture normale. Bien qu'elle ne soit pas la forme la plus courante d'entrée des données, la souplesse et les dispositifs de l'équipement moderne rendent cette option plus intéressante surtout si elle est rattachée à un appareil de traitement de l'information.

Avantages de la dictée à la machine

Du point de vue de l'initiateur, le dictaphone est très souple car il permet de dicter n'importe où et, en cas d'interruption, on peut l'arrêter et le repartir sans gaspiller du temps supplémentaire. Le dictaphone moderne rend l'activité facile et attrayante. Les unités qui réagissent à la voix éliminent le besoin de manipuler les commandes durant l'enregistrement. On peut aussi préparer rapidement des documents. Selon l'équipement utilisé, on peut indiquer et transcrire les choses importantes avant de passer aux autres. On peut aussi commencer la transcription peu après le début de la dictée permettant à un document d'être prêt aussitôt terminé.

La machine à dicter a aussi des avantages pour le transcripteur. Il est plus libre pour planifier son horaire de travail puisqu'il n'est plus interrompu par quelqu'un voulant dicter une lettre. Pour se familiariser avec le contenu, il peut jouer l'enregistrement plusieurs fois sans déranger celui qui a dicté. Il peut arrêter la transcription pour s'occuper d'une urgence et recommencer sans avoir perdu le fil des idées.

Inconvénients de dicter à la machine

Bien que plus efficace et économique que l'écriture à la main ou la sténographie, la dictée à la machine a quand même des inconvénients. Au contraire de la sténographie, elle peut être impersonnelle et ne permet pas à une autre personne d'ajouter de l'information pertinente.

Pour utiliser un tel appareil, il faut savoir comment s'en servir. Il faut aussi de bonnes habilités en communication pour planifier, organiser les mots tout en articulant et donner les bonnes directives au transcripteur. Sinon, l'appareil peut perdre beaucoup de temps à éditer et retaper le document pour corriger les erreurs.

Il faut acquérir de la pratique et les habiletés nécessaires pour dicter à la machine sans que cela demande toute la formation requise pour prendre une dictée en sténographie.

QUESTIONS DE RÉVISION ET DE DISCUSSION

1. Montrez le rôle de l'appareil à dicter dans le cycle du traitement de l'information.
2. Pourquoi l'appareil à dicter intéresserait-il l'initiateur d'un document?
3. Quels aspects de l'appareil à dicter intéresseraient le transcripteur?
4. «Bien qu'efficace, l'appareil à dicter n'est pas une forme populaire pour entrer l'information.» Dites pourquoi c'est vrai.

HABILETÉS EFFICACES POUR DICTER

Étant donné que dicter à la machine se fait indépendamment du transcripteur, les avantages de la conversation face à face ne sont plus nécessaires. On peut perdre l'efficacité de ce moyen par une mauvaise interprétation ou à cause de l'interférence à l'enregistrement. Pour éviter cela, l'initiateur doit penser à la façon dont sera reçu le message et donner des indices pour aider à bien interpréter le message.

L'initiateur peut maîtriser la situation en se préparant, en utilisant un langage efficace et en tenant compte du transcripteur.

Préparation Cela demande une connaissance totale de l'appareil. Un aspect important de la préparation est l'organisation

Il est plus facile de dicter les idées principales d'un texte afin de mieux structurer votre pensée.
Gracieuseté de Dictaphone Corporation

du matériel. Expliquez la raison du message, notez les idées principales, mettez-les en ordre et accumulez le matériel de référence nécessaire pour appuyer le contenu du message. Être bien préparé permet de bien dicter.

Utiliser un langage efficace L'initiateur doit savoir que pour être bien transcrit, un message doit être bien compris. Cette compréhension s'atteint en utilisant des mots concis et en articulant avec un débit raisonnable. Des arrêts trop longs entre les mots dans lesquels les expressions brisent le déroulement sont irritants. À moins que l'appareil soit déjà en marche, l'initiateur ne doit pas oublier de l'arrêter lorsqu'il cesse de parler. Il devrait parler directement au micro, avec un ton normal, sans mâcher ses mots. On obtient les meilleurs résultats en se concentrant sur le message à dicter tout en évitant de brasser des papiers, de fumer ou de mâcher de la gomme.

Les mots difficiles ou techniques comme les expressions médicales, les noms propres et les homonymes devraient être épelés.

Considération pour le transcripteur Même si l'on emploie un langage approprié, le transcripteur peut être faussé s'il ne reçoit pas les bonnes directives ou s'il les reçoit incorrectement. On devrait indiquer les données importantes avant de commencer la dictée. Cela devrait inclure le nom de la personne, le service, le numéro de téléphone si la transcription doit être centrée, la sorte de document, le nom des récipiendaires et leur adresse de même que le degré de priorité du document.

En dictant, il faut indiquer à l'avance les paragraphes, les citations, les énumérations, les majuscules et les difficultés orthographiques. Par exemple, si on veut placer entre parenthèses la phrase «habituellement appelé dictée à boucle continue» comme suit — (habituellement appelé dictée à boucle continue) — sans le mentionner au préalable, le transcripteur ne serait pas au courant de la demande. Bien que l'équipement de traitement de texte simplifie les corrections, tout arrêt peut interrompre le fil des idées. Les interruptions fréquentes peuvent être une source d'irritation.

On peut améliorer la procédure de dictée en personnalisant la communication. On peut commencer par une salutation suivi du nom du transcripteur si on le sait, et terminer la communication par un «merci».

Quelques conseils utiles

Conseil

Commencer simplement.

Une fois les bases maîtrisées, dicter le plus complexe des documents devient simple. Toutefois, si vous êtes un débutant, commencez par de courtes notes de deux ou trois paragraphes, ou une page normale de format lettre avant d'attaquer une soumission de 40 pages. Comme pour toute autre habileté, dicter demande une pratique soutenue.

Pratiquez.

En vous aidant de quelques documents existants et en commençant par le plus simple, pratiquez les 3 principes de base d'une bonne dictée. Pour vérifier si vous avez bien fait, demandez qu'on transcrive les documents. Il est ensuite facile de déterminer les techniques de dictée à améliorer en vérifiant si le texte est fidèlement transcrit.

Une fois les principes maîtrisés, pratiquez avec des textes plus difficiles. Bientôt, vous verrez que vous serez capable de dicter cette soumission de 40 pages aussi facilement qu'une note d'une page.

Reproduit avec la permission de Dictaphone, 1987.

Conseil

Développez votre style.

Les trois principes ne sont qu'un guide. Selon la taille de votre compagnie et le genre d'équipement de transcription utilisé, vous devrez ajouter ou enlever quelques étapes pour vous adapter à votre situation.

Par exemple, si vous êtes un professionnel avec un secrétaire privé, vous n'avez pas besoin de vous nommer. Toutefois, dans une grande corporation, cela serait essentiel.

Si votre entreprise possède des processeurs de texte ou des dactylos électroniques, il est facile de modifier votre matériel dicté, ce qui vous permet de suivre les étapes d'une façon plus précise.

Avec cet équipement, vous pouvez toujours indiquer les modifications à la fin de la dictée.

Vous n'avez qu'à déterminer quels principes s'appliquent à vos besoins et personnalisez-les pour obtenir le meilleur résultat possible.

Quelle que soit la façon de les adapter à vos besoins, une dictée efficace est un outil d'affaires permettant de gagner du temps.

Pratique Dicter doit être une habileté acquise par la pratique. Certains se défilent parce qu'ils ont peur d'échouer en utilisant l'équipement; toutefois, il s'agit d'une pratique simple. Commencez avec une note ou une lettre ordinaire. Après la dictée, écoutez l'enregistrement en vous mettant à la place du transcripteur. Demandez-vous si vos directives sont claires. Faites transcrire le matériel et analyser les résultats. À mesure que cela devient facile, prenez des documents plus complexes. Quelqu'un qui veut améliorer son habileté et contribuer à l'efficacité de la procédure de dictée, sautera sur toutes les occasions pour améliorer sa technique. Cela va même jusqu'à encourager le transcripteur à signaler les situations problématiques.

Pour aider le transcripteur, la personne qui dicte devrait également indiquer la ponctuation.

HABILETÉS DE TRANSCRIPTION EFFICACES

Les habiletés de transcription reposent sur certains talents en communication et la capacité de taper sur un clavier. Il faut écouter pour bien interpréter ce qui est dit et ensuite taper l'information pour en faire un document. Avec une écoute active et une bonne concentration, on peut surmonter nos faiblesses en dictée ou l'interférence sur un ruban de mauvaise qualité. On ne peut pas voir les mots comme sur un papier; ainsi, une bonne connaissance de la grammaire et de l'orthographe est essentielle et doit être utilisée en tapant. Puisque la procédure de transcription réduit environ de moitié la vitesse normale, il faut maintenir une certaine vitesse pour être efficace. Par la pratique, ceux qui possèdent ces habiletés fondamentales peuvent devenir de bons transcripteurs.

Conseils de transcription

1. *Connaissez à fond l'équipement.* Chaque équipement possède des caractéristiques pour faciliter la transcription dont, entre autres, les lignes ouvertes prioritaires pour indiquer les documents urgents, des lecteurs pour capter les directives spéciales et des indicateurs qui enregistrent la fin et la longueur du matériel. Ces renseignements aident à décider du format, de la longueur du document et de l'ordre de priorité. Cette connaissance met le transcripteur en confiance devant sa tâche.

2. *Écoutez, interprétez et ensuite tapez.* Écoutez un petit bout, arrêtez l'appareil et tapez l'information. Repartez l'enregistreuse. Utilisez le contrôle de vitesse pour ralentir le ruban à un débit qui vous est convenable. Avec la pratique, vous serez capable de retenir plus d'information à la fois et de faire tourner le ruban plus rapidement.

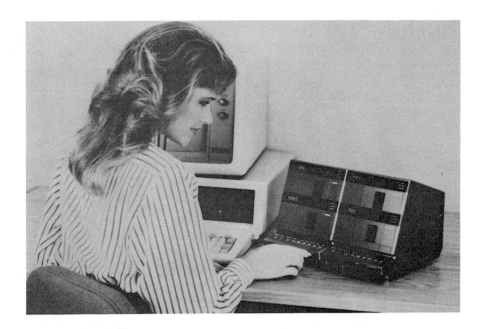

3. *Précisez l'information au besoin.* Quelques mots peuvent être ambigus. Dans ce cas, relisez la partie que vous venez de transcrire pour trouver un indice et rejouez la partie d'enregistrement qui vous a causé un problème. Un collègue peut vous aider en l'écoutant. Si vous n'y arrivez pas, demandez à l'initiateur. Parfois, les difficultés dépendent d'une dictée mal prononcée ou du manque de directives appropriées.

4. *Faites une correction d'épreuves.* La transcription terminée, faites une correction d'épreuves du texte fini en le relisant tout en écoutant l'enregistrement. Ajoutez la vitesse à votre rythme de lecture et la procédure sera rapide.

QUESTIONS DE RÉVISION ET DE DISCUSSION

1. Quelles étapes doit-on suivre pour dicter efficacement? Décrivez chacune d'elles.
2. Décrivez par écrit les étapes à suivre pour une bonne transcription.
3. À votre avis, quelle habileté est la plus nécessaire pour une dictée ou une transcription efficace? Justifiez votre choix.

ÉQUIPEMENT DE DICTÉE

Il y en a trois sortes : portatif, dessus de bureau et centralisé. Le choix dépend de la capacité de concilier les besoins de l'organisation avec ce que les personnes dictent. Les dictées doivent aussi être compatibles avec l'équipement de transcription disponible.

Unités portatives Un **dictaphone portatif** fonctionne à batteries et est assez petit pour être tenu dans la main. Il est de taille idéale pour une personne d'affaires sur la route ou à domicile. Des mini-cassettes de la longueur d'un trombone ordinaire peuvent enregistrer 60 minutes de dictée. Les unités portatives sont utiles pour enregistrer des entrevues ou des réunions.

La personne qui dicte peut enregistrer et, en rejouant l'information, insérer des directives particulières. Des indicateurs audibles et des affichages permettent au transcripteur de préparer la transcription en soulignant des demandes particulières.

Quelques dictaphones portatifs utilisent des cassettes de la taille d'un trombone qui peuvent enregistrer 60 minutes de dictée. *Gracieuseté de Dictaphone Corporation*

Unités de bureau Les unités de bureau sont de plus grande taille que les portatifs, elles servent dans les bureaux qui ont accès à l'électricité. Certaines ne peuvent servir qu'à enregistrer ou à transcrire alors que d'autres peuvent effectuer les deux fonctions.

La plupart des dictaphones de bureau possèdent les mêmes caractéristiques que les portatifs. Par exemple, vous pouvez réviser un texte et ajouter de l'information au milieu d'une phrase sans effacer ce qui est enregistré. Aussi, s'il y a interruption lors de la transcription, une partie de texte peut être révisée automatiquement. On peut visualiser la longueur de chaque document enregistré, ce qui aide le transcripteur à formater la copie finale.

Certains appareils de bureau peuvent également servir de répondeurs qui enregistrent les messages en cas d'absence. On peut avoir accès à ces messages par téléphone. Tous ces avantages rendent le dictaphone un appareil de bureau des plus utile.

Unités centralisées Les **dictaphones centraux** procurent à un groupe la méthode la plus efficace et la plus économique de partager des équipements de dictée. Chacun ayant un microphone, cela élimine le besoin d'avoir des dictaphones individuels. Puisqu'il est également possible de dicter au téléphone, on peut le faire en tout lieu et en tout temps. Ce qui était déjà enregistré sur une cassette lors d'un déplacement quelconque peut être enregistré au téléphone sur l'unité centrale. Si la personne qui dicte est en voyage, elle peut alors transcrire le matériel et l'avoir disponible à son retour.

Quelques personnes peuvent dicter simultanément; mais vu qu'on ne peut rejouer que son enregistrement, le travail de chacun reste confidentiel. De plus, la dictée et la transcription peuvent être simultanées. Les lignes ouvertes prioritaires permettent de compléter un article urgent avant ceux qui sont déjà enregistrés.

Un surveillant qui attribue et vérifie la production des documents transcrits peut facilement contrôler et mesurer la charge de travail et la productivité d'un système central.

Les systèmes centraux de dictée comprennent le **magnétophone à boucle continue** et le **système à cassettes multiples**.

Quelques unités de bureau peuvent servir à la dictée et à la transcription et, également, comme répondeur.
Gracieuseté de Dictaphone Corporation

Les magnétophones à boucle continue ont un long ruban coupé pour enregistrer le contenu. Le ruban étant enfermé dans le mécanisme de l'appareil, on ne peut pas perdre ou égarer des documents comme cela se produit avec des cassettes. Avec les unités à boucle continue, on commence la transcription 12 secondes après le début de la dictée permettant de préparer sur-le-champ des documents importants.

Avec un magnétophone à boucle continue, on peut commencer la transcription 12 secondes après le début de la dictée.
Gracieuseté de Dictaphone Corporation

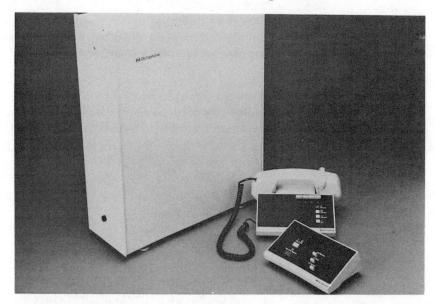

Les systèmes à cassettes multiples se servent de cassettes empilées sur un plateau prêtes à être chargées dans l'appareil. Aussitôt remplie, une cassette est remplacée par une autre. Ce système donne plus de souplesse que celui à boucle continue parce qu'on peut distribuer au

Un système de cassettes centralisé permet la dictée et la transcription simultanées.
Gracieuseté de Dictaphone Corporation

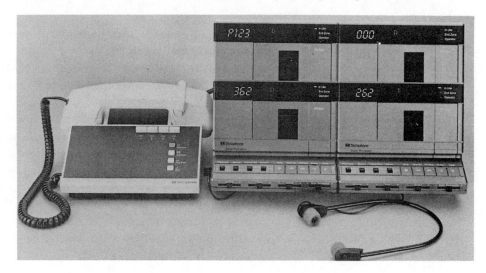

bureau les cassettes pour transcription.

**QUESTIONS
DE RÉVISION
ET DE DISCUSSION**

1. Quelles caractéristiques de l'équipement de dictée permettent une plus grande efficacité?
2. Résumez brièvement les principaux atouts d'un dictaphone portatif et de bureau.
3. Qu'est-ce qui rend un système de dictée centralisé si efficace?
4. Quelle différence y a-t-il entre un système à cassettes multiples et un magnétophone à boucle continue?

UTILISATIONS

1. Avec un dictaphone de l'école, dictez les phrases suivantes. On y a inclus des directives particulières. Quand vous aurez terminé, demandez à un autre de transcrire les phrases.
   a) Le (D majuscule) Directeur des ressources humaines assiste à un atelier appelé (guillemets) (P majuscule) Productivité au bureau (guillemets) (point).
   b) La (P majuscule) Présidente de Omnitronique (majuscules O-m-n-i-t-r-o-n-i-q-u-e) (I majuscule) Incorporée présidera la campagne annuelle de levée de fonds de (C majuscule) Centraide (point).
   c) L'équipement de dictée (tiret) transcription centralisé est un système à boucle continue (point).
   d) La dictée face (tiret) à (tiret) face permet à deux personnes de participer à la procédure de communication (virgule) de partager des idées et de produire un texte écrit (point).
   e) On peut donner priorité aux documents à transcrire (tiret) les notes (virgule) les lettres (virgule) les rapports (point).

2. Refaites et dictez les phrases suivantes en y ajoutant les directives particulières utilisées en dictée.
   a) On a enregistré sur dictaphone portatif le discours-programme «Encourageons l'entrepreneuriat» donné après dîner.
   b) Avant de transcrire, un survol rapide de l'enregistrement permet au transcripteur de mettre chaque tâche en ordre.
   c) La conférence de vente qui sera tenue le mois prochain à Saint-Catherines présentera le tout dernier équipement.
   d) Même lorsqu'ils voyagent à Saint-John, Winnipeg, Vancouver et Lethbridge, les représentants de vente peuvent utiliser le téléphone pour enregistrer l'information sur le système central à cassettes multiples.
   e) «Prononcez sans vous presser; donnez des directives particulières» lorsque vous dictez.

3. Avec l'équipement de l'école, dictez la note suivante pour tous les chefs de service :

L'équipement de dictée, incluant les nouvelles cassettes portatives, sera entretenu par les Services d'équipement commercial Centronique.

On devrait adresser les demandes de service directement à la compagnie au 967-1099. Lorsque le travail est terminé, demandez une facture que vous enverrez à Diane Cormier, surveillante des comptes payables.

4. Servez-vous des notes suivantes pour dicter une lettre de Jean Artaud, représentant de vente, à Raymonde Claveau, directrice de bureau, Aventure électronique Ltée, 1205, rue Bonin, Montréal, H3B 1C6 :

— un nouveau système à cassettes multiples est disponible
— sera livré la semaine prochaine
— livré par Canpar
— les techniciens l'installeront dans la même semaine que la livraison
— des stages de formation seront mis sur pied

5. Demandez à un autre de transcrire la lettre et la note dictées aux questions 3 et 4. Demandez-lui de noter toutes les difficultés rencontrées.

6. Simon et Thérèse travaillent dans une clinique médicale où tous les rapports de laboratoire sont dictés par cinq personnes. Chaque rapport contient quelques termes médicaux dont plusieurs sont difficiles à épeler. Bien que la plupart des gens les épellent en enregistrant, une personne le fait rarement parce qu'elle croit qu'un bon adjoint devrait être familier avec la terminologie. Simon et Thérèse trouvent difficile et longue la transcription de ces enregistrements. Ils passent beaucoup de temps à s'entraider pour déchiffrer et chercher les termes dans un dictionnaire médical.

Thérèse voudrait approcher cette personne, montrer le problème et ensuite, refuser de transcrire les enregistrements qui n'ont pas de directives adéquates. Simon n'est pas d'accord. Étant donné que l'opinion de cette personne est bien connue, il craint d'être perçu comme incompétent ou trop paresseux pour apprendre les termes. Il préfère se taire et continuer de la même façon.

a) La personne qui dicte a-t-elle raison de présumer qu'un bon adjoint ne devrait pas avoir besoin que certains termes soient épelés? Expliquez votre réponse.

b) Donnez vos commentaires sur les opinions de Simon et Thérèse.

c) Que leur conseilleriez-vous pour améliorer la situation?

STAGE EN COMMUNICATION

En transcrivant, vous devez interpréter les mots dictés. Plusieurs ont les mêmes sons et vous devez choisir le bon orthographe d'après le sens de la phrase. Choisissez le bon mot pour chacune des phrases suivantes.

1. J'ai trouvé (quelque/quelle que) chose.
2. On a choisi le (site/cite) du nouvel édifice.
3. Le comité a fait (allusion/illusion) à son rapport.
4. Nous y avons eu (excès/accès).
5. Ce bureau est (tout prêt/tout près) d'ici.
6. Le rapport (cite/site) plusieurs sources de référence.
7. Il roule en automobile avec (excès/accès).
8. On est d'accord (quelque/quelle que) raison que vous donniez.
9. Quand on prépare un budget, il ne faut pas se faire (d'allusions/d'illusions).
10. Le rapport est (tout prêt/tout près) à être imprimé.
11. Il s'est trompé plusieurs (fois/foie).
12. Sa (voie/voix) est facile à comprendre.
13. Ma voiture (est face/efface) au panneau-réclame.
14. Son avion volait à (rat/ras) le sol.
15. Je lui ai laissé (dit/dix) dollars.
16. Il a malheureusement une maladie de (fois/foie).
17. En prenant l'autoroute, il s'est trompé de (voix/voie).
18. Il faut qu'il (est face/efface) tout ce qu'il a écrit.
19. Il a réussi à se débarrasser du (rat/ras) dans sa cave.
20. Il n'a pas fait tout ce que je lui ai (dit/dix).

L'INDUSTRIE DU VOYAGE

Le tourisme est une industrie de services car ce sont les clients qui achètent; il n'y a pas de fabrication ni de vente de produit. Le fonctionnement des hôtels, des attractions touristiques, des restaurants, des congrès et des services de transport font tous partie de cette industrie aux services de grande envergure.

Le tourisme est une industrie majeure de l'économie canadienne et est un domaine d'emploi en croissance.

AGENT DE VOYAGES

Les conseillers travaillant dans les agences de voyages sont essentiels à l'industrie. L'agent de voyage planifie l'horaire des itinéraires et prépare l'hébergement pour les voyages de plaisir et d'affaires. Il prépare également les billets et perçoit l'argent des clients.

Pour réussir, il doit avoir une connaissance complète de l'industrie afin de rendre le voyage simple. Les domaines de connaissance peuvent inclure les politiques douanières, les exigences pour les passeports et les visas, les prix, les procédures de billetterie, les monnaies, l'assurance, la location automobile, les forfaits, les hôtels, les attractions touristiques et les différents moyens de transport comme l'avion, le train, le bateau et l'autobus.

La technologie a augmenté l'habileté de l'agent de voyages à fournir de l'information d'une façon efficace. Plusieurs agences de voyages ont des terminaux qui ont accès à une base de données centrale qui informe sur la disponibilité et le coût des différents services de voyage. Le client peut étudier toutes les options et l'agent peut faire les réservations aussitôt la décision prise.

Un agent de voyages doit avoir l'habileté d'établir un rapport avec les gens et de déterminer exactement les intentions de la personne qui veut voyager. Il doit écouter le client pour bien saisir ce qu'il veut dire même si le client n'est pas fixé. Il doit ensuite parler clairement et précisément afin que le client soit totalement conscient des options avant d'arrêter son choix.

Il doit être très intègre et s'assurer d'expliquer les implications de chaque choix en toute honnêteté. Il faut absolument connaître la géographie et les autres cultures. On ne doit pas mettre de pression sur le client pour lui vendre quelque chose d'inutile qu'il ne veut pas.

La confidentialité et la sincérité sont essentielles afin d'assurer que les arrangements de chaque client soient privés. Le client doit quitter avec l'impression que rien a été laissé au hasard; les exigences de voyage sont très importantes pour l'agent. Le succès de l'entreprise repose sur la communication de ce sentiment.

---

* Note: Toutes les carrières présentées dans cette concentration sont également offertes aux hommes et aux femmes.

Pour travailler dans cette industrie, il faut habituellement un diplôme d'école secondaire. Les chances d'emploi sont meilleures si vous avez une ou deux années d'étude dans un cours d'agent de voyages. Ces cours sont offerts par les collèges d'arts appliqués et de technologie et par les collèges privés professionnels.

L'Institut canadien des agents de voyages est une association de deux mille cinq cent membres à travers le pays. Le but principal de ce groupe est d'élaborer et d'administrer un programme de formation pour maintenir une éthique professionnelle dans l'industrie. On émet divers certificats pour un ensemble de cours, de travaux et d'expériences suivis de la réussite d'un examen. Cet institut donne aussi une formation professionnelle continue pour ses membres par des séminaires de développement professionnel et par des bulletins.

Après trois ans d'emploi à temps plein dans la vente de voyages et avec un résultat supérieur à 65 pour cent dans un examen de qualification, un agent de voyages peut demander d'adhérer à l'Institut. Si vous possédez un certificat émis par une institution reconnue par l'Institut, vous pourrez être dispensé de certaines exigences.

L'adhésion est volontaire. Ceux qui n'adhèrent pas ne sont pas privés des occasions d'offrir un éventail complet de services de voyage au client. Les membres peuvent ajouter les lettres «CTC» (Certified Travel Counsellor) à leur nom et peuvent profiter des activités de formation professionnelle offertes par l'association.

AUGMENTER LA CONSCIENCE DES AFFAIRES

1. Définissez chacun des termes suivants et utilisez-les dans une phrase en rapport avec l'industrie du voyage.

douanes	forfait
prix	procédures de billetterie
visa	réservation
monnaies	prix du billet intérieur
ICAV	CTC

2. Invitez un agent de voyages en classe pour parler de son rôle. Demandez-lui de parler de l'utilisation de la technologie dans l'industrie et de se renseigner sur la formation requise.

Une agence de voyages a besoin d'un **AGENT DE RÉSERVATIONS**. L'informatique, une connaissance du système aérien et l'habileté au dactylo sont des atouts. Poste à temps plein avec heures flexibles dans la région de l'aéroport de Toronto. Salaire à discuter.
VACANCES RELAX
Valérie Pickshaw
882-9006

AGENTS DE VOYAGES
À cause de l'expansion rapide de notre division de voyages corporatifs, nous avons besoin d'agents de voyages pour joindre notre équipe de 26 personnes. Minimum de 3 ans d'expérience. Expérience avec Reservec, préférablement avec Global Matrix, et excellente attitude de service à la clientèle. Avons besoin d'un consultant sénior pour un poste de contrôle de la qualité. Appelez Suzanne Charron, Agence de voyages Martin, 192, avenue Eglinton O. 486-5911.

6 AUTRES PROCÉDURES ADMINISTRATIVES

18

RÉUNIONS ET CONFÉRENCES

Après la lecture de ce chapitre, vous serez en mesure:

- D'identifier le genre de réunions.
- De résumer la préparation nécessaire à une réunion efficace.
- De reconnaître l'importance des documents essentiels au bon déroulement d'une réunion.
- De décrire les responsabilités des participants à une réunion.
- De décrire l'utilisation des réunions électroniques comme outil de gestion.

Chaque fois que deux personnes échangent des idées, il y a **réunion**. Qu'ils soient deux ou deux mille personnes, une réunion veut dire des gens qui se rencontrent pour communiquer et échanger de l'information.

Le succès d'une entreprise dépendant de son habilité à communiquer, les réunions doivent être organisées avec soin. Télécom Canada évalue que certaines personnes passent jusqu'à 46 pour cent de leurs journées de travail en réunion. Si elle est improductive, on gaspille temps et argent sans compter la perte d'une bonne occasion de communiquer. Ceux qui assistent peuvent se sentir frustrés s'ils jugent que leur temps serait plus utile ailleurs.

Traditionnellement, les participants à une réunion se rencontraient tous au même endroit. Toutefois, la technologie a rendu possible les

Une réunion est l'occasion d'échanger des idées. Ces personnes vont en rencontrer d'autres grâce à la technologie.
Gracieuseté de Télécom Canada

réunions sans quitter son bureau. Que les participants soient là en personne ou électroniquement, le genre de réunion, son organisation et son déroulement restent les mêmes.

RÉUNIONS

Si elle est informelle, une réunion sera habituellement courte et familière alors que si elle est formelle, elle sera plus structurée et respectera des règles plus rigides. La forme est souvent influencée par le nombre de personnes présentes et les sujets traités durant la réunion.

Réunions informelles

Les réunions informelles n'ont d'autres procédures que la politesse et le bon sens. Que ce soit avec des clients, des comités de planification ou avec le personnel, les réunions ont comme but l'échange d'information. Les réunions de bureau sont plutôt informelles, ont moins de 25 personnes et arrivent à des ententes par consensus. On peut aussi prendre des décisions à la majorité quoiqu'il n'est habituellement pas obligatoire d'avoir des votes officiels. Enfin, on peut prendre des notes et les faire circuler.

Une réunion informelle suit peu de procédures.
Gracieuseté de l'Institut d'assurance du Canada

Réunions formelles

Les réunions formelles suivent une procédure parlementaire rigide décrite dans le Code des procédures des assemblées délibérantes (Morin) qui donne un sentiment d'ordre et de contrôle selon des directives. Celles-ci indiquent comment établir le droit de parole chez les intervenants.

Un **président d'assemblée** fait respecter les procédures. Un **secrétaire** est nommé pour prendre des notes et rédiger le **compte-rendu** qui est un résumé écrit du déroulement et des décisions.

Ces réunions formelles sont nécessaires pour les fonctions officielles comme la réunion annuelle du conseil d'administration ou les réunions statutaires d'une association professionnelle. Les procédures formelles sont également de mise avec des groupes nombreux ou lorsque le sujet est très controversé.

**QUESTIONS
DE RÉVISION
ET DE DISCUSSION**

1. Comment une réunion bien organisée peut-elle contribuer au bon déroulement d'une entreprise?
2. Quelle différence y a-t-il entre une réunion formelle et informelle?
3. Quels sont les rôles du président d'assemblée et du secrétaire dans une réunion formelle?

**PROCÉDURES DES
RÉUNIONS FORMELLES**

Ouverture de la réunion

Elle commence par un appel à l'ordre du président avec une phrase générale comme «La réunion est commencée». Quand tout le monde est assis, le secrétaire compte les présences pour vérifier le **quorum** qui est le nombre minimum de personnes requises à une réunion pour traiter des affaires du groupe. Si le nombre minimum des membres votants n'est pas statué dans la constitution, il est de majorité simple ou 51 pour cent de tous les membres de comités. Sans quorum, la réunion doit être ajournée parce que toute décision qui y serait prise ne lierait pas légalement le groupe.

Dès que le quorum est atteint, le président déclare la réunion ouverte et commence à étudier les points à l'ordre du jour.

**Préparer
l'ordre du jour**

L'ordre du jour détermine le but de la réunion et résume les points à discuter. On y retrouve l'heure, l'endroit, la liste des participants et les sujets de discussion. Pour une grande réunion, on ne nommerait pas chaque participant mais le nom de leur groupe comme «les actionnaires».

Quelques groupes pourraient indiquer leur ordre préféré des points; toutefois, la forme suggérée est la suivante:

Adoption du procès-verbal de la réunion précédente Le président demande de l'adopter. Qu'ils aient été présents ou non à cette réunion, les membres du groupe l'auraient reçu. On peut présumer qu'ils l'ont lu; mais si le procès-verbal est court, le secrétaire peut le lire. Le président demande s'il y a des erreurs ou des omissions. S'il n'y en a pas, il demande qu'il soit adopté tel que lu. On note les corrections et les amendements et le président demande l'adoption tel qu'amendé.

Vu que le procès-verbal contient des décisions qui peuvent influencer les politiques et actions futures de l'organisme, il faut demander l'adoption du procès-verbal pour en vérifier l'authenticité.

Rapports des officiers et/ou comités Soit seul ou à l'intérieur d'un comité, chaque membre d'une réunion formelle a habituellement une responsabilité particulière pour le fonctionnement des activités du groupe. On demande un rapport verbal de chaque membre. Par exemple, le vice-président des opérations qui est responsable de l'automation de l'organisme, donnerait un rapport d'étape sur sa tâche. Dans une association professionnelle, le responsable du recrutement ferait un rapport sur le nombre de membres actuels et sur l'impact de toute campagne de recrutement.

Le 14 janvier 19—

Madame,
Monsieur,

J'ai le plaisir de vous convoquer à la réunion mensuelle du conseil d'administration de l'Association des jeunes musiciens du Québec.

Cette réunion aura lieu le vendredi 8 février 19—, à 9 h 30, à l'adresse suivante : 60, rue Miron, bureau 106, Montréal.

Je vous propose l'ordre du jour suivant et vous invite à le compléter si vous le jugez à propos :

1. Ouverture de la séance;
2. Lecture et adoption de l'ordre du jour;
3. Lecture et approbation du procès-verbal de la réunion précédente;
4. Lecture de la correspondance;
5. Rapport des comités;
6. Projets à l'étude;
7. Questions diverses;
8. Date et lieu de la prochaine réunion;
9. Clôture de la séance.

Veuillez agréer, Madame, Monsieur, l'expression de mes sentiments distingués.

Le président de l'Association des jeunes musiciens du Québec,

EB/gla   Eugène Boisvert

On devrait remettre un rapport écrit au secrétaire à distribuer avec le procès-verbal.

Questions en suspens de la réunion précédente Il n'est pas toujours possible de présenter des idées, les discuter et les voter au cours d'une même réunion. Pendant la discussion, il peut y avoir des questions qui restent sans réponses. S'il faut plus d'information pour décider, on met la question sur la table ou on la reporte à une réunion subséquente. Ces questions deviennent des affaires en suspens et sont remises en débat à ce point de l'ordre du jour.

Nouvelles affaires   Toute nouvelle question, proposition à considérer ou action du groupe doit être discutée aux nouvelles affaires. Par exemple, le directeur de la commercialisation peut proposer une nouvelle approche de vente d'un produit. Puisqu'il s'agit d'une proposition et qu'il faut tenir compte de plusieurs détails, on en discute aux «nouvelles affaires» plutôt que lors des rapports généraux du «rapport des officiers».

Varia   Les membres peuvent désirer ajouter d'autres points à l'ordre du jour, au début de la réunion, selon la demande du président. Toute demande serait étudiée à ce moment-là.

Conduite de la discussion

On ne discute d'un point que s'il est présenté sous forme de proposition formelle appelée **motion**. Le prochain point à l'ordre du jour est annoncé par le président de l'assemblée. Le président ne pouvant faire de proposition, il demande alors à l'assemblée si une autre personne du groupe veut en faire une proposition.

Un membre peut dire «je propose d'accepter l'augmentation des heures d'ouverture des commerces». On appelle cette personne le **proposeur**. Une autre personne doit l'appuyer, le **coproposeur**. Cela permet de débattre le sujet. Le fait d'appuyer une proposition ne signifie pas qu'on l'endosse mais plutôt qu'on veut la discuter.

Dans les réunions formelles, les sujets qui demandent des décisions sont présentés sous forme de proposition.

On ne peut pas introduire de nouveaux points avant de voter la proposition ou d'en faire le dépôt. Toutefois, on peut faire des modifications sous forme d'amendements qui sont faits d'après les propositions d'une personne, qui est coproposée par une autre. Un exemple d'amendement serait «je propose d'amender la proposition en excluant le dimanche dans les heures d'ouverture» ou «j'appuie l'amendement.»

Une proposition a besoin d'un proposeur et d'un coproposeur.

J'appuie la proposition.

Le président demande le vote, c'est ce qu'on appelle la «question préalable». Un exemple de demande de vote serait «ceux qui sont en faveur? opposés?» On relit la proposition avant le vote pour s'assurer que tout le monde en a bien saisi le sens.

Si la proposition formelle a été amendée, il faut voter les amendements avant la proposition.

QUESTIONS DE RÉVISION ET DE DISCUSSION

1. Qu'est-ce que le «quorum»? Quel est son importance dans le déroulement d'une réunion?
2. Décrivez l'organisation générale d'un ordre du jour.
3. Décrivez la façon de conduire une discussion lors de réunions formelles.

LE DÉROULEMENT D'UNE RÉUNION RÉUSSIE

Lors d'une telle réunion, les participants sont témoins d'un déroulement sans anicroche. L'animateur peut laisser croire qu'il n'y a pas eu d'efforts dans la préparation, alors que le contraire est vrai. Le succès d'une réunion dépend autant de la préparation que de l'activité qui s'y déroule.

Préparation

L'animateur qui veut mener une réunion sans préparation suffisante parle inutilement et oublie des points importants. Cela peut provoquer la confusion chez les participants. L'animateur qui voit l'organisation d'une réunion comme une entrée en scène aura probablement plus de succès. Comme un bon acteur, l'animateur doit répéter en tenant compte de: a) le genre de réunion, b) son but, c) son rôle, d) l'assistance, e) l'équipement et les installations requises et f) la convocation. En prévoyant chacune des situations, les chances de succès sont meilleures.

Un animateur doit se préparer pour s'assurer du déroulement harmonieux de la réunion.

Genre de réunion L'animateur doit savoir si la réunion sera formelle ou non pour prévoir les installations et l'équipement nécessaires, le niveau de discussion et les gens à aviser.

But de la réunion Il y a des réunions pour toutes sortes de raison comme la formation du personnel, la résolution de problème, la préparation d'élections et l'échange d'informations et d'explications. La raison influencera le choix de l'endroit, de l'équipement et la longueur des discussions.

Rôle de l'animateur Surtout dans les grandes assemblées, il y a peu d'interaction entre les participants. C'est principalement l'animateur qui parle et qui demande s'il y a des questions qui sont posées individuellement. Dans d'autres réunions, l'animateur encourage la discussion entre les participants et met fin à la discussion en demandant une décision du groupe.

L'assistance Comme organisateur de la réunion, le président doit déterminer qui assistera et le degré de connaissance du sujet à discuter.

Selon le genre de réunion, un animateur peut parler presque tout le temps ou encourager la discussion.
Gracieuseté de Woods Gordon

Si l'assistance connaît peu le sujet, le président devra fournir beaucoup de renseignements durant son introduction tout en tenant un langage simple. Cela aide à comprendre et à garder l'attention. Toutefois, si l'assistance est bien au fait du sujet, le président peut raccourcir son introduction et utiliser une terminologie plus technique qui soit mieux connue du groupe.

L'équipement et les installations nécessaires L'équipement audio-visuel aide à dramatiser des affirmations et à captiver l'auditoire. On peut utiliser une variété de rétroprojecteurs, de diapositives, de vidéocassettes, de magnétocassettes, de tableaux à feuilles mobiles, de tableaux noirs et d'ordinateurs.

L'animateur doit connaître l'utilisation de ces appareils et devrait s'assurer au préalable de leur bon fonctionnement. Il paraîtra désorganisé s'il manque de feutres pour les tableaux à feuilles mobiles; si les films, les diapositives et les rétroprojecteurs ne sont pas mis au point ou si l'écran n'est pas placé de façon à ce que tout le monde puisse voir. On devrait garder à la main des accessoires comme des feutres et des lampes supplémentaires.

De plus, on devrait choisir des installations qui assurent le confort de tous les participants; on devrait aussi tenir compte du nombre de chaises et de leur disposition, des surfaces pour écrire, de l'éclairage, de l'acoustique et de la ventilation.

Les documents remis aux participants se doivent d'être lisibles, sans fautes et bien organisés. Si l'animateur veut y faire référence, ils doivent enfin être placés dans le même ordre de présentation.

Si l'équipement est défectueux, les installations sont inadéquates et les documents ne sont pas en ordre, l'assistance blâmera l'animateur. Dans ce cas, l'impression générale reste médiocre. L'animateur n'aura pas un air professionnel si sa présentation est ratée.

La participation et l'acceptation du groupe sont importantes lorsqu'on fixe des objectifs de projet.
Gracieuseté de Woods Gordon

On peut utiliser une enregistreuse à film couleur avec un ordinateur domestique pour faire des diapositives utilisées lors d'une présentation d'affaires.
Gracieuseté de la Compagnie Hewlett-Packard

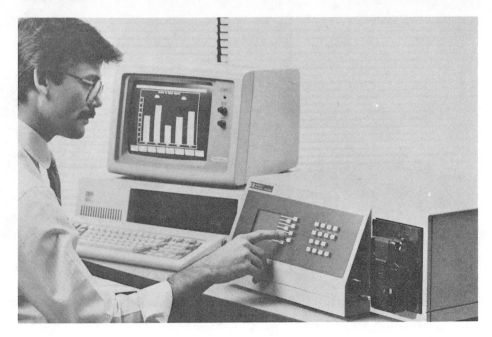

Avis de convocation Tous ceux qui doivent assister à la réunion devraient en être avisés bien à l'avance afin de la fixer à leur horaire. L'avis devrait indiquer la date, l'heure, l'endroit et peut se faire par écrit, par téléphone ou par calendrier électronique.

Un système de **gestion de calendrier électronique** est un outil efficace d'organisation qui permet de planifier des réunions sans avoir à rejoindre tout le monde par téléphone. Des études démontrent que 70 pour cent des appels ne sont pas complétés du premier coup.

Un système de gestion permet de vérifier régulièrement les moments libres sur les calendriers électroniques des participants. Cela permet à l'animateur de fixer une réunion au meilleur temps pour la majorité des personnes.

L'animateur peut également inscrire automatiquement la réunion au calendrier du participant tout en lui demandant de confirmer parce qu'un engagement pourrait avoir été pris sans avoir été inscrit.

Une étude de International Business Machines (IBM) a démontré que l'utilisation d'un système de gestion de calendrier électronique peut économiser à l'employé 30 minutes par jour.

Il est plus facile d'organiser des réunions avec une gestion de calendrier électronique.
Gracieuseté de IBM Canada Ltée.

QUESTIONS DE RÉVISION ET DE DISCUSSION

1. Quels sont les facteurs importants dans la préparation d'une réunion?
2. «Le succès ou l'échec d'une réunion dépend de sa préparation.» Commentez cette affirmation.

3. Comment un système de gestion de calendrier électronique peut-il servir à organiser une réunion?

CONDUITE DE LA RÉUNION

Si vous êtes prêt, une réunion sera plus facile à diriger. Toutefois, il y a des techniques à utiliser dans une réunion formelle de manière à maintenir le contrôle. Celles-ci augmentent le rendement.

Préparez un ordre du jour

Il est nécessaire pour une réunion formelle ou informelle de dresser un ordre du jour. Le président peut choisir de suivre l'ordre prévu et allouer un certain temps de discussion pour chaque point en revue.

La distribution à l'avance de l'ordre du jour et des documents d'accompagnement permet aux participants de mettre en ordre leurs idées. Par exemple, si on convoque une réunion pour choisir entre trois soumissions afin de construire un édifice, les participants ont besoin de temps pour les étudier. Au lieu d'obtenir durant la réunion les détails de chaque offre, les participants ont intérêt à les recevoir d'avance pour préparer des questions et prendre une décision. Si le président et les participants ne sont pas prêts, ce sera autant de temps perdu pendant la réunion.

Commencez à l'heure

Même si tout le monde n'est pas présent, le fait de commencer à l'heure donne l'impression que le président est organisé et prend les questions au sérieux.

Le temps est précieux et ceux qui sont à l'heure apprécient qu'il ne soit pas gaspillé. Les retardataires peuvent manquer certains aspects de la discussion ce qui les incitera à être à l'heure la prochaine fois.

Restez dans le sujet

Afin de ne pas gloser inutilement, le président limite la discussion aux sujets inscrits à l'ordre du jour. Il peut rejeter toute discussion sur des sujets qui ne sont pas de circonstance ou peut en ajouter, en début de réunion, avec l'accord du groupe au point «Nouvelles affaires». C'est lui qui contrôle la discussion en ne donnant la parole qu'à une personne à la fois. Il doit bien suivre la conversation pour en évaluer l'efficacité.

Quelques participants peuvent essayer de monopoliser la discussion; d'autres peuvent répéter des commentaires; alors que certains peuvent s'en prendre verbalement aux autres au lieu de parler du sujet. Il est important de permettre à tous ceux qui ont un avis de le donner. Toutefois, quand le président voit que la discussion tourne en rond, il doit corriger la situation.

Contrôler celui qui monopolise la conversation Le président doit interpeller ceux qui veulent monopoliser la conversation. Si une remarque

Tout le monde pouvant avoir une opinion à exprimer, si le président ne contrôle pas la réunion, la discussion sera improductive.

comme «Merci de vos commentaires, quelqu'un d'autre voudrait-il parler?» ne rejoint pas l'auditoire, il faudra alors être plus direct.

Le président peut aussi prendre en note ceux qui veulent parler. On fait une liste des intervenants à mesure qu'ils lèvent la main et ils peuvent parler à tour de rôle. Il faut attendre son tour pour parler.

Donnez crédit à qui le mérite Parfois une personne verbeuse va s'approprier l'idée d'un autre qui en est frustré. Le président devrait intervenir avec une remarque du genre, «Oui, c'était une excellente suggestion d'Armande. Je suis content de voir que vous la soutenez».

Évitez les débats Une réunion contient souvent des avis partagés que les participants doivent tous entendre avant de prendre une décision. Si le président insiste pour que les gens s'en tiennent au sujet sans créer de conflits, la discussion a de meilleurs chances d'être franche et ouverte plutôt qu'hostile. Dans ce dernier cas, une discussion sera stérile.

Le président peut demander le vote sur le sujet. Toutefois, une recommandation adoptée à faible majorité n'aura pas la même force que si elle a été adoptée massivement.

S'il faut prendre une décision sans consensus, le président peut demander une courte pause pour laisser le temps de réfléchir. Ou peut-être, si le temps le permet, on peut nommer un comité qui étudie la question et faire une recommandation pour la réunion suivante.

Résumé des délibérations La réunion terminée, chaque participant devrait avoir une idée claire des décisions prises, leur implication et le rôle de chacun pour chaque point traité.

Un animateur devrait résumer les délibérations oralement ou sous forme de résumé écrit.
Gracieuseté de l'Institut d'assurance du Canada.

Le président peut résumer verbalement les points principaux et demander s'il y a des questions. Si la réunion est informelle, il peut demander à quelqu'un de faire un procès-verbal et de le distribuer aux participants. Lorsque c'est formel, le procès-verbal est obligatoire.

Finir à l'heure C'est aussi important que commencer à l'heure. Les gens se fatiguent dans des réunions interminables et sont moins attentifs lorsqu'on dépasse l'heure prévue. Les participants peuvent avoir des engagements pour d'autres activités.

QUESTIONS DE RÉVISION ET DE DISCUSSION

1. Comment un ordre du jour aide-t-il à organiser et à contrôler les discussions dans une réunion?
2. Décrivez les techniques qu'un président peut utiliser pour faire fonctionner une réunion.
3. Comment un président peut-il éviter les disputes lors d'une réunion?

PROCÈS-VERBAL   Le procès-verbal est un relevé écrit des décisions du groupe. Puisque ce texte façonne les politiques futures de l'organisme, les actions des individus et lie légalement, on devrait le garder dans un endroit sécuritaire. Si c'est une réunion officielle comme un conseil d'administration, le procès-verbal fait partie des dossiers indispensables d'une entreprise ou d'un organisme.

Procès-verbal qui souligne l'action demandée.

```
                        PROCÈS-VERBAL
                         (92-03-17)
                      18 h 15 à 20 h 30


         PRÉSENCES :  Bun Y Chhieu, Jean Comeau, Carole Grenier,
                      AAnvanith Gui, Kun Heng, André Juneau, Kenneth
                      Lefrançois, Joachim Normand, Sy Say et Yith
                      Sibopha.


         1.  Suivi du procès-verbal :

             Les points à suivre reviennent à l'ordre du jour.

         2.  Retour sur la soirée du 26 février :

             Tout le monde a apprécié l'ambiance amicale. Il aurait été
             bon de pouvoir compter sur 50 à 60 personnes. Vu le petit nom-
             bre, la présentation des diapositives s'est bien déroulée,
             mais il faudrait vérifier ces aspects de logistique pour
             être prêt à toute éventualité. Le coût de la soirée est de
             700 $ et des reçus seront émis au montant de 50 $ par l'entre-
             mise de la fondation du Rotary. Le mot de Sy était très à
             point. Il faudra prévoir un comité d'accueil qui s'assure de
             la présentation de tout le monde.

         3.  Le souper du 20 mars :

             Jean est responsable d'entrer en rapport avec les médias. Le
             comité d'accueil est déjà organisé. Il y aura présentation
             de diapositives à l'entrée et pendant le repas. L'orchestre
             sera présente toute la soirée. Les réservations seront
             faites pour 200 personnes afin d'être les seuls dans le res-
             taurant. On ne fera pas de reçus de charité.

             Déroulement :  18 h : arrivée
                            20 h : souper avec arrêt pour présentation du
                                   conseil et court mot de Sy et Ken.
                            22 h : encan suivi de danse.

         4.  Composition du conseil d'administration :
```

Le procès-verbal est un historique indispensable des affaires d'une compagnie.

Procès-verbal

Le 18 février 19—

Procès-verbal de la réunion mensuelle du conseil d'administration de l'Association des jeunes musiciens du Québec, tenue à Montréal, à l'adresse suivante : 60, rue Miron, bureau 106, le vendredi 8 février 19—, de 9 h 30 à 18 h.

Sont présents : Mmes Yvette Fournier
Josée Leblanc
Chantal Lemay
MM. Gérard Blais
Eugène Boisvert
Luc Fournier
Louis Hurtubise
Pierre Lessard
Bernard Sauvé
Jean Soix

Sont absents : Mme Monique Lesieur
M. Albert Leroy

Est invitée : Mme Bernadette Allard

1. OUVERTURE DE LA SÉANCE

La séance est ouverte à 9 h 30. M. Eugène Boisvert, président de l'Association, souhaite la bienvenue aux administratrices et administrateurs présents et expose les buts de cette rencontre qui sont… M. Louis Hurtubise fait fonction de secrétaire de séance.

2. LECTURE ET ADOPTION DE L'ORDRE DU JOUR

Le président donne lecture de l'ordre du jour tel qu'il figure dans l'avis de convocation. M. Luc Fournier demande que l'on ajoute, après le point «Projets à l'étude», le point suivant : «Campagne de recrutement». L'ordre du jour ainsi modifié est proposé par Mme Josée Leblanc, appuyée par M. Pierre Lessard, et adopté à l'unanimité.

Le secrétaire rédige et distribue le procès-verbal. Il doit être attentif pour noter les mots-clés et les expressions qui donnent un résumé fidèle et complet des discussions. Cela va permettre de conserver l'essentiel de ce qui a été dit sans répéter tous les mots.

On peut prendre ces notes à la sténographie, au magnétophone ou à l'écriture normale et les transcrire par la suite.

Il existe plusieurs formules acceptables pour consigner le procès-verbal d'une réunion; toutefois, on devrait toujours y trouver l'information suivante:

- date, heure et endroit de la réunion
- les présences, les absences, les retards et les invités
- les sujets tels que présentés à l'ordre du jour
- les propositions sur chaque point avec le nom des proposeur et coproposeur
- les amendements et les propositions déposées pour discussion ultérieure
- la date de la prochaine réunion
- l'heure de l'ajournement
- un espace pour la signature du président et du secrétaire

Le procès-verbal devrait être rédigé et distribué aux membres présents ou non dès que possible après la réunion. Cela garantit que: a) les notes sont encore fraîches à la mémoire de la personne qui le fait et b) il agit comme aide-mémoire à ceux qui doivent exécuter les décisions et les responsabilités découlant de la réunion.

La forme du procès-verbal peut prévoir une colonne intitulée «Action». On y inscrit le nom de la personne qui doit exécuter la tâche. Non seulement sert-elle d'aide-mémoire à la personne responsable, mais elle en informe aussi les autres.

Parfois, les propositions sont codées ou numérotées comme moyen de les catégoriser et de les suivre. Ce code ou numéro est inscrit à côté de la proposition. Le procès-verbal qui suit illustre cette façon.

QUESTIONS DE RÉVISION ET DE DISCUSSION

1. Qu'est-ce qu'un procès-verbal? Pourquoi le conserver dans un endroit sécuritaire?
2. Quelle information devrait-on y trouver?
3. Comment la forme du procès-verbal pourrait-elle aider à l'efficacité de l'organisme?

CONFÉRENCES ET CONGRÈS

Une conférence ou un congrès est une série de réunions organisées autour d'un thème central. Le temps requis peut être de un à quelques jours. Les marchands y exposent souvent de nouveaux produits.

On organise des congrès et des conférences de façon semblable; en insistant, toutefois, sur des choses différentes. On tient habituellement une conférence pour le développement d'activités professionnelles d'une association, alors qu'un congrès est centré sur l'établissement de politiques. Les partis politiques et les syndicats ont généralement un congrès annuel pour fixer les buts et les politiques de l'année. Seuls les membres peuvent participer et voter pour accepter ou rejeter les politiques présentées par le comité exécutif.

On prépare une conférence ou un congrès de la même façon que toute autre réunion. Toutefois, les participants étant plus nombreux, l'organisation est plus exigeante.

Les conférences et les congrès offrent aux participants des occasions de formation professionnelle de prise de décision.

Usage de la technologie

Une base de données peut servir à organiser une conférence ou un congrès, entre autres, en faisant des listes de participants inscrits à divers ateliers et réunions ainsi que le mode de paiement. On peut fusionner cette liste avec une circulaire de confirmation d'inscription. Par exemple, on pourrait envoyer une lettre à chaque participant confirmant la réception du paiement et son choix d'ateliers ou le besoin de faire d'autres choix.

Un tableau facilite la comparaison entre les dépenses réelles et les prévisions. En entrant chaque article, le programme-tableau calcule automatiquement l'impact de cette dépense et fait une mise à jour financière. Cette information aide les organisateurs à décider des dépenses ce qui est un facteur important si le budget est dépassé et qu'il faut réduire les coûts.

Un progiciel intégré est probablement l'approche la plus économique et pratique pour contrôler l'organisation d'une conférence ou d'un congrès. Certains progiciels comme Symphony ou Jazz combinent des fonctions de traitement de texte, de tableau et de gestion de base de données.

Faire les préparatifs
Il y a plus de monde à un congrès qu'à une réunion et plusieurs personnes sont de régions éloignées. C'est pourquoi il faut des préparatifs additionnels. Pour assurer le succès de l'événement, il faut un endroit adéquat, une inscription des participants, une confirmation des conférenciers et un aménagement des kiosques des marchands.

Endroit Il faut généralement un hôtel ou un centre des congrès ayant plusieurs salles, un service de traiteur et des espaces d'exposition. Le choix de l'endroit est influencé par le nombre de participants, l'accessibilité du transport, y compris le train, l'avion et l'automobile, l'espace pour les marchands, le coût du logement et des salles, l'accès au divertissement local et aux événements sportifs tant pour les participants que pour leur famille.

Si vous devez trouver un endroit pour un congrès ou une conférence, il est préférable de le visiter avant d'arrêter sa décision. La démarche est plus facile si vous utilisez le service d'un bureau de congrès.

La plupart des villes ont un bureau de congrès qui informe sur la ville, les installations des hôtels et les voies de transport. On y trouve également des renseignements sur les hôtels comme le nombre, la grandeur et le prix des salles, l'hébergement des invités, le service des banquets et la proximité du centre-ville.

L'inscription La plupart des gens font leur inscription à l'avance par la poste en envoyant la fiche d'inscription accompagnée d'un chèque. Il peut y avoir d'autres inscriptions sur place.

Il faudra réserver un espace pour accueillir tous les délégués. L'information générale et les reçus devraient être prêts pour ceux inscrits d'avance alors que les formulaires et l'information devraient être disponibles pour ceux qui s'inscrivent sur place. Pour éviter la confusion,

Les participants à une conférence peuvent apprendre de plusieurs conférenciers. *Gracieuseté de l'Institut d'assurance du Canada*

il est préférable de séparer les endroits pour les préinscriptions et celles faites sur place.

Le lieu d'inscription peut rester ouvert la durée de la conférence pour servir de centre d'information où l'on peut laisser des messages.

Confirmation des conférenciers Dans une conférence, il y a des présentations individuelles faites par des conférenciers invités experts dans leur domaine et par des membres de panel. On devrait leur confirmer par écrit les ententes quant aux heures, dates et sujets. Souvent, la brochure de la conférence présente le conférencier et donne une description de la présentation. On peut demander au conférencier de donner des renseignements sur la présentation, sa biographie, l'équipement requis et les installations particulières de la salle.

Kiosques des marchands Plusieurs marchands profitent de la conférence pour présenter des articles qui s'y rapportent. La salle de montre devrait être assez spacieuse pour permettre les déplacements des participants, le visionnement et la comparaison des produits de même que les échanges avec les représentants.

On devrait prévoir assez de temps pour visiter la salle de montre et assister aux différentes réunions.

Une exposition intéressante fait partie intégrante d'une conférence ou d'un congrès.

Suivi de la conférence Souvent, il faut faire un rapport de conférence qui comprend un résumé des ateliers ou une reproduction fidèle des transcriptions ou des enregistrements des conférenciers.

Les transcriptions ou les enregistrements sont habituellement nécessaires lors de présentations de conclusions de recherches médicales ou scientifiques dans le cadre d'une conférence professionnelle. Il faut obtenir l'autorisation du conférencier avant de reproduire et de distribuer le texte.

S'il faut des statistiques, une composante graphique d'un progiciel intégré peut fournir une analyse en tableaux de la provenance des participants ou de leur champ d'expertise. L'information que vous voulez montrer et comparer devrait être incluse dans la base de données. La formule d'inscription à la conférence ou au congrès est la meilleure façon de recueillir l'information.

QUESTIONS DE RÉVISION ET DE DISCUSSION

1. Quelle différence y a-t-il entre la planification d'une conférence ou d'un congrès et d'une réunion?
2. Comment la technologie peut-elle faciliter la préparation d'une conférence ou d'un congrès?
3. Comment un bureau de congrès peut-il aider à planifier une conférence ou un congrès?
4. Pourquoi l'exposition des marchands est-elle importante dans une conférence ou un congrès?

CONFÉRENCES ÉLECTRONIQUES

Même sans être présents, les téléconférences permettent aux gens de se rencontrer et d'échanger de l'information. Elles peuvent augmenter la communication et favoriser une meilleure prise de décision en réunissant plus souvent des gens de régions éloignées. En renforcissant les lignes de communication, on contribue au fonctionnement harmonieux et efficace d'une entreprise.

La téléconférence ne remplacera jamais la conversation face à face qui est plus propice au règlement de certaines situations délicates.

Mais grâce à la téléconférence, on peut négocier avant la rencontre de signature d'une entente. De cette façon, la téléconférence améliore la rencontre sans la remplacer.

Sortes de téléconférences

Trois sortes de téléconférences sont disponibles au Canada: la conférence audio, la audio-plus et la vidéo. Le choix dépend de la nature de la réunion, de la disponibilité de l'équipement, des coûts et des autres personnes impliquées.

Conférence audio   Cela permet à des personnes de tenir une conversation même s'ils sont dans des endroits différents. Avec l'aide du téléphoniste ou en utilisant les codes de votre appareil, vous pouvez ajouter une troisième personne. Les haut-parleurs téléphoniques et les terminaux audio permettent à plusieurs personnes de participer.

Conférence audio-plus   Cette forme améliore la conférence en ajoutant un élément visuel. On peut envoyer par service de messagerie électronique des graphiques ou d'autre matériel qui appuient la présentation orale. Les participants voient les images sur un écran de télévision.

Conférence vidéo   C'est semblable à une rencontre face à face à partir de l'utilisation de caméras vidéo et de grands écrans de projection.

Cette conférence est disponible comme service dans les deux sens ce qui permet à chaque groupe de se voir. C'est un moyen valable lorsqu'on veut une rencontre face à face sans que les participants aient le temps de se déplacer.

Celle-ci est aussi disponible comme service à sens unique alors que les participants parlent à des groupes d'un autre endroit. On s'en sert pour faire des discours, présenter un nouveau produit aux vendeurs ou former le personnel des régions éloignées.

Dans une téléconférence vidéo, les personnes peuvent voir et entendre les gens d'un autre endroit.
Gracieuseté de Télécom Canada

Avantages de la téléconférence

Quelle que soit la forme utilisée, la téléconférence offre l'occasion d'améliorer les communications, de hausser la qualité des réunions et d'économiser temps et argent. En association avec dix grosses compagnies canadiennes en télécommunications, la recherche de Télécom Canada a confirmé cette affirmation. Les statistiques suivantes ont été tirées de cette recherche.

Communication et efficacité améliorées

Des études démontrent une hausse de 25 pour cent de participation dans la prise de décision. La communication accrue et l'occasion de participer directement à la prise de décision amène un plus grand sentiment de travail d'équipe.

Les réunions deviennent plus organisées et efficaces parce que les gens ont tendance à être mieux préparés pour ce genre de conférence. C'est particulièrement vrai pour les téléconférences vidéo où une enquête démontre une augmentation de productivité de 75 pour cent. Les personnes-clés qui ne peuvent souvent pas être présentes, assistent avec plus d'assiduité. L'intervention d'une meilleure organisation et une plus grande assiduité signifie que les décisions sont prises 39 pour cent plus vite que par l'usage de réunions régulières.

Économie

Il y a une économie en temps et argent de 18 pour cent par la simple élimination des déplacements. Cette proportion augmente dans le cas des réunions inter-cités. Une étude récente montre que le voyageur d'affaires dépense 8 400 $ s'il doit se déplacer six fois ou plus. Le temps en transit et d'attente entre les vols est improductif, donc coûteux. Le voyageur peut revenir à un retard de travail avec une impression de fatigue nuisant à son rendement.

Souvent, les gens n'assistent pas aux réunions à l'extérieur parce qu'ils ne peuvent pas se permettre de perdre du temps en déplacements. S'il manque deux ou trois personnes-clés, la réunion est inutile. La téléconférence élimine ce problème.

Inconvénients

Lorsqu'on utilise le système téléphonique de base, c'est simple et économique. Pour les autres formes, il faut un équipement dispendieux dont des terminaux audio et des appareils de projection qui ne sont souvent pas disponibles dans un bureau. Bien qu'on puisse les louer à la compagnie de téléphone, le coût de location et le temps requis pour aller chercher et rapporter l'équipement diminuent les avantages de la téléconférence.

UTILISATIONS

1. Vous organisez la conférence annuelle de l'association des modistes qui sera tenue du 16 au 18 mai dans un grand hôtel de la région. Il y aura environ cinq cents représentants de toutes les régions de l'industrie dont des fabricants, des grossistes et des détaillants. Auparavant, il y a eu des ateliers en techniques de commercialisation, en tendances de la mode, en moyens de distribution, en utilisation du tissu, en motivation des employés, en gestion du stress et en systèmes informatisés de comptabilité. Les marchands ont exposé des tissus et des patrons.

   Préparez une liste d'activités à exécuter en préparation de la conférence.

2. Écrivez une lettre à Jeanne Dubeau qui a accepté de faire une présentation à la conférence décrite au numéro 1. Bien qu'elle ait parlé du contenu de l'atelier en termes généraux, elle n'en a pas donné le titre ni indiqué les appareils audio-visuels dont elle aura besoin.

   Demandez-lui l'information pour le 1er mars et dites-lui que son atelier est prévu pour la fin d'après-midi du 17 mai. On s'occupera de l'hébergement si elle ne veut pas retourner par le vol de nuit.

3. L'association des modistes utilise aussi une fiche d'inscription qui demande des renseignements de base sur les participants. On s'en

sert durant l'année pour promouvoir l'adhésion et pour donner un meilleur service. Cela peut aussi influencer le genre d'ateliers qu'il y aura à l'avenir.

Les membres du comité exécutif de l'association se demandent si les ateliers devraient être offerts aux grandes chaînes ou aux petits commerçants indépendants, aux modistes, aux grossistes ou aux fabricants. Il y a également des discussions sur l'augmentation des membres. Tout le monde ignore le nombre de membres venant de chacune des quatre régions du Canada.

Le trésorier doit savoir si les participants paient comptant ou par chèque, ou s'il faut envoyer une facture à leur compagnie.

Il faut fournir des salles de réunion assez grandes pour recevoir ceux qui veulent se présenter. Quinze ateliers sont à l'horaire et un participant peut assister à cinq d'entre eux. Il peut aussi participer à deux activités sociales qu'il doit réserver à l'avance.

Préparez une fiche d'inscription demandant l'information désirée.

4. En groupe de cinq, assistez à la réunion du comité des politiques et de planification de la compagnie. Nommez un président et un secrétaire. Il faudra faire un procès-verbal. Les trois autres membres du groupe tiendront les rôles de: Martin Genois, directeur du service des employés qui propose une défense de fumer partout dans la compagnie. À la dernière réunion, on a demandé à Andrée Choquette, directrice du contrôle du budget, d'examiner les possibilités de baisser le budget de 250 000 $. Les deux possibilités retenues sont a) couper les activités de formation professionnelle ce qui amènerait une réduction de 50 pour cent du recyclage au travail alors qu'un nouveau système informatique vient d'être installé; b) réduire le budget de publicité ce qui implique soit éliminer la campagne publicitaire sur le produit vedette de la compagnie qui a pris deux ans de recherche et des fonds considérables, soit empêcher la campagne pour revaloriser l'image de la compagnie comme tête de file de l'industrie.

Carole Sarault, directrice de la commercialisation, a écouté le rapport d'Andrée et a fait la proposition de couper le budget de formation professionnelle.

Pour votre réunion, utilisez les procédures de réunions formelles et l'ordre du jour suivant.

VENTE DE JOUETS LEGO

Comité des politiques et de planification

19— 05 23

Salle de réunion A

    a) Adoption du procès-verbal du 9 mai

    b) Rapport des officiers

           rien

    c) Affaires découlant de la dernière réunion

           réduction du budget   A. Choquette

    d) Nouvelles affaires

           politique pour fumer   M. Genois

    e) Nouvelles affaires

    f) Date et lieu de la prochaine réunion

    g) Ajournement

5. Assistez à une réunion publique du gouvernement local ou d'une commission scolaire de même qu'à celle d'un club de l'école.

a) Prenez des notes et faites le procès-verbal d'une de ces réunions.

b) Comparez le fonctionnement des deux réunions selon les catégories suivantes et faites un rapport écrit pour la classe.

    a) La réunion était-elle formelle ou non?

    b) Combien de personnes étaient présentes?

    c) Quel était le quorum?

    d) Décrivez la nature des documents distribués à chaque réunion.

    e) Comment le président a-t-il contrôlé la discussion?

    f) Comment le groupe a-t-il pris sa décision?

6. Travaillez en petit groupe. Chacun doit contacter un bureau des congrès de la ville où vous pensez tenir une conférence ou un congrès, et demandez des renseignements sur les installations disponibles pour un congrès. Comparez l'information reçue et choisissez un endroit pour la conférence de l'association des modistes de la question 1. Faites un rapport oral à la classe. Justifiez votre décision.

STAGE EN COMMUNICATION

Faites l'ordre du jour de la réunion de votre conseil étudiant ou d'un club dont vous êtes membre. Envoyez-le avec une note demandant aux participants d'informer un autre étudiant de la classe. Si possible, envoyez l'information électroniquement.

19

LE VOYAGEUR D'AFFAIRES

Après la lecture de ce chapitre, vous serez en mesure:

- De décrire les services offerts par un agent de voyages.
- De comprendre la procédure à suivre pour planifier un voyage d'affaires réussi.
- De préparer un itinéraire.
- De décrire les fonctions d'un adjoint de bureau pendant l'absence de son patron.

La technologie a diminué le besoin de se rendre d'une réunion à une autre. Toutefois, les déplacements demeurent importants pour le fonctionnement d'une entreprise canadienne.

Un voyage d'affaires doit être planifié avec soin. Le voyageur visite souvent un endroit inconnu, ce qui complique les préparatifs d'hébergement et de transport local. Le temps passé à l'extérieur est limité et doit être utilisé à bon escient. Cela n'est possible que si la personne responsable planifie le voyage avec soin.

La technologie diminue le besoin de se déplacer; toutefois, il faut encore se rendre à des conférences ou aller recevoir des prix. *Gracieuseté de l'Institut d'assurance du Canada.*

PLANS DE VOYAGE

Si on vous demande de vous occuper des préparatifs de quelqu'un partant en voyage d'affaires, vous devez tenir compte de plusieurs choses avant de confirmer les préparatifs. Vérifiez si la compagnie a un responsable des voyages d'affaires et si elle fait affaires avec une agence de voyage particulière.

Agences de voyages

Les agents de voyages sont capables d'organiser tous les préparatifs d'un voyageur. Selon les renseignements reçus, ils recherchent les trajets les plus simples et les plus directs de même que le meilleur hébergement. Certains se spécialisent pour certains endroits comme l'Europe ou l'Orient et connaissent les restrictions et les exigences de voyage.

Les agences ne font habituellement pas payer le voyageur pour leurs services. Ils reçoivent des hôtels, des services de transport, etc., une commission sur chaque billet vendu. Par exemple, si vous achetez un billet d'avion d'Halifax à Calgary d'une agence, la compagnie aérienne paie un montant proportionnel au prix du billet.

La technologie informatique donne à l'agent de voyage une information précise à jour.
Gracieuseté de IBM Canada Ltée.

Cueillir l'information

Que vous fassiez vos préparatifs ou les faites faire par un agent, vous devez ramasser l'information et faire une liste des exigences de voyage qui comprend :

- destination
- heure et jour du voyage
- moyen de transport
- hébergement
- documents de voyage
- bagages
- façon de payer
- assurance voyage

Destination

Déterminez précisément l'endroit de la réunion. Cela peut influencer le moyen de transport, le lieu d'hébergement et, lors de destinations internationales, les documents requis.

Le voyageur dispose de
plusieurs moyens de
transport.

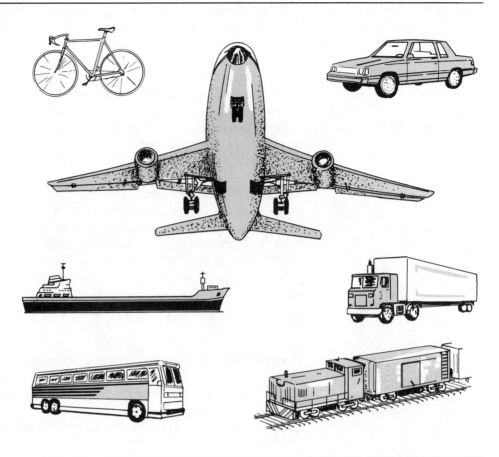

Dates et heure

Vous devez connaître l'heure et le jour d'une réunion ou d'une confé-rence pour fixer le meilleur temps de départ. Il faut aussi connaître le moyen de transport et le décalage horaire. Une fois arrivé à destination, il faut du temps pour ramasser ses bagages, s'enregistrer à l'hôtel et se rendre à la réunion. Pour qu'une réunion soit efficace, le voyageur ne doit pas être fatigué et bousculé.

Par exemple, une personne travaillant à Halifax pourrait avoir à se présenter à une réunion à 10 h à Vancouver. Il peut être possible de prendre un vol à 5 h 30 et arriver à Vancouver à 9 h 10. En montant dans un taxi, elle pourrait être à la réunion à l'heure prévue. Quoique possible, cela n'est pas souhaitable. Il est peut-être 10 h à Vancouver, mais l'horloge biologique du voyageur est à 14 h. Tenant compte de l'heure de départ à partir de la maison, il pourrait avoir l'impression d'avoir complété une journée entière. Dans ce cas, une envolée la veille aurait été préférable.

Les dates ont aussi leur importance, car plusieurs services de voyage ont des prix variables selon la durée de séjour. Par exemple, un vol Toronto-Ottawa avec départ le vendredi et retour le samedi pourrait coûter 238 $. Si la réservation avait été faite 14 jours d'avance avec retour le dimanche, le coût aurait été de 143 $. Cette différence justifie peut-être l'hébergement pour une nuit supplémentaire.

Moyen de transport

Le moyen de transport est influencé par des considérations personnelles et d'affaires dont les coûts, la disponibilité, la vitesse et les préférences individuelles.

Coûts Chaque entreprise possède un budget qui donne des directives pour les frais de dépense tels que les voyages. Elle a peut-être des politiques statutaires sur les genres de voyages selon les situations, les frais de kilométrage en automobile et le montant maximum qu'on peut dépenser en nourriture et en hébergement.

Les budgets et les politiques d'entreprise ont pour objectif de contrôler les coûts et on doit en tenir compte dans les préparatifs de voyage. Vérifiez le guide de procédures de la compagnie ou du service pour savoir s'il y a de telles directives.

Disponibilité Les raccords étant nombreux, il est facile de se déplacer en train ou en avion entre les principales villes canadiennes. Il peut être plus difficile de se rendre dans des centres plus petits où il a peu ou pas de service en train ou en avion. Il faut parfois s'en remettre à l'autobus ou à la location automobile. Parfois, il faut une combinaison de plusieurs moyens.

Le choix de transport est une combinaison du coût, de la disponibilité, de la vitesse et des préférences individuelles.
Gracieuseté d'Air Canada

Vitesse On préfère l'avion pour les distances qui dépassent 500 km. Moins longtemps une personne est en déplacement, plus elle peut augmenter son rendement au travail.

Le temps de voyage devrait inclure le trajet aller-retour des gares et des aéroports. Les gares sont généralement situées au centre-ville près du bureau du voyageur et également près du lieu où se tient la réunion. Cela peut favoriser ce moyen de transport surtout lorsque les aéroports sont éloignés.

Préférence individuelle Pour les gens qui ont le mal de l'air, l'avion est à déconseiller. Ce mal est généralement psychologique et est relié au décollage et à l'atterrissage. C'est pourquoi vous devriez choisir un vol sans escale pour diminuer les malaises du voyageur.

De plus, les vols sans escale n'ont pas de changement d'avion et il n'y a pas de correspondances avec d'autres vols. De cette façon, on gagne du temps et on évite les désagréments entre les vols.

Dispositions d'hébergement Les préparatifs de voyage incluent souvent le choix et la réservation de chambres qui sont faits en fonction du coût et du confort.

Coûts d'hébergement Certaines entreprises établissent une échelle de prix d'hébergement, tout en laissant le choix de l'hôtel ou du motel à l'employé.

La plupart des occupants des hôtels et des motels assistent à des conférences ou font des affaires pour leur compagnie loin de chez eux. Pour attirer les voyageurs d'affaires, les chaînes d'hôtels et de motels offrent des taux privilégiés ou **corporatifs** que l'on devrait demander.

Certaines entreprises ont des ententes avec des chaînes particulières et demandent à tous leurs employés de loger dans ces endroits s'ils sont disponibles dans les régions visitées.

Endroit Le choix d'hébergement dépend également de l'endroit où se tient la réunion ou la conférence. Par exemple, l'hôtel qui organise la conférence obtient le premier choix; un endroit au centre-ville est préférable si c'est près du lieu de la réunion.

Documents de voyage Les voyages internationaux exigent des documents officiels et vous trouverez plus d'information sur ce sujet à la section concernée du chapitre.

Équipement et matériaux Dès qu'on vous demande d'organiser un voyage d'affaires, ouvrez un dossier pour y rassembler l'information. Mettez-y lettres, notes et rapports qui seront nécessaires. De plus, notez tout l'équipement que le voyageur apportera. Consultez-le pour vous aider à faire les derniers préparatifs juste avant le départ.

Dépenses de voyage

Chaque entreprise a ses politiques sur la façon de défrayer les dépenses de voyage. Elles sont souvent écrites dans le guide de procédures qui devrait être consulté par ceux qui ne lui sont pas familiers.

Les frais d'hébergement peuvent être facturés directement à la compagnie; d'autres comme ceux des repas et des taxis peuvent être payés par l'employé qui se fait éventuellement rembourser.

Les organismes surveille-ront attentivement les dépenses de voyage pour respecter la politique de la compagnie.
Gracieuseté de Apple du Canada Inc.

Paiement par les employés

Les employés ont deux options pour payer: a) l'**avance en argent** et b) le remboursement d'employé.

Avance en argent   Il faut payer comptant dans plusieurs cas comme le stationnement, le pourboire, le transport en commun et les services de limousine. Avant son départ, une entreprise donnera souvent une avance en argent à un employé pour couvrir ses dépenses. C'est l'avance en argent.

Pour y toucher, il faut remplir un formulaire et le remettre au service de comptabilité de la compagnie. Bien que chaque compagnie a ses formu-laires, il faut toujours y indiquer son nom, la raison de la demande, le montant désiré et la faire signer par une personne autorisée.

L'employé doit conserver les reçus et noter les dépenses. Il faut qu'il justifie les dépenses à son retour.

Le montant de l'avance en argent varie selon les situations. Par exemple, pour les voyages au Canada et aux États-Unis où les cartes de crédit sont monnaie courante, il ne faut que de petites sommes d'argent. En Europe de l'Est et en Asie, le paiement comptant est plus souvent exigé. Il est bon d'acheter des chèques de voyage ce qui évite de transporter de grosses sommes d'argent.

Remboursement d'employé   Souvent, les employés paient comptant ou utilisent leur carte de crédit. L'entreprise les rembourse au retour. On préfère les cartes de crédit parce qu'elles permettent de ne garder que de petites sommes d'argent et fournissent automatiquement un reçu pour chaque achat.

Les cartes de crédit d'affaires, comme EnRoute, offrent des rabais pour les services fréquemment utilisés par le voyageur d'affaires. Elle est acceptée internationalement et offre des taux préférentiels lorsqu'on s'en sert pour payer l'hébergement, les taxis, les avions, les restaurants et les locations automobile. On devrait demander ce taux lors des réservations.

Un chèque de voyage est un moyen pratique de paiement pour un voyageur d'affaires.
Gracieuseté de la Banque Royale du Canada

Assurance-voyage   Les voyageurs d'affaires achètent souvent de l'assurance-maladie comme protection contre les accidents. Cela est très souhaitable lors de voyages internationaux où les plans privés d'assurance-maladie ne sont pas honorés. La compagnie peut posséder une telle assurance, sinon, l'employé peut choisir d'en prendre une à son nom.

L'annulation de l'assurance est aussi souhaitable. Les plans peuvent changer et résulter en report ou en annulation de voyage. Pour un petit montant, l'assurance-annulation élimine les frais résultant de l'annulation de billets. On peut acheter cette assurance de l'agent de voyage ou de la ligne aérienne au moment de la réservation.

Vérifiez avec le voyageur s'il a besoin d'assurance-maladie ou d'assurance-voyage.

QUESTIONS
DE RÉVISION
ET DE DISCUSSION

1. Pourquoi choisir un agent de voyages pour faire les préparatifs d'un voyage d'affaires?
2. Quelle information est nécessaire avant de faire les préparatifs de voyage? Dites brièvement pourquoi chaque chose est importante.
3. Qu'est-ce qu'un taux corporatif pour les frais de voyage? Pourquoi est-il offert?
4. Décrivez les différentes façons de payer les dépenses de voyage.

MOYENS DE TRANSPORT

Il en existe plusieurs et la connaissance de leurs caractéristiques propres aide à choisir le moyen le mieux indiqué pour une situation déterminée.

Voyage en avion

C'est le moyen le plus populaire pour les longues distances.

Toutes les grandes villes canadiennes sont desservies par une ou plusieurs lignes aériennes internationales. Les petits centres reçoivent les lignes locales qui ont des correspondances avec les grandes villes où des vols nationaux ou internationaux sont disponibles.

Certaines lignes aériennes font la navette entre des grandes villes rapprochées et qui ont beaucoup de déplacements intervilles comme entre Montréal et Ottawa, Calgary et Edmonton, Victoria et Vancouver. On appelle ce service circulation en navette parce que les usagers se rendent souvent à une réunion pour revenir le même jour. Cela permet de travailler dans son bureau le matin, voler à une ville voisine pour une réunion l'après-midi et revenir souper à la maison.

Service aérien

Les grandes lignes ont différentes classes de service: **première**, **affaires** et **économique**. La plupart des gens d'affaires utilisent la classe affaires ou économique alors que les directeurs voyagent en première classe.

La classe économique est la moins dispendieuse et donne un service de base qui comprend les repas, des journaux et des revues, un choix de siège dans sections fumeurs ou non-fumeurs. Dans certains cas, il est défendu de fumer sur certains vols. D'autres services payants peuvent être offerts comme le cinéma et les écouteurs à musique.

La classe d'affaires est disponible sur certains vols et offre des sièges plus spacieux. Le service y est plus personnel et on offre des articles de qualité. Ayant moins de passagers dans cette classe, le vol en soi est moins distrayant et permet de travailler plus confortablement.

La première classe offre un service individualisé et est la plus dispendieuse. Il y a un choix de menus intéressant. Vu qu'il y a plus d'espace entre les sièges, il y a moins de passagers dans la cabine. Cette

Pour les gens d'affaires qui voyage beaucoup, la classe exécutive est toute indiquée.
Gracieuseté d'Air Canada

classe n'est pas disponible sur tous les vols. Voici une comparaison des coûts aller-retour entre Toronto et Ottawa.

Classe économique   238 $
Classe d'affaires   268
Première classe   334
(N.B. Ces prix n'incluent pas la taxe de 10 pour cent.)

Une vérification rapide de l'horaire d'une ligne aérienne que l'on peut obtenir de la compagnie, peut aider à faire un autre choix si le premier n'est pas possible. Toutes les lignes ont le service de base de données qui informe sur les vols disponibles et les tarifs pour toutes les destinations. Cette information provient d'une entrée de service de base de données comme le iNet 2000 de Télécom Canada.

Lire un horaire   On y utilise toujours une horloge de 24 heures en indiquant les temps de départ et d'arrivée à l'heure locale. Par exemple, un vol en partance de Calgary à 7 h arrive à Vancouver à 7 h 22. Le vol ne semble prendre que 22 minutes alors qu'il en prend 1 h 22. La différence est due au décalage horaire entre Calgary et Vancouver.

Chaque ligne aérienne publie un guide-horaire et dispose l'information à sa façon. Vérifiez la légende au début pour y trouver la méthode utilisée.

On utilise des symboles visuels pour indiquer les installations disponibles sur chaque vol.

Faire une réservation

Lorsque vous aurez en mains toute l'information nécessaire, réservez. Plus vous le faites vite, meilleur sera votre choix de vols.

Un commis à la réservation ou l'agent de voyage entre l'information dans un grand ordinateur capable de fournir des renseignements à jour sur les vols, les prix et les places libres.

L'information nécessaire comprend :
* nom de l'entreprise ou le vôtre
* dates et heures de départ
* préférences de siège et demandes spéciales comme une diète particulière
* nom, prénom, initiales et titre de la personne pour qui est faite la réservation
* le numéro téléphonique à domicile et au bureau du voyageur pour l'aviser de tout changement

Vérifiez si le service informatique de réservations de la ligne aérienne peut s'occuper de l'hébergement et de la location-automobile.

Une fois la réservation faite, le commis vous remettra un **numéro de dossier** qui donne le nom du dossier de la base de données qui contient votre réservation. Avec ce numéro, il est plus facile de retracer une réservation en cas de modification. Si le voyageur veut changer ses réservations en vol, il pourra y avoir un coût additionnel.

Avions à réactions corporatifs Quelques grosses corporations possèdent leur propre avion à réaction ou louent les services d'une compagnie privée pour les directeurs. Dans ce cas, vos responsabilités seraient différentes. Au lieu de faire des réservations, vous devrez peut-être entrer en contact avec un traiteur pour servir un repas en vol.

Les réservations aériennes sont faites par ordinateur et on y a accès avec un numéro de dossier.
Gracieuseté de Canadien International

Gracieuseté de Canadien
International

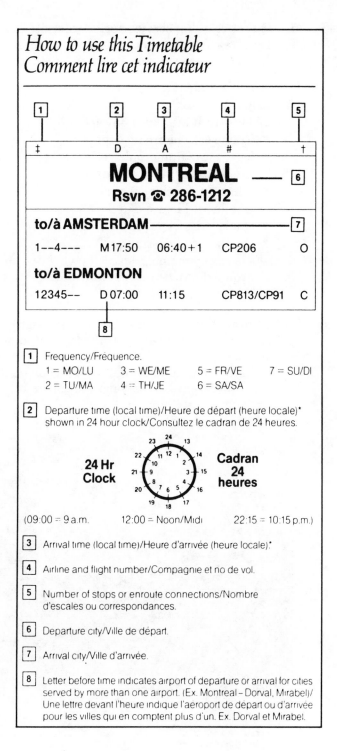

How to use this Timetable
Comment lire cet indicateur

‡	D	A	#	†

MONTREAL ─ 6
Rsvn ☎ 286-1212

to/à AMSTERDAM ─────────── 7

| 1--4--- | M 17:50 | 06:40+1 | CP206 | O |

to/à EDMONTON

| 12345-- | D 07:00 | 11:15 | CP813/CP91 | C |

8

1 Frequency/Fréquence.

1 = MO/LU	3 = WE/ME	5 = FR/VE	7 = SU/DI
2 = TU/MA	4 = TH/JE	6 = SA/SA	

2 Departure time (local time)/Heure de départ (heure locale)*
shown in 24 hour clock/Consultez le cadran de 24 heures.

24 Hr Clock   **Cadran 24 heures**

(09:00 = 9 a.m.   12:00 = Noon/Midi   22:15 = 10:15 p.m.)

3 Arrival time (local time)/Heure d'arrivée (heure locale).*

4 Airline and flight number/Compagnie et no de vol.

5 Number of stops or enroute connections/Nombre d'escales ou correspondances.

6 Departure city/Ville de départ.

7 Arrival city/Ville d'arrivée.

8 Letter before time indicates airport of departure or arrival for cities served by more than one airport. (Ex. Montreal – Dorval, Mirabel)/ Une lettre devant l'heure indique l'aéroport de départ ou d'arrivée pour les villes qui en comptent plus d'un. Ex. Dorval et Mirabel.

QUESTIONS
DE RÉVISION
ET DE DISCUSSION

1. Qu'est-ce qu'un service aérien intercité et à qui sert-il?
2. Décrivez les trois classes de voyage aérien.
3. Lisez l'horaire suivant et répondez aux questions :

HALIFAX/DARTMOUTH
to/à Vancouver
12345-- 16 h 30   20 h 35   CP163   1
- Quelle est l'heure de départ?
- Quel est le numéro de vol?
- Quelle est la ville de départ?
- Combien d'escales y aura-t-il?
- Quelle est l'heure d'arrivée?
- Quels jours ce vol est-il disponible?
- Quelle est la destination?
4. Quels renseignements faut-il pour faire une réservation d'avion?
5. Pourquoi devriez-vous obtenir un numéro de dossier en réservant une place sur un avion?

Voyage en train

VIA Rail Canada donne un service national qui relie les petites et grandes villes à travers le Canada dont plusieurs n'ont pas de service aérien.

Pour un confort maximum, le voyageur peut choisir différents services selon ses préférences et la longueur du trajet. Voici les services offerts :

Selon la destination, on peut préférer le voyage en train. *Gracieuseté de VIA Rail Canada Inc.*

Classe économique C'est un service de base sans repas où la réservation de place est possible.

Classe wagon-restaurant Les fauteuils de salon y sont plus spacieux. On peut faire des réservations qui comprennent les repas. Pour les voyages de nuit, différentes formes de couchettes sont disponibles et devraient être réservées à l'avance.

De VIA Rail Canada Inc.,
en vigueur le 7 juin 1987

How to Use the Timetable   **Comment utiliser l'indicateur général**

Locating Your Schedule. Check the alphabetical list of stations on pages 61 and 62 for the table number for service to your destination. If more than one route serves this point, or if your starting point is not on the same route, use the map on pages 32 and 33 to trace the route(s) you will need to use. Turn to the tables indicated by the circled numbers along the route lines to find your schedules.

Reading the Tables. On many schedules, service in both directions is shown in a single table, with the cities served listed in the centre. If your destination is listed *below* your starting point, use the *left-hand* column(s) and *read down*. If your destination is *above* your starting point, use the *right-hand* column(s) and *read up*.

Where very frequent service is available, seperate tables are printed for each direction. Cities served are listed on the left-hand side. Find the table showing your destination *below* your starting point, and *read down* in the columns to the right.

Pour trouver votre horaire. Consultez la liste alphabétique des gares qui se trouve aux pages 61 et 62 pour connaître le numéro du tableau où l'horaire de la liaison jusqu'à votre destination est indiqué. S'il est possible de se rendre à votre ville de destination par plus d'un itinéraire, ou si votre point de départ se trouve sur un itinéraire différent, tracez le(s) itinéraire(s) qu'il vous faudra emprunter à l'aide de la carte que vous trouverez aux pages 32 et 33. Reportez-vous aux tableaux correspondants aux numéros encerclés sur la carte du réseau VIA pour trouver votre horaire.

Pour lire les tableaux. De nombreux tableaux indiquent les horaires des liaisons dans les deux sens et les villes desservies sont indiquées au centre. Si votre point de destination se trouve *sous* votre point de départ, consultez la (les) colonne(s) de *gauche et lisez en descendant*. Si votre point de destination se trouve *au-dessus* de votre point de départ, consultez la (les) colonne(s) de *droite* et lisez en *remontant*.

Dans les cas où il existe des liaisons très fréquentes, vous trouverez des tableaux séparés pour chaque sens. Les villes desservies sont indiquées dans la colonne de gauche. Trouvez le tableau où votre destination apparaît *sous* votre point de départ et lisez les colonnes de droite en *descendant*.

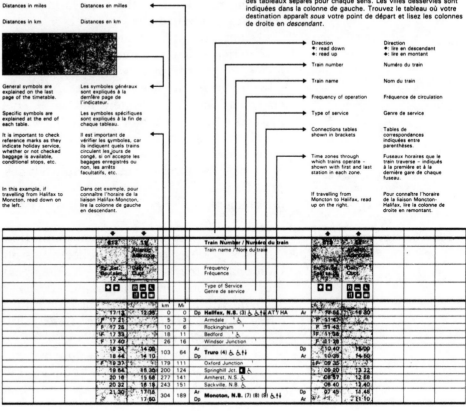

Horaires de train Ils ressemblent à ceux des lignes aériennes et peuvent servir de la même façon à planifier un voyage.

Voyage en autobus

C'est une forme moins populaire qui dessert les endroits éloignés des voies ferrées et des aéroports. Souvent, on s'en sert comme moyen pour se rendre au train ou à l'avion.

Voyage en automobile

L'automobile est populaire pour les courtes distances. Une entreprise peut fournir une automobile ou accepter que l'employé prenne la sienne et se fasse rembourser s'il s'en sert souvent. Celui qui utilise son automobile doit noter les distances et les frais de stationnement lors des voyages d'affaires.

On peut également louer une automobile non seulement pour aller d'une ville à l'autre mais aussi pour se déplacer en ville. Le transport en commun n'est peut-être pas suffisant et l'automobile devient préférable.

Location-automobile

Les agences nationales et internationales ont généralement une succursale dans les aéroports et les gares.

On peut les louer au jour, à la semaine ou au mois. Le coût dépend de la taille de la voiture, de la distance à parcourir et de la durée. Si vous prenez une voiture dans une ville pour la laisser dans une autre, il y aura des **frais supplémentaires**.

Les ententes peuvent se faire avec un agent de voyages, un service de réservation d'avion comme Air Canada ou à l'agence de location elle-même. Pour réserver une voiture, vous devez connaître l'heure à laquelle elle sera prise afin de vous assurer qu'elle soit prête. Si le voyageur arrive en avion, donnez le numéro de vol et l'heure d'arrivée. On garde des voitures en attente lors de retards de vol.

On peut facturer les frais de location sur une carte de crédit individuelle ou commerciale. Ceux qui l'acquittent se font rembourser plus tard. Souvent, une entreprise qui loue souvent des voitures négocie un meilleur prix. Dans ce cas, elle a un compte avec l'agence de location qui la facture directement.

Planifier un voyage en automobile

Souvent, on est en territoire inconnu. Il nous faut des directions et des adresses précises pour nous aider telles que des cartes routières et de l'information touristique. On peut s'en procurer aux bureaux touristiques, aux associations-automobile et aux stations-service.

On devrait noter les directions et la route pourrait être marquée sur la carte par un surligneur de couleur jaune. Ainsi, on peut aisément reconnaître la route en suivant sa trace.

Les associations-automobile fournissent souvent aux membres des cartes indiquant des trajets particuliers. Il n'est pas dispendieux d'en être membre et cela peut s'avérer utile surtout en cas de panne.

Logo du Club automobile
du Canada

Autre transport

Taxis et service de limousine offrent des voyages-automobile à l'intérieur de certaines régions. On devrait demander un reçu au chauffeur et se faire rembourser au retour.

Dans les régions métropolitaines, on peut préférer le transport rapide en commun. Les bureaux de congrès et les hôtels fournissent des cartes pour aider à se familiariser avec un territoire inconnu.

**QUESTIONS
DE RÉVISION
ET DE DISCUSSION**

1. Bien que voyager en avion soit populaire, on lui préfère souvent le train. Pourquoi?
2. Pourquoi choisirait-on l'automobile pour un voyage d'affaires?
3. Quels sont les renseignements nécessaires pour louer une automobile?
4. Comment pouvez-vous aider le voyageur qui veut utiliser une voiture?

**RÉSERVATIONS
DE CHAMBRES**

On peut les faire par l'entremise d'un agent de voyages ou en prenant contact avec l'hôtel ou le motel directement. S'ils font partie d'une chaîne, on peut peut-être rejoindre leur service de réservations sans frais avec un numéro 800.

En réservant, soyez prêt à donner les renseignements suivants :
*   Les dates d'arrivée et de départ.
*   L'heure d'arrivée.
*   Le nombre de personnes.
*   Le genre de chambre désirée. Selon la raison du voyage, il faudra une chambre simple, une suite, un bureau de conférence ou une cuisine.
*   Le genre de chambre préférée. Chacun a ses préférences comme fumeur/non-fumeur, étages supérieurs ou inférieurs, loin du bruit des ascenseurs et des machines à glace.

Si vous arrivez après 18 h, il est nécessaire de faire une **réservation ferme** pour conserver la chambre. On peut la faire avec un numéro de carte de crédit ou en envoyant un chèque couvrant le coût d'une nuit. Même si le voyageur n'arrive pas, la chambre doit être payée. Bien que la plupart des réservations fermes peuvent être annulées avant 18 h, vérifiez la politique au moment de le faire.

On devrait faire une réservation ferme si le voyageur arrive après 18 h.

Demandez une confirmation qui prend la forme d'un numéro de dossier ou d'une note dans les petits établissements.

Si le voyageur arrive en avion, vérifiez le service de transport entre l'aéroport et l'hôtel. Parfois, il y a un service de navette pour les clients.

VOYAGE INTERNATIONAL

Les missions commerciales et les voyages d'affaires à la recherche de nouveaux clients pour des produits ou des sources de financement sont monnaie courante. Les marchés de la côte du Pacifique comme Hong Kong et le Japon sont devenus des cibles pour les entreprises canadiennes.

Ce genre de voyage demande plus que des réservations de transport et d'hébergement. La préparation peut inclure le recueillement des renseignements sur le pays visité : a) les habitudes locales, incluant les fêtes et les pourboires; b) les conditions atmosphériques habituelles; c) les exigences de santé comme les vaccins; d) les restrictions de voyage pour les étrangers; e) les biens que l'on peut importer et exporter; f) les pratiques commerciales locales et g) les restrictions de la monnaie. Les agents de voyages et les agences gouvernementales peuvent aider à familiariser le voyageur avec un pays avant de s'y rendre.

Agences gouvernementales

Le pays à visiter contrôle l'entrée des étrangers. On trouve au Canada plusieurs ambassades et consulats qui informent sur les politiques de leur pays. Ils peuvent émettre tout document nécessaire pour obtenir l'entrée des visiteurs.

Le Service canadien des affaires extérieures aide les entreprises à s'installer en pays étranger. Le Canada maintient des ambassades dans les pays étrangers pour promouvoir le commerce et pour aider les Canadiens qui y voyagent par affaires ou par plaisir. Vous pouvez trouver les adresses avec le Service des affaires extérieures.

Documents de voyage

Il faut un document officiel qui atteste de la citoyenneté. Le voyageur devrait toujours les avoir en sa possession et être prêt à les montrer sur demande à l'immigration. On ne doit pas les laisser dans ses bagages ou les confier à quelqu'un d'autre. Certains hôtels étrangers demandent qu'on les laisse à la réception.

Les documents officiels comprennent le **passeport** et le **visa** que l'on doit demander. Soyez prêt à faire la demande au bon endroit dès que vous connaissez vos besoins de manière à être certain que les documents seront prêts pour le départ.

Le passeport   est la preuve de citoyenneté et est délivré par le Service fédéral des affaires extérieures. On trouve des demandes dans les bureaux de poste et on doit les accompagner d'une photo-passeport et d'un extrait de naissance ou toute autre preuve de citoyenneté.

Chaque fois qu'un voyageur entre ou quitte un pays, le voyageur doit montrer son passeport. Un officier d'immigration y appose un timbre sur une page donnant une preuve d'entrée ou de sortie du pays.

Faites une liste des objets à apporter en voyage d'affaires pour vous assurer de ne rien oublier au bureau.

À partir de l'itinéraire, l'endroit où se trouve le voyageur d'affaires doit être évident. Cet itinéraire lui permet de faire un usage judicieux de son temps.

Faites des copies de l'itinéraire terminé. Donnez-en deux copies au voyageur, une pour lui et l'autre pour sa famille. Gardez-en une au bureau afin que ceux qui doivent prendre contact avec le voyageur puissent le faire.

Liste de contrôle de voyage

De la même façon que le dossier de voyage a servi à préparer l'itinéraire, il peut aussi servir à faire une liste de contrôle des objets que le voyageur doit apporter. Billets, confirmations de réservations, rendez-vous et formules de dépense devraient être joints à l'itinéraire.

Le voyageur peut choisir de se préparer pour la réunion ou faire du travail en chemin. Les documents comme les dossiers et les rapports servant à la réunion devraient être en ordre dans sa mallette. Conservez la documentation qui peut informer sur les gens, l'entreprise ou le territoire à visiter. On devrait aussi ajouter des cahiers de notes, des stylos, un dictaphone, une calculatrice, un livre d'adresses, un agenda et des cartes d'affaires. Vérifiez avec votre directeur l'exactitude de la liste.

Les visas donnent la permission d'entrer dans un pays étranger. On l'obtient de l'ambassade ou du consulat du pays à visiter. La permission est donnée pour une durée et un but précis.

Ils ne sont pas nécessaires pour voyager dans la plupart des pays de l'Europe de l'Ouest ou aux États-Unis. Toutefois, les lois d'immigration d'un pays peuvent changer et il est sage de vérifier avec un agent de voyages, un consulat ou une ambassade.

Le téléphone cellulaire facilite le maintien du contact avec le bureau.
Gracieuseté de Panasonic OA

DERNIERS PRÉPARATIFS

Lorsque les moyens de transport et l'hébergement sont connus, il est temps de faire un **guide-itinéraire** qui comprend un horaire des rendez-vous et des activités ainsi que les renseignements sur le transport et l'hébergement.

Faire l'itinéraire

Bien que la forme puisse varier, il devrait être fait chronologiquement. Inscrivez-y les noms, adresses et numéros de téléphone de ceux que vous devez rencontrer. Le produit fini ressemble à un indicateur général qui contient tout ce que le voyageur doit savoir sous forme abrégée. En le lisant, il devrait être facile de trouver une date, une heure et un endroit.

À partir de l'itinéraire, l'endroit où se trouve le voyageur d'affaires doit être évident. Cet itinéraire lui permet de faire un usage judicieux de son temps.

Faites des copies de l'itinéraire terminé. Donnez-en deux copies au voyageur, une pour lui et l'autre pour sa famille. Gardez-en une au bureau afin que ceux qui doivent contacter le voyageur puissent le faire.

Itinéraire d'Hélène Cormier

10-11 mai, 19—

Lundi, 10 mai

8 h   Limousine jusqu'à l'aéroport international de Dorval.

9 h 15   Vol AC912 vers Winnipeg.
           Déjeuner en vol.

12 h   Arrivée à Winnipeg. Prendre la voiture au kiosque Avis.
           Confirmer la réservation à l'hôtel Best Western
           (confirmation jointe).

14 h   Réunion de vente au bureau de la compagnie avec M. Nadeau,
           président, Jouets du futur Inc.

19 h   Souper avec P. Thibault, architecte
           135, rue Léonard (772-6435)

Mardi, 11 mai

8 h 30   Rencontre avec D. Marchand, Édifice Portage
           re nouveau contrat (772-8953)

11 h 45   Ramener la voiture chez Avis à l'aéroport de Winnipeg
13 h   Départ de Winnipeg vol AC 853

17 h 30   Arrivée à Dorval

LISTE DE CONTRÔLE DE VOYAGE

De la même façon que le dossier de voyage a servi à préparer l'itinéraire, il peut aussi servir à faire une liste de contrôle des objets que le voyageur doit apporter. Billets, confirmations de réservations, rendez-vous et formules de dépense devraient être joints à l'itinéraire.

Le voyageur peut choisir de se préparer pour la réunion ou faire du travail en chemin. Les documents comme les dossiers et les rapports servant à la réunion devraient être en ordre dans sa mallette. Conservez la documentation qui peut informer sur les gens, l'entreprise ou le territoire à visiter. On devrait aussi ajouter des cahiers de notes, des stylos, un dictaphone, une calculatrice, un livre d'adresses, un agenda et des cartes d'affaires. Vérifiez avec votre directeur l'exactitude de la liste.

QUESTIONS DE RÉVISION ET DE DISCUSSION

1. Un voyage international demande plus de préparation. Commentez cette affirmation.
2. Pourquoi faudrait-il des documents pour les voyages internationaux? Comment se les procurer?
3. Quels renseignements faut-il pour réserver une chambre?
4. Qu'est-ce qu'un itinéraire? Comment peut-il aider à rendre le voyage plus efficace?

RETOUR AU BUREAU

Pendant que le voyageur est parti, l'activité normale de traitement de l'information se poursuit au bureau. On s'attendra à ce que le bureau marche bien. Un autre directeur peut s'occuper des responsabilités principales, mais vous devrez gérer les demandes usuelles par la poste, au téléphone ou en visite.

Naturellement, à son retour, le voyageur doit être mis au courant de ce qui s'est passé pendant son absence. Ouvrez un dossier pour rassembler les messages, les lettres et les rapports reçus ainsi que l'horaire quotidien des événements où sont notés les détails importants et le nom des visiteurs.

Ce dossier devrait être à portée de la main en cas d'appel du voyageur.

Répondre aux lettres et aux appels

Les demandes sont de trois ordres: a) conserver jusqu'au retour du voyageur; b) remettre à quelqu'un d'autre pour un suivi immédiat; et c) répondre soi-même.

Vous devriez mettre dans le dossier les demandes retenues de même qu'une copie de celles qui ont été déléguées ou auxquelles vous avez répondu. Attachez une note pour que votre directeur comprenne la façon de répondre.

Supposons que vous recevez ces articles:

Article	*Approche*
une requête pour une formule de demande d'emploi	répondre soi-même
une feuille de temps d'un employé qui demande une autorisation	donner à un autre directeur
un ordre du jour pour une réunion de comité	conserver pour le retour

Le courrier électronique et les services de messagerie permettent à l'employé en voyage de répondre immédiatement aux demandes où qu'il soit. Il suffit d'un terminal et d'un modem portatifs. Les lettres reçues par la poste peuvent être tapées et lui être envoyées.

Avec un terminal et un modem portatifs, un voyageur d'affaires peut entrer des données et répondre aux demandes électroniquement.
Gracieuseté des Systèmes de données Zénith

Emploi du temps

Quand votre directeur est absent, c'est le meilleur moment de vous occuper des détails que vous ne pouvez pas facilement inclure dans votre journée de travail normale. À moins d'avoir reçu des tâches précises, vous pouvez transférer et effacer des dossiers, mettre à jour les guides de procédures de la compagnie, commander des fournitures ou faire les recherches pour un rapport en suspens.

Relance

À son retour, le voyageur devrait régler le dossier en suspens. Une fois que tout est à jour, il devrait faire un rapport de dépenses avec tous ses reçus. Une entreprise a généralement un formulaire réservé à cet effet.

Rapport de dépenses de voyage

Les dépenses de voyages d'affaires sont couvertes par la compagnie. Qu'il reçoive l'argent à l'avance ou qu'il se fasse rembourser, un employé doit remplir un tel rapport pour vérifier les dépenses. C'est pourquoi il doit conserver tous les reçus.

Chaque compagnie possède sa propre formule de rapport de dépenses. Toutefois, on y retrouve habituellement les renseignements suivants: la date; la nature et le montant de la dépense; le kilométrage si on utilise une voiture.

On doit joindre au rapport de dépenses un reçu de toutes les dépenses encourues.

Calculez le coût du voyage. Si l'employé a reçu une avance, il doit rembourser la différence. S'il n'y a pas eu d'avance, on lui doit le montant total. Demandez ensuite à l'employé de le signer. Parfois, une autre personne doit l'autoriser. Une fois terminé, le rapport et le chèque de l'employé, s'il doit de l'argent, sont remis au service de comptabilité pour traitement.

Un voyageur d'affaires devrait ramasser les reçus pour justifier les dépenses inscrites au rapport.

RÉSUMÉ DU RAPPORT DE DÉPENSE	DIVERTISSEMENT ET DIVERS				
NOM: _____	DATE	ENDROIT	DIVERS - EXPLIQUER DIVERTISSEMENT - (INVITÉS) et TITRE	BUT DE LA DÉPENSE	MONT.
DIVISION: _____					
FIN DE PÉRIODE: _____					
A. CORRECTIONS D'ERREUR: *					
1. ON VOUS DOIT − _____ $					
2. VOUS NOUS DEVEZ + _____ $					
* Utiliser seulement si avisé					
B. AVANCES DE VOYAGE					
1. TOTAL DES AVANCES EN ARGENT OU DES BONS DE VOYAGE _____ $					
2. TOTAL DES DÉPENSES ENROUTE _____ $					
TOTAL DES AVANCES DE VOYAGE (1 + 2) + _____ $					
C. DÉPENSES DU MOIS (GRAND TOTAL) − _____ $					
SOLDE NET = _____ $					
CHÈQUE JOINT − _____ $					
SOLDE DE FERMETURE _____ $					
Le solde de fermeture devrait être ZÉRO					
Je _____					
CERTIFIE QUE CE RAPPORT EST EXACT				TOTAL	

CHEF DE SERVICE: _____	À L'USAGE DE LA COMPTABILITÉ SEULEMENT	GRAND LIVRE DR. CR. DEPT.		
DATE: _____		AUTO. 200 721- _____	_____ $ VÉRIFIÉ PAR	
APP. ADD.: _____		COMPT. 200 720- _____	_____ $	
DATE: _____		AVION 201 720- _____	_____ $ _____	
		CARTE 201 720- _____	_____ $	

Recevoir un voyageur d'affaires

Les voyageurs à votre bureau peuvent avoir besoin d'aide pendant leur séjour. Selon toute probabilité, les réservations de chambres sont faites. Soyez prêt, cependant, à fournir des renseignements ou à faire des réservations au restaurant, au théâtre ou pour des visites guidées pendant la soirée après les heures de réunion. Vous pouvez aussi fournir un service de secrétariat et polycopier les documents pour la réunion.

Même si ces demandes ne sont pas faites, rappelez-vous que le visiteur n'est pas familier avec votre bureau, votre compagnie et sa localisation. Soyez hospitalier et envoyez quelqu'un à sa rencontre à l'aéroport ou à la gare. Si c'est impossible, appelez son bureau pour avoir le nom de son hôtel et contactez-le aussitôt arrivé.

Montrez comment vous agiriez dans chaque cas.

Vous devriez demander une copie de l'itinéraire du visiteur afin de pouvoir le rejoindre en cas d'urgence.

QUESTIONS DE RÉVISION ET DE DISCUSSION

1. Comment peut-on utiliser la technologie pour tenir le voyageur à jour?
2. Quelles sont les responsabilités d'un adjoint de bureau pendant l'absence de son directeur?
3. À quoi sert le rapport de dépenses de voyage? Quels renseignements faut-il pour le remplir?
4. Comment pouvez-vous aider un visiteur à votre bureau?

UTILISATIONS

1. Consultez l'indicateur général de la page 444 et répondez aux questions suivantes:
   a) Quel vol du vendredi se rend à Thunder Bay sans escale? Donnez son numéro et l'heure de départ.
   b) Vous voulez un vol pour Toronto dimanche après-midi. Donnez son numéro et l'heure de départ.
   c) Donnez tous les détails que vous pouvez sur le vol CP844.
   d) Vous devez assister à une réunion à Vancouver mardi à 10 h. Donnez le numéro de vol et tous les détails sur le vol le plus approprié.
   e) Le vol CP167 arrive à Vancouver une heure et cinq minutes après son départ, alors que le vol CP716 de Toronto semble prendre trois heures quinze minutes. Comment est-ce possible puisque Winnipeg est plus près de Toronto que de Vancouver?
2. Votre compagnie planifie pour le mois de février sa première commission commerciale au Japon. Faites un rapport détaillé donnant autant d'information que possible pour préparer les employés au voyage. Commencez par faire une liste des renseignements qu'il vous faut.
3. Procurez-vous un formulaire de demande de passeport. Remplissez-la et faites un résumé de l'information demandée.
4. Contactez le bureau d'immigration le plus près pour connaître les règlements douaniers pour les voyageurs qui ramènent des biens au Canada. Faites un résumé de vos trouvailles.
5. Votre directrice, Aline Poissant, doit assister à une réunion d'affaires à Chicago, mercredi, le 6 mai à 10 h. La réunion a lieu dans le centre-ville aux bureaux de Electronics International et doit durer jusqu'à 16 h. Un souper avec le président, D.T. Sondheim, est prévu pour 19 h mais l'endroit n'a pas encore été décidé. Faites les préparatifs de voyage et les réservations d'hôtel. Préparez l'itinéraire.
6. Cela se passe le 16 février. Votre directeur est absent et ne reviendra que le 19 février.
   a) Une demande d'information sur un nouveau produit qui est encore en développement.
   b) Un appel d'un journal local sur une plainte d'employé au sujet d'un problème de santé à l'usine.

Gracieuseté de Canadien International

‡	D	A	#	†
WINNIPEG				
Rsvn ☎ (204) 632-1250				

to/à THOMPSON (Cont./Suite)

‡	D	A	#	†
- - - - -7	19:15	20:25	**CP619**	0
- -34 - - -	19:20	22:23	**CP893** Exp May 29	1
- - - - -6	20:45	22:40	**CP899** Eff May 30	0

to/à THUNDER BAY

‡	D	A	#	†
1234567	07:30	10:10	**CP846**	1
1234567	13:10	15:15	**CP838**	0
12345 - -	16:20	19:00	**CP844**	1

to/à TOKYO

‡	D	A	#	†
1234567	09:55	15:50 + 1	**CP167/CP3**	C

to/à TORONTO

TERMINAL 1 / AÉROGARE 1

‡	D	A	#	†
1234567	07:00	T10:15	**CP154**	0
1234567	11:35	T14:50	**CP716**	0
123456 -	13:00	T16:14	**CP682**	0
12345 -7	13:10	T17:28	**CP838/CP670**	
- - - - -6	15:45	T18:59	**CP608**	0
1234567	17:45	T21:00	**CP722**	0
12345 -7	19:10	T19:10	**CP692**	0

to/à VANCOUVER

‡	D	A	#	†
- 23456 -	01:45	03:45	**CP169**	1
123456 -	08:00	10:28	**CP657**	2
1234567	09:55	11:00	**CP167**	0
1234567	12:05	14:28	**CP685**	2
12345 -7	16:15	18:43	**CP651**	2
1234567	16:25	17:30	**CP715**	0
12345 -7	19:20	21:12	**CP689**	1

to/à VENICE

‡	D	A	#	†
- -3 - - - -	11:35	12:10 + 1	**CP716/CP52/** A7148	C
- - - - -7	11:35	13:55 + 1	**CP716/CP52/** AZ146	C
-2 - - - -	13:00	09:05 + 1	**CP682/CP56** AZ214 Eff June 30	C
- - - -5 -	13:00	13:55 + 1	**CP682/CP58/** ZA146	
- - - - -6	13:00	12:10 + 1	**CP682/CP56/** AZ148	C

‡	D	A	#	†
WINNIPEG				
Rsvn ☎ (204) 632-1250				

to/à VICTORIA

‡	D	A	#	†
123456 -	09:55	12:10	**CP167/CP510**	C
- - - - -7	09:55	13:55	**CP167/CP512**	C
12345 -7	12:05	16:40	**CP685/CP516**	C
123456 -	16:25	18:55	**CP715/CP520**	C
- - - - -7	16:25	19:55	**CP715/CP522**	C
1234 - -7	19:20	22:35	**CP689/CP526**	C
- - - -5 -	19:20	22:15	**CP689/CP528**	C

to/à VIENNA

‡	D	A	#	†
- - - - -7	11:35	10:45 + 1	**CP716/CP50** KL257	
1234 -6 -	13:00	10:45 + 1	**CP682/CP50/** KL257	
- - - -5 -	13:00	10:35 + 1	**CP682/CP50/** KL257	

to/à WASHINGTON

B - Baltimore, D - Dulles, N - National

‡	D	A	#	†
1234567	07:00 N	14:53	**CP154/AL543**	C
12345 -7	11:35 N	19:00	**CP716/AL488**	C

to/à WHITEHORSE

‡	D	A	#	†
- 23456 -	01:45	09:45	**CP169/CP621**	C
1234567	09:55	17:25	**CP167/CP193**	C
- - - - -6	12:05	18:45	**CP685/CP183** Eff July 11	C

to/à WINDSOR/DETROIT

W - Windsor, C - Detroit City Ap, m - Detroit Metro

‡	D	A	#	†
1234567	07:00 m	12:30	**P154/NW273**	C
1234567	07:00 w	12:18	**CP154/CP665**C Eff June 1	
12345 - -	07:00 w	12:40	**CP154/CP815** Exp May 31	C
12345--	11:55 w	14:57	**C0654** Eff June 1	0
- - - - -7	11:55 w	14:57	**C0654** Eff May 31	0
12345 -7	13:10 w	16:55	**CP838**1	
12345 -7	13:10 M	21:30	**CP838/NW185**	C

to/à ZURICH

‡	D	A	#	†
- - - - -7	11:35	10:35 + 1	**CP716/CP50/** KL311	
123456 -	13:00	10:35 + 1	**CP682/CP50/** KL311	C

c) Une lettre de demande d'emploi et un curriculum vitæ en réponse à une ouverture de poste. Les entrevues sont prévues pour le 19 février à 15 h.

d) Une demande de paiement qui prend une autorisation. La date d'échéance de la facture est le 23 février.

e) Une plainte au téléphone d'un client de longue date qui fait de grosses affaires avec la compagnie et qui a toujours traité avec votre directeur.

7. Votre directeur sera absent à partir de mercredi le 10 janvier jusqu'à vendredi le 12. Comme premier adjoint du bureau, vous coordonnerez le travail. Vous savez qu'il y aura les événements suivants au cours du mois :

a) Réunion du conseil d'administration le 25 janvier qui doit recevoir l'ordre du jour et les documents d'accompagnement pour le 16.

b) La campagne de vente pour le nouveau produit débute le 15 janvier.

c) Votre directeur a fixé des rencontres d'évaluation des employés pour le 18 janvier et vous a demandé des rapports écrits pour le 15. Tenez compte des tâches suivantes qui s'ajoutent aux fonctions normales. Placez-les en ordre de priorité en marquant celles que vous feriez et celles que vous délégueriez. Justifiez vos décisions. Points à considérer :

   i) Une circulaire pour une centaine de clients possibles dans le but de leur présenter le dernier produit.

   ii) Les états financiers de l'année, point à l'ordre du jour de la réunion du conseil.

   iii) L'évaluation de deux employés.

   iv) Transférer des dossiers écrits et électroniques de l'entreposage actif à inactif.

   v) Mise à jour de la base de données des numéros téléphoniques souvent utilisés. La dernière révision date de six mois et il y a eu quelques changements.

   vi) On change la police d'assurance de la compagnie et vous devez noter le numéro de série de chaque appareil électronique ainsi que fournir les renseignements sur la date d'achat et sur l'achat.

   vii) Il faut commander des fournitures de bureau, mais vous devez faire l'inventaire pour savoir ce qu'il faut.

8. Voici les postes budgétaires qu'on a créés pour un voyage d'affaires à Ottawa : transport 205 $, hébergement 150 $, repas 30 $, divertissement 75 $. Avec un progiciel de tableau, faites un tableau comparatif des dépenses réelles et de celles prévues aux postes budgétaires. Sous transport, faites un sous-groupe pour faire la somme des dépenses d'automobile personnelle à des fins d'affaires. Le taux de la compagnie est 0,25 $ le kilomètre.

STAGE EN COMMUNICATION

1. Votre directrice, Mme Patricia Gauthier, visitera les succursales de l'est du Canada pour y voir les gérants régionaux et pour rencontrer des nouveaux clients. Révisez l'itinéraire fait à partir des renseignements suivants. Notez les erreurs et les omissions.

Le 16 février, le vol AC149 d'Air Canada quitte Winnipeg à 10 h et arrive à Fredericton à 16 h 49. Une réservation a été faite au Holiday Inn du 128, rue Front. Le numéro de confirmation est 012583. Une automobile a été louée chez Avis et doit être conduite de l'aéroport. Don James est le gérant régional du Nouveau-Brunswick et le souper avec lui aura lieu à 19 h 30.

Une rencontre a été fixée le 17 février avec un nouveau client, Aaron Roth à 9 h dans son bureau au 193, rue John, Fredericton.

Un dîner est prévu avec l'équipe de vendeurs de la région de Fredericton dans la salle de conférence A du bureau de la ville. Le vol CP422 quitte Fredericton à 14 h 55 pour arriver à Halifax/Dartmouth à 16 h 40. L'automobile louée doit être ramenée au kiosque Avis de l'aéroport. L'hébergement à Halifax a été réglé à l'Hôtel Sheraton, 582, rue Water. Un souper a été organisé pour 18 h avec Carla Matolscy, gérante régionale d'Halifax.

Une tournée de l'usine d'Halifax a été fixée pour 9 h 30 le 18 février. Il y a une réunion à l'Hôtel Sheraton à 11 h avec Carla Matolscy et Jason Bédard, un gros client. Le 18 février, le vol CP77 quitte à 17 h 45 et arrive à Winnipeg à 21 h 25.

Itinéraire de Patricia Gauthier

16 février

10 h	Départ de Winnipeg, Air Canada
	Vol n° AC194
16 h 49	Arrivée à Fredericton
	Prendre l'automobile Avis à l'aéroport
	Hébergement, Holiday Inn, 128, rue Front
	Confirmation n° 012853
19 h	Souper réunion au Holiday Inn avec Ron James, gérant régional du Nouveau-Brunswick

17 février

9 h	Réunion avec Aaron Roth, nouveau client, à son bureau, 193, rue John, Fredericton
12 h 30	Dîner avec l'équipe de vendeurs de la région de Fredericton au bureau
15 h 45	Retourner l'automobile au kiosque Avis à l'aéroport
	Départ de Fredericton vol n° CP422
16 h 40	Arrivée à l'aéroport Halifax/Dartmouth
	Hébergement, Hôtel Sheraton, 582, rue Water
18 h	Dîner réunion avec Carla Matolscy, gérante régionale d'Halifax

18 février

9 h	Visite de la nouvelle usine à Halifax
10 h 30	Rencontre avec C. Matolscy et Jason Bédard, un gros client
17 h 45	Départ de l'aéroport d'Halifax/Dartmouth, vol n° CP77
21 h 25	Arrivée à Winnipeg

2. Retapez l'itinéraire de Patricia Gauthier que vous avez révisé à la question 1. Faites les corrections.

20

PRENDRE LA PLACE DU DIRECTEUR

Après la lecture de ce chapitre, vous serez en mesure :

- De comprendre le rôle du directeur dans le cadre du bureau.
- D'analyser les habiletés interpersonnelles et administratives dans les relations employeur/employé.

Qu'il soit gérant de bureau, de service ou de succursale, le directeur interprète et aide à implanter les politiques de la compagnie tout en prenant les décisions susceptibles d'atteindre les objectifs généraux de l'entreprise. Il doit être capable d'avoir une vue d'ensemble, d'utiliser de bonnes techniques de communication et de motiver ses employés à travailler à l'atteinte de l'objectif.

Le directeur organise les ressources humaines ou les employés pour faire une équipe qui permettra d'atteindre les objectifs de la compagnie. Cela comprend la sélection et la formation des employés, la supervision du déroulement du travail et l'évaluation de la productivité.

L'EMBAUCHE DU PERSONNEL

La procédure d'embauche inclut l'annonce des postes disponibles, les entrevues avec les candidats et les offres d'emploi. Dans les grandes entreprises, le service des ressources humaines ou du personnel aide chaque service à la recherche de personnel en annonçant d'abord les postes à l'intérieur de la compagnie pour ensuite utiliser les agences de placement et les journaux. Ce service évalue l'expérience et les qualifications des candidats et achemine les candidatures retenues au directeur de service pour fixer des entrevues.

Le directeur devrait planifier l'entrevue en préparant des questions qui lui indiqueront si c'est le meilleur candidat pour le poste. On devrait faire un résumé des réponses du candidat pour aider à la sélection finale. À partir de l'entrevue, du curriculum vitæ, des références et probablement de l'ancienneté si les candidats sont déjà à l'emploi de la compagnie, le directeur doit choisir le candidat le mieux qualifié pour le poste.

Quand un poste est comblé, on devrait communiquer avec les autres candidats et les remercier de l'intérêt porté à l'emploi. Cela devrait se

Tenir des entrevues et choisir le personnel est une importante responsabilité administrative. Il faut un bon jugement et être objectif pour choisir des employés qui s'intégreront bien à l'équipe.
Gracieuseté de Drake International Inc.

Les directeurs devraient encourager leurs employés à se recycler pour améliorer leurs habiletés.
Gracieuseté de l'Université York.

faire dès que possible après la décision d'une façon telle que les candidats refusés ne ressentent aucune animosité envers la compagnie. Les lettres peuvent être envoyées par l'interviewer ou par le service des ressources humaines.

QUESTIONS DE RÉVISION ET DE DISCUSSION

1. Quelles sont les quatre fonctions effectuées par les directeurs pour s'assurer de l'atteinte des objectifs de l'entreprise?
2. Décrivez le rôle du directeur dans l'embauche de personnel.

**FORMATION
DU PERSONNEL**

Par souci de rendement, un employé devrait connaître à fond les exigences de son travail. Une formation complète donne une base suffisante de connaissances et l'assurance nécessaire pour bien travailler. Un bon directeur devrait être à l'affut des occasions de formation de son personnel. Un employé peut suivre des cours offerts par la compagnie ou par des institutions et un directeur devrait encourager ces initiatives.

Il y a deux types de formation : a) l'initiation des nouveaux employés et b) le recyclage du personnel.

L'initiation comprend la familiarisation avec les services aux employés et les politiques de la compagnie. Le directeur qui en a la responsabilité devrait fournir un guide d'instructions complet pour permettre à l'employé de bien faire son travail. Une description de tâche écrite des responsabilités devrait être remise à tout employé exerçant une nouvelle fonction. On peut confier à un collègue l'explication des spécificités d'un travail. Toutefois, le directeur devrait vérifier régulièrement les progrès.

Le recyclage informe les employés sur les nouvelles technologies et procédures en usage au bureau. Cela peut se faire par de courts ateliers à l'heure des repas, avant ou après le travail ou lors de cours échelonnés sur plusieurs sessions. Habituellement, les sujets touchent les opérations régulières de l'employé comme l'apprentissage d'un nouveau progiciel. On y retrouve des sujets d'ordre général comme la gestion du temps et du stress, les techniques d'entrevue, les styles de leadership, la motivation du personnel, le plan de carrière, la planification de la retraite, l'art oratoire et le développement de l'affirmation de soi.

**QUESTIONS
DE RÉVISION
ET DE DISCUSSION**

1. Décrivez les deux types de formation.
2. Donnez la raison pour laquelle un directeur devrait encourager son personnel à suivre des cours de formation professionnelle.

**CONTRÔLER LE
DÉROULEMENT DU
TRAVAIL**

Le directeur remplit sa tâche en fixant les procédures de l'organisation quotidienne des activités et une fois qu'elles sont intégrées par les employés, il doit créer un environnement positif et soutenant qui encouragera le personnel à travailler en équipe productive.

**Un bon
environnement
de travail**

Pour vivre dans un environnement qui soit propice au travail, il faut tenir compte de ces quatre aspects : a) des objectifs réalistes pour les employés; b) un environnement sécuritaire et confortable; c) le respect de la législation du travail; et d) de bonnes techniques en communication.

Objectifs réalistes Avant de donner une tâche, le directeur doit évaluer les aptitudes de l'employé, son expérience et ses préférences. On doit placer les gens en fonction de leurs talents sinon ils trouvent le travail impossible à faire, ou trop facile et peu stimulant. Dans les deux cas, les employés sont frustrés et perdent de leur efficacité.

Un environnement de travail confortable Il est essentiel de maintenir un environnement de travail confortable pour permettre au personnel d'y travailler sans tensions physiques et mentales inutiles. L'ergonomie devrait dicter le choix de l'équipement et de l'éclairage aussi bien que la disposition des gens et des appareils.

Respect de la législation du travail Les exigences légales de la Commission d'indemnisation du travail, de la Commission des droits et libertés et du Code canadien du travail existent pour assurer un traitement juste et équitable en protégeant les droits humains dans un environnement sécuritaire de travail. Ces exigences légales ont été vues au chapitre 9, «Se débrouiller dans le monde du travail». Il est de la responsabilité du directeur de les connaître et de s'assurer de leur application.

Bonnes techniques de communication Un directeur doit expliquer clairement les tâches et leurs exigences. Les techniques d'une bonne communication écrite et verbale ont été couvertes aux chapitres 5 et 6.

Avant de nommer à un poste ou de donner une promotion à un employé, il est important de bien évaluer son expérience et ses qualifications.
Gracieuseté de Datafile Wright Line Ltée.

**QUESTIONS
DE RÉVISION
ET DE DISCUSSION**

1. Que faut-il pour bien agencer les gens et les postes? Pourquoi est-ce une procédure importante?
2. Décrivez comment un directeur peut créer un environnement de travail qui soit sain.

**LA MOTIVATION
DU PERSONNEL**

On attribue souvent la cause de l'enthousiasme à la satisfaction au travail. Il n'y a pas de formule miracle pour motiver le personnel car la satisfaction au travail ne veut pas dire la même chose pour tout le monde et une stratégie qui fonctionne avec un employé n'aura pas nécessairement le même résultat avec un autre.

**Les facteurs
de motivation**

La sécurité d'emploi, un bon salaire et des bénéfices marginaux sont très importants à l'employé. Les recherches ont aussi souligné d'autres facteurs de motivation dont le respect et la reconnaissance de l'individu, des exigences bien définies et la participation à la prise de décision. Le directeur a probablement peu d'influence sur les salaires, les bénéfices et la sécurité d'emploi, surtout s'ils font partie d'une convention collective.

Un directeur joue un rôle principal dans la motivation du personnel et doit se rappeler que les gens ne sont pas des machines.
Gracieuseté de ShowAmerica Inc., Elmhurst, Illinois. Il y a un Copyright de ShowAmerica sur la conception des robots.

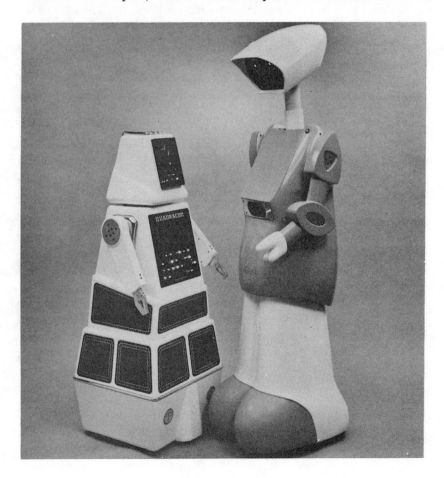

Toutefois, il joue un rôle essentiel dans la création d'un environnement où l'employé sera reconnu et respecté et où il pourra participer aux décisions qui affectent ses responsabilités au travail.

Reconnaissance des réalisations

Les employés doivent savoir qu'ils seront reconnus pour leur contribution et que leur effort au travail est important pour l'organisation. Tout le monde désire être apprécié et c'est pourquoi il est nécessaire de féliciter l'employé pour un travail bien fait.

Le moyen de reconnaissance dépend de l'effort fourni par l'employé. Accomplir un volume de travail supérieur dans un court laps de temps ou compléter une recherche pour un rapport justifie une reconnaissance verbale de la part du directeur. Si la quantité de recherche est énorme ou si l'employé y a ajouté ses découvertes, une note d'appréciation serait toute indiquée. Une suggestion qui pourrait augmenter la productivité, faire obtenir un gros contrat de ventes ou aider à une découverte de recherche pourrait être soulignée publiquement lors d'une réunion de bureau ou dans le bulletin de la compagnie. Plusieurs entreprises reconnaissent les réalisations par un «Prix de l'employé du mois».

Reconnaître les réalisations individuelles peut être un moyen efficace de motiver les gens.
Gracieuseté de l'Institut d'assurance du Canada

Des bonis en argent qui ajoutent au prestige personnel et professionnel de l'employé peuvent également servir de récompense. Des bonis non monétaires seraient d'assister à une conférence au nom du service, d'être invité à une réunion spéciale ou à un dîner d'affaires.

Le directeur qui ignore les réalisations ou qui délègue le travail tout en s'en gardant le crédit crée un environnement de mépris qui mine les bonnes relations de travail.

Respecter le personnel

Chaque employé devrait être vu comme une personne qui a une contribution à apporter. Bien que chacun ait ses limites, tout le monde doit être traité sur le même pied, sinon, il y aura du mécontentement.

Prise de décision

Ce n'est pas tout de prendre des décisions justes, le directeur doit aussi s'assurer que l'employé les trouve justes. Toute discussion ou décision impliquant un employé devrait le concerner.

Les employés ont besoin de savoir que le patron a confiance en eux. Et il n'y a pas de meilleur façon de développer ce sentiment que par l'implication des gens dans la prise de décision.

Donner le bon exemple

Le directeur est un modèle professionnel qui donne le ton avec le respect des apparences, de l'attitude, du comportement et du code d'éthique professionnelle. Celui qui ne respecte pas les politiques de la compagnie, qui utilise l'équipement à des fins personnelles, qui passe beaucoup de temps au téléphone pour affaires personnelles, qui ne s'habille pas de façon convenable ou qui arrive en retard et part avant l'heure ne peut pas s'attendre à une meilleure conduite du personnel.

L'enthousiasme est contagieux. Si le directeur aborde positivement même les tâches les plus difficiles, l'employé fera de même. N'exigez pas des autres ce que vous refuseriez de faire vous-même.

QUESTIONS DE RÉVISION ET DE DISCUSSION

1. Décrivez les démarches qu'un directeur peut utiliser pour motiver son personnel.
2. Commentez l'affirmation «L'enthousiasme est contagieux».
3. Quelle est l'importance de l'enthousiasme pour le fonctionnement productif du bureau? Justifiez votre opinion.

ÉVALUATION DU PERSONNEL

On évalue un employé pour un travail précis. Pour faire une évaluation équitable, le directeur et l'employé doivent tous les deux comprendre les exigences du travail.

Description de tâche

Les exigences de l'employeur sont écrites et constituent la base de la description de tâche. Pour être complète, elle devrait comprendre un résumé des exigences du poste, l'expérience et la formation nécessaires de même que la situation du poste par rapport à l'organisation globale de la compagnie.

Cette description doit changer avec les modifications à la tâche. Par exemple, le rôle du commis au courrier changerait complètement avec l'introduction d'un système électronique. Étant donné qu'il ne ferait plus de livraison à l'intérieur de la compagnie, la mention de cette responsabilité devrait être rayée de la description de tâche.

Cette description circonscrit la responsabilité de chaque poste pour permettre à chacun de connaître son rôle. C'est pourquoi, en plus d'être une base d'évaluation du personnel, elle est aussi un moyen d'organisation et de contrôle du déroulement du travail. Si elle existe, il est plus facile d'assigner des employés à des postes qui leur conviennent.

Une description de tâche résume les responsabilités particulières exigées par un poste donné.

FERNAND ET FERN LTÉE

Titre du poste _____ADJOINT ADMINISTRATIF_____ Date ____14 janvier, 19—____

Nom _____Christian Denis_____

Service ____Personnel_____ Endroit ____Fernand et Fern ltée____

Directeur ____B. Chalin_____ Approbation _____

1. FONCTIONS PRINCIPALES: En une ou deux phrases, donnez le but du poste en signalant sa fonction principale. (Vous trouverez peut-être cela plus facile à compléter après avoir rempli le numéro 2.)

Donner de l'aide générale de bureau au directeur du personnel et à l'analyste en bénéfices et en indemnisation.

2. TÂCHES PARTICULIÈRES: En ordre d'importance, donnez vos tâches régulières incluant celles que vous faites. Utilisez des verbes d'action comme «classer», «compiler», «opérer», etc. en évitant «préparer», «manipuler» et «aider».

TÂCHES	Fréquence
1. Composer et taper des lettres, des notes et d'autres rapports de même que la correspondance pour le directeur du personnel, le coordonnateur des bénéfices et indemnités de même que les autres gérants de service au besoin.	Quotidien
2. Enregistrer les nouveaux employés et leur expliquer les bénéfices.	Au besoin
3. Compiler et taper les listes du personnel, les rapports de rotation, les changements de personnel et les rapports sur le personnel.	Mensuel
4. Distribuer les réquisitions d'augmentation salariale.	Mensuel
5. Calculer, taper et distribuer les relevés annuels des bénéfices aux employés.	Annuel
6. Administrer le programme de réduction des frais de scolarité.	Au besoin
7. Examiner les demandes de dons corporatifs, taper les réquisitions de chèques et la correspondance, maintenir des dossiers sur ces demandes.	Quotidien
8. Répondre aux demandes téléphoniques régulières des employés; répondre aux appels de l'extérieur sur le crédit et les vérifications de référence, et les demandes d'emploi.	Quotidien
9. Répondre par écrit à tous les curriculum vitæ et demandes reçus, qu'ils soient sollicités ou non. Garder un dossier actif de recrutement, en s'assurant que toutes les demandes sont bien classées avec renvoi pour récupération facile.	Quotidien

---

Commentaires et rapports sur le rendement d'un employé devraient être fait en fonction des exigences de la description de tâche. Il serait injuste, entre autres, de critiquer l'incapacité d'un employé de créer une base de données ou un tableau s'il avait été engagé pour faire fonctionner un photocopieur central. Par contre, des commentaires sur son habileté à interpréter et à exécuter des instructions sur la photocopie d'un dossier quelconque seraient dans l'ordre.

Le mécanisme d'évaluation

L'évaluation des employés est une procédure permanente faite de façon formelle et informelle.

L'évaluation informelle se fait sur l'ouvrage et est habituellement verbale comme «C'est formidable, tu as fait un bon travail!», «Cela doit être amélioré», ou «Peut-être que la prochaine fois tu pourrais t'y prendre de cette façon pour obtenir de meilleurs résultats». Il est important pour l'employé de savoir comment le directeur perçoit son rendement.

Les évaluations formelles sont habituellement écrites et sont faites une ou deux fois par année. Elles sont générales et peuvent inclure des sujets comme le rendement, les attitudes et l'habileté à s'entendre avec les autres. Souvent, on y trouve des listes témoins qui éliminent les rapports écrits fastidieux. En font également partie, le rapport d'absences et de retards, l'obtention de récompenses de réussite comme vendeur du mois, les déclarations des choix de carrière et la participation à des cours pertinents au travail et à des associations professionnelles. On peut aussi faire référence à des critères particuliers pour appuyer les commentaires généraux.

Entrevue d'évaluation

Il est préférable que le directeur présente une évaluation écrite formelle au cours d'une entrevue avec l'employé, qui devrait avoir le temps de la lire et d'en discuter.

Souvent, on peut inviter l'employé à une auto-évaluation s'il doit remplir le même rapport que le directeur. Ils en discutent ensemble et décident du contenu de l'évaluation finale.

Une telle entrevue peut être une occasion idéale pour renforcir l'esprit d'équipe au bureau, motiver un employé à se bâtir un plan de carrière ou pour rectifier les problèmes et les malentendus existants.

Bien que pouvant être une expérience positive, une telle entrevue est redoutée par les deux parties. Certains employés la voit comme une expérience inconfortable mais leur crainte est diminuée lorsqu'on leur permet de participer au mécanisme d'évaluation. Une liste témoin aide aux directeurs qui ont de la difficulté à s'exprimer.

On craint surtout les évaluations négatives ou qui contiennent des suggestions d'amélioration. Toutefois, si les entrevues sont bien faites, elles peuvent se changer en expérience positive pour l'employé.

Idéalement, un directeur devrait faire l'évaluation d'un employé conjointement avec lui.

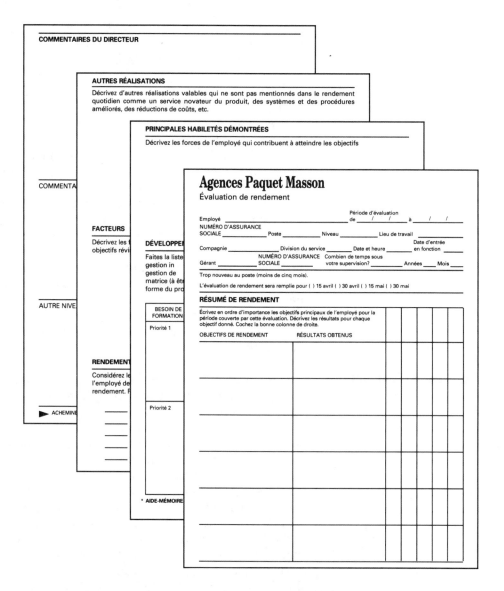

Tenir une entrevue
Le directeur obtiendra de meilleurs résultats en entrevue s'il commence par les aspects positifs du rendement de l'employé pour ensuite aborder les points qui ont besoin d'être améliorés.

La discussion devrait être à deux sens et non un monologue que l'employé doit subir en silence. Les critiques sont mieux reçues si l'employé admet l'existence d'un problème et si on en arrive ensemble à des solutions.

Si le mauvais rendement d'un employé persiste, le directeur a la responsabilité de le rencontrer pour lui en parler. Cela permet à l'individu de s'amender avant que cela ne devienne un problème majeur.

Amélioration du rendement de l'employé

Plusieurs facteurs peuvent provoquer chez un employé un rendement inférieur à ses capacités. Quelques-unes des raisons sont une mauvaise répartition du personnel, une incompréhension des exigences, des problèmes personnels, une tension physique et mentale ou un manque de motivation. Si la principale cause est une incompréhension des exigences, le directeur devrait améliorer les moyens de communication pour bien définir les directives et les attentes.

Il est essentiel que la communication soit dans les deux sens. Il relève du directeur d'obtenir la rétroaction de l'employé pour s'assurer qu'il comprend ce qu'on attend de lui. Le directeur doit éviter les questions que l'on répond par oui ou non comme «Comprends-tu?». Il devrait plutôt encourager des réponses complètes avec des questions comme «Comment penses-tu faire ce travail?». La réponse va indiquer si le travail a été compris.

Les employés dont le travail est affecté par des problèmes personnels pourraient être référés à un conseiller. Certaines entreprises ont ce service à l'interne; toutefois, le directeur devrait avoir la liste des autres agences du milieu. La source des problèmes est peut-être un décès ou une grave maladie dans la famille. Si le problème relève du travail, le directeur devrait vérifier l'environnement pour en déterminer la cause. Pour une étude détaillée des causes possibles, consultez la section du chapitre sur le stress dans le milieu de travail.

Que fait-on de l'évaluation formelle?

Les rapports écrits sont mis au dossier pour faire l'historique d'emploi. On s'y réfère si l'employé postule un poste, en vue d'une promotion, ou s'il est remercié. Toutes les copies positives ou non devraient être remises à l'employé à qui on demande de signer la copie comme preuve qu'il a lu le rapport.

QUESTIONS DE RÉVISION ET DE DISCUSSION

1. Pourquoi la description de tâche est-elle la base de l'évaluation du personnel?
2. Pourquoi remettre une évaluation écrite en entrevue?
3. Pourquoi plusieurs personnes redoutent-elles les évaluations? Quels facteurs peuvent diminuer cette anxiété devant la procédure d'évaluation?
4. Comment mener une entrevue d'évaluation pour obtenir les meilleurs résultats?

LE STRESS EN MILIEU DE TRAVAIL

Le stress est une sensation d'oppression qui a des causes physiques ou mentales. Bien qu'il en faille un peu dans l'organisme parce qu'il pousse les gens à travailler plus fort et à être plus éveillés, le stress permanent peut toutefois être dommageable.

Le stress a un gros impact sur l'industrie canadienne. Les enquêtes de l'Institut canadien sur le stress ont démontré que les décès prématurés des employés coûtent 1,9 milliard, l'alcoolisme 1,6 milliard et les troubles mentaux 1,4 milliard en absentéisme et en coûts de traitement. Près de

Un directeur s'assure que les employés peuvent faire leur travail dans un environnement sécuritaire et confortable. La connaissance des lois du travail est essentielle.
Gracieuseté de Digital Equipment du Canada Limitée

3,2 millions de journées de travail et 560 millions en salaire et en bénéfices sont perdus à cause des maladies du cœur.

Le stress en milieu de travail ne peut pas être évité. Toutefois, si le directeur en connaît les symptômes, il peut collaborer avec l'employé pour le contrôler.

Symptômes du stress

Le corps donne des signaux d'alarme quand une personne est nerveuse ou anxieuse en travaillant sous pression. Ces signaux peuvent être un rythme cardiaque accéléré, des crampes d'estomac, une gorge sèche, de l'insomnie, de la haute pression et de la transpiration. De tels signaux prolongés peuvent résulter en épuisement, saignements de nez, maux de tête, ulcères, haute pression, maladie du cœur, toxicomanie ou alcoolisme.

Les causes du stress

Le stress peut être causé par n'importe quel changement dans le milieu de travail. Les gens ont tendance à craindre l'inconnu et peuvent s'inquiéter de ce qui leur arrivera. Par exemple, l'implantation d'une nouvelle technologie provoque beaucoup de changements. Les questions comme «Vais-je conserver mon emploi?», «Serais-je capable de m'adapter?», «Va-t-on m'en demander plus?» sont courantes dans l'implantation d'un nouveau système.

D'autres facteurs qui peuvent donner du stress sont des attentes irréalistes, un environnement de travail insécuritaire ou inconfortable, un conflit avec les collègues, trop ou pas assez de variété dans le travail, une mauvaise gestion, pas assez de défis.

Techniques de gestion du stress

On peut diminuer le stress au travail en impliquant les employés dans les décisions qui auront un impact sur leur façon de travailler. Une bonne formation donnera confiance et aidera à réduire la sensation de stress.

L'organisation personnelle et une bonne gestion du temps devraient faciliter la réalisation des tâches et le respect des échéances.

Conseils pour faire face au stress

1. **Prendre des poses régulières, faire des tâches moins stressantes et arrêter momentanément le travail** (prendre une marche, monter des escaliers). Si possible, **partagez votre charge de travail** si vous en avez trop. Demander de l'aide ne veut pas dire que vous êtes incompétent mais plutôt que vous êtes un employé consciencieux qui veut atteindre les objectifs de la compagnie et respecter les échéances.

2. **Discutez de votre charge de travail avec votre directeur.** Déterminez ce que vous pouvez accomplir et suggérez des alternatives pour compléter le travail. Entendez-vous sur un arrangement satisfaisant.

3. **Concentrez-vous sur les aspects positifs de votre travail** — les heures, le monde, le milieu physique, ce que vous faites présentement, le genre de compagnie, les occasions d'avancement ou les chances de perfectionnement.

4. **Encouragez-vous.** Contrez chaque pensée négative avec une réponse positive. «Je ne suis pas un échec; j'ai réussi plusieurs choses»; «Je serai aussi préparé que possible étant donné les circonstances»; «Je me comporterai avec confiance.» Évitez de vous comparer aux autres et reconnaissez vos habilités. Croyez en vous; vous êtes capable!

5. **Obtenez un soutien moral** en parlant en toute confiance de vos inquiétudes avec les gens au travail — les collègues et ceux à l'extérieur du travail comme la famille et les amis.

6. **Admettez vos limites** d'énergie et de temps, et **fixez des priorités**.

7. **Donnez-vous de l'énergie.** Augmentez votre résistance par un sommeil régulier, de l'exercice physique, des loisirs et de bonnes habitudes alimentaires.

8. **Apprenez à vous détendre.** Amusez-vous au travail et à l'extérieur. Ayez le sens de l'humour. Le rire est thérapeutique et provoque une libération de tension.

9. **Visez un accomplissement personnel** à l'extérieur du travail.

10. **Ayez une vie équilibrée** en allouant du temps pour la famille, les amis et les loisirs.

Tiré de *Stay Ahead With A Good Attitude*, publié par la division des services professionnels de la Main-d'œuvre de l'Alberta et produit en collaboration avec le Comité de la semaine des carrières du Canada, 1984. Reproduit avec permission.

Un directeur peut suggérer des techniques qui aideront un employé à s'organiser.

Les employés «bourreaux de travail» devraient être interpellés à avoir un passe-temps qui n'est pas relié au travail ou à faire du bénévolat. La participation aux activités extérieures donne à l'employé un répit bien mérité. Se confier à un ami qui n'est pas un collègue de travail permet d'élucider certains problèmes.

Le stress diminue si on conserve de bonnes habitudes de vie comme une bonne alimentation, un repos adéquat et une bonne forme physique. Celui qui «brûle la chandelle par les deux bouts», ou qui déjeune avec un beignet en se rendant au bureau le matin, ne sera pas prêt à donner un rendement satisfaisant.

QUESTIONS DE RÉVISION ET DE DISCUSSION

1. Décrivez les effets du stress au travail.
2. Quelles situations peuvent causer du stress au travail?
3. Comment peut-on contrôler le stress?
4. Quelles sont les responsabilités d'un directeur devant un employé qui montre des signes de stress? Justifiez votre réponse.

LEADERSHIP

Le leadership est la façon qu'un gérant dirige et influence ses employés pour atteindre des objectifs précis. On obtient la crédibilité nécessaire à un rôle de leadership de directeur ou de gérant selon une connaissance des pratiques d'affaires acquises par l'expérience et l'instruction.

Les styles de leadership varient d'une attitude autoritaire à une attitude plus libérale. Le style d'une personne est le résultat de sa formation, des expériences, du genre de travail accompli auparavant.

Ce style varie selon les besoins de chaque tâche. Un gérant efficace devra modifier son style selon une situation donnée ou devant l'attitude de l'employé.

La théorie X et la théorie Y

Dans *The Human Side of Enterprise*, Douglas McGregor présente ces deux approches de gestion du comportement, appelées théorie X et théorie Y.

L'approche de la théorie X présume que la majorité des employés est passive, évite le travail et veut fuir les responsabilités. C'est pourquoi elle préconise pour atteindre les objectifs de la compagnie un animateur autoritaire qui contrôle, manipule et menace de punir.

Les employés ainsi supervisés craignent la désapprobation et attendent des consignes particulières avant de commencer un travail. Parfois, il y a arrêt de travail en attendant le retour du directeur. Cette approche nuit à la productivité et au moral des employés.

Par contre, la théorie Y présume que les employés sont consciencieux et créateurs, toujours à la recherche de défis et de responsabilités. Ils ne sont pas réfractaires au travail et ne résistent pas à l'atteinte des objectifs de la compagnie.

La responsabilité de cet animateur est de créer une ambiance détendue favorisant la participation des employés et leur prise de responsabilités pour atteindre les objectifs personnels et corporatifs.

Gestion par objectifs

C'est un style de gestion qui se concentre sur l'établissement d'objectifs précis ou d'objectifs de la direction et des employés. Ensemble, le gérant et les employés décident de la façon d'atteindre ces objectifs, des échéances et de la méthode d'évaluation. Ils se rencontrent régulièrement pour échanger sur ceux-ci et sur les obstacles qui pourraient en empêcher la réalisation.

Pour que ce mode de gestion soit efficace, il est primordial que les gérants encouragent la participation des employés et fixent conjointement des buts réalisables.

Gestion en circulant

Ici, les animateurs font exactement ce que le terme indique. Ils visitent chaque secteur de la compagnie et parlent aux employés aussi souvent que possible.

Les gérants qui fonctionnent de cette façon parlent directement aux employés au lieu de se fier aux renseignements recueillis par d'autres.

Cela donne une meilleure perspective du fonctionnement à la base. Ainsi, au lieu de prendre des décisions à partir de renseignements recueillis par un tiers, le gérant le fait à partir de ses observations et de ses conversations.

**QUESTIONS
DE RÉVISION
ET DE DISCUSSION**

1. Comment développe-t-on un style de leadership?
2. À votre avis, quelles qualités devrait posséder un bon dirigeant?
3. Décrivez le climat dans un bureau qui a un directeur favorisant l'approche X et un autre l'approche Y au leadership.
4. Décrivez l'approche de la gestion par objectifs et celle en circulant.

UTILISATIONS

1. Choisissez deux cas où vous avez fait une activité avec une personne responsable. Bien que ces cas proviennent peut-être d'un travail temporaire ou estival, ils peuvent aussi provenir d'une activité collective avec un responsable.
   a) Décrivez la nature du travail ou du groupe et donnez des précisions sur chaque cas.
   b) Comment qualifieriez-vous le style d'animation du responsable dans chaque cas?
   c) Comment le responsable s'entendait-il avec les employés ou les membres du groupe?
   d) Quelles seraient les forces et les faiblesses de chaque responsable?
   e) Que pensaient les membres du groupe du responsable? Pourquoi?
   f) Si vous aviez été le responsable, qu'auriez-vous fait de différent?
2. Vous êtes impliqué dans la sélection d'un adjoint administratif pour la gérante du bureau régional de l'Ouest, Louise Pétrillo. La description de tâche suit. Préparez dix questions à poser lors de l'entrevue. Pourquoi les avez-vous choisies?

DESCRIPTION

Le poste:
   Le poste se rapporte au gérant du bureau régional et lui fournit de l'aide en administration.
Voici les responsabilités:
- Accomplir du travail de bureau incluant le traitement de texte à partir d'un texte ou de dictée, conserver les dossiers, organiser les réunions.
- Concilier les dépenses budgétaires aux tableaux informatisés.
- Rechercher et recueillir l'information pour des rapports particuliers et des réunions.

- Communiquer au téléphone, en personne ou par écrit.
- Superviser le personnel de soutien en coordonnant, distribuant et contrôlant leur travail.
- Former le personnel de soutien aux méthodes et procédures de traitement de texte, et aider aux procédures d'embauche.

Qualifications :
- diplôme d'études secondaires avec quelques années d'expérience. Un diplôme d'études commerciales post-secondaires serait un atout.
- excellentes habiletés en traitement de texte, en organisation et en communication.
- démontrer une habilité d'adaptation au changement et d'exécution de tâches avec peu de supervision.
- un dossier de bon rendement au travail.

3. L'équipe de sélection a rencontré trois candidats en entrevue. Après les entrevues, l'évaluation des curriculum vitæ et la vérification des références, on a fait un profil de chaque candidat. En petit groupe, jouer le rôle du comité de sélection, examinez chaque profil et prenez une décision. Votre groupe doit a) justifier par écrit son choix, b) résumer pourquoi vous avez rejeté deux candidats et c) préparer des lettres pour informer le candidat choisi de même que les deux autres.

Premier profil :
Suzanne Jacques, 5650 Fairmont, Bellerive, Qc, J4T 1X3, a 15 ans d'expérience. Elle a passé les trois dernières années comme gérante de bureau où elle occupait des fonctions semblables chez un de nos plus gros compétiteurs. Elle détient un diplôme d'école secondaire et lors de l'entrevue, elle a dit qu'elle a suivi des cours non crédités en gestion commerciale mais qu'elle ne les a pas inscrits sur son curriculum vitæ. À l'entrevue, elle était très confiante et a donné l'impression qu'elle réussirait n'importe quelle tâche confiée. Une personne de ses références était surprise qu'elle postule un autre emploi.

Deuxième profil :
Robert Pasteur, 733, 13e Avenue, Laprairie, Qc, J4V 5B3, a six ans d'expérience en affaires dont deux avec son employeur actuel qui a récemment fait de l'expansion de même qu'une restructuration. Bien que n'ayant pas d'expérience en supervision de bureau, il a été le premier à être formé à un système central de traitement de texte et a aidé aux autres employés à s'y familiariser. Robert n'a pas d'expérience avec les budgets mais a suivi un cours de comptabilité à l'intérieur d'un diplôme d'études commerciales dans un collège d'arts appliqués et de technologie. Une de ses références montre qu'il était intéressé et avait une attitude positive, mais qu'il y avait place à l'amélioration dans la communication écrite et verbale.

Troisième profil:

Au cours des 14 dernières années, Marie Lanctôt de Baie d'Urfé, Qc, H9T 1B7, a tenu plusieurs postes avec la compagnie: au budget, à la gestion centrale des dossiers et au centre de photocopie. Tous ces postes étaient de même niveau et ne lui demandaient pas de spécialisation. Vu qu'il y a déjà eu ouverture de postes du même genre, il était normal de lui demander pourquoi elle n'avait jamais postulé. Cette question l'a rendue nerveuse et elle répondit qu'elle ne se sentait pas aussi compétente que d'autres postulants, mais maintenant qu'elle avait travaillé dans plusieurs services, elle avait une plus grande confiance. Ses directeurs ont tous fait l'éloge de son sens de l'organisation et de son attention aux détails. Un d'eux a aussi ajouté qu'à cause de sa gêne, elle participait très peu aux événements collectifs.

4. Dans le cadre d'une réévaluation de tous les postes, on a interviewé chaque employé pour déterminer la nature de son travail. Les entrevues étant terminées, votre groupe doit rédiger de nouvelles descriptions de tâches.

À partir de la transcription de l'entrevue avec Michel Dubois, rédigez une description de tâche. Servez-vous des catégories Résumé d'emploi, Responsabilités types et Qualifications. Une fois terminés le résumé d'emploi et les responsabilités, à partir de l'entrevue, remplissez la section des qualifications selon ce qui vaut la peine d'être noté.

L'entrevue:

Voici les commentaires de Michel Dubois, adjoint aux ventes, lors des entrevues de réévaluation.

«Jacques Volet est le responsable du service des ventes, mais quand j'ai des questions, je m'adresse à Andrée Lambert, coordonnatrice aux ventes. Les clients appellent pour passer des commandes, voir si la marchandise est disponible et vérifier le prix. Parfois, on me demande d'inspecter des commandes non reçues. Je peux facilement trouver la réponse grâce à mon terminal informatique. Je tape le numéro de code et je peux voir la description du produit de même que son prix et sa disponibilité. Si on veut faire une commande, j'achemine l'information à la réserve et les employés d'entrepôt m'envoient la marchandise. Les factures sont imprimées et, souvent, j'aide à les préparer pour la poste en opérant l'appareil à déliassage et à déassemblage qui fait le triage. Parfois, je prends une facture, en fais une copie et l'envoie au client qui a besoin d'un double. Tous les trois mois, Andrée prépare le rapport des ventes et je lui aide à recueillir l'information. L'entrée des données est rendue facile à cause d'un doigté rapide au dactylo.»

5. Claire Thomas travaille pour la compagnie depuis 12 ans. Elle a été assignée à diverses tâches: aux ressources humaines, à la production et à la commercialisation. Comme responsable du service de commercialisation, vous devez préparer son évaluation formelle annuelle. Bien que vous ne soyez en poste que depuis quatre mois, vous avez remarqué que Claire est très compétente. Elle est efficace, précise et capable de produire une grande somme de travail en peu de temps. Tout ce qui demande une recherche approfondie est sa spécialité. Elle a été la première à s'attaquer et maîtriser le nouveau progiciel du système réseau de la région. Elle s'est même offerte pour être la première à apprendre le système et a ensuite aidé les autres à se familiariser avec lui. Elle a aussi profité des ateliers de gestion de bureau donnés à l'heure du dîner.

De plus, vous avez noté qu'elle est très critique de la gestion de la compagnie. Elle semble toujours dire que les idées de la direction ne sont pas pratiques et semble prendre tous les directeurs en défaut. Par exemple, l'entreprise a dernièrement déménagé d'un édifice insalubre à un nouveau bureau ergonomique qui a un stationnement pour les employés, une meilleure cafétéria et une garderie. Alors que les autres employés étaient contents des nouvelles installations, Claire se plaignait encore des couleurs, de la ventilation et de l'éclairage. À son avis, il n'y avait pas encore assez d'espace.

L'ancien directeur corrobore vos observations. Toutefois, vous remarquez que les évaluations antérieures n'ont jamais mentionné l'attitude de Claire.

a) Rédigez l'évaluation de Claire.

b) Pourquoi n'y avait-il pas mention de l'attitude de Claire dans les évaluations antérieures? Quels problèmes pourraient causer ces omissions dans la présentation de votre évaluation?

c) Dites en détails comment vous conduiriez l'entrevue d'évaluation.

d) Préparez des questions de discussion pour l'entrevue d'évaluation de Claire.

6. Jacques aimerait devenir coordonnateur des ventes responsable d'une équipe régionale de vendeurs. Il possède un diplôme d'école secondaire et a travaillé à l'entrepôt à remplir des commandes; il a aussi travaillé au service des commandes, à les recevoir au téléphone et à les traiter.

Tenez compte des qualifications requises pour être coordonnateur des ventes. Quels conseils donneriez-vous à Jacques pour améliorer ses chances d'avancement?

7. Étudiez les agences de votre milieu qui donnent des services d'orientation pour traiter des problèmes personnels et sociaux. Décrivez pour chacune la façon dont le service fonctionne et comment on peut s'adresser pour obtenir de l'aide.

STAGE EN COMMUNICATION

1. Mettez-vous à la place du directeur et regardez chacune des phrases suivantes. Comment les diriez-vous autrement?
Justifiez vos choix.

   «Tu es en retard! Vite au travail!»

   «C'est comme ça que je veux que ce soit fait. Ne pose pas d'autres questions!»

   «J'ai besoin de ce rapport pour vendredi. J'espère que cela ne vous dérange pas de le préparer, sinon, quelqu'un d'autre peut le faire.»

2. Le directeur du service des ressources humaines a besoin d'information sur tous les employés pour préparer l'horaire des vacances et les rapports annuels d'évaluation. Faites une base de données pour aider à organiser l'information. Chaque dossier de la base de données devrait contenir: le nom de l'employé, le service, la date d'emploi, la catégorie salariale et les semaines de vacances auxquelles il a droit.

Nom et service	Date d'emploi	Catégorie salariale	Semaines de vacances
J. Casgrain achats	juillet 1983	IV	4
P. Lussier ventes	mai 1986	III	2
T. Couture comptabilité	août 1983	V	4
H. Duclos comptabilité	avril 1983	III	4
L. Cadieux achats	août 1987	II	2
R. Simon ventes	juin 1985	V	3
H. Cormier commercialisation	octobre 1984	III	3
T. Demeules entrepôt	septembre 1988	IV	2
P. Boudreau ressources humaines	juin 1987	I	2
S. Lauzon ventes	novembre 1985	II	2
J. Verrault commercialisation	février 1986	III	2
A. Noiseux ventes	novembre 1985	IV	3

S. Beaulieu ressources humaines	juin 1987	V	2
T. Brousseau comptabilité	août 1988	IV	2
H. Beaufort formation du personnel	avril 1985	III	3

L'information entrée, faites les rapports suivants : une liste des employés du service des ventes ; une des employés ayant droit à quatre semaines de vacances et une autre de ceux qui ont été engagés au mois d'août de n'importe quelle année et qui recevront une évaluation annuelle avant le mois de septembre.

LA TECHNOLOGIE ACTUELLE EN ACTION

Automation hors glace

Les Oilers d'Edmonton ont conservé l'initiative de l'aspect affaires du hockey en automatisant les rapports de dépistage, la billetterie et la communication avec le siège social de la ligue et avec les médias.

Shelley Boyes

Dans le monde du hockey, les Oilers d'Edmonton sont le symbole de la jeunesse, de l'innovation et, surtout, du succès. Après seulement huit saisons dans la Ligue nationale de hockey, le club a mérité deux coupes Stanley tout en venant bien près d'en gagner une troisième en autant d'années.

Les Oilers font certainement quelque chose de bien.

Bien entendu, le génie de Wayne Gretzky, le savoir-faire de Glen Sather et le poids financier de Peter Pocklington y sont pour quelque chose.

Mais derrière la splendeur du sport et de ses personnalités, une équipe professionnelle de hockey est une entreprise comme n'importe quelle autre. L'organisation des Oilers est dans la vente de divertissement. Son produit est l'équipe, son marché, les supporters. Les recettes proviennent de la vente des billets, des commandites, des droits de rediffusion, des souvenirs, etc.

Comme toute autre entreprise, le club cherche constamment à être un pas d'avance tant sur la glace qu'à l'extérieur. Une des façons d'y arriver est en utilisant les outils disponibles de haute technologie.

Le dossier de l'équipe en innovations technologiques loin du regard est presqu'aussi impressionnant que ses victoires de la coupe Stanley. Il y a six ans, le premier ordinateur faisait son entrée et maintenant, pratiquement la seule chose qui n'a pas été améliorée par l'automatisation est l'habileté de Gretzky à préparer de beaux buts.

Le siège social de la LNH: «Ils ont été le catalyseur.»

La direction des Oilers n'a pas amené le club à l'âge de l'information sans aide. La principale décision technologique a été faite au siège social de New York.

En 1979, la ligue achetait un Système IBM/34 pour aider à conserver et analyser les sommes énormes de statistiques qu'elle recueillait sur chaque équipe et chaque joueur.

Après chaque match, chaque équipe remplit un résumé de match qui va plus loin que l'identité des compteurs et le temps des buts. Ce résumé comprend, par exemple, le rapport plus-moins pour chaque joueur — combien de fois il était sur la glace alors que son équipe comptait un but ou s'en faisait compter un. Il y a aussi pour chaque joueur selon sa position, la proportion de buts comptés sur le nombre de lancers sur les filets.

Ces rapports compilés quotidiennement donnent la fiche annuelle cumulative de la performance de chaque équipe et de chaque joueur. Ils sont une source inestimable d'information pour les entraîneurs, journalistes et supporters assoiffés de statistiques.

Les clubs avaient l'habitude de communiquer avec le bureau chef par Télex ou TWX. Mais avec l'acquisition d'une unité centrale, la ligue avisa que la communication entre ordinateurs était la voie de l'avenir immédiat.

Quelques équipes ont protesté parce qu'ils trouvaient leurs systèmes à la hauteur ou que la dépense était injustifiée: un ordinateur serait sous-utilisé pendant les mois entre les saisons.

Le club d'Edmonton ne faisait pas partie de ce groupe. Pour eux, le monde de la technologie était aussi nouveau, mais il a fait des recherches pour en arriver rapidement à la conclusion que l'ordinateur servirait à bien d'autres choses que la seule communication avec le siège social.

Indépendamment des prétentions des vendeurs, la direction s'est rapidement rendue compte que la comptabilité serait un problème

(suite)

majeur si vous vouliez que des systèmes de différents fournisseurs communiquent entre eux. Et si le siège social de la LNH élaborait ses programmes pour aider les clubs, les Oilers voulaient être en mesure d'en profiter. C'est pourquoi ils ont pris la voie la plus sensée et se sont équipé du Système IBM/34.

Il en est résulté qu'ils ont découvert qu'il était plus facile et pratique de transmettre les résumés de matchs par micro-ordinateur. Le club utilise présentement un de ses trois IBM PC pour cette tâche et bien d'autres.

On utilise le Système IBM/34 pour d'autres choses.

Dépistage: «Cela nous a permis de regarder certaines choses d'une façon différente.»

Garder un pas d'avance sur la glace demande une amélioration constante du produit. Comme les autres équipes professionnelles, l'organisation des Oilers a un appétit féroce d'information sur les nouveaux joueurs prometteurs. Leurs dépisteurs rôdent sur les campus des collèges et dans les arénas du hockey junior à travers le monde à la recherche d'espoirs.

Les dépisteurs envoient un rapport sur chaque joueur prometteur observé. Souvent, on se met a deux ou trois dépisteurs pour observer un bon joueur amateur. Cela obligeait le club à conserver des milliers de dossiers écrits.

Les Oilers savaient que d'autres organisations de sports majeurs comme les équipes de la Ligue nationale de football avaient élaboré des systèmes de dépistage. Le club a donc envoyé une délégation visiter quelques clubs de la LNF pour finalement trouver un système de dépistage qu'il pourrait utiliser comme base de départ de leur propre système.

Moins d'un an plus tard, le système était en fonction. Dorénavant, toute cette volumineuse information sur les espoirs amateurs peut être fusionnée et manipulée de plusieurs façons pour fournir des rapports étoffés à Barry Fraser, dépisteur en chef. La base de données compte 4 000 dossiers de joueurs — professionnels et amateurs — chacun contenant jusqu'à 16 rapports détaillés.

John Blackwell, directeur des opérations de leur club de la Ligue américaine de hockey, est le «jeune homme brillant» crédité d'une bonne partie du succès d'automation des Oilers. Il sourit lorsqu'on lui demande si le système a contribué au flair extraordinaire du club dans le choix de gagnants.

«Comme toute autre base de données, elle n'est aussi bonne que ce qu'on met dedans», d'insister Blackwell. «Il vous faut une bonne équipe de dépisteurs pour tirer de l'information valable du système.»

«Nous a-t-elle donné des premiers choix dans nos listes de repêchage? Non, pas par elle-même. Mais elle nous a aidé à regarder certaines choses d'une façon différente qu'on avait pas le temps de faire avant. Je ne vous dirai pas ce qu'elle est... mais c'est plus que de savoir qui est disponible et à quel prix.»

Billetterie: «Les économies sont très importantes.»

Après que le système de dépistage eut été mis sur la bonne voie, le club a cherché d'autres façons d'utiliser l'ordinateur. Une des opérations qui avait besoin d'aide était la billetterie.

Le grand succès des Oilers aux guichets avait causé des casse-tête particuliers de billetterie. Plus de 16 000 des 17 498 sièges du Colisée sont la chasse gardée de détenteurs de billets de saison.

Les billets de saison sont traités par le personnel du club. Et plus de 16 000 supporters loyaux créaient un énorme problème lorsqu'il fallait préparer et envoyer les préavis, les factures, les billets et les rappels.

Ce que voulaient les Oilers était un système qui distribuerait les sièges, préparerait les factures, les avis et les étiquettes d'adresses — le tout automatiquement.

Puisqu'il s'occupait d'une si grande proportion des billets, le club décida de les numéroter et imprimer à l'aide du Système/34 et d'une imprimante IBM 5211. Seules les ventes de billets individuels seraient confiées à une agence de vente de billets externe.

D'après Bill Tuele, directeur des relations publiques, l'automatisation de la billetterie a été la plus grosse économie réalisée par le club.

«Le traitement des billets a toujours été une tâche fastidieuse… produire et manipuler tout ce papier. Maintenant, nous n'avons qu'à remplir les enveloppes. Les économies sont vraiment énormes.»

Les relations avec les médias: «Je ne peux pas croire que des gens utilisent encore la poste.»

Le vrai mordu du hockey — celui qui achète des billets de saison, un programme à chaque match, un gilet de l'Équipe, peut-être même l'automobile ou la céréale appuyée par son joueur préféré — dévore aussi toute information concernant le hockey. Pour le garder heureux, les clubs de hockey doivent se servir des médias afin de lui fournir d'énormes quantités d'information. Tout cela fait partie du service à la clientèle.

Les Oilers ont aussi trouvé une façon d'utiliser la technologie à cette fin. Pendant des années, les communiqués de presse et les notes avant-match — information sur les changements à l'alignement, les séquences des joueurs, les blessures et toute autre information préparée pour les médias les jours de match — étaient distribués de plusieurs façons dont la poste, les messageries, le télex et le téléphone.

Ce n'est que peu de temps après avoir commencé à utiliser un PC et le courrier électronique pour enregistrer ses résumés de match avec le siège social que Bill Tuele y a vu des possibilités pour son champ d'action.

Bien qu'il admette à son corps défendant qu'il est propriétaire (et utilisateur) du dactylo «au diésel» sur son bureau, les communiqués de nouvelles et les notes avant-match sont désormais distribués par le service de courrier Envoy 100 de Télécom Canada. Ils sont entrés directement dans les ordinateurs des principales agences de presse et des salles de nouvelles. Tuele téléphone encore à certains amis et leur communique des nouvelles récentes. Mais n'importe qui peut l'appeler pour de l'information.

Tout en parlant, il feuillette une grosse pile de communiqués de presse des autres équipes. Il en prend un sur le dessus.

«Voyez, regardez cela. Je l'ai reçu par la poste ce matin et c'est oblitéré depuis cinq jours. À quoi servent de vieilles nouvelles? Je ne peux pas croire que des gens postent encore ce matériel.»

Administration: «On utilise l'équipement de toutes les façons imaginables.»

Diana Hrynchuk, adjointe de direction compétente de Glen Sather, est une autre convertie inconditionnelle à l'automatisation du bureau. Quelques mois après avoir reçu son premier processeur de texte Xerox 860, elle produisait tous les itinéraires complexes de l'équipe et les contrats détaillés des joueurs beaucoup plus vite et avec plus de précision.

Assise à son terminal, elle récupère une liste des souvenirs du club des Oilers; c'est une longue liste de fanions, de casquettes et de gilets.

«Je sais que c'est de base, mais regardez ça. Chaque fois que nous avions un changement de prix, il fallait retaper ces listes et les envoyer à nos détaillants. Maintenant, il suffit d'entrer les nouveaux prix et les imprimer.

«Nous nous sommes rendus compte que nous examinions chaque petite tâche de chaque service pour voir lesquelles on pourrait mieux faire avec l'équipement. Il est très sensé de s'en servir de toutes les façons qu'on peut,» d'expliquer Hrynchuk.

Tuele et elle donnent d'autres exemples:
• L'éditeur des publications des Oilers se sert d'un PC pour faire les programmes et les guides de journalistes.
• Naturellement, toutes les opérations comptables ont été automatisées: le contrôleur a un PC dans son bureau qu'il utilise comme terminal à distance du Système/34 quand il veut vérifier les comptes payables et recevables.
• On y a également entré la liste de paie des Oilers de même que celles de leurs clubs de fermes d'Edmonton et de Nouvelle-Écosse.

Un des aspects les plus frappants de l'histoire de l'automatisation du club est son approche pratique et sobre. Il n'y avait pas de stratégie ou plan d'automatisation à long terme, ni d'édit du bureau de Sather. *(suite)*

Le club a retenu les services d'un conseiller local pour l'aider à concevoir le système de dépistage. Et la direction a décidé que les nouveaux employés devraient avoir une certaine initiation à la bureautique. À part ces quelques gestes et l'achat de l'équipement, l'organisation des Oilers n'a pas pris d'engagement déclaré en faveur de l'automatisation.

Bill Tuele pense que pour donner l'exemple, il suffit de deux grosses têtes comme John Blackwell et Diana Hrynchuk qui utilisent les bons outils.

«Quelques autres se sont intéressés à ce qu'ils faisaient et ont voulu apprendre. Et c'est comme ça que l'idée s'est répandue. Et quand les gens voient qu'une personne incapable de faire du café peut désormais travailler sur un ordinateur, ils jugent qu'ils sont aussi capables de le faire.»

De *Access*, octobre 1986: Southam Communications Limitée. Reproduit avec permission.

CONSTRUIRE VOTRE CONSCIENCE DES AFFAIRES

1. Garder un pas d'avance demande une efficacité en affaires de tous les instants. Comment l'organisation des Oilers s'y est-elle prise pour garder cette avance?

2. Dites en vos mots ce qui a poussé à dire les affirmations suivantes:

   «Le traitement des billets a toujours été une tâche fastidieuse… produire et manipuler tout ce papier. Maintenant, nous n'avons qu'à remplir les enveloppes. Les économies sont vraiment énormes.»

   «Nous nous sommes rendus compte que nous examinions chaque petite tâche… Il est sensé d'utiliser la technologie de toute les façons qu'on peut.»

3. Décrivez les moyens de communication électronique utilisés par l'organisation des Oilers.

4. À partir de l'information fournie, diriez-vous que le genre de système utilisé est un réseau régional local ou un appareil autonome? Justifiez votre décision.

UNE SIMULATION —
UTILISER VOS CONNAISSANCES

INTRODUCTION

Vous faites partie du comité de direction de l'Association nationale des artistes de la télévision. Chaque année, elle organise une conférence de mise en valeur de la formation professionnelle de ses membres. Les participants se tiennent à jour en assistant à des conférences qui sont des ateliers sur des sujets d'intérêt. Ils visitent aussi les étalages de la nouvelle marchandise des distributeurs de produits. L'élection des membres du comité de direction pour un mandat d'un an a lieu pendant la conférence et c'est le moment où il y a la présence du plus grand nombre de membres.

Il y a environ 75 membres qui assistent dont certains accompagnés de leur famille.

Organisation

Formez un comité de trois personnes pour planifier, mener et faire le suivi de la conférence de cette année. Chacun jouera le rôle de responsable pour une étape des opérations afin de coordonner et superviser les activités de cette phase. Au début de chaque étape, le responsable lit attentivement tous les documents ressources pour chacune des phases, évalue toutes les données et prépare une liste des tâches pour le groupe. Il agit aussi comme rapporteur en classe ou avec le professeur.

Contrôle de l'information

On devrait utiliser un progiciel utilitaire, préférablement intégré, pour préparer le programme, contrôler les dépenses et faire le suivi de l'information sur les participants.

Les organisateurs de l'année dernière vous ont laissé des recommandations. Leur rapport est dans les documents ressources de la phase 1. N'oubliez pas que toutes les modifications peuvent affecter les coûts de la conférence.

PHASE 1 — PLANIFICATION

La conférence a toujours duré deux jours et les dates du 10 et 11 juillet ont été retenues par le comité de direction. Le premier jour, comme d'habitude, les participants auront l'occasion d'assister à deux ateliers d'une heure et demie chacun, un le matin et l'autre l'après-midi. Un atelier est prévu le second jour. Les participants choisissent un atelier parmi trois pour chaque session.

Le déjeuner est offert à tous les deux jours. Le premier jour après déjeuner, un conférencier de note s'adressera à tout le monde. Après le déjeuner du second jour, il y aura assemblée générale pour élire le nouveau comité de direction. Le premier soir, les prix seront remis lors d'un banquet. Tous les autres repas sont la responsabilité des participants.

Endroit	Il faut choisir un endroit intéressant pour les membres et leurs familles. Plusieurs participants vont inclure la conférence dans leurs vacances estivales.
	Deux grandes chaînes d'hôtels canadiennes ont déjà été approchées. On a reçu les brochures sur leurs installations; on les retrouve dans les documents ressources de la phase 1. Examinez-les et choisissez l'endroit. Soyez prêts à justifier votre choix au comité de direction. Une fois le site choisi, concevez un dépliant de conférence et une fiche d'inscription.
Brochure de la conférence	Une brochure devrait fournir l'horaire des événements, y compris les repas et les sessions; un résumé du contenu de chaque atelier; et quelques notes biographiques sur les antécédents de l'animateur.
	Les résumés des ateliers et les notes biographiques de l'animateur devraient s'en tenir à 40 mots. De plus, il faut trouver un titre choc pour chaque atelier.
	Sur le formulaire de confirmation des documents ressources de la phase 1, on trouve l'information sur les antécédents des conférenciers, le montant prévu pour couvrir les frais de voyage et de photocopie, et les ententes pour les heures d'atelier.
Fiche d'inscription	La fiche d'inscription comprend les renseignements de base comme le nom et l'adresse, le mode de paiement (c'est-à-dire chèque, mandat ou comptant); le nombre d'années comme membre; et toute autre information utile pour que la conférence se déroule convenablement.
Expositions	Prenez contact avec les distributeurs, avisez-les de l'occasion de rencontrer des clients possibles et invitez-les à exposer. Ils sont responsables de tout équipement audio-visuel dont ils ont besoin.
Frais de la conférence	Avant de publier toute information, vous devez fixer les frais d'inscription. Étant donné que tous les coûts doivent être couverts par les frais des participants et des distributeurs, faites les prévisions budgétaires des dépenses et fixez les frais d'inscription en fonction de ces dépenses. Tenez aussi compte des coûts de location et de repas.
Honoraires des conférenciers	Souvent, les conférenciers à de telles conférences sont déjà pris sur des plateaux de tournage et devront se déplacer. Bien que leur adresse postale se trouve près de l'endroit de la conférence, il peut quand même y avoir des frais de déplacement. Un conférencier s'occupera de son transport de retour et fournira une réclamation qui sera remboursée plus tard. Vous devriez réserver les chambres d'hôtel et vous occuper du paiement en temps opportun. Il faut aussi prévoir les coûts de reprographie des documents d'atelier.
	Lorsque vous évaluez le nombre de repas, ajoutez un repas pour chaque conférencier de la journée à moins qu'ils vous avisent du contraire.

Assurance	Les coûts d'assurance sont de 549 $. (Voir page 486)
Le comité de direction	Bien que les membres du comité de direction ne paient pas pour la conférence, il faut les compter pour les repas. Ils ont tous besoin de chambres mais leurs frais de déplacement sont payés par leur employeur.
Équipement audiovisuel	Les Services de vidéo Centennial, distributeur d'équipement audiovisuel, dont le siège social est au 374, route Western, London, Ontario, L7R 2K4, ont accepté de fournir les appareils à titre gracieux. Ils seront livrés d'un magasin local, mais vous devriez quand même communiquer avec le siège social pour les aviser de vos besoins dès que les conférenciers auront fait connaître leurs demandes.
Coûts de reprographie	Le coût habituel est de cinq cents la copie. Si un conférencier photocopie lui-même ses documents, il devrait être remboursé à ce taux.
Coûts d'impression de la brochure	Lors d'une entente préalable, les coûts d'impression et de distribution ont été fixés à 950 $.
Pauses-café	Un des distributeurs va s'en charger, donc on ne doit pas tenir compte de cette dépense.
DOCUMENTS RESSOURCES DE LA PHASE 1	On y retrouve le rapport de la dernière conférence, les brochures de conférence de l'hôtel, les formulaires de confirmation des conférenciers, la liste des distributeurs et la liste du comité de direction. On devrait examiner les recommandations du rapport de l'année dernière avant de commencer la simulation. Les brochures de conférence des hôtels, les formulaires de confirmation des conférenciers, la liste des distributeurs et la liste du comité de direction. On devrait examiner les recommandations du rapport de l'année dernière avant de commencer la simulation. Les brochures de conférence des hôtels serviront à choisir le lieu de la conférence. Les formulaires de confirmation des conférenciers serviront à préparer le contenu de la brochure et pour réserver les chambres au besoin. Les renseignements de ces deux documents serviront à fixer les frais d'inscription et à louer les salles d'atelier.
RAPPORT DE LA DERNIÈRE CONFÉRENCE	La conférence a été un franc succès. 90 pour cent des participants ont rempli un questionnaire et la plupart ont trouvé les ateliers utiles et pertinents. Toutefois, il y a eu quelques problèmes et les organisateurs de la prochaine conférence devraient penser à des solutions pour rendre plus harmonieuse l'organisation générale.

1. Certains ateliers étaient si surchargés que des participants devaient rester debout et le conférencier n'avait pas assez de documents pour tous. On devra fixer une limite pour chaque atelier. Il faudra également examiner un moyen de présélection d'ateliers. Cela permettra de prévoir l'espace requis et d'aviser un conférencier de la nécessité du matériel supplémentaire.

2. Pour diminuer les dépenses, on avait choisi un déjeuner continental quoique le sondage a montré que les participants préférait un déjeuner complet.

3. On avait seulement désigné un membre du comité de direction à l'inscription et à la distribution des documents aux préenregistrés. Lorsqu'on assignera des postes au comité de direction, il faudra nommer deux personnes à ce poste.

4. Il faut mieux organiser les responsabilités de l'équipement audio-visuel. Les demandes avaient été faites par écrit et remise au membre de la direction qui en était responsable. En deux occasions, celui-ci s'est fié à sa mémoire parce que des notes avaient été égarées et il a fait parvenir des appareils au mauvais endroit.

   Il y a eu 83 inscriptions dont 65 préenregistrements. On a bien accueilli les cinq étalages des distributeurs. Le coût de 300 $ l'espace semblait raisonnable.

FORMULAIRES DE CONFIRMATION DES CONFÉRENCIERS

Les formulaires suivants contiennent toute l'information qu'il vous faut pour les brochures, le contenu des ateliers, l'information de même que pour les documents et l'équipement dont auront besoin chaque conférencier.

Formulaire de confirmation de conférencier

Sujet : Les effets spéciaux et l'éclairage
Le premier jour : Atelier S1 du matin
Conférencier : Rajit Singh
454, Bookham Cres.
Mississauga, Ont.
L5H 1C8

Notes biographiques : Actuellement coordonnateur des effets spéciaux pour Feature Films Limitée, a été le directeur de l'éclairage pour les Productions Nu-Stage pendant trois ans et coordonnateur de l'éclairage pour la British Broadcasting Corporation (BBC) pendant deux ans.

Contenu de l'atelier : Un éclairage peut soit rehausser ou ruiner une production télévisuelle. Il en va de même pour les effets spéciaux. Qu'est-ce qui conduit au succès ? Qu'est-ce qui cause un désastre ? Les méthodes éprouvées d'éclairage et d'effets spéciaux ont encore leur place à la télévision, mais les nouveaux moyens informatisés sont de plus en plus utilisés.

Durant l'atelier, on va examiner le rôle de l'éclairage pour rehausser n'importe quelle production. On soulignera l'importance de la collaboration entre lecteurs, directeurs et éclairagistes. Nous visionnerons deux scènes télévisuelles et nous discuterons de la façon avec laquelle un meilleur éclairage les aurait améliorées.

On traitera également des innovations et de la technologie dans ce domaine.

Besoins audiovisuels: Un appareil vidéo format Beta et un grand écran.

Matériel: Un document de 10 pages pour 20 personnes.

Transport et hébergement: Coût de transport évalué à 349 $ et une chambre pour une nuit.

Formulaire de confirmation de conférencier

Sujet: La promotion

Le premier jour: Atelier S5 de l'après-midi

Conférencière: Eva Smusiak
11310, Gemini Lane
Dallas, TX 75229

Notes biographiques: Actuellement directrice de compte chez Ogilvy et Mather et Associés, auparavant coordonnatrice de la recherche de marchés pour Thompson et Thompson et Associés, deux ans comme adjointe de recherche pour Statistiques Canada.

Contenu de l'atelier: Certains films parmi les meilleurs passent inaperçus. Vous êtes-vous déjà demandé pourquoi? Peut-être recherchiez-vous un autre genre d'auditoire. Grâce à une bonne recherche du marché, vous pouvez choisir l'auditoire cible. Cet atelier va vous montrer la façon de choisir votre auditoire et de lui plaire.

Besoins audiovisuels: rétroprojecteur et écran, également un appareil vidéo avec format un demi-pouce et un moniteur.

Matériel: Aucune distribution.

Transport et hébergement: Je travaille présentement au même endroit. Donc, aucune dépense à part le kilométrage et le stationnement.

Formulaire de confirmation de conférencier

Sujet: Choisir l'acteur fait pour le rôle.

Le deuxième jour: Atelier S9

Conférencière: Karen McCormick
2841, Riverside Dr.
Ottawa, Ont.
K1V 8X7

Notes biographiques: Présentement directrice du théâtre Stage Door; recherchiste de talent pour CBC; instructrice d'art dramatique pour le théâtre Uptown Players; instructrice d'art dramatique au Collège Conestoga des Arts appliqués et de technologie.

Contenu de l'atelier: On peut développer le talent de choisir des acteurs faits sur mesure pour un rôle. Sachez quoi rechercher et quoi ignorer. Vous pouvez l'apprendre en pratiquant. Je partagerai mon expérience du choix des acteurs pour réaliser la meilleure production possible.

Besoins audiovisuels : Pas plus de 25 participants. Il faut un tableau à feuilles mobiles et des feutres.
Matériel : Un document de dix pages pour chaque participant.
Transport et hébergement : Coût du transport 398 $ et une chambre pour une nuit si l'atelier est le matin.

Formulaire de confirmation de conférencier

Sujet : Quel est le rôle du réalisateur?
Le deuxième jour : Atelier S7
Conférencier :   Randy Kaetes
               3535, Beacon Lane
               North Vancouver, C.-B.
               V2C 7Y9

Notes biographiques : Présentement réalisateur de films documentaires à la CBC, auparavant réalisateur pendant cinq ans de dessins animés à la CBC, et coordonnateur des décors pendant trois ans avec la Guilde des Acteurs Downtown.
Contenu de l'atelier : On répondra aux questions de ceux qui ont toujours voulu savoir quel était le rôle du réalisateur. Où prend-il l'argent? Quel est son rôle face aux médias? aux acteurs? au public? Après une courte présentation de mon rôle comme réalisateur de documentaires, je demanderai à l'assistance d'écrire leurs questions sur les feuilles qui leur auront été distribuées. À ce moment-là, je souhaite que l'atelier devienne une période informelle de questions et réponses.
Besoins audiovisuels : Papier et stylos pour 30 personnes et un lutrin.
Matériel : Rien.
Transport et hébergement : Tous les coûts seront couverts par la CBC en hommage au travail de l'association. La CBC a demandé que sa commandite soit mentionnée dans le rapport de la conférence.

Formulaire de confirmation de conférencier

Sujet : L'artiste du maquillage
Horaire : Atelier S4
Conférencière :   Rose Lopodoski
               598, Polyanthus Crescent
               Victoria, C.-B.
               V8Z 2J2

Notes biographiques : Présentement copropriétaire du salon The Beauty Makeover, auparavant coordonnatrice de la cosmétologie pour les Productions Rainbow et récipiendaire du trophée de l'Association de cosmétologie pour ses techniques supérieures de maquillage.

Contenu de l'atelier: Apprenez l'art de la technique du maquillage. Devenez maître du déguisement. Vous pouvez créer le personnage que vous désirez par l'application de maquillage. Plusieurs scènes peuvent être jouées par un acteur. La bonne application de maquillage peut changer le personnage.

Besoins audiovisuels: Un écran et un projecteur à diapositives avec commande à distance, et un tabouret pour asseoir le modèle.

Matériel: Il n'y aura pas de distribution mais les coûts de maquillage pour la démonstration seront environ 25 $. Le nombre de participants devrait se limiter à 15.

Transport et hébergement: Transport évalué à 569 $.

Formulaire de confirmation de conférencier

Sujet: Raccourcis pour apprendre des textes.

Le premier jour: Atelier S6 de l'après-midi.

Conférencier: Ross Cairns
      23, boul. DeGraff
      Winnipeg, Man.
      R4K 2P9

Notes biographiques: Un an comme souffleur, un an comme doubleur avec la tournée de la production «Chorus Line», deux ans comme acteur dans «Chorus Line», et présentement jouant le rôle principal dans la production du Candlelight Dinner Theatre de South Pacific.

Contenu de l'atelier: Les participants auront l'occasion de jouer différents rôles d'une pièce originale en un acte. C'est une comédie qui demandera de mémoriser un texte. En mettant en pratique plusieurs conseils de mémorisation, les participants pourront jouer des rôles assez longs au bout d'une heure. On mettra l'emphase sur les techniques psychologiques de la mémoire adaptées au monde du spectacle.

Besoins audiovisuels: Un microphone.

Matériel: Un document de 15 pages pour chaque participant. Il faudrait limiter le groupe à 20 personnes.

Transport et hébergement: Aucun frais de transport, mais une chambre pour une nuit.

Formulaire de confirmation de conférencier

Sujet: Les décors

Le premier jour: Atelier S2 du matin

Conférencier: Malcolm St. James
      35A, rue Water
      Halifax, N.-É.
      B2A 4T5

Notes biographiques: Décorateur pigiste depuis trois ans travaillant sur contrat pour Creative Concepts, deux ans décorateur adjoint pour le théâtre Shakespearean Outdoor, Angleterre, présentement décorateur responsable de la programmation pour les émissions d'enfant à la CBC.

Contenu de l'atelier: On ne peut pas faire de bons décors sans connaître à fond le message que le spectacle, la pièce ou l'émission veut transmettre à l'auditoire. C'est pourquoi cet atelier va suivre l'évolution du message à la conception des décors tout en montrant comment ces deux domaines se fondent ensemble. Où commencer? Comment mettre ses idées sur papier? Quand commencez-vous la fabrication? On va aussi couvrir les questions pratiques comme le budget, la fabrication, l'entreposage, le montage et la manipulation. Les décors de trois productions majeures seront présentés et critiqués.

Besoins audiovisuels: Un rétroprojecteur, un projecteur à diapositives et un écran. On peut accepter 35 personnes ou plus.

Matériel: Aucun.

Transport et hébergement: Frais de transport environ 259 $, pas d'hébergement.

Formulaire de confirmation de conférencier

Sujet: Choisir des textes qui plaisent au public

Le premier jour: Atelier S3 du matin

Conférencière: Cheryl Koch
B.P. 6050
Moncton, N.-B.
E1C 9H8

Notes biographiques: A été scénariste pendant cinq ans, récipiendaire du trophée de la Guilde des scénaristes, auteure de deux scénarios qui ont été un succès incontesté. Présentement directrice de l'acquisition de scénarios pour Global Television, poste qu'elle occupe depuis quatre ans.

Contenu de l'atelier: Même un bon groupe d'acteurs ne peut pas faire oublier un mauvais scénario; mais dans certains cas, une bonne histoire peut suppléer au manque de talent. L'histoire doit être un miroir de l'expérience humaine. Les spectateurs doivent pouvoir se mettre dans la peau d'un des personnages et en même temps, l'histoire doit les maintenir sur le qui-vive. Les chances sont encore meilleures si les spectateurs travaillent à assembler les indices pour trouver le dénouement de l'histoire.

Besoins audiovisuels: Un podium et un microphone. On peut accueillir 50 personnes.

Matériel: Aucun.

Transport et hébergement: Aucun.

Formulaire de confirmation de conférencier

Sujet : Surveiller vos cotes d'écoute peut être dommageable à votre santé.

Horaire : Conférence principale.

Conférencier : Ross Caldwell
3590, Burloak Drive
Oakville, Ont.
L2K 9N8

Notes biographiques : Je suis un réalisateur qui ne mâche pas ses mots, ayant décidé de ne plus se préoccuper des cotes d'écoute et ayant réalisé avec succès des films pour des auditoires particuliers.

Contenu de l'atelier : En tant que réalisateur expérimenté, je parlerai du désordre qui survient lorsque vous êtes branchés sur les cotes d'écoute.

Besoins audiovisuels : Un podium et un microphone.

Matériel : Aucun, mais il faut un cachet de conférencier de 250 $.

Transport et hébergement : Coût approximatif de 521 $.

Formulaire de confirmation de conférencier

Sujet : Y a-t-il trop ou pas assez de censure? Discutons-en.

La deuxième journée : Atelier S8.

Conférencière : Esther Chan
200, rue Berkeley
Ottawa, Ont.
K2L 8D2

Notes biographiques : Actuellement présidente d'un groupe de pression appelé «Mettons du bon sens dans la censure», organisme communautaire de bénévoles comptant 2 500 membres à travers le Canada.

Contenu de l'atelier : Les censeurs examinent tout, chaque image et chaque parole. Il y en a qui disent qu'on examine les films et qu'on les coupe jusqu'à ce que l'aspect créatif de l'art soit éliminé. D'autres disent que les censeurs doivent dormir pendant les films parce qu'ils laissent passer tant de choses choquantes pour bien des gens. De l'avis de ce groupe, aucun censeur n'a écouté les paroles du film sinon il n'aurait jamais été permis. Qu'est-ce que l'art et qu'est-ce que l'obscénité? Que doit-on enlever pour conserver le bon goût et qu'est-ce qui est nécessaire à l'histoire pour qu'elle demeure intéressante? Vraiment, l'histoire devrait-elle être racontée? Il y a longtemps que la question a été posée et on attend encore la réponse. Qu'en pensez-vous? Donnez votre avis. Au cours de l'atelier, vous pourrez partager vos points de vue.

Besoins audiovisuels : Un projecteur 16 mm avec écran, et un appareil vidéo de 1,27 cm (format VHS 1 demi-pouce) avec un gros moniteur.

Transport et hébergement : Environ 139 $.

LES BROCHURES DE CONFÉRENCE DES HÔTELS

Le comité de direction a déjà commandé les brochures des hôtels sur leurs installations pour les conférences. Voici un résumé de l'information reçue.

Pour simplifier, chaque chaîne d'hôtels a normalisé les prix de repas et de chambres. De plus, chaque endroit a une disposition semblable des salles. Ainsi, la grandeur et le nom des salles sont les mêmes aux différents hôtels d'une chaîne.

L'hôtel de ville

L'hôtel de ville se retrouve dans deux sites canadiens. À Vancouver, l'hôtel est au centre-ville, à trente minutes de l'aéroport sur English Bay près du parc Stanley. À Ottawa, l'hôtel de ville se situe à 45 minutes de l'aéroport surplombant la colline parlementaire près du centre commercial Rideau.

Menus du déjeuner

Le Continental 6,95 $
 Jus d'orange, muffins assortis, danoises et croissants
 Confitures et beurre
 Café, thé, lait ou chocolat chaud

L'International 10,50 $
 Choix de jus
 Salade de fruits frais
 Céréales, œufs brouillés, lard, saucisses ou jambon
 Café, thé, lait ou chocolat chaud

Menus du souper

La soirée 15,50 $
 Trempette et pain français
 Salade aux tomates et au basilic
 Bœuf Stroganoff avec riz
 Mini-carottes, pois avec oignons perlés
 Mousse au chocolat
 Café ou thé

La Parisienne 21,50 $
 Crème de brocoli
 Paté de campagne avec pain français
 Poulet cordon bleu
 Fèves vertes amandine, chou-fleur à la polonaise, riz Pilaff
 et champignons
 Gâteau forêt noire
 Café ou thé

Hébergement

Chambre simple 85 $ Chambre double 95 $
Gratuit pour les enfants de moins de 12 ans s'ils logent avec leurs parents.

Salles de conférence	*Nom*	*Capacité*	*Nom*	*Capacité*
	Rome	25	Madrid	40
	Paris	30	Vienne	25
	Amsterdam	25	Bruxelles	75
	Londres	50	Copenhague	75
	Genève	40	Salle de bal	125

Hôtel Parkside

L'Hôtel Parkside a deux auberges au Canada. Une à Banff, Alberta, à 130 kilomètres de l'aéroport de Calgary: on y retrouve des piscines intérieure et extérieure, des courts de tennis, un sauna, une source d'eau chaude et une piste d'équitation. L'autre est à Mahone Bay, Nouvelle-Écosse, à une heure et demie de l'aéroport de Halifax. Elle offre l'atmosphère tranquille d'un village de pêche. Tout près, il y a un musée maritime à Lunenburg.

Menus du déjeuner

L'extrême est 7,95 $
> Jus d'orange
> Rôties et muffins anglais
> Confiture et miel
> Fruit frais
> Café et thé

Spécial du pêcheur 10,95 $
> Jus d'orange
> Rôties et muffins maison aux bleuets
> Omelette au saumon fumé à trois œufs
> Frites maison
> Café ou thé

Menus du souper

Prise du jour 14,50 $
> Bisque de homard
> Salade verte avec petites crevettes
> Sole amandine
> Brocoli à l'hollandaise et mini-carottes
> Tarte aux pommes

Délice du marin 23,95 $
> Crème de palourdes
> Cocktail aux crevettes géantes
> Queues de homard grillées au beurre fondu
> Riz Pilaff aux champignons et pois avec oignons perlés
> Strudel aux pommes
> Café ou thé

Hébergement   Chambre simple 80 $ Chambre double 100 $
Gratuit pour les enfants de moins de huit ans s'ils logent avec leurs parents.

Salles de conférence

Nom	Capacité	Nom	Capacité
Alberta	50	Ontario	30
Colombie-Britannique	35	Île-du-Prince-Édouard	45
Manitoba	75	Québec	50
Terre-Neuve	25	Saskatchewan	35
Nouveau-Brunswick	50	Salle de bal	150
Nouvelle-Écosse	40		

COMITÉ DE DIRECTION
ASSOCIATION NATIONALE DES ARTISTES DE LA TÉLÉVISION

Présidente
Carol Goodman
4105, Grace Cres.
North Vancouver, C.-B.
V4P 2K9

Vice-président
Sam Waterman
5716 chemin Whitehorn
Côte Saint-Luc, Qc
H2V 3X4

Adjoint de direction
Brad Harnett
85, boul. Walmsley
Toronto, Ont.
M2K 3P9

Relations publiques
Winton Cléments
35, rue Edgar
Welland, Ont.
L3J 2Y8

Trésorier
Raymond Lee
408, rue Oak
Moose Jaw, Sask.
S4K 3Z5

Formation professionnelle
Julia Massey
25, Union Street
Saint-John, N.-B.
B6J 2K4

Services aux membres
Thomas Rankin
1630, Eight Ave. O.
Calgary, Alb.
T2B 2R3

Relations de travail
Laurie Takashima
900, rue Robie
Halifax, N.-É.
B3H 3C9

Liaison avec le ministre des communications
Marcia MacNeal
4901, boul. Churchill
Calgary, Alb.
T3P 4T5

ASSOCIATION NATIONALE DES ARTISTES DE LA TÉLÉVISION
LISTE DES DISTRIBUTEURS

Film Distributors International
358, rue Yonge
Toronto, Ont.
M3J 2K1

The Special Effects House
1032, rue Barton, Est
Hamilton, Ont.
L2K 3P8

The Film Lab
1155, rue Guy
Montréal, Qc
H3H 2K5

The Canadian Film Institute
77, rue Thomas
Streetsville, Ont.
L2K 3J9

The Motion Picture Studio
3895, avenue Oak
Richmond, C.-B.
V3J 2C2

**PHASE 2 :
LE DÉROULEMENT DE
LA CONFÉRENCE**

29 juin au 11 juillet

Bien que la conférence ne se tienne que le 10 et 11 juillet, pour les fins de cette simulation, les détails de dernière minute qui seront réglés à partir du 29 juin feront partie du déroulement de la conférence.

Vous n'aurez pas l'occasion de mener la conférence. Toutefois, quand une situation demande de répondre à la question ou d'agir, vous devriez écrire une note indiquant la façon de répondre ou d'agir pour résoudre le problème.

Pour cette partie de la conférence, assurez-vous que les événements respectent l'horaire. Cela comprend l'inscription des participants pré-inscrits et de ceux qui s'inscrivent sur place.

Bien que vous soyez trois personnes pour superviser la conférence, vous pouvez préparer une distribution de tâches assignant des fonctions d'aide aux membres du comité de direction. Consultez la liste du comité fournie avec les documents ressources de la phase 1. Parmi ces tâches, on retrouve la présentation et le remerciement des conférenciers, incluant le conférencier principal, l'accueil des participants à la table d'inscription, la distribution du matériel audiovisuel et toute autre tâche pertinente. Quand un travail consiste à présenter ou remercier, vous devriez envoyer au membre du comité une note avec le nom et les notes biographiques du conférencier.

**Inscription
des participants**

Comme on l'a dit plus haut, habituellement 80 pour cent des partici-pants sont préinscrits. Les reçus leur ont été envoyés. Toutefois, il vous faudra un carnet de reçus pour ceux qui s'inscrivent sur place.

Quelques participants auront des demandes spéciales. Évaluez-les et pour les fins de la simulation, écrivez votre réponse. Une liste en ordre alphabétique de tous les participants préinscrits a été faite et vous la trouverez utile pour répondre aux questions.

Confirmations

Quand votre liste des numéros de salles d'ateliers est faite, délimitez l'endroit où seront placés les exposants et faites les réservations au besoin. Confirmez par écrit avec les conférenciers et les distributeurs pour éviter tout malentendu. Vous devriez ajouter toute autre information qui peut aider à la présentation et à l'exposition.

Équipement audiovisuel

Avisez le fournisseur de vos besoins et donnez-lui une liste des salles d'atelier pour lui aider à placer l'équipement.

Contrôle de l'équipement audiovisuel

Nommez un membre du comité de direction pour voir à ce que l'équipement soit à l'heure et au bon endroit. Avant la conférence, informez-le des demandes particulières dès que les salles d'atelier sont assignées.

Assurance

L'organisme a une assurance-exposition couvrant le bris et le vol durant la conférence. C'est la police n° C109852 de l'Assurance Royale, 100, rue King ouest, Toronto, M5G 2R6 au coût de 549 $. Informez la compagnie de l'équipement utilisé. Bien qu'assuré, demandez à l'hôtel un endroit sécuritaire pour le ranger.

Expositions

Chaque distributeur a un espace de 1,25 m par 9 m. Il y a des prises de courant autour de la pièce. Toutefois, il n'y a pas d'ordinateurs, de barres d'alimentation et de rallonges. On peut monter les étalages après 16 h 30 la veille des ateliers et les démonter avant 13 h la journée de clôture de la conférence.

PHASE 2: DOCUMENTS RESSOURCES

Voici une liste des participants en ordre d'inscription. Aussitôt un atelier complet, prenez une décision sur les nouvelles inscriptions. On a indiqué les ateliers choisis et le mode de paiement.

Dans la section «Considérations particulières», il faudra analyser chaque situation et agir en conséquence. Assurez-vous de faire le suivi et confirmer les mesures prises s'il y a lieu.

ASSOCIATION NATIONALE DES ARTISTES DE LA TÉLÉVISION
Liste des participants

Nom	*Choix d'atelier*	*Mode de paiement*
Paul Imrie 1243, ave. Islington Toronto, Ont. M8X 1Y9	S1 S5 S8	mandat
Theresa Searles 5540, chemin Portage Niagara Falls, Ont. L2E 6X4	S3 S4 S9	chèque
Stan Arthurs 1188, rue Sherbrooke Ouest Montréal, Qc H3A 3G2	S2 S5 S7	chèque
Kim Goheen 120-9e Avenue S.E. Calgary, Alb. T2P 3C1	S3 S5 S8	mandat
Dianne Kessler 1111, rue Melville Vancouver, C.-B. V6E 3V6	S1 S6 S9	chèque
David Culver 1001, de Maisonneuve Ouest Montréal, Qc H3Y 3E1	S3 S4 S7	Pas de chèque avec l'inscription
Joanne Ladkin 90, rue Sparks Ottawa, Ont. K1P 5T8	S3 S5 S8	mandat
Paul Zimmerman B.P. 2258 Fredericton, N.-B. E3B 5C3	S1 S4 S9	chèque
Tony French 885, rue Dunsmuir Vancouver, C.-B. V7W 1N8	S2 S6 S9	chèque
John Tarrant 161, chemin Davenport Toronto, Ont. M5R 1J1	S3 S5 S8	chèque

Reba Zimmer 2410, Oxford Tower 10235-101 Street Edmonton, Alb. T5J 3G1	S2 S6 S7	mandat
Daniel Stoffman 2, rue Bloor O. Toronto, Ont. M4W 3N8	S1 S5 S9	chèque
Kathy Jotkus B.P. 250 North Sydney, N.-É. B2A 3M3	S2 S6 S9	chèque
Lars Akerman 1588, avenue Sargent Winnipeg, Man. R3R 2E6	S3 S5 S8	mandat
Jérôme Malavoy 926, rue George Fredericton, N.-B. E5E 2K7	S3 S6 S9	mandat
Carla Stella 4018, Pembina Highway Winnipeg, Man. R5V 1A7	S1 S5 S9	chèque
Marie Corneille 254, rue Prince Charlottetown, Î.-P.-É. C1A 4S1	S4 seul choix	mandat
Peter Greisberg 3884, rue Bathurst Downsview, Ont. M3H 3N5	S3 S6 S8	chèque
Hans Sommer 1000, 17e Avenue S.O. Calgary, Alb. T2T 3B5	S3 S5 S9	chèque
Noreen Passo 7270, River Road Richmond, C.-B. V6X 1X7	S3 S5 S7	chèque
Saul Boskovic Casier postal 6000 Montréal, Qc H3C 3A9	S2 S4 S9	mandat

Karen Solomon 645, rue Fort Victoria, C.-B. V8W 1C2	S2 S5 S7	chèque
Pauline Matsushita 1735, rue Water Halifax, N.-É. B3J 2V9	S1 S6 S8	mandat
Angela Kean 175, avenue Hilda Willowdale, Ont. M2R 4Y8	S2 S4 S8	chèque daté du 30 juillet
Betty Auslander 85, avenue Walmsley Toronto, Ont. M6W 3R9	S3 S5 S8	mandat
Borje Johansen 229, rue Kearney Winnipeg, Man. R2M 4B5	S2 S5 S7	chèque
Raja Santosh 100, rue Main Halifax, N.-É. B3H 2C5	S3 S6 S9	mandat
Milka Lukic 800, 14e Avenue Sud Lethbridge, Alb. T1H 2W9	S3 S5 S8	chèque de 10 $ inférieur aux frais d'inscription
George Kourafas 906, rue Bold Hamilton, Ont. L9C 1N4	S1 S6 S8	chèque
Laura Anders 207, North Main St. Calgary, Alb. T2E 2W8	S2 S5 S8	chèque
Sam Bawa 3021, River Rd. Surrey, C.-B. V3S 5N2	S3 S5 S7	mandat
Janet Mitchell 24, Glenborough Pk. Cres. Willowdale, Ont. M2R 2G5	S3 S6 S8	chèque

Kathy Wong 86, St. Michael's Rd. Winnipeg, Manitoba R2M 3K9	S3 S5 S7	chèque
Wayne Urquhart 2901, rue Taylor E. Saskatoon, Sask. S7H 1X4	S1 S6 S9	chèque
Harold Bausch 4245, avenue Sheppard E. Agincourt, Ont. M1S 1T0	S3 S5 S9	mandat
Carolyn Jardine 3705, rue Kincaid Vancouver, C.-B. V5G 1V4	S1 S4 S9	chèque
Andrew Nagamo 177, Humberstone Road Edmonton, Alb. T5A 4E4	S3 S5 S7	chèque
Rachel Morton 423, rue Erie E. Windsor, Ont. N9A 3X5	S3 S6 S7	chèque
Karl Appleton 275, Richmond Rd. Victoria, C.-B. V8S 3X9	S2 S5 S9	mandat
Don Weiler 2100, rue Cantebury Saint John, N.-B. E2L 4H9	S3 S5 S7	mandat
Yvette Cantlon 2600, rue Scarffe Regina, Sask. S4P 2V4	S2 S6 S9	chèque
Paul Celini 2091, rue Dorchester Sydney, N.-É. B1P 6K9	S1 S5 S7	chèque
Delia Carvalho 62, rue Hunt Richmond Hill, Ont. L4C 4G9	S2 S4 S8	chèque

Susan Li 4435, rue Sherbrooke Ouest Montréal, Qc H3Z 1E5	S1 S6 S9	chèque
Karen Beauchamp 851, rue Queen Sault St. Marie, Ont. P6A 2A8	S3 S5 S9	chèque
Norman Boluk 4522, rue Montague Regina, Sask. S4S 3K7	S1 S4 S8	mandat
Michael Danlychuk 3909, 57A Avenue Red Deer, Alb. T4N 4T1	S2 S5 S9	chèque
Lori Garthson 980, rue McLean Halifax, N.-É. B3H 2V1	S2 S6 S8	chèque
Sandra Gammie 3928, 50A St. Red Deer, Alb. T4P 1G7	S3 S6 S8	mandat
Roger Beauchamp 418, 94e Avenue Laval, Qc H7W 3T2	S2 S5 S9	mandat
Helen Molyneaux 414, rue Bernice Kingston, Ont. K7M 5X4	S2 S6 S7	chèque
Anne Lewis 727, Templeton Dr. Vancouver, C.-B. V5L 4N8	S3 S6 S8	chèque
Sean Callahan 11, rue Elliot Dartmouth, N.-É. B2Y 2X6	S2 S4 S9	mandat
Louise Dryden 19, rue Birch Grand Falls, N.-B. A2A 2B3	S1 S4 S9	chèque

John Cameron 33, rue Pearson St. John's, T.-N. A1A 2L7	S1 S5 S9	chèque
Marsha Thorndyke 18, Birchmount Dr. Moncton, N.-B. E1C 8E4	S2 S6 S8	mandat
Walter Crossman 21, rue Admiral Charlottetown, Î.-P.-É. C1A 2C5	S1 S4 S7	chèque
Chris Mitchell 255, avenue Foxgrove Winnipeg, Man. R2E 0A1	S1 S4 S9	chèque
Ray Gutenberg 3501, Dutch Village Rd. Halifax, N.-É. B3N 2S8	S2 S4 S9	chèque
Luba Castracane 458, Eaton Park Dr. London, Ont. N6J 1X2	S3 S6 S8	chèque
Herbert La France 142, New Cove Rd. St. John's, T.-N. A1A 2C8	S1 S5 S9	mandat
John Hamilton 828, rue Brunswick Fredericton, N.-B. E3B 1J1	S2 S6 S7	chèque
Marie Longman 1600, Bearspaw Dr. O. Edmonton, Alb. T6J 5W1	S1 S4 S9	mandat
Helen Winston 3, Victoria Place Yarmouth, N.-É. B5A 2A4	S2 S4 S8	chèque
Estelle Bogart 243, rue Cooper Saskatoon, Sask. S7M 4L4	S3 S6 S8	chèque

Considérations particulières

Le premier jour pendant la période d'inscription, vous devez régler les situations suivantes. Il faut prendre une décision.

1. Mary Haskins n'a pas pu se préinscrire à cause d'un problème d'horaire causé par son projet de film. Elle demande les ateliers suivants : choisir l'acteur fait pour le rôle; les techniques de maquillage; les décors.

   Elle insiste pour être présente dans l'atelier lors de la sélection des acteurs. Elle commence bientôt un nouveau travail dans la région et son nouvel employeur veut en savoir le plus possible sur le sujet. L'atelier est très populaire ce qui vous a obligé à refuser du monde.

2. Alan Langlois s'approche de la table d'inscription et dit qu'il a envoyé sa fiche et son chèque depuis six semaines. Il veut assister aux ateliers suivants : L'éclairage; Que pensez-vous être le rôle du réalisateur?; Raccourcis pour apprendre les textes. Voici son adresse : Alan Langlois, 4358 Côte des Neiges, Montréal, Qc, H2K 3M9.

3. John Carreiro ne peut pas assister à la deuxième journée et quittera avant le banquet de la première journée. N'assistant qu'à deux ateliers, il voudrait un rabais. Voici son adresse : John Carreiro, 35 Mill Street, Cambridge, Ont. L3P 2K2.

4. Warren Jones a écrit pour dire qu'il voulait vraiment assister à la conférence. Toutefois, ce sera impossible à cause d'obligations familiales. Il aimerait qu'on accumule la documentation des ateliers suivants et qu'on lui fasse parvenir : Décor, Promotion, Effets spéciaux et éclairage. Que pensez-vous être le rôle du réalisateur?, Raccourcis pour apprendre des textes et Choisir l'acteur fait pour le rôle. Envoyer à : Warren Jones, 775 Bow Valley Road, Calgary, Alb. T3Z 2R2.

PHASE 3 : APRÈS LA CONFÉRENCE

À cette phase, il faut rembourser toutes les réclamations fondées, comparer les dépenses réelles aux prévisions, faire un résumé de la conférence principale pour l'inclure dans le bulletin annuel de l'association, régler tous les problèmes qui ont pu surgir pendant la conférence et rédiger les actes de la conférence avec les recommandations.

Rembourser les dépenses de la conférence

Il vous faudra un carnet de chèques pour compléter cette partie de la simulation. Si votre professeur n'en a pas, allez en chercher à la banque.

Évaluez chaque demande de paiement et faites des chèques pour les dépenses acceptées. Chaque chèque demande la signature de deux membres de la direction. Si vous êtes incertain d'une dépense, écrivez à la personne impliquée pour demander plus d'information.

Notez les dépenses et les revenus et comparez-les aux prévisions. Ensuite, faites un relevé des revenus et remettez les états financiers au président de l'association avec le rapport de la conférence.

Résumé de la conférence principale

Pendant le discours, un des directeurs a pris des notes que l'on retrouve dans les documents ressources de la phase 3. Résumez-les sous forme de rapport d'au plus trois cents mots. Envoyez-en une copie au conférencier et demandez la permission de l'imprimer. Envoyez une copie à l'éditeur du bulletin de l'association et dites-lui que la permission de reproduction a été demandé sans encore être reçue.

Orientations futures

La direction a passé une résolution demandant au comité de la conférence d'enquêter auprès de quelques participants sur les besoins professionnels des membres et leurs souhaits pour l'an prochain.

Rapport de la confé-rence

Le rapport examine votre expérience de groupe dans la gestion de chaque phase de la conférence. Tenez compte de chaque phase pour répondre aux questions suivantes :

Point de vue du responsable
a) Quelles difficultés avez-vous rencontrées?
b) Quelles recommandations feriez-vous pour répondre à ces difficultés?
c) Si vous en aviez la chance, que traiteriez-vous d'une autre façon? Expliquez.

Point de vue des membres du groupe : (Complétez cette partie pour chacune des deux phases où vous avez fait partie du groupe.)
a) Quelles difficultés avez-vous rencontrées?
b) Quelles recommandations feriez-vous pour répondre à ces difficultés?
c) À votre avis, quels aspects de cette phase ont bien été traités? Pourquoi?
d) Si vous aviez été le responsable au cours de cette phase, qu'auriez-vous fait de différent?

PHASE 3 : DOCUMENTS RESSOURCES

Ils comprennent les notes au brouillon du discours principal et quelques éléments à considérer qui ont surgi après la conférence. On va utiliser le brouillon pour faire un résumé du discours. Le comité de la conférence devra prendre une décision sur les éléments à considérer et écrire les actions qu'il entend faire.

Notes de la conférence principale

- les cotes d'écoute très importantes
- meilleures cotes = plus d'argent
- parfois une capitulation
- besoin d'argent pour commanditer un film, alors pourquoi ne pas donner aux gens ce qu'ils veulent?

- il faut de l'argent pour la recherche sur la rédaction de scénarios, sur le personnel
- la recherche des cotes = confusion, production de masse, souvent de qualité inférieure
- il n'y a présentement que du mercantilisme éhonté
- de l'action et de la violence gratuites = choc des valeurs, aucun message ou thème
- on s'adresse au plus bas commun dénominateur
- les bons films demandent du temps, des efforts
- mettre du mystère, impliquer l'auditoire, refléter les expériences humaines
- plusieurs qualités perdues dans la recherche des cotes

Considérations particulières

1. Le gérant de la compagnie en audiovisuel qui a fourni l'équipement a rapporté qu'il manquait un projecteur à diapositives et un contrôle à distance. D'après les conditions de l'entente, l'association est responsable des pertes et des bris à l'équipement. Le coût du projecteur est 459,97 $

2. Il y a eu au total 79 inscriptions. La facture pour l'hôtel, les repas et le service de traiteur couvrait deux déjeuners, un souper et deux pauses-café pour tous les participants, la direction et les conférenciers.

3. L'hôtel a remis une facture comprenant deux nuits pour chaque membre de la direction et pour les conférenciers tel que demandé. La facture comprenait aussi un montant pour le service aux chambres et les frais d'appels interurbains. Randy Kaetes qui a fait une présentation le deuxième jour s'est fait livrer pour 119,45 $ de nourriture et de breuvages le soir du premier jour. Il a également fait des appels interurbains pour le montant de 45,53 $.

4. Une semaine après la conférence, Karen Beauchamp a demandé une remise à un directeur. Elle s'était inscrite à l'avance mais avait changé d'idée et n'a pas assisté à la conférence.

RÉCLAMATION DES DÉPENSES

Nom _R. Suigh_

Adresse _454, Bookham Cres._
Mississauga, Ont.
_L5H 1C6_

Téléphone _(416) 820-5826_

Compte des dépenses

Transport   N° de km × 0,20 = _____

                 Train ou avion   _297 $_

Hébergement   _____

Appels interurbains _____

Stationnement   _____

Photocopie — N° de pages _250_ × 0,05 =   _25 $_

Autre (expliquez) _____

Signature _R. Suigh_   Date _20 Juillet 19—_

(Annexer les reçus justifiant chaque dépense)

RÉCLAMATION DES DÉPENSES

Nom _Eva Susmiak_

Adresse _11310, Gemini Lane_
Dallas, TX 75229

Téléphone _____

Compte des dépenses

Transport   N° de km _40_ × 0,20 =   _8 $_

                 Train ou avion   _____

Hébergement   _____

Appels interurbains _____

Stationnement   _7 $_

Photocopie — N° de pages   × 0,05 =   _____

Autre (expliquez) _____

Signature _E. Susmiak_   Date _18 Juillet 19—_

(Annexer les reçus justifiant chaque dépense)

RÉCLAMATION DES DÉPENSES

Nom *Karen McCormick*

Adresse *2841, Riverside Dr.*

Ottawa, Ont.

K1V 8X7

Téléphone *(613) 277-1359*

Compte des dépenses

Transport   Nº de km × 0,20 =

Train ou avion   *456 $*

Hébergement

Appels interurbains

Stationnement

Photocopie — Nº de pages *250* × 0,05 =   *12,50 $*

Autre (expliquez)

Maquillage pour
démonstration   *42,50 $*

Signature *K. McCormick*   Date *30 Juillet 19—*

(Annexer les reçus justifiant chaque dépense)

RÉCLAMATION DES DÉPENSES

Nom *Rose Rapodoski*

Adresse *598, Polyantheis Cres.*

Victoria C.-B.

V8Z 2J2

Téléphone *(402) 645-2691*

Compte des dépenses

Transport   Nº de km × 0,20 =

Train ou avion   *521 $*

Hébergement

Appels interurbains

Stationnement

Photocopie — Nº de pages   × 0,05 =

Autre (expliquez)

Maquillage pour
présentation   *43 $*

Signature *Rose Rapodoski*   Date *18 Juillet 19—*

(Annexer les reçus justifiant chaque dépense)

RÉCLAMATION DES DÉPENSES

Nom *Ross Cairns*

Adresse *23, boul. De Groff*
Winnipeg, Man.
R4K 2P8

Téléphone *(204) 772-3685*

Compte des dépenses

Transport	N° de km × 0,20 =		
	Train ou avion		
Hébergement			
Appels interurbains			
Stationnement			
Photocopie — N° de pages *375* × 0,05 =			*18,75 $*
Autre (expliquez)			

Signature *Ross Cairns* Date *13 juillet 19—*

(Annexer les reçus justifiant chaque dépense)

RÉCLAMATION DES DÉPENSES

Nom *Malcolm St-James*

Adresse *35A, rue Water*
Halifax, N.-É.
B2P 3K4

Téléphone _____

Compte des dépenses

Transport	N° de km × 0,20 =		
	Train ou avion		*259 $*
Hébergement			
Appels interurbains			
Stationnement			
Photocopie — N° de pages *650* × 0,05 =			*32,50 $*
Autre (expliquez)			

Signature *M. St-James* Date *11 juillet 19—*

(Annexer les reçus justifiant chaque dépense)

RÉCLAMATION DES DÉPENSES

Nom *C. Chan*

Adresse *200, rue Berkeley*
Ottawa, Ont.
K2L 8D2

Téléphone *(416) 534-7211*

Compte des dépenses

Transport	N° de km × 0,20 =	*148 $*
	Train ou avion	
Hébergement		
Appels interurbains		
Stationnement		
Photocopie — N° de pages × 0,05 =		
Autre (expliquez)		

Signature *C. Chan*   Date *13 Juillet 19—*

(Annexer les reçus justifiant chaque dépense)

POUR CONSULTATION PERSONNELLE

STYLES DE PONCTUATION ET FORMATS

Le style de lettre à bloc entier avec ponctuation ouverte est le plus facile à faire. Il devient rapidement la forme de lettre d'affaires la plus populaire et on la présente au chapitre 5. (Voir page 109). D'autres styles sont décrits plus loin.

Styles de ponctuation

Ponctuation à deux points On l'appelle aussi ponctuation «mixte» ou «normale» et elle a deux points (:) après l'appel et une virgule (,) après la salutation.

Madame Houde :

Veuillez accepter nos meilleures salutations,

Ponctuation fermée Dans ce cas, il y a ponctuation après chaque ligne de l'adresse à part le code postal, et après l'appel et la salutation.

Mme D. Houde
1395 Bernard
Montréal, QC
H3P 1J4

Madame Houde :

Veuillez accepter nos meilleures salutations,

D. Perreault,
vérificateur

Formes de lettres
Style bloc

On l'appelle aussi le bloc modifié. La date et l'appel sont au centre et toutes les autres lignes commencent à gauche.

Demi-bloc

Ce style est aussi appelé bloc modifié avec alinéas. On met la date et l'appel au centre. La première ligne de chaque paragraphe est en alinéa et toutes les autres lignes commencent à gauche.

·FOURNITURES DE BUREAU DE L'ONTARIO
1529 Devon Road
Oakville, Ontario

Télécopieur	**L6J 2M7**	Téléphone
(416) 844-0827		**(416) 844-1490**

19— 08 29

Rembourrage Raymond inc.
53, avenue Arlington
Halifax, N.-É.
B2N 1Z9

Attention : M. L. Genois

Objet : dossier no 234-LF

Messieurs,

Vous trouverez, ci-joint, le plan de votre nouveau bureau.
Comme vous voyez, il y a six postes de travail dans l'espace
ouvert, une réception et une salle de conférence.

De plus, nous avons respecté vos exigences de trois bureaux
fermés sur le côté vitré et d'agrandissement des espaces de
rangement et de photocopie.

Le travail débutera dès l'acceptation des modifications.

Veuillez accepter nos meilleures
salutations

Charles Rinfret
Vice-président

AC/tt

p.j.
cc C. Charles
R. Joncas

N.B. À moins d'avis contraire, la rencontre de la semaine
prochaine aura lieu comme prévue.

Style de lettre simplifié

La société de gestion administrative a élaboré un style simplifié comme moyen efficace et économique de rédiger une lettre. On économise en éliminant des parties et les directives pour formater une telle lettre sont les suivantes :

1. Commencer toutes les lignes à la marge de gauche.
2. Supprimer l'appel et la salutation.

Exemple
de lettre
demi-bloc

FOURNITURES DE BUREAU DE L'ONTARIO

1529 Devon Road
Oakville, Ontario

Télécopieur **L6J 2M7** **Téléphone**
(416) 844-0827 **(416) 844-1490**

19— 08 29

Rembourrage Raymond inc.,
53, avenue Arlington,
Halifax, N.-É.
B2N 1Z9

ATTENTION : M. L. GENOIS
OBJET : DOSSIER NO 234-LF

Messieurs,

Vous trouverez, ci-joint, le plan de votre nouveau
bureau. Comme vous voyez, il y a six postes de travail dans
l'espace ouvert, une réception et une salle de conférence.

De plus, nous avons respecté vos exigences de trois
bureaux fermés sur le côté vitré et d'agrandissement des
espaces de rangement et de photocopie.

Le travail débutera dès l'acceptation des
modifications.

Veuillez accepter nos meilleures salutations,

Charles Rinfret,
Vice-président.

AC : tt
p.j.

cc C. Charles
   R. Joncas

N.B. À moins d'avis contraire, la rencontre de la semaine
prochaine aura lieu comme prévue.

---

3. Taper la ligne objet en majuscules à trois interlignes de l'adresse sans écrire le mot «objet.»

4. Trois interlignes entre l'objet et le corps du texte.

5. Taper le nom et titre du rédacteur en majuscules de quatre à six interlignes après le texte.

**Exemple
du style de
lettre simplifié**

FOURNITURES DE BUREAU DE L'ONTARIO
**1529 Devon Road
Oakville, Ontario**

| **Télécopieur**
(416) 844-0827 | **L6J 2M7** | Téléphone
(416) 844-1490 |

19— 08 29

M. L. Genois
Rembourrage Raymond inc.
53, avenue Arlington
Halifax, N.-É.
B2N 1Z9

DOSSIER 234-LF RÉVISION

Vous trouverez, ci-joint, le plan de votre nouveau bureau.
Comme vous voyez, il y a six postes de travail dans l'espace
ouvert, une réception et une salle de conférence.

De plus, nous avons respecté vos exigences de trois bureaux
fermés sur le côté vitré et d'agrandissement des espaces de
rangement et de photocopie.

Le travail débutera dès l'acceptation des modifications.

CHARLES RINFRET
VICE-PRÉSIDENT

tt
p.j.

**PARTIES D'UNE
LETTRE D'AFFAIRES**

Pour faire une lettre d'affaires, il faut en connaître les différentes parties. (La lettre de la page 109 les décrit toutes.) Selon le genre de lettre, il sera peut-être inutile de les inclure toutes. Le but de chaque partie de l'exemple est le suivant.

Information cachée Parfois, vous voulez informer quelqu'un sans que le destinataire de la lettre le sache. Par exemple, si le service de la comptabilité envoie un avis final d'un compte en souffrance, le représentant des ventes devrait en être informé.

Cette information ne doit être tapée que sur la copie de la lettre dans le coin supérieur gauche.

L'en-tête L'en-tête est l'indication imprimée de la raison sociale ou de la dénomination officielle de l'entreprise ou de l'organisme que représente l'expéditeur de la lettre. Il comprend généralement les éléments suivants : nom, adresse, numéro téléphonique, numéro de télécopie, etc. Les éléments sont placés dans la partie supérieure de la feuille et présentés les uns sous les autres ou en ligne continue. Le placement des lettres peut être influencé par le motif du lettrage. Pour faire un produit fini qui soit attrayant, il faudra peut-être ajuster l'espace entre certaines lettres.

Mode d'acheminement Cette indication montre que la lettre doit être acheminée autrement que par courrier de première classe : recommandé, urgent, par avion, par exprès ou certifié.

Ligne de la date Toute lettre doit être datée car cela est important surtout pour les contrats et les précédents légaux.

Elle figure dans l'angle supérieur droit et n'est pas abrégée. Elle pourra être ajustée selon la longueur de la lettre et le genre d'en-tête.

Il est à noter que le nom du mois ne prend pas de majuscule et qu'il n'y a pas de point après l'indication de l'année.

Indications relatives à la nature Les indications comme Personnel et Confidentiel se mettent à gauche de la page, vis-à-vis des mentions de lieu et de date. Elles sont au masculin, en lettres majuscules, et soulignées.

La vedette C'est le nom, le titre et l'adresse du destinataire qui s'inscrivent contre la marge de gauche, quelques interlignes plus bas que les mentions de lieu et de date. On doit l'écrire de la même façon sur l'enveloppe. Si vous êtes incertain de l'adresse, du code postal, du titre ou de l'orthographe, vérifiez le dossier ou appelez la compagnie. Pas de devinettes!

À l'attention Cette mention se place également à gauche, au-dessous de la vedette, mais au-dessus des mentions de référence. Elle est généralement soulignée. Cela n'est utilisé que lorsqu'on veut adresser la lettre à une personne spécifique de la compagnie.

Objet Cette mention présente en quelques mots le contenu de la lettre. Cette mention est facultative, mais très utile pour la compréhension rapide du texte et le classement. Elle s'inscrit au centre de la page, sous la vedette et les références, mais au-dessus de l'appel. La mention de l'objet prend généralement la majuscule initiale et est soulignée. Il est bon de mentionner le numéro de dossier s'il y a lieu.

Corps de la lettre

L'appel C'est une formule de civilité qui varie selon le destinataire. Dans la correspondance commerciale, les formules d'appel les plus usuelles sont Madame, Mademoiselle, Monsieur. On peut ajouter l'adjectif cher dans la formule si l'on connaît déjà bien son correspondant, si l'on entretient avec lui des relations d'affaires depuis un certain temps, ou encore s'il s'agit d'un ami.

Appel formel	*Appel informel*
Monsieur P. Beaulieu	Cher Jacques
Madame R. Cormier	Chère Jeanne

Quand on écrit à une société ou à une association sans connaître le nom de la personne qui lira la lettre, ou encore dans le cas d'une lettre circulaire, on utilise la tournure impersonnelle Mesdames, Messieurs.

La lettre elle-même La lettre se présente en plusieurs alinéas qui développent chacun une idée distincte. Le premier alinéa sert d'introduction et établit le contact avec le correspondant. Les alinéas qui suivent exposent l'essentiel du message que l'on désire transmettre. Le dernier alinéa sert de conclusion.

Salutation C'est une formule de politesse qui permet de terminer une lettre de façon courtoise: cette formule doit être simple, adaptée à la qualité du correspondant et à la nature des relations que l'on entretient avec lui. Voici quelques exemples:

Correspondance commerciale	*Notes brèves personnelles*
Veuillez agréer, Monsieur, ...	Toutes mes amitiés
Je vous prie d'agréer, Madame, ...	Bien à vous

Nom de la compagnie Puisqu'on retrouve le nom de la compagnie à l'en-tête, on l'omet à la conclusion. Si on veut quand même le mettre, il se place à deux interlignes de la salutation.

Signature dactylographiée Dans la correspondance commerciale et administrative, le nom est dactylographié au-dessous de la signature manuscrite. La signature se place à quelques interlignes de la salutation dépendant de la disposition générale de la lettre.

Vérifiez avec le rédacteur la façon qu'il veut que son nom et son titre soient indiqués. Une personne ayant une belle calligraphie peut préférer que son nom ne soit pas dactylographié.

Salutation sans nom de compagnie

Veuillez agréer, Monsieur...

J. Adélard
Président

Salutation avec nom de compagnie

Je vous prie d'agréer, Madame...

DÉMÉNAGEMENTS ADÉLARD

J. Adélard
Présidente

Complément Les initiales d'identification se mettent à gauche au bas de la page, sur la même ligne que la signature dactylographiée. Les initiales du rédacteur, généralement le signataire, sont indiquées par convention en lettres majuscules et celles du secrétaire en lettres minuscules, les deux groupes d'initiales étant séparées par un trait oblique.

Endroit pour conserver le document La conservation informatique demande une classification précise pour faciliter la récupération. La conservation sur disquette est habituellement indiquée sur le document et tapée après les initiales de l'opérateur : tt DK-110.

Pièces jointes On les indique au bas de la page, sous les initiales d'identification, avec la mention pièce(s) jointe(s) ou p.j. ainsi que l'énumération de ces pièces ou simplement le nombre de documents annexés.

> p.j. 2 relevés de notes
>   1 curriculum vitæ
> p.j. (2)

Copie conforme Cette mention a pour objet d'informer le destinataire qu'une copie de la lettre a été envoyée à certaines personnes. La mention copie conforme ou en abrégé c.c., suivie du nom de ces personnes, s'inscrit au-dessous des initiales d'identification et des pièces jointes.

Post-scriptum C'est ce qu'on ajoute à une lettre, après la signature, afin d'attirer l'attention du correspondant sur un point important; il ne doit cependant pas servir à réparer un oubli.

ADRESSER LES ENVELOPPES

Destinations canadiennes

1. On n'utilise qu'un seul interligne.
2. Le nom d'une ville en majuscules pour mettre l'emphase.
3. Mettre le code postal en dernier.
4. Aucune ponctuation dans le code postal.
5. Si l'adresse de l'expéditeur n'est pas imprimée sur l'enveloppe, tapez-la à partir de la troisième ligne et du troisième espace de gauche.
6. Les directives du mode d'acheminement comme RECOMMANDÉ ou CERTIFIÉ devraient être en majuscules et deux interlignes sous l'adresse de l'expéditeur. Sinon, utiliser un autocollant du bureau de poste.

GUIDE DES POSTES DU CANADA PARTIE I

	SUJET 29
COURRIER DU RÉGIME INTÉRIEUR	NORMES POSTALES ET MÉCANISATION

29.4 ADRESSAGE — 6 ÉTAPES FACILES

1 Dans cet espace ne devrait figurer que votre adresse de retour, y compris les symboles d'entreprise et les étiquettes de service auto-collantes de la Société canadienne des postes «Par exprès», «Par avion», etc.

2 Le timbre ne peut être apposé ailleurs qu'à cet endroit.

3 L'adresse peut être manuscrite ou dactylographiée n'importe où dans les espaces 3 et 4, mais les instructions spéciales telles que «à l'attention de» ou «Personnel et confidentiel» ne doivent figurer que dans l'espace 3.

4 L'information suivante entre sur une ligne. La ville de destination suivie du nom de la province ou du territoire et du code postal exact de l'adresse.

5 Veuillez laisser entièrement libre cet espace de 19 mm.

6 Comme le traitement se fait à grande vitesse, toutes les enveloppes doivent être scellées hermétiquement.

A. Ricard
3350, ave. De Falaise
MONTRÉAL (Québec) H3B 2E4

1

2

6

PERSONNEL ET
CONFIDENTIEL

3

M. Claude Beauchamp

2272, chemin Sainte-Foy
SAINTE-FOY (Québec) G1V 1S6

4

5

Ces normes s'appliquent à toutes les enveloppes ne mesurant pas moins de 90 mm x 140 mm et n'excédant pas 150 mm x 245 mm. L'épaisseur maximale permise pour toutes les enveloppes est de 5 mm.

L'illustration ci-dessus ne sert qu'à des fins de démonstration.

7. Les indications relatives à la nature comme PERSONNEL ou CONFIDENTIEL se placent sous l'adresse de retour et sous les directives du mode d'acheminement.
8. Le nom de la province devrait être écrit au long ou avec son abréviation de deux lettres majuscules.

Destination États-Unis

1. Suivre les mêmes indications que pour les lettres au Canada quant aux directives d'acheminement, à la nature et à l'adresse de retour.
2. Toutefois, on utilise un code numérique de cinq chiffres pour désigner les régions et les territoires. (Zip code)
3. Le nom de l'état ou du territoire devrait être indiqué avec l'abréviation de deux lettres.
4. Le nom de la ville, de l'état et le code postal sont sur la même ligne que l'adresse.
5. Laisser un ou deux espaces entre l'abréviation et le code postal.
6. On écrit USA en majuscules sur la dernière ligne.

Ms Carla Clausen
Steffins and Wasserman ltd.
819 Laurelton Rd.
Newark, NJ 19711
USA

Abréviations

Canada

Alberta	ALB.	Nouvelle-Écosse	N.-É.
Colombie-Britannique	C.-B.	Ontario	ONT.
Labrador	LAB.	Île-du-Prince-Édouard	Î.-P.-É.
Manitoba	MAN.	Québec	QC
Nouveau-Brunswick	N.-B.	Saskatchewan	SASK.
Terre-Neuve	T.-N.	Territoire du Yukon	Yuk.
Territoires-du-Nord-Ouest	T.-N.-O.		

États-Unis

Alabama	AL	Floride	FL
Alaska	AK	Géorgie	GA
Arizona	AZ	Guam	GU
Arkansas	AR	Hawaii	HI
Californie	CA	Idaho	ID
Zone du Canal	CZ	Illinois	IL
Colorado	CO	Indiana	IN
Connecticut	CT	Iowa	IA
Delaware	DE	Kansas	KS
District de Columbia	DC	Kentucky	KY

Louisiane	LA	Oklahoma	OK
Maine	ME	Oregon	OR
Maryland	MD	Pennsylvanie	PA
Massachusetts	MA	Porto Rico	PR
Michigan	MI	Rhode Island	RI
Minnesota	MN	Caroline du Sud	SC
Mississippi	MS	Dakota du Sud	SD
Missouri	MO	Tennessee	TN
Montana	MT	Texas	TX
Nebraska	NE	Utah	UT
Nevada	NV	Vermont	VT
New Hampshire	NH	Îles Vierges	VI
New Jersey	NJ	Virginie	VA
New Mexico	NM	Washington	WA
New York	NY	Virginie-Occidentale	WV
Caroline du Nord	NC	Wisconsin	WI
Dakota du Nord	ND	Wyoming	WY
Ohio	OH		

FORMATER UN RAPPORT D'AFFAIRES

Le but de chacune des parties d'un rapport d'affaires avec exemple est donné au chapitre 5 et devrait être utilisé avec cette partie qui parle des principales procédures pour le formater.

Le titre Cette page varie selon l'usage du rapport. S'il doit circuler dans la compagnie, il vous faut l'information suivante :
- le titre du rapport
- la date de préparation
- le service ou la personne responsable de sa rédaction.

Si le rapport est remis à d'autres personnes ou entreprises, vous ajoutez les renseignements suivants :
- le nom de la compagnie et/ou le logo
- l'adresse du siège social

La forme de la page couverture variera selon la quantité d'information à y mettre, mais elle devrait être centrée de façon attrayante.

Table des matières La forme varie d'après la quantité d'information à y mettre. Voici les directives :
1. Centrez le titre TABLE DES MATIÈRES sur la 13e ligne et laissez trois interlignes.
2. Écrivez chaque titre de chapitre à double interligne.
3. S'il y a des sous-sections, décalez-les et séparez-les à simple ou double interligne.
4. On peut faire une série de points du titre de chapitre jusqu'au numéro de page.
5. Gardez les mêmes marges que dans le rapport.

Corps du texte Si le rapport n'est pas relié, fixez les marges à 25 mm, sinon, fixez-les à 35 mm. Il faut cet espace pour perforer les feuilles et les mettre dans un cartable. Écrivez le texte à double interligne et décalez chaque paragraphe de cinq frappes.

Notes On les numérote (appel de notes) tout au long du corps du rapport. On les indique avec un chiffre surélevé qui est à une demi-interligne au-dessus de la ligne. (S'il n'y a qu'une ou deux notes dans le rapport, on peut utiliser l'astérisque.)

On retrouve les notes numérotées de deux façons :
• au bas de chaque page sur laquelle elles apparaissent;
• sur une page séparée à la fin du rapport.
Ces règles peuvent changer dans un rapport médical. Consultez un guide au besoin.

Si les notes sont au bas de la page :
• Séparez-les du corps du rapport avec une ligne de 15 frappes à double interligne sous la dernière ligne du texte. Laissez un autre interligne avant d'écrire les notes.
• La première ligne des notes est décalée de cinq frappes. Toute la note est à simple interligne qui se double entre chaque note.
• L'appel de la note est indiqué par un chiffre surélevé au début de la première ligne.
• On devrait laisser six interlignes au bas de la page après la dernière note.

Si les notes sont sur une page à la fin du rapport :
1. Tapez et centrez le mot NOTES sur la 13e ligne.
2. Commencez les notes trois interlignes sous le titre.
3. Conservez les mêmes marges que dans le rapport.
4. L'appel de note doit être écrit au début de la première ligne de la note.
5. Les règles d'espacement et de décalage sont les mêmes que si la note était au bas de page.
   Exemple de note :
       1. H. Cajolet-Laganière, Le français au bureau, Montréal, Office de la langue française, 1992, p. 95.

• Prénom et nom de l'auteur
• Titre du livre souligné
• Lieu de publication
• Éditeur
• Année de publication
• Numéro de la page où la citation a été prise

Bibliographie

1. Centrez le titre à la 13ᵉ ligne et laissez trois interlignes.
2. Gardez les mêmes marges que pour le rapport.
3. Chaque ouvrage est à simple interligne que l'on double entre chaque livre.
4. Placez toutes les références en ordre alphabétique d'après le nom de l'auteur.
5. On ne fait pas d'alinéa pour la première ligne alors que les autres lignes sont décalées de cinq frappes.

Exemple :
> Cajolet-Laganière, H. Le français au bureau, Montréal, Office de la langue française, 1992.

Ordre à suivre
- Nom et initiale de l'auteur
- Titre de la publication souligné
- Ville de publication
- L'éditeur
- Année de publication

CORRECTIONS TYPOGRAPHIQUES

Les signes typographiques aussi appelés signes de l'éditeur, sont utilisés pour corriger un document. Voir la charte des symboles typographiques à la page 513.

Difficultés grammaticales

CHAQUE (adjectif indéfini) / CHACUN (pronom indéfini)
> Chaque crayon coûte vingt-cinq cents.
> Ces crayons coûtent vingt-cinq cents chacun.

C'EST / CE SONT
C'est est employé au singulier devant un nom singulier et devant les pronoms nous et vous. *Ce sont* est d'habitude employé au pluriel devant un nom pluriel non précédé d'une préposition et devant le pronom de la troisième personne du pluriel :
> C'est une belle pomme.
> Ce sont de belles pommes.
> Ce sont elles qui les vendent.
> C'est avec elles que nous avons réalisé ce projet.

TOUT À COUP / TOUT D'UN COUP
Tout à coup a le sens de «soudain», «subitement» :
> On entendit tout à coup gémir le blessé.

Tout d'un coup a le sens de «en une seule fois», «d'un seul coup» :
> Le régime du dictateur s'est écroulé tout d'un coup.

***Modèle de corrections
typographiques***

∧	insérer
≡	majuscules
=	petites majuscules
l.c.	bas de casse (lower case)
—	italique
⁓⁓⁓	caractères gras
rom.	caractères romains
mf.	mauvaise fonte
⊙	ajouter un point
⌄	ajouter une virgule
⌄	ajouter une apostrophe
:	ajouter deux points
;	ajouter un point-virgule
=	ajouter un trait d'union
(/)	ajouter des parenthèses
[/]	ajouter des crochets
|÷|	ajouter un tiret
a/	ajouter une lettre
« ≫	ajouter des guillemets
⊃	inverser la lettre
X	lettre endommagée
#	espacer
℘	enlever
⤲	interchanger
⊏	ranger à gauche
⊐	ranger à droite
⊓	remonter
⊔	descendre
⊣⊢	détacher
Stet	laisser tel quel
⁋	paragraphe
?auteur	question à l'auteur

AUSSITÔT / AUSSI TÔT

Aussitôt signifie «tout de suite», «au moment même»; suivi de que, il a le sens de «dès que»:

Il réagit aussitôt à l'affront.

Venez aussitôt que possible.

Aussi tôt s'oppose à aussi tard.

Il est arrivé aussi tôt que vous.

PLUTÔT / PLUS TÔT

Plutôt implique une idée de choix; il indique une préférence.

Plutôt mourir que de céder à ce chantage.

Plus tôt implique une idée de temps; il signifie le contraire de plus tard.

Demain, vous devrez arriver plus tôt.

QUAND / QUANT À

Quand est adverbe de temps ou conjonction.

Quand viendrez-vous?

Je partirai quand vous arriverez.

Quant à signifie «en ce qui concerne», «pour ce qui est de»; quant est toujours suivi de la préposition à ou de l'article contracté au ou aux:

Quant aux propositions des membres.

OU / OÙ

Ou est conjonction de coordination et a le sens de «ou bien»; il relie des mots ou des propositions.

Je voyagerai en train ou en auto.

Où marque le lieu, le temps, la situation. Il est soit adverbe:

Où avez-vous acheté ce livre?

Je ne sais où vous avez pris cette idée.

soit pronom relatif:

J'irai dans cette ville où tout semble si paisible.

PARCE QUE / PAR CE QUE

Parce que a le sens de «pour la raison que»:

Elle tremble parce qu'elle a froid.

Par ce que signifie «par la chose que», «par cela même que»:

Par ce qu'il est et par ce qu'il possède, il est bien de sa classe et de son temps.

QUOIQUE / QUOI QUE

Quoique est une conjonction signifiant «bien que», «même si», «encore que»:

Quoiqu'elle soit très jeune…

Quoi que a le sens de «quelle que soit la chose que»:

Quoi que vous fassiez, vous n'y arriverez pas.

DÛ, DUE, DUS, DUES

Il faut se rappeler que le participe passé du verbe devoir se prononce comme l'article contracté *du*, mais qu'il prend un accent circonflexe au masculin singulier: *dû*. Il ne prend cependant pas cet accent à ses trois autres formes (féminin singulier, masculin pluriel, féminin pluriel): due, dus, dues.

Le féminin de certains participes passés est également à retenir:

dissous	dissoute		
absous	absoute		
inclus	incluse		
conclu	conclue		
exclu	exclue		
subi	subie	subit	subite (adjectif)

Voici l'orthographe de certains participes présents, adjectifs verbaux et noms:

Participe présent	*Adjectif verbal*
communiquant	communicant
convainquant	convaincant
différant	différent
divergeant	divergent
excellant	excellent
négligeant	négligent
précédant	précédent

Participe présent	*Nom*
différant	différend
fabriquant	fabricant
précédant	précédent
présidant	président
résidant	résident

COÛTÉ, VÉCU, PESÉ et VALU sont invariables quand ils sont accompagnés d'un complément exprimant le prix, la durée, le poids, la valeur:

Les 12 000 dollars que m'a coûté cet échec...
Les efforts que m'a coûtés ce travail...

DORMI et RÉGNÉ sont toujours invariables parce que les compléments dont ils peuvent être suivis sans préposition sont des compléments de durée et non d'objet direct:

Les années que ce roi a régné...

CI-JOINT, CI-INCLUS et CI-ANNEXÉ sont invariables lorsqu'ils sont placés au début d'une phrase ou lorsqu'ils précèdent immédiatement le nom auquel ils se rapportent :

Vous trouverez ci-joint copie de la note...

Ils sont au choix variables ou invariables lorsqu'ils sont placés devant un nom précédé lui-même d'un article, d'un adjectif possessif ou numéral :

Vous trouverez ci-inclus ou ci-incluse la copie que...

Ils sont toujours variables lorsqu'ils sont placés après le nom :

Nous vous prions de nous retourner les formulaires ci-joints.

LES NOMBRES : EN CHIFFRES OU EN LETTRES

Écrivez-les toujours en chiffres dans les situations suivantes :

- Dates : 1992-04-30   30 avril 1992
- Montants d'argent : 45,98 $ 7,95 $ 0,43 $
- Montants en haut de dix : 101, 13, 15
- Adresses : 235, rue Rachel   5627, 3e Avenue
- Heure : 9 h   14 h 30
- Montants consécutifs de la même référence écrits sous la même forme : 25 chemises rouges, 3 vertes et 14 bleues.
- Sections d'un livre : chapitre 5, page 9
- Symboles : Facture n° 438
- Mesures : La pièce mesure 9 m par 13 m.

Toujours écrire les nombres en lettres dans les situations suivantes :

- Au début d'une phrase : Cinq trophées sont décernés.

- Nombres sous 11 : Il y avait quatre membres absents.
- Adjectif ordinal : C'est le septième appel de la journée.
- Noms de rues si en bas de 11 : Il habite sur la Première Avenue.
- Nombres approximatifs : Près de trois cents personnes étaient présentes.
- Documents légaux : Dans ces cas, on utilise souvent les nombres en lettres avec les chiffres entre parenthèses. Le prix est huit mille dollars (8 000 $).
- Petits montants d'argent : On peut soit les écrire en chiffres ou en lettres.
  Le billet est quinze dollars ou 15 $.

COUPURE DES MOTS EN FIN DE LIGNE

Même si la disposition dactylographique demande une marge aussi soignée que possible, on ne doit pas diviser un mot de façon arbitraire. En général, il faut s'en tenir aux règles d'épellation (division syllabique) :

cou/pure
ren/sei/gne/ment
na/tio/nale
obses/sion
in/no/cence
ré/demp/tion
Mont/réal
com/mu/ta/teur
sub/stance
per/spec/tive
am/biance

Les mots composés qui ne comportent pas de trait d'union sont séparés entre leurs composants : ceux qui comportent un trait d'union doivent être divisés à leur trait d'union :

pomme/de/terre   lave-vaisselle

Cependant, il faut éviter de diviser un mot de moins de quatre lettres et de laisser sur la ligne suivante une syllabe muette de moins de trois lettres. Il faut également éviter de couper le dernier mot qui termine une page impaire ou de séparer la première lettre du reste du mot.

île   école

De plus, il faut éviter de diviser:

— un mot après une apostrophe: aujourd'hui   presqu'île

— un mot avant ou après un x ou un y quand ces lettres sont placées entre deux voyelles: royauté, clairvoyance, existence.

On pourra toutefois couper le mot après le x ou le y s'ils sont suivis d'une consonne:

ex/termination   ex/portation   ly/rique   pay/sage

Lorsqu'un x est prononcé z, la coupure est tolérée: deu/xième

Ne pas couper un mot entre deux voyelles, sauf si la première termine un préfixe:

prière   rouage
pré/avis   anti/acide

De même, on ne doit pas séparer un nom propre des abréviations de titres honorifiques ou de civilité, ou des initiales qui le précèdent; ni les nombres composés en chiffres précédés ou suivis d'un nom, les pourcentages, les dates, les sigles, etc.

En revanche, la coupure entre nom et prénom est permise.

Dans les cas de verbes construits avec inversion du pronom, la coupure doit se faire avant le t euphonique (pense-/t-il). Elle n'est pas autorisée dans le cas des verbes en er à la deuxième personne du singulier de l'impératif suivis de en ou y (vas-y).

Enfin, la division des mots étrangers s'effectue selon les règles de la langue étrangère.

PONCTUATION

Les majuscules

On s'en sert pour souligner des mots et les faire ressortir. Évitez de les surutiliser en suivant ces directives.

Utilisation des majuscules:

• le premier mot de chaque phrase: Le témoin était présent.

• la première lettre d'une citation: «Pour réussir, il faut travailler.»

• les noms propres comme les noms de personnes, d'endroits et de choses:

Cour suprême du Canada   Docteur Rioux   Toronto

- les points cardinaux s'ils sont rattachés à une voie de communication, lorsqu'ils font partie d'un toponyme ou lorsqu'ils désignent une région :

    Sherbrooke Ouest   Toronto-Nord   Afrique du Sud
    Voyager dans l'Ouest

Le point   Il indique la fin d'une phrase. On doit s'en servir :

- à la fin d'une phrase affirmative ou impérative :

    La prochaine session commence demain.
    Donnez-moi la monnaie.

- après une interrogative indirecte :

    Pensez-vous que je l'aurai à temps.

- après les abréviations :

    N° de dossier, adm. de la santé, sc. soc.

- il n'y a pas de points pour terminer un acronyme :

    CKAC   CFQR   IBM   CNCP

Point d'interrogation   On le retrouve après une question :

    Où vas-tu?

    Et après un énoncé suivi d'une brève question :

    Il fait bien beau, n'est-ce pas?

Point d'exclamation   On devrait très peu les utiliser dans la correspondance d'affaires. Ils servent à montrer l'émotion après un mot, une expression ou une phrase :

    Quelle belle journée!

Virgule   La virgule indique une pause de courte durée, soit à l'intérieur d'une phrase pour isoler des propositions, soit à l'intérieur des propositions pour isoler certains de leurs éléments.

On s'en sert:

- Entre les termes ou les propositions juxtaposées, puisque par définition il n'y a pas, en ce cas, d'autres éléments qui séparent ces termes ou ces propositions:

  > Le présent ouvrage traite de la présentation de la lettre et de l'enveloppe, de l'utilisation de la majuscule et des signes de ponctuation.

- Devant les propositions coordonnées introduites par une conjonction telle que mais et car, à moins que les propositions ne soient très brèves:

  > Je ne pourrai finir de dactylographier ce rapport aujourd'hui, mais je vous promets que tout sera prêt demain.

- Devant les propositions subordonnées circonstancielles introduites par afin que, parce que, quoique, alors que, en sorte que, etc. (à moins qu'il ne s'agisse de propositions très brèves, absolument nécessaires au sens):

  > Je vous suggère de lire ce document attentivement, parce que vous y trouverez des éléments essentiels à votre travail.

- Devant les propositions relatives explicatives, c'est-à-dire celles qui ne sont pas indispensables au sens (mais non devant les relatives déterminantes):

  > Ce livre, que j'ai reçu hier, m'a beaucoup intéressé.
  > Le livre que vous m'avez envoyé hier m'a beaucoup intéressé.

- Après les compléments circonstanciels de temps, de but, de manière, de lieu, etc., qui se trouvent en tête d'une phrase, sauf lorsqu'ils sont très courts:

  > Dans la signalisation routière, on emploie des pictogrammes.

- Dans les locutions d'une part, d'autre part, par exemple, en effet, sans doute, en l'occurrence, etc.:

  > Il s'agit là, sans doute, d'une excellente initiative.

- Avec les propositions incises:

  > Pourquoi, dit-il, n'êtes-vous pas venus?

- Avec les termes mis en apostrophe:

  > Veuillez agréer, Monsieur, l'expression de mes sentiments distingués.

Les deux points   Ils introduisent un exemple, une citation, une énumération, une maxime, un discours direct (rarement indirect) ou encore une explication, une définition:

> J'ai trois lettres à écrire: l'une de félicitations, l'autre d'information et la troisième de réclamation.
> Cette réunion confirme notre décision: il nous faut mettre l'accent sur un nouvel aspect du développement régional.
> Le président a dit: «Vous avez fait un beau rapport.»

Le point-virgule   Il s'emploie, en général, à peu près comme le point. On y recourt notamment lorsque, à l'intérieur d'une phrase, le sujet des verbes change:

> Cette lettre doit partir immédiatement; tout retard serait fâcheux.

On l'emploie également à la fin des divers membres d'une énumération, que ceux-ci s'enchaînent dans un même alinéa ou qu'ils forment des alinéas séparés:

> L'ouvrage traite des points suivants:
> — règles et usages de la correspondance;
> — éléments de grammaire et vocabulaire correctif;
> — emploi de la majuscule, des sigles, symboles et abréviations et des signes de ponctuation;
> — protocole téléphonique.

Les guillemets   Les guillemets sont employés pour encadrer une citation, ou encore pour mettre en valeur un mot, un groupe de mots ou une locution étrangère. Ils sont parfois utilisés pour signaler une forme fautive ou encore l'emploi douteux d'un mot ou d'une expression.

Généralement, la ponctuation se place après les derniers guillemets:

> Ils appellent cela une «clause de sauvegarde».

Cependant, si le passage guillemeté constitue une phrase complète, le signe de ponctuation précède le guillemet final:

> Et je cite ses paroles: «Ce projet est irréalisable».

LECTURES SUGGÉRÉES

Magazine Affaires plus, Publications Transcontinental, 465, rue Saint-Jean, 9e étage, Montréal, QC, H2Y 3S4

L'Actualité, Magazines Maclean Hunter, 1001, boul. de Maisonneuve Ouest, Montréal, QC, H3A 3E1.

Accès service international de communication offert par CNCP pour faciliter la communication entre différents types d'appareils

accès au hasard récupère l'information directement sans avoir besoin de scruter tout le matériel

actif l'ensemble des biens d'une entreprise

adresse numéro attribué à une personne dans un système de courrier électronique

adresse de la cellule identification d'une cellule à partir de la rangée et de la colonne

analogique format qui transmet l'information sur les lignes téléphoniques sous forme d'ondes. Les signaux analogues doivent être digitalisés pour l'ordinateur.

appel conférence permet à plusieurs de participer à la conversation

arbitre personne nommée par le ministre du Travail pour intervenir dans les disputes contractuelles qui n'ont pas été réglées par conciliation ou médiation. La décision de l'arbitre est légale et exécutoire.

articulation dire les mots distinctement

ASCII (American Standard Code for Information Interchange) code protocolaire normal pour envoyer de l'information par lignes téléphoniques. Chaque caractère alphanumérique, signe de ponctuation et code de contrôle est représenté par un caractère ASCII.

assemblage action de ramasser des feuilles dans un ordre donné

assistance annuaire service de la compagnie téléphonique pour trouver les numéros non confidentiels

autocommutation privée reliée au réseau public (PABX) réseau téléphonique qui permet de placer et recevoir ses appels ou de passer par le standard

avance en argent argent donné à un employé pour acheter des articles pour l'entreprise au nom de l'employeur

avoir des actionnaires la différence entre l'actif et le passif

babillard électronique entreposage informatique pour les messages électroniques généraux qui ressemble à un babillard de bureau et qui sert à informer tous les gens du système et qui doit être dans une unité centrale à cause de la demande en mémoire

base de données ensemble de données connexes conservé

base de données externe possède de l'information sur des sujets particuliers que l'on peut acheter d'une source extérieure

base de données interne ensemble de renseignements spécifiques à une compagnie ou un groupe interne qui est souvent établi avec l'aide d'un progiciel

bénéfices marginaux bénéfices comme un programme dentaire qu'un employeur donne aux employés en plus de leur salaire

bilan état financier qui donne l'actif, le passif et l'avoir des actionnaires à un moment donné

bit formé des mots anglais BInary digiT, il représente la plus petite unité d'information saisissable par l'ordinateur

bon d'achat renseignements essentiels de la réquisition envoyés au fournisseur

bordereau de dépôt   formule qui note tous les détails d'un dépôt

budgets   plans financiers comprenant les prévisions des revenus et des dépenses pour une période donnée

bureau fermé   aménagement de bureau dans lequel les espaces de travail sont séparés par des murs permanents

bureau ouvert   aménagement de bureau qui utilise des cloisons amovibles, des meubles et des plantes pour faire des divisions

cables à fibre optique   cables qui transportent l'information sous forme d'ondes lumineuses sans interférence électrique qui peut déformer l'information comme sur les autres cables

calendrier des délais de conservation   régit le roulement des dossiers en les déclarant actifs, inactifs et désuets

casier postal électronique   entreposage électronique assigné pour recevoir et conserver des messages auxquels on a accès avec un mot de passe

cellule   point d'intersection d'une rangée et d'une colonne sur un tableau

cellule de travail en action   cellule active du tableau sur laquelle on peut travailler. On la remarque à la position du curseur.

centre des dossiers   archives d'un système basé sur le papier

certification   permet à un syndicat de représenter un groupe de travailleurs auprès d'un employeur

champ   petite partie d'un dossier d'une base de données contenant des éléments d'information qui une fois réunis forment un dossier complet

champ de caractères   comprend des lettres, des nombres, des symboles et des espaces

champ de notes   contient beaucoup de texte

champ de texte   voir champ de caractère

champ numérique   champ qui n'accepte que des valeurs numériques

champs de données   champs n'ayant que des dates organisées sous forme de mois, jour, année

champs logiques   champs pour conserver des réponses oui/non et vrai/faux

chargeur d'enveloppes   mécanisme qui fournit les enveloppes à l'imprimante

chèques de voyage   forme d'argent qu'on peut acheter à la banque qui est conçu pour assurer la sécurité en voyage

choices   programme d'Emploi Canada qui n'existe plus

classe d'affaires   type de service de voyage plus personnalisé et offrant plus d'agréments que la classe économique

classe économique   service de voyage de base le plus économique

classement   mettre des documents dans un endroit précis pour récupération ultérieure

code canadien du travail   législation fédérale établissant les normes minimales de travail des industries sous sa juridiction

code de récupération   nom de dossier pour récupérer et fusionner un paragraphe passe-partout à un document

commission des relations de travail   groupe nommé par le fédéral pour travailler avec les employés et les employeurs dans le but de régler les différends et faire respecter le Code du travail du Canada

communication procédure écrite ou verbale impliquant deux personnes : l'expéditeur et le destinataire

compte catégorie de renseignements semblables utilisée pour noter les détails d'une transaction comptable

compte courant sorte de compte bancaire pour les opérations quotidiennes d'une entreprise

comptes payables sommes dues par l'entreprise aux fournisseurs

comptes recevables sommes dues à l'entreprise par les clients

conciliateur personne nommée pour régler les disputes contractuelles afin d'éviter la grève

conditions de vente les modalités de paiement demandées par le vendeur d'un bien ou service

Confédération des syndicats nationaux (CSN) deuxième plus grande centrale syndicale au Canada

Congrès du travail du Canada plus grande centrale syndicale du Canada qui regroupe des syndicats ayant les mêmes intérêts

constante texte inaltéré dans chaque copie d'un document répétitif

conteneurisation système de livraison de marchandises dans des grands conteneurs standards réutilisables

convention collective entente entre l'employeur et les employés sur les conditions de travail

coopérative forme de propriété par tous les membres à parts égales

coproposeur personne qui appuie une proposition

copyright défend la reproduction de matériel écrit ou électronique sans l'autorisation écrite de l'auteur ou du créateur

coupleur acoustique genre de modem économique qui utilise le combiné régulier pour transmettre les données sur les lignes téléphoniques dans les deux sens

courrier service porte-à-porte de livraison de lettres et colis

courrier électronique distribution électronique de documents sans déplacement de papier

courrier interbureaux courrier interne d'une organisation

coût des biens vendus coût de production et d'achat pour la revente

curriculum vitæ résumé des informations d'études et d'emploi

cycle de traitement de l'information procédure de gestion de l'information qui organise et coordonne la création, la distribution et l'entreposage de l'information d'une façon systématique

déliasseur sépare les feuilles et les met en piles en enlevant les papiers carbone et coupe les formules continues en feuilles individuelles

dépenses statutaires coûts qui restent toujours les mêmes et qui se répètent sur une période de temps

dépenses variables coûts qui augmentent ou qui baissent selon l'activité de l'entreprise

description de tâche   établit l'étendue de la responsabilité pour chaque tâche

dictaphone   appareil pour enregistrer l'information pour usage futur

dictaphone portatif   appareil à batteries que l'on peut tenir dans la main

dictateur   personne qui dicte un texte à la machine ou à une personne qui le prend en sténographie

disque optique de données numériques   disque optique pouvant conserver le texte et les images

disque rigide   une forme d'entreposage magnétique à grande capacité qui ressemble à un microsillon

disques compacts/lecture seulement   le plus avancé technologiquement des disques optiques, il peut conserver l'image, l'écrit et le son sur un espace réduit

disques optiques   moyen d'entreposage durable au laser

disquette   moyen d'entreposage magnétique dont la taille varie de 3,5 à 8 pouces

distributionné   du cycle de traitement de l'information où les messages sont remis

dividende   participation des actionnaires aux profits de l'entreprise

document-ressource   document fournissant des données au cycle de traitement de l'information (ex. factures et reçus)

données informatiques   étape du cycle de traitement de l'information où l'on prépare les copies finales

dossier de relance   dossier de rappel pour chaque jour du mois, conçu pour faire le suivi

dossier lettre   autre nom de la constante dans les documents répétitifs

dossier principal   source permanente de données pour une application particulière, habituellement du texte ordinaire incorporé dans un document répétitif

dossiers   parties d'une base de données qui concernent un seul élément

dossiers actifs   dossiers de travail qu'on utilise régulièrement et qui demeurent actifs pour diverses périodes de temps selon leur contenu

dossiers essentiels   dossiers irremplaçables pour la survie de l'entreprise

dossiers importants   moins importants que les dossiers prioritaires, mais contenant des documents pouvant servir de preuve en cour

dossiers inactifs   ils contiennent de l'information utile qui ne sert pas souvent

dossiers rotatifs   pochettes qui pivotent et qui servent dans les tâches qui demandent beaucoup de consultation

dossiers utiles   donnent un cadre d'information sur les activités quotidiennes de l'entreprise

échangeur binaire étendu codé décimal   (EBCDIC) code protocole informatique qui transmet les codes caractères en blocs plutôt qu'individuellement comme dans le code protocole ASCII

échéancier   outil manuel ou électronique contenant l'information pour rappeler à un employé un événement ou une échéance

écrit une fois/lu plusieurs fois   se réfère à l'entreposage permanent d'un disque optique

éditique   méthode par laquelle on utilise des imprimantes au laser, des micro-ordinateurs et des logiciels spécialisés pour produire des documents ayant pratiquement la qualité d'imprimés

encodage système informatisé qui permet de protéger des documents en les changeant en matériel inintelligible qui ne peut être lu qu'avec des mots de passe pour décoder le texte

endossement signature du bénéficiaire au verso d'un chèque

endossement en blanc signature du bénéficiaire au verso du chèque indiquant que quiconque peut l'encaisser ou le déposer

endossement restrictif détermine l'usage du chèque et par qui

endossement total transfert de propriété du bénéficiaire à un autre

entrée transfert de données du journal au grand livre

entreposage en série entreposage qui demande de scruter des parties désignées avant de trouver l'information

entreposage externe entreposage permanent sur disquette, rubans ou cartes à l'extérieur de l'ordinateur

Envoy 100 service de courrier électronique offert par Télécom Canada

EnvoyPost service de Télécom Canada et Postes Canada qui permet aux clients de Envoy 100 d'envoyer des messages électroniques au bureau de poste le plus près du destinataire d'où ils peuvent être livrés à la main

ergonomie science qui étudie les interactions entre les gens, leurs outils et leur environnement de travail

ergots d'entraînement mécanisme d'imprimante qui entraîne mécaniquement le papier continu

espacement proportionnel donne le minimum d'espace requis pour faire une lettre, au contraire du dactylo qui donne le même espace à chaque lettre

étagère à dossiers étagère accessible des deux côtés

état des revenus relevé financier qui montre les revenus, les dépenses et les profits ou les pertes pour une période

état financier présentation organisée de données comptables présentant la santé financière de l'entreprise

étendue champ de une ou plusieurs cellules d'un tableau considéré comme une unité

étiquette convention de conduite et de comportement. Dans un bureau, elle réfère à l'attitude d'un employé devant son travail et ses collègues.

évaluation révision pour déterminer le niveau de réussite d'une personne au travail

facture document indiquant le prix, les conditions de paiement et la description de la marchandise

fiche trouée fiches de données qui ont l'espace pour contenir une image de film combinée à de l'information imprimée ou entrée par perforatrice à clavier

fonte genre d'écriture comme caractère gras ou italique qu'on peut utiliser pour rehausser l'apparence d'un texte imprimé

format QWERTY aménagement normal des touches sur un clavier qui prend son nom des six premières lettres de la rangée supérieure gauche

formater disposition du texte sur une page; la procédure pour préparer une disquette afin de s'en servir

formation au travail donne des cours de recyclage de durées variables au personnel

formation professionnelle initie le nouveau personnel aux installations et aux politiques de la compagnie

frais de retour coût supplémentaire pour une voiture louée dans une ville et laissée dans une autre

frais généraux dépenses reliées à l'exploitation d'une entreprise autres que les achats de biens vendus

franchisé celui qui achète une franchise

franchise genre de propriété d'affaires où le droit de vendre les produits d'une compagnie est acquis sous certaines conditions

franchiseur fondateur et propriétaire de l'organisme central sous lequel fonctionnent les franchises

fusion de courrier autre nom du traitement de liste

fusionner le paragraphe passe-partout façon de fusionner plusieurs paragraphes passe-partout pour faire un document

gestion de calendrier électronique on y inscrit les événements électroniquement pour les visionner à l'écran

gestion des dossiers système d'entreposage, de contrôle et de récupération

gestion en circulant style d'animation où le responsable communique directement avec les employés à leur poste de travail

gestion par objectifs style d'animation qui consiste à rencontrer les objectifs

grand livre cahier ou dossier automatisé des transactions d'affaires contenant tous les comptes mis en ordre

grève arrêt de travail pour forcer l'employeur à accepter les demandes syndicales

grève de sympathie grève par des employés non directement concerné par le conflit

grève de zèle refus de faire du travail non mentionné à la convention collective

grève rotative grève dans laquelle les employés sortent à tour de rôle

grève sauvage grève illégale spontanée

grief plainte officielle d'un employé contre l'employeur déposée par le syndicat en son nom

grille de tableau rangées et colonnes d'un tableau

groupe de pression moyen utilisé par les groupes minoritaires pour être représentés et pour profiter de l'égalité d'emploi à tous les niveaux

guichet automatique terminal informatique activé par le client pour faire ses transactions bancaires

harcèlement au travail paroles ou gestes qui insultent ou humilient un employé

image l'impression que vous projetez

imprimante appareil informatique qui imprime les documents

imprimante à impact fonctionne comme un dactylo avec frappe de la lettre sur un ruban pour faire impression sur le papier

imprimante à jet fait des images en projetant de l'encre sur un papier traité à cet effet

imprimante à marguerite imprimante à impact qui utilise un disque rotatif en plastique ou en métal pour imprimer les caractères sur le papier

imprimante au laser fait des images avec un fuseau au laser qui brûle l'encre sur le papier

imprimante matricielle imprime des images sur papier avec une multitude de points dont la concentration détermine la qualité du produit

imprimante sans impact crée le texte et les graphiques sans frapper le papier

Institut canadien sur le stress organisme consacré à l'étude des effets du stress

INTELPOST service de télécopie offert par Postes Canada que l'on peut intégrer aux formes traditionnelles de courrier

intercom ligne téléphonique interne qui permet de communiquer d'un bureau à l'autre

intrant étape d'origine des mots et chiffres dans le cycle de traitement de l'information

inventaire personnel liste de nos forces et faiblesses

itinéraire indication de tous les lieux par où on passe en voyage y compris les noms, dates et heures de rendez-vous

journal dossier chronologique des transactions d'une entreprise

ligne d'amorce donne à l'usager une série d'options pour lui permettre de bien utiliser la fonction

ligne d'entrée sur un tableau, elle montre votre travail comme vous l'entrez

ligne d'état ligne qui donne l'adresse et la fonction d'une cellule

ligne de travail autre nom de la ligne d'entrée d'un tableau

local section d'une organisation nationale ou internationale

localisateur de dossier sert à localiser une réservation dans une base de données et devrait être mis à jour régulièrement

lock-out l'employeur empêche les employés d'entrer au travail

logiciel d'applications logiciel pour bien gérer et manipuler les données

logique partagée plusieurs postes de travail partagent l'intelligence d'un ordinateur central

machine à affranchir appareil qui imprime le timbre et son montant

manuel des procédures ensemble des règles pour guider l'employé

marge de crédit montant prédéterminé de biens et services que l'on peut acheter sur un compte

margeur automatique à feuilles appareil qui fournit mécaniquement les feuilles une à une à l'imprimante

mécanisme d'interface mécanisme d'interprétation autant comme logiciel que disque rigide qui permet de transmettre l'information

médias matériel pour conserver l'information

médiateur après la conciliation, personne nommée par le ministre du Travail pour aider à régler une négociation

mémoire interne quantité de mémoire de l'ordinateur

messageries vocales système qui répartit les messages téléphoniques

micro-onde onde magnétique de haute fréquence qui transmet l'information sur de courtes distances

micro-ordinateur petit ordinateur domestique qui peut traiter les données, faire des opérations mathématiques et des graphiques, et des fonctions de communication

microfiche   feuille de film ressemblant à une fiche qui peut contenir 420 pages d'information

microfilm   sorte de microforme en 16 ou 35 mm pour conserver des documents

microforme   documents miniaturisés pour conserver sur film

micrographie   art de miniaturiser des documents pour mettre sur film

mini-ordinateur   plus petit et moins puissant qu'une unité centrale

mise en file d'attente   procédure qui permet d'imprimer les documents par ordre d'arrivée

modem   mécanisme d'interface qui traduit l'information envoyée ou reçue par lignes téléphoniques

mot de passe   code de sécurité qui ne permet l'accès à l'information qu'aux personnes autorisées

note de crédit   note de remboursement du client lorsqu'il retourne des marchandises. Note de la banque indiquant qu'un dépôt a été porté au compte d'un client.

note de débit   note bancaire indiquant qu'une somme a été prélevée d'un compte-client

numéro 800   numéro spécial qui permet au client d'appeler sans frais d'interurbain et qui permet à l'entreprise d'appeler n'importe où

numéro personnel d'identification   numéro spécial qui donne accès aux guichets automatiques avec une carte

octet   groupe de huit bits rattachés pour former un caractère alphabétique, numérique ou particulier

ordre du jour   énumération des sujets qui seront abordés en réunion

organigramme (ligne et soutien)   répartit les employés en ceux qui prennent les décisions de fonctionnement (ligne) et ceux qui donnent des conseils (soutien)

organigramme en ligne   structure d'organisation directe où chacun se rapporte à son supérieur immédiat

organisation fonctionnelle   identifie les principaux champs d'action et organise le travail autour d'eux

paragraphe passe-partout   texte et formats conservés sur un fichier maître et utilisés au besoin dans des documents répétitifs

partenariat   entreprise appartenant à deux personnes ou plus

passeport   preuve de citoyenneté émise par le Service des affaires extérieures du fédéral qui permet de voyager à l'étranger

passif   dettes d'une compagnie aux particuliers ou aux entreprises

petite caisse   argent conservé au bureau pour payer les petites dépenses

photocomposeuse   appareil qui prépare le texte pour la caméra afin d'être imprimé

photocopieur   appareil à reproduction qui fonctionne sur le principe de la photographie

plan   feuille servant à planifier l'aménagement et la taille des champs d'un dossier de base de données

police   nombre de caractères par pouce

poste de travail   endroit où un employé accomplit ses fonctions

poste de travail intelligent   partage l'unité centrale avec les autres postes de travail mais possède son processeur interne et son unité d'entreposage qui lui permet de travailler seul

première classe   meilleur service de voyage pour un passager

président   dirige les délibérations d'une réunion

priorités   ordre d'importance des tâches à faire

prix de vente   montant résultant du coût des biens, des frais généraux et du profit

procès-verbal   résumé du déroulement et des décisions d'une réunion

processeur de texte   appareil qui saisit magnétiquement un texte

processeur de texte autonome   système de processeur ou de micro-ordinateur pouvant accomplir toutes les fonctions du cycle de traitement de l'information

processeur de texte spécialisé   ne peut faire qu'une tâche de traitement de texte

productivité   mesure du rendement des employés

profit   ce qui reste après que toutes les dépenses ont été réglées

prononciation   dire les mots correctement

proposeur   personne qui fait une proposition

proposition   résolution à l'étude lors de réunions formelles

propriétaire unique   entreprise appartenant à une personne

protocole   ensemble de règles et procédures permettant à des ordinateurs disparates de communiquer entre eux

puce de circuit intégré   petit morceau de silicone qui a des circuits électroniques servant à la puissance informatique

purge   élimination des documents périmés

Purofax   service de télécopie offert par les Messageries Purolator

quorum   nombre minimum de personnes pour tenir une réunion formelle

rapport de dépenses   formulaire officiel indiquant les dépenses faites par un employé pour son employeur

reconnaissance optique d'un caractère   procédure d'entrée qui scrute le matériel pour en faire un signal numérique dans le but de le conserver

relevé mensuel   dossier bancaire écrit de toutes les transactions du mois qui est envoyé au client

renvoi   façon de suivre les documents qui se rapportent à plus d'un dossier

reprographie   reproduction mécanique ou électronique de documents

réquisition d'achat   demande d'achat avec description et quantité

réseau d'intelligence   (iNET) exemple d'un service de base de données offert par Télécom Canada

réseau de la région locale   système qui permet à des ordinateurs d'être reliés pour échanger de l'information

réservation garantie   paiement fait à l'avance et la réservation est gardée jusqu'à l'arrivée du voyageur

responsabilité totale   toutes les pertes sont assumées par le ou les propriétaire(s)

ressources partagées   partage d'imprimantes et d'espace de rangement

réunion   rassemblement de personnes pour échanger de l'information

réunion formelle   réunion officielle régit par un code de procédures

réunion informelle   réunion courte, détendue avec peu de gens et procédures

ruban magnétique   utilisé surtout comme moyen d'entreposage secondaire

satellite de communication   utilisé avec les stations terrestres pour envoyer de l'information à des régions éloignées

satisfaction au travail   ce qui favorise l'enthousiasme au travail

secrétaire   personne qui prend les notes pendant une réunion

sélection directe à l'arrivée   pour rejoindre un collègue sans passer par le standard

sélection directe au départ   pour rejoindre quelqu'un à l'extérieur sans passer par le standard

service des ressources humaines   sert à engager, remercier et former le personnel

service d'information en ligne   service qui vend de l'information informatisée

service porte ouverte   service d'accès à un répertoire de renseignements conservé dans des bases externes de données pour aider le client dans la sélection de l'information

société   forme légale de propriété qui a des droits, des devoirs et des pouvoirs semblables à ceux d'une personne

société de la couronne   entreprise qui est propriété du gouvernement

stress   pression ressentie de cause physique ou mentale

style d'animation   façon qu'a un responsable de diriger le groupe

syndicat   association légale de travailleurs pour les représenter devant l'employeur

Syndicat canadien de la fonction publique   plus grand syndicat canadien regroupant tous les employés de la fonction publique

synthétiseur vocal   prend les commandements vocaux et les change sans manipulation en signaux numériques acceptés par les ordinateurs

système à cassettes multiples   système centralisé qui enregistre la dictée sur des mini-cassettes

système alphabétique de classement   ensemble de règles de classement fondées sur l'alphabet

système central de classement   entreposage centralisé des dossiers

système central de dictée   service centralisé de dictée partagé

système chronologique de classement   tout est classé d'après la date

système de bureau professionnel   (PROFS) progiciel de courrier électronique produit par IBM pour transmettre les données, le texte et les graphiques

système de classement par sujet   grouper les documents par sujet

système de gestion de base de données   progiciel d'application qui sert à mettre l'information dans l'ordre choisi par l'utilisateur

système de visualisation   genre d'unité autonome qui permet de voir le texte sous forme de logiciel

système décentralisé de classement   chaque poste de travail garde ses dossiers

système électronique de classement   entreposage et organisation des données par moyens électroniques

système géographique de classement   classement par régions géographiques

système informatisé de récupération   système électronique qui cherche, récupère et présente les microformes à l'écran

système informatisé de sortie microfilm   appareil qui fait des microformes à partir de données informatiques

système numérique de classement   chaque dossier reçoit un numéro pour l'entreposer et le récupérer

système PBX   réseau téléphonique passant par un standard

systèmes aveugles d'éditique   genre de système autonome sans moniteur pour visualiser le texte avant l'impression

tableau   voir tableau électronique

tableau de comptes   liste du nom des comptes et des numéros de code qu'ils représentent dans le grand journal

tableau de contrôle   partie d'un tableau qui montre l'état, l'édition et les lignes d'amorce pour aider à formater et à faire fonctionner le tableau

tableau électronique   tableau de travail informatisé pour traiter des données numériques

taux corporatif   taux privilégié pour les services d'hôtellerie et de location-automobile offert aux gens d'affaires comme incitatif

télécommunication   envoie de données, de sons, de graphiques et de texte par moyens électroniques

téléconférence vidéo   télévision à circuit fermé qui permet de se voir sans se rencontrer

télécopieur   messagerie électronique qui scrute le document, envoie l'information sur les lignes téléphoniques et donne en quelques minutes au destinataire le message sous forme de copie exacte de l'original

Télépost   service de courrier électronique de CNCP et Postes Canada qui peut être complété par la livraison manuelle

télérecharge   service pour se procurer l'affranchissement par téléphone

Télétex   messagerie électronique compatible avec le Télex pouvant produire des documents formatés

Télex   messagerie électronique qui envoie des messages non formatés

temps de communication   temps branché à un ordinateur

temps partagé   permet à plusieurs compagnies d'acheter du temps d'ordinateur sur des appareils à fonctions multiples

terminal bête   partie d'un système de logique partagé entièrement, dépendant d'une unité centrale de traitement

terminal vidéo   écran montrant l'information électroniquement

traceur   un bras mobile traduit la donnée informatique en dessin sur papier

traitement   étape de finition du cycle de traitement de l'information

traitement de liste   logiciel de programme d'application qui permet de fusionner deux dossiers dont un est constant et l'autre variable

traitement de texte   entrée magnétique de l'information pour préparer et éditer un texte

transcripteur   personne qui interprète et formate du matériel dicté

Travailleurs unis de l'acier   exemple de syndicat international

ultrafiche   plus grande capacité d'entreposage que la microfiche

unité à boucle continue   système centralisé qui enregistre l'information sur un ruban incorporé à l'appareil

unité centrale   puissant ordinateur capable de faire en vitesse plusieurs fonctions simultanées

unité centrale de traitement   intelligence informatique capable de fonctions logiques et arithmétiques à partir de mots et de chiffres

unité d'entreposage   conserve l'information pour récupération ultérieure

variable   partie du texte qui change dans chaque copie

vente sur compte   permet d'acheter avec un léger déboursé et de payer à une date désignée

vidéo-disque optique   disque optique qui peut conserver son et image

vidéo inverse   façon de souligner la cellule en usage d'un tableau ou d'une base de données en mettant la même couleur de fond

visa   document de voyage qui permet d'entrer dans un pays pour une raison et une durée déterminées. Il doit être obtenu à l'avance.

Zénith   appel interurbain signalé par le téléphoniste et chargé au destinataire d'après des préarrangements